# DE LEUGENS VAN LANCE

# Juliet Macur
## *De leugens van Lance*

De ondergang van een wielerlegende

Vertaald door Guus Houtzager en Jan Willem Reitsma

2014

UITGEVERIJ

THOMAS RAP

Voor mijn twee grootste liefdes, Dave en Allegra
Voor mijn helden, mama en papa

# Inhoud

*Dit is mijn lichaam. En daarmee kan ik doen wat ik wil.*
*Ik kan het onder druk zetten, bestuderen, bijstellen,*
*ernaar luisteren. Iedereen wil weten wat ik gebruik.*
*Wat ik gebruik? Ik zit me zes uur per dag op mijn fiets*
*rot te werken. Wat gebruik jij?*

Lance Armstrong

# *Proloog*

Het gedroomde landgoed van Lance Armstrong, dat tien miljoen dollar heeft gekost, gaat schuil achter een hoge, roomwitte muur van Texaanse kalksteen en een massieve stalen poort.[1] Bezoekers kunnen hun auto stilzetten op een cirkelvormige oprit onder een grote eik, waarvan de takken zich uitstrekken naar een Spaans koloniaal landhuis met een oppervlakte van 725 vierkante meter.

De boom is een toonbeeld van Armstrongs befaamde wilskracht. Hij stond ooit aan de andere kant van het landgoed, vijftig meter ten westen van dit huis, maar Armstrong wilde hem bij de ingang hebben. De transplantatie heeft 200.000 dollar gekost. Goede vrienden zeggen schertsend dat de agnost Armstrong deze onderneming heeft georganiseerd om te bewijzen dat hij God niet nodig had om hemel en aarde te bewegen.

Bijna tien jaar lang heb ik een conflictueuze relatie met Lance Armstrong gehad. Zeven jaar geleden dreigde zijn agent, Bill Stapleton, voor het eerst mij een proces te zullen aandoen. Ik was niet gewoon een van de vele journalisten die Armstrong had geprobeerd te manipuleren, charmeren of koeioneren. Procederen tegen journalisten die het lef hadden twijfel te zaaien over zijn sprookjesverhaal was een effectieve methode om mensen ervan te overtuigen dat het niet loonde om kritisch over hem te schrijven. In de loop der jaren ging hij me beschouwen als een vijand, een van de vele die hij en zijn medewerkers in de gaten moesten houden.

Pas nu, na zijn val, hebben we een soort wapenstilstand gesloten. Hoewel hij dat zal ontkennen, weet ik zeker dat hij nu wel met me wil praten omdat hij denkt dat hij de strekking van mijn boek kan sturen. Vergeet het maar, heb ik hem gezegd. Na meerdere strafrechtelijke en civielrechtelijke onderzoeken naar de vraag of Armstrong een geraffineerd dopingregime heeft georkestreerd om de Tour de France zeven maal te winnen; na alle getuigenverklaringen van wielrenners die hem beter hebben gekend dan wie dan ook, en die onder ede elk openbaar verweer dat Armstrong ooit heeft aangevoerd hebben weersproken; nadat hij keer op keer op keer heeft gelogen, beseft de beruchtste sportman van onze generatie dat ik plotseling de touwtjes in handen heb. En mij is duidelijk dat hij zich nog steeds verbeeldt dat hij een vrijwel onaantastbare machtspositie heeft.

'Je mag alles schrijven wat je wilt,' zegt hij tijdens een van onze vele gesprekken. 'Maar is de titel van je boek *Cycle of Lies*? Dat moet anders.'

Ik heb hem in vijf verschillende landen onder vier ogen geïnterviewd, tijdens de Tour de France, in ploegbussen die stonken naar bezweet lycra, in chique hotelkamers in New York, op de achterbank van limousines, in sfeerloze vergaderzalen en urenlang via de telefoon.

Nu in het voorjaar van 2013 zijn wereld is ingestort en de verhuiswagens op weg zijn om zijn geliefde landgoed te ontmantelen, zoek ik hem voor het eerst bij hem thuis op in Austin, Texas.

Ja, prima, kom maar langs, zei hij. Geplaagd door onophoudelijke necrologieën over zijn gevierde (en nu frauduleuze) carrière wilde hij ervoor zorgen dat ik 'het ware verhaal' opschreef.

Dus daarom parkeer ik mijn auto onder de grote eik die Armstrong heeft laten verplaatsen, omdat hij daar nu eenmaal de middelen voor had. Ik bekijk het huis en denk aan zijn gele truien. Een maand nadat het Amerikaanse Anti-Doping Agency duizend pagina's aan bewijs tegen Armstrong had vrijgegeven en hem zijn Tourtitels had ontnomen, twitterde hij een foto van zichzelf waarop hij, de arrogantie zelve, op een hoekbank in dit huis achteroverleunde, met aan de muur achter hem zijn zeven gele truien ceremonieel opgehangen: 'Thuis in Austin en lekker aan het lummelen.' Dat was in november 2012. Zou hij zeven maanden later nog net zo provocerend zijn?

Voordat ik de autosleutels uit de ontsteking kan halen, verschijnt er een cherubijnachtig gezicht onder een warrige bos bruine krullen bij mijn raampje en slaan twee peuterhanden tegen het glas. Het is Max, de jongste zoon van Lance.

Armstrong staat achter hem op teenslippers, in een zwart T-shirt en een zwarte basketbalbroek die reikt tot zijn met littekens overdekte knieën. Zijn ogen gaan schuil achter een donkere zonnebril.

'Zeg hallo tegen Juliet, Max,' zegt Armstrong.

'Hallo, Joe-lie-et!' zegt Max. Dan draait hij zich om naar zijn vader en vraagt om een ijsje, een verzoek dat zijn vader doet giechelen, iets wat ik hem nog nooit eerder heb zien doen.

'Ja, je krijgt een ijsje,' zegt Armstrong. 'Je bent zoet geweest, maatje, heel zoet.'

We lopen naar de voordeur, waar Armstrong even bij blijft stilstaan. Hij kijkt omhoog naar de boom, naar het huis, naar het leven dat hij heeft gehad.

'Prachtig huis, hè?' zegt hij.

'Ja,' zeg ik. 'Zul je het missen?'

Armstrong wil niet verhuizen, maar hij moet wel. Zijn sponsors hebben hem laten vallen en een geschatte 75 miljoen dollar aan toekomstige inkomsten met zich meegenomen.[2] Hij zou ruim 135 miljoen dollar schuldig zijn als hij elk proces zou verliezen waarin hij de gedaagde is. Om 'de verbrandingssnelheid te vertragen', zoals hij dat noemt, heeft hij de huur van een penthouse aan Central Park in Manhattan en een huis in Marfa, Texas, opgezegd. Het volgende verlies is dit landgoed in Austin, dat wordt ingeruild voor een veel kleiner stulpje, dichter bij het centrum.[3]

Zijn voormalige sponsors – waaronder Oakley, fietsenfabrikant Trek, RadioShack en Nike – hebben hem financieel aan zijn lot overgelaten. Hij beschouwt hen als verraders. Volgens hem zette Trek honderd miljoen dollar per jaar om toen hij bij het bedrijf tekende, terwijl de jaaromzet in 2013 een miljard was.[4] 'Wie heeft dat voor elkaar gebokst?' vraagt hij. 'Deze jongen toch zeker?' Hij priemt zichzelf met zijn rechterwijsvinger op de borst. 'Sorry, maar zo is het nu eenmaal. Zonder mij gebeuren die dingen niet.'

Nadat zijn sponsors hem hadden gedumpt, gooide hij hun spullen weg. In Dallas maak je een goede kans om een glimp van een van zijn vrienden op te vangen met Armstrongs op maat gemaakte gele Nike-sneakers, met 'Lance' geborduurd in gele bloklettertjes op de zwarte tongen van de schoenen. Een kringloopwinkel in Austin puilt uit van zijn voormalige Nike-kleren en Oakley-zonnebrillen. De verhuizers, die zijn gastenverblijf een week vóór mijn bezoek hebben uitgeruimd, zullen het moeten doen met wat er in zijn garage nog aan merkspullen ligt: zwarte Livestrong Nike-petjes, zwarte Nike-plunjezakken met een knalgeel logo, Oakley-lenzen en -monturen, en een doos vol petjes met daarop het voorstel *Yes on Prop 15*, een Texaanse campagne uit 2007 voor kankeronderzoek, -preventie, en -voorlichting die Armstrong heeft gesteund.

Armstrong is in 1989 vanuit Plano, een voorstadje van Dallas, naar Austin verhuisd. Toen hij in dit progressieve stadje verscheen, was hij een onbehouwen, strijdlustige en puisterige tiener, met golvend bruin haar met highlights, een gouden ring in zijn linkeroor, een zilveren ketting om zijn hals met een bungelend hangertje in de vorm van Texas en een vervalst identiteitsbewijs.

Met een inkomen van 12.000 dollar per jaar en de steun van J.T. Neal, een plaatselijke weldoener die Armstrong onder zijn hoede nam, woonde hij in een eenkamerwoning van tweehonderd dollar per maand.[5] Hij richtte hem in met een bovenmaatse zwarte lederen bank, een bijpassende stoel en een rood-wit-blauw geverfde schedel van een Texaanse langhoornstier boven de schoorsteenmantel.

Van een piepklein flatje naar een uitgestrekt landgoed: het weerspiegelt Armstrongs verheffing tot het moderne Amerikaanse heiligdom – een genezen kankerpatiënt die de beste wielrenners van de hele wereld versloeg tijdens een uitputtende wedstrijd, die elke vrouw kon krijgen en intussen miljoenen dollars verdiende.

Armstrong houdt van dit huis. Hij houdt van de open ruimtes en de ramen die van de vloer tot het plafond reiken. Hij houdt van de weelderig aangelegde tuin waar zijn kinderen voetballen, en het kristalheldere zwembad (een '*negatieve-randzwembad*, geen *oneindigheidszwembad*, zorg dat je dat goed opschrijft'[6]). Achter het huis staan rijen hoge Italiaanse cipressen.

Hij is hierheen verhuisd in 2006, na het winnen van zijn zevende Tour de France – een record. Hij heeft ooit gezegd dat dit huis zijn onderduikadres was: hierbinnen 'zal niemand met me sollen'.[7] Nadat hij was ontkomen aan de vrijwel onophoudelijke pogingen om zijn dopinggebruik aan het licht te brengen, kon hij in de centrale gang linksaf slaan en snel naar rechts lopen, en zijn inloopwijnkast in duiken om een fles Tignanello te pakken en een dronk uit te brengen op zijn grote geluk.

Op een tafel naast een bank staat een schaalmodel van negentig centimeter van het Gulfstream-toestel dat Armstrongs favoriete vervoermiddel was voor lange vluchten. Het is wit met zwarte en gele racestrepen. Wanneer het toestel opsteeg, ging hij vaak met zijn vrienden rechtop staan om te 'surfen' terwijl het vliegtuig omhoogschoot. Armstrong verkocht het toestel in december 2012 voor acht miljoen dollar, terwijl hij zich schrap zette voor de advocatenrekeningen die onvermijdelijk zouden volgen op het exposé van het USADA over zijn bedrog.[8]

Terwijl we plaatsnemen in zijn mediakamer op de eerste verdieping van het grote huis, stormen zijn tweelingdochters Grace en Isabelle de kamer in. De bijna-tieners lijken als twee druppels water op hun moeder, Kristin: mooi en blond. Hun onbevangen glimlach onthult glimmende, zilverkleurige beugels.

'Hoi, papa! Heb je die rokken voor ons op internet al gekocht?' vraagt Isabelle, terwijl zij en haar zusje de bank als trampoline gebruiken.

'Ja, pap, heb je de rokken gekocht?' valt Grace haar bij.

'Nee, nog niet,' zegt Armstrong. 'Het is bijna tijd voor een biertje. Het zou fijn zijn als een van mijn twee meisjes bier voor me haalde. Shiner Bock.'

Grace roept: 'Shiner Bock! Weet je dat niet, dat is geen bier – da's

B-O-C-K. Het heeft geen schroefdop.'

Als hij het bier eenmaal in zijn hand heeft, kijkt Armstrong me aan en zegt: 'Dit is nou mijn rotleven. Echt vreselijk.'

Hij vertelt hoe leuk hij het vindt om kinderen in huis te hebben – kinderen zijn doorzichtig en zuiver, te jong om hem te bedriegen. Ik vraag of hij het gevoel heeft dat mensen misbruik van hem hebben gemaakt, of hij zich gebruikt voelt.

'Eh, ja,' zegt hij.

'Door wie?'

'Door iedereen. Ga maar in de rij staan.'

Het joch dat ooit zijn woonkamer met een stierenkop versierde, heeft zich ontwikkeld tot een verzamelaar van verfijndere, dure kunst. Zijn smaak is duidelijk, maar onbegrijpelijk. Als je zijn huis binnenloopt, zie je een gebrandschilderd raam van drieënhalve meter hoog en anderhalve meter breed dat bij nader inzien uit honderden gekleurde vlinders is opgebouwd – een werk van Damien Hirst met de titel *Tree of Life*. Hirst staat bekend om zijn provocerende installaties (zoals een afgehakte koeienkop die in een glazen vitrine door maden werd opgevreten). In 2009, toen hij een racefiets van Armstrong met vlinders versierde, beschreef de dierenrechtenbeweging PETA dat als een werk van 'afgrijselijke wreedheid'.[9]

Hoe meer kunstwerken van Armstrong ik in het huis zie, hoe vreemder zijn artistieke smaak me voorkomt. Het zou te vriendelijk zijn om zijn keuzes duister te noemen, en ze controversieel noemen is te simplistisch. Het enige wat hij zelf over al die kunstwerken kwijt wil is dat ze *fucking cool* zijn.

Maar kijk: boven de schoorsteenmantel in de ruime formele eetzaal, geflankeerd door marmeren schalen die zijn gemaakt om wijwater in een kerk te bevatten, hangt een foto van urine en bloed met de titel *Piss and Blood No. VII*. Het is een werk van Andres Serrano, de fotograaf die in 1987 berucht werd met zijn foto van een plastic crucifix in urine van de kunstenaar. Het geeft een zekere harmonie om je in één kamer te bevinden met deze fotograaf én een sportman die beweert dat hij honderden urine- en bloeddopingcontroles heeft doorstaan.

Aan het andere eind van de kamer is de werkruimte van Armstrong, flauw verlicht, geconstrueerd van donkere tinten hout, een plek om te somberen. Van achter zijn bureau heeft Armstrong direct zicht op zijn trofeeën van de Tour de France – zeven donkerpaarse porseleinen schalen met delicate gouden motieven – die hoog aan de muur boven boekenplanken zijn opgehangen, elk in hun eigen lichtspotje, elk lichtgevend.

Aan de linkerkant van zijn bureau hangt een kunstwerk dat wellicht iets zegt over zijn verbroken relaties met familieleden, vrienden, geliefden en ploeggenoten. Op een sepiakleurige foto van Luis González Palma dansen een man en vrouw in een omhelzing. Maar dansen ze wel? Als ik beter kijk, zie ik dat er spijkers uit hun rug steken. Armstrong wil hooguit toegeven dat het een somber werk is.

En dan zijn er nog alle kunstwerken die met Jezus te maken hebben.

Aan de rechterkant van zijn bureau hangt een Spaans schilderij van de kruisiging uit de zeventiende eeuw dat vrijwel de hele muur in beslag neemt. Vier vrouwen bidden aan de voeten van Christus, wiens hoofd neerhangt en door een gloeiende gouden halo wordt bekroond. Jaren geleden hing dit schilderij in een kapel die Armstrong had laten bouwen voor zijn overtuigd katholieke ex in hun huis in het Spaanse Girona. Zelf is hij niet gelovig. Naar eigen zeggen beschouwt hij georganiseerde religie als bijeenkomsten van schijnheiligen.

Om de hoek van zijn werkkamer, met uitzicht op het trappenhuis, hangt een ander beeld van de kruisiging. Het volledige effect van dit werk openbaart zich alleen vanuit bepaalde invalshoeken, zodat een beeld van Christus aan het kruis zichtbaar wordt.

'Eén mens heeft de schuld voor duizend zonden op zich genomen,' zegt Armstrong. Maar zelfs in de aanwezigheid van deze crucifixen doelt hij daarmee op zichzelf. Zo wil hij dat ik noteer dat hij tot zondebok is gemaakt voor honderd jaar dopinggebruik in de wielrennerij en dit is zijn manier om ervoor te zorgen dat ik dat ook echt doe.

Hij loopt naar een koffietafel in zijn werkkamer en pakt een sculptuur op – een arm van hand tot elleboog. Dit beeld van de Japanse kunstenaar Haroshi is gemaakt uit vele lagen op elkaar geperste skateboards. De middelvinger van het beeld is omhoog gestoken.

'Dat is wel zo'n beetje het verhaal van mijn leven,' zegt hij. Dan duwt hij het beeld onder mijn neus. Mijn oog valt op Armstrongs handen. Op elke handpalm zit een wondje, waar volgens hem een arts een aantal cysten heeft weggebrand. Ik moet denken aan de stigmata.

'Ach, val dood,' zegt hij lacherig.

Zeven jaar geleden had hij tegen zijn drie oudste kinderen uit zijn gestrande huwelijk – Luke, Grace en Isabelle – gezegd dat ze tot en met hun eindexamen in het huis met de grote eik zouden wonen.[10] Dat was hij aan hen verplicht. Ze waren hem talloze malen achterna gereisd, van Texas naar Frankrijk en Spanje. Eindelijk zouden ze ergens wortel kunnen schieten. 'Ik beloof het,' zei hij. 'Pappa gaat niet nog een keer verhuizen.' Ze zouden wonen op zes minuten rijden van hun moeder, Kristin, en kunnen rekenen op de vertrouwdheid van de enorme keukentafel, omringd door zwart-witfoto's van hun familieleden. Ze wisten waar papa op doordeweekse avonden meestal te vinden was – op een bank voor de tv, waar hij keek naar het actualiteitenprogramma *Anderson Cooper 360°* op CNN. In de zomer van 2012 bouwde Armstrong een aanbouw op de begane grond, een zevende slaapkamer voor zijn groeiende gezin. Het huis was reeds zijn hoofdkwartier. Hij woonde er met zijn vriendin, de ranke blondine Anna Hansen, en hun twee kinderen: Max van vier en Olivia van twee, het evenbeeld van Shirley Temple. Armstrong en zijn clan hadden zich voorgenomen om hier lang, veilig en gelukkig te wonen.

Maar nu komen de verhuizers. Het is 6 juni 2013, vijf jaar voor het verwachte eindexamen van Luke. 's Ochtends zal er een rij zwarte vrachtwagens op de oprit verschijnen, waar arbeiders in zwarte shirts met korte mouwen uit tuimelen. Er hangt al een begrafenissfeer. De verhuizers hebben het gastenverblijf van 150 vierkante meter, een kleine villa met bijpassende geelbruine façade en gebrand-oranje dak, al uitgeruimd.

Op 7 juni keer ik terug om te zien hoe dezelfde verhuizers het grote huis leeghalen. Ze halen Armstrongs Tourtrofeeën van hun verlichte planken, wikkelen ze in groen bubbeltjesplastic en stoppen ze in blauwe dozen. In een verhuisdoos met nummer 64 erop stopt een verhuizer een zilveren lijst met een foto van twaalf bij achttien centimeter uit 2005: Armstrongs Discovery Channel-ploeg rond een eettafel na zijn zevende en laatste Tourzege. Armstrong, zijn ploeggenoten en ploegleider Johan Bruyneel steken zeven vingers in de lucht. Om de pols van elke man zit een geelrubberen Livestrong-armband. Een tafel is bezaaid met halflege wijnglazen. Een eerder leven.

Doos nummer 64 gaat met de andere dozen de vrachtwagen in. Ik volg de verhuizers naar de mediakamer. Met witte katoenen handschoenen om hun handen halen ze de zeven ingelijste gele truien achter de bank van de muur. De dag ervoor, toen Armstrong en ik in deze kamer zaten, had hij een idee. Hij vroeg of ik wilde poseren voor een foto, onderuitliggend op de bank onder de truien die er nog hingen.

'Dat is grappig,' zei hij.

Ik zag er de humor niet van in.

In het donker voor zonsopgang verliet Armstrong het grote huis voor de laatste keer. Op 7 juni 2013 reed hij om kwart over vier 's ochtends met Hansen en zijn vijf kinderen naar Austin/Bergstrom International Airport voor een lijnvlucht naar het Grote Eiland op Hawaï, waar ze het eerste deel van de zomer zouden doorbrengen.[11]

Armstrong vertelt me dat hij niet achterom heeft gekeken naar het huis dat hij had gebouwd. Aan sentimenteel doen doet hij niet, zegt hij. De verhuizing betekent gewoon dat een bepaald deel van zijn leven is afgesloten en dat er een nieuw deel begint. Meer niet, zegt hij. Misschien gelooft hij de woorden die over zijn lippen rollen, misschien ook niet.

Een paar dagen later bevinden zich nog maar twee van zijn bezittingen op zijn landgoed. Een daarvan paste niet in de verhuiswagen: een zwarte Pontiac GTO cabriolet uit 1970 die hij had gekregen van zangeres Sheryl Crow, met wie hij een zeer openbare relatie had. Deze eindigde toen hij ervandoor fietste, vlak voordat zij kanker kreeg. Aan de auto, die herinnert aan Armstrongs zoveelste mislukking, hangt een prijskaartje van 70.000 dollar.[12]

En ten slotte staat er in de woonkamer van het gastenverblijf een compleet drumstel. Het zoveelste overblijfsel van iemands weggegooide leven. *O, sla langzaam op de trom, en blaas voorzichtig op de fluit*, dacht ik bij mezelf terwijl ik naar dit decor keek, woorden uit een lied dat ik heb geleerd toen ik in Texas werkte:

*Take me to the valley, and lay the sod o'er me*
*For I'm a young cowboy and I know I've done wrong*

# Deel 1

## Leugens over de familie

1

Linda, de moeder van Lance Armstrong, is in haar eigen levensverhaal altijd de held. Volgens haar[1] konden zij en Lance zich samen
maar nauwelijks in leven houden in de wijk Oak Cliff in Dallas, in
de armoedige flatgebouwen aan de verkeerde kant van de rivier de
Trinity. Ze hadden alleen elkaar. De jongen heeft zijn vader nooit
gekend; ze heeft hem helemaal alleen grootgebracht.[2] Ze zegt dat
ze hem heeft leren fietsen, heeft aangemoedigd om te gaan sporten, zijn fietsspullen heeft betaald, hun huis heeft gekocht, al zijn
wedstrijden heeft bijgewoond, zijn sponsorcontracten heeft geregeld en elke zaterdag om zeven uur 's ochtends met hem de deur
uit is gegaan, zodat hij weer een nederlaag kon toebrengen aan het
zoveelste stel, laten we maar zeggen, vroegpuberale middellangeaf-
standlopers.[3]

In haar autobiografie, *No Mountain High Enough: Raising Lance,
Raising Me*, zwelgt ze voortdurend in de vraag: 'Hoe is het toch mogelijk dat een alleenstaande tienermoeder het heeft klaargespeeld
om een echte superheld groot te brengen?'[4] In de opmerking van de
schrijver, die aan het verhaal voorafgaat, waarschuwt ze voor haar
'totaal bevooroordeelde, subjectieve, gekleurde, gerationaliseerde
en verzonnen' verhaal.[5] Ze voegt er zelfs aan toe: 'Andere mensen
zien het misschien anders.'[6] Vervolgens daagt ze die mensen uit om
zelf een boek te schrijven.

Ze gebruikt pseudoniemen voor haar drie ex-mannen, Eddie
Gunderson, Terry Armstrong en John Walling. Ze noemt de vader
van Lance 'Eddie Haskell' naar het lieve maar manipulatieve per-
sonage uit het tv-programma *Leave It to Beaver* uit de jaren vijftig
en zestig. De familie Gunderson was de oorspronkelijke familie van
Lance Armstrong. Eddie Gunderson en Linda Mooneyham trouw-

den met elkaar toen ze nog scholieren waren. Het kind kwam zeven maanden later.

Dit gedwongen huwelijk bracht twee getourmenteerde families tot elkaar. De grootvaders van Armstrong waren allebei stevige drinkers geweest, en werden door hun vrouw en kinderen verlaten na een opeenvolging van bezopen voorvallen.[7] Zijn grootvader van vaderskant was zo gemeen dat hij jonge katjes in vruchtenpotten stopte tot ze stikten.[8] Armstrongs vader was een alcoholist die net zo veel vrouwen versleet als zijn moeder echtgenoten zou hebben – vier.[9]

Op zijn twintigste had Armstrong drie verschillende vaders gehad: een biologische vader, een adoptievader en een stiefvader.[10] (Blijkens haar boek gelooft Linda Armstrong dat de mislukkingen uit haar liefdesleven het gevolg waren van haar 'domme, zelfondermijnende, contra-intuïtieve en volkomen waardeloze' keuzes.[11]) Daarna stuiterde Lance heen en weer tussen een dozijn substituut-vaders die hij zelf had uitgekozen.

Als gedreven spreker heeft Linda de kost verdiend met platitudes over haar moeizame opvoeding van de grootste wielrenner die de wereld ooit gekend heeft, waarbij ze haar aanhoorders steeds voorhoudt: 'We hadden alles tegen' en 'Het was een kwestie van overleven'. Ze vertelt hoe Lance een keer zonder hemd met lange mouwen aantrad voor een koers in de bergen van New Mexico en dat hij haar roze windjackje had moeten lenen om warm te blijven, terwijl andere wielrenners dure spullen hadden. Hij brak het koersrecord.

Ze spreekt over de overgang 'van armoede zonder geld naar persoonlijk succes'[12] en benadrukt dat ze een doorslaggevende rol heeft gespeeld in de prestaties van haar zoon. 'Ik geloof echt dat je kinderen een voortbrengsel van jezelf zijn.'

Als je haar moet geloven, was zij de enige constante in zijn leven. Ze maakte al vroeg duidelijk dat zij, en zij alleen, haar zoon zou opvoeden. De eerste stap in dat proces was om hem weg te halen bij de familie Gunderson.[13] Armstrongs moeder heeft haar kant van dat verhaal jarenlang opgedist. Het is een verhaal dat Eddies moeder

Willine Gunderson en zijn zus Micki Rawlings decennia later nog steeds tot tranen kan beroeren.

Linda Armstrong heeft altijd verteld dat ze Lance helemaal zelfstandig heeft opgevoed, dat andere mensen hooguit een bijrolletje in het leven van Lance hebben vervuld, ongeacht hun bijdrage of de duur van hun betrokkenheid.[14] Ze omschreef zichzelf als een alleenstaande moeder, terwijl ze maar één jaar lang geen man had gehad voordat Lance zestienenhalf was[15] – en zelfs toen had de familie van haar eerste man haar naar eigen zeggen geholpen om rond te komen door op de baby te passen als zij moest werken.[16] Mettertijd hebben de media de tragiek en triomf van dit relaas overgenomen: dat een van de grootste sporters aller tijden was opgevoed door een tienermoeder die had moeten knokken voor haar overleving, met haar jonge zoon als enige steun en toeverlaat.

Linda's gefantaseer zat de andere familieleden van Lance niet lekker, zegt Willine Gunderson.

De Gundersons vertellen een heel ander verhaal over de jeugd van Lance.[17] Om te beginnen noemen ze zijn vader Sonny. Hij was een knappe rebel met blauwe ogen, asblond haar en een ondeugende grijns die zijn vrienden graag hielp om cassetterecorders uit geparkeerde auto's te jatten.[18] Hij reed een keer op zijn motor bij een schoolvriendinnetje via de achterdeur de keuken in, waarop haar ouders de politie belden.

In hun buurt, Wynnewood, een middenklassewijk in de stad – en helemaal niet 'de achterbuurten van Dallas', zoals ze in de reclamevideo's voor Linda's spreekbeurten worden genoemd[19] – waren de Gundersons bevriend met een andere familie, de Mooneyhams.

Linda Mooneyham was de koningin van het schoolbal geweest en schitterde als cheerleader op school. Sonny vroeg haar uit. Het raakte algauw aan tussen Linda en Sonny, en in zijn opgevoerde Pontiac GTO reden ze in de stad rond. Hij was een ondeugende charmeur, en op een avond in de winter van 1970 fluisterde hij '*Make love, not war*' in Linda's oor.[20] Op die avond is ze meteen zwanger geraakt. Toen Linda, een meisje van zestien, weigerde een abortus te ondergaan, schopte haar moeder haar het huis uit. Maar ze werd niet aan haar lot overgelaten en had niet 'alles tegen', want ze vond een familie die haar opnam. Ze trok in bij Sonny's familie. Willine Gunderson, die door haar familieleden 'Mom-o' wordt genoemd, adopteerde haar min of meer als dochter.

Willine was een alleenstaande moeder met een ex-man die de alimentatie altijd te laat betaalde, als hij die al stuurde. Ze heeft drieenveertig jaar bij de First National Bank in Dallas gewerkt. Haar familiegevoel was zo sterk, zegt ze, dat ze erop stond dat haar twee dochters en Sonny drie keer per week samen ter kerke gingen. Ze heeft zich nooit kritisch over haar afwezige ex-man uitgelaten, omdat ze vond dat haar kinderen hun eigen mening over hem moesten vormen. Tijdens Linda's zwangerschap waren ze zo dik met elkaar als hartsvriendinnen.

Op Linda's zeventiende verjaardag trouwde ze met de zeventienjarige Sonny, in een kerk die was afgeladen met medescholieren, die ongetwijfeld het zwangerschapsbuikje van de bruid onder haar ruim vallende witte plisséjurk hebben opgemerkt. Dat was in februari 1971. Hun zoon werd in september geboren.

Hij werd vernoemd naar Lance Rentzel, de beroemde *wide receiver* van de Dallas Cowboys die het jaar ervoor was aangehouden wegens potloodventen tegenover een meisje van tien.[21] Achter het raam van de kraamafdeling zag zijn vader dat het hoofd van het pasgeboren kind misvormd was: te lang, te smal. Zijn moeder, een tengere vrouw, had een kind van vier kilo en vier ons gebaard.[22]

'Wat is er mis met zijn hoofd?' vroeg zijn vader, terwijl de tranen over zijn wangen liepen.[23]

'Dat trekt wel bij,' zei een van zijn zussen. 'Het komt goed, ik weet het zeker.'

Linda ging in deeltijd werken bij een kruidenier. Sonny werkte bij een bakker en bezorgde kranten, maar het vaderschap maakte hem niet opeens volwassen. Als jeugddelinquent verscheen hij regelmatig voor de jeugdrechter.[24] In 1974, toen zijn zoon tweeënhalf jaar was en hij en Linda al waren gescheiden, bracht Sonny Gunderson voor het eerst als volwassene een nacht door in de gevangenis. Hij was gearresteerd wegens een autokraak.[25]

Hun huwelijk hield maar iets meer dan twee jaar stand. In haar boek zou Linda beweren dat Sonny zo onbehouwen met haar omging dat ze kneuzingen op haar hals en armen opliep. Jaren later heeft haar ex-man toegegeven dat hij haar heeft geslagen, zij het slechts één keer.[26]

Gunderson heeft zijn familieleden verteld dat hij de maanden na de scheiding in een zombie-achtige toestand heeft verkeerd. Hij wilde repareren wat hij kapot had gemaakt, maar hij had geen flauw idee hoe. Hij zat vaak op straat tegenover de crèche van zijn zoontje te kijken hoe het jongetje op de speelplaats ravotte. Hij kon of wilde geen alimentatie betalen. Hij negeerde de rekeningen die zich beschuldigend opstapelden in zijn brievenbus.

Zijn familieleden van vaderskant beschouwden Armstrong als Lance Edward Gunderson. Ze zagen hem nog steeds tijdens de kerst en andere familiebijeenkomsten, waarbij hij met zijn neefjes en nichtjes speelde. Ze hebben nog altijd vergeelde en verschoten foto's van hem. Zijn grootmoeder heeft een fotoalbum met foto's van tien bij tien centimeter dat Armstrongs moeder ooit voor haar heeft gemaakt. Linda had het album gesigneerd met de naam van haar zoon: 'Voor Mom-o Willine. Liefs, Lance'.

Willine 'Mom-o' Gunderson is Armstrongs grootmoeder van vaderskant. Op vrijwel elke foto van haar met de kleine Lance kust ze hem met gesloten ogen, zo'n moment waarvan elke grootmoeder zou willen dat het eeuwig voortduurt. Het is deels aan haar zoon te wijten dat dit moment in werkelijkheid zo kort geduurd heeft.

Elke keer dat hij Lance zag, gedroeg Gunderson zich zelf als een klein kind. Terwijl zijn moeder en zusters toekeken, liet hij de jongen op zijn fiets met tien versnellingen en op zijn motor meerijden. Het was onvermijdelijk dat sommige uitstapjes met verwijten over en weer eindigden. Lance kwam een keer thuis met een brandwond zo groot als een kwartje op zijn kuit, omdat hij tegen de uitlaatpijp van de motor had gezeten. Een andere keer bloedde zijn teen omdat hij met zijn voet tussen de spaken van de fiets was geraakt. Linda verweet Sonny zijn nalatigheid en kapittelde Willine omdat ze toestond dat de jongen gewond raakte terwijl hij aan haar zorg was toevertrouwd.

Willine hield de jonge moeder voor: 'Je kunt hem niet zijn hele leven in een gouden kooitje opsluiten.'

Linda beet terug: 'Ik bepaal zelf wel wat goed voor hem is.'[27]

'Ze was moederlijk,' zegt Willine, 'maar ze was zo jong dat ze niet inzag dat kleine kinderen van meer dan één persoon in hun omgeving kunnen houden. Ze wilde dat hij alleen maar van haar hield. Maar kleine kinderen houden van iedereen die van hen houdt. Dat doet niets af aan de liefde die ze voor hun moeder voelen.'

Toen Linda op 15 februari 1973 de scheiding aanvroeg, kon ze Sonny niet meer luchten of zien. In mei 1974 trouwde ze met Terry Armstrong, een vertegenwoordiger, een maand nadat de scheidingsakte was getekend. Hoewel Sonny dat op dat moment niet kon weten, zou zijn leven met Lance binnenkort voorbij zijn.

De Armstrongs zijn uiteindelijk verhuisd en verbraken het contact met de familie Gunderson volledig, terwijl Terry Lance officieel als zijn zoon adopteerde. In haar autobiografie schrijft Linda dat het ook volgens Willine beter was als Lance de familie Gunderson nooit meer zag. Maar elke keer dat iemand het waagt om dat tegen Willine te zeggen, valt haar mond open. 'O nee, nee,' zegt ze.

De laatste keer dat Willine rechtstreeks contact met Linda en haar gezin heeft gehad, was toen Lance een jaar of vijf, zes was. Ze was naar het huis van zijn grootmoeder van moederskant gegaan met kerstcadeautjes voor hem. 'Linda heeft me gezegd dat ik niets meer van je moet aannemen,' had de andere grootmoeder tegen Willine gezegd. 'De paar spulletjes die je hem geeft, wegen niet op tegen wat Linda met Lance te stellen heeft nadat hij contact met jou gehad heeft.'

Trillend van ontzetting zei Willine beheerst, bijna tegen zichzelf:

'Je hebt niet het recht een familie uit elkaar te trekken.' Ze vertrok met de cadeaus in haar handen en tranen in haar ogen.

Na de verdwijning van Lance hebben Willine en Micki zijn foto nog jarenlang bewaard in ovale gouden medaillons die om hun hals hingen. In het medaillon van zijn grootmoeder is hij een baby van ongeveer tien maanden met een knalrood rompertje aan, in dat van zijn tante is hij een peuter met een sullige glimlach.

Tot op heden wordt Willine geplaagd door haar herinnering aan de laatste keer dat ze Lance heeft gezien. Rond zijn vierde paste ze een keer op hem. Toen zijn moeder hem kwam ophalen, vond ze hem onder de eettafel van de familie Gunderson. De grootmoeder weet nog dat de jongen vrolijk riep: 'Ik ga gewoon hier wonen. Dan neem ik niet te veel ruimte in beslag. Ik ga gewoon onder deze tafel wonen.' Maar zijn moeder greep Lance bij zijn arm en nam hem mee door de voordeur, terwijl de jongen het op een huilen zette. Ze sloeg de deur achter zich dicht. Zijn grootmoeder heeft hem nooit meer teruggezien.

De Gundersons hadden er geen idee van dat de familie Armstrong in Richardson woonde, een noordelijke voorstad van Dallas. Ze bleven hopen dat Armstrong een keer naar hen op zoek zou gaan, misschien wanneer hij zelf kinderen had. In hun kerk – de Four Mile-lutheraanse kerk, die voorouders van hem 165 jaar geleden mede hadden gesticht en gebouwd ten oosten van Dallas – heeft de gemeente jarenlang elke zondag voor Armstrong gebeden.

De Gundersons schreven af en toe een brief aan Armstrong, maar hij reageerde er nooit op. Ze belden Linda's gezin maar zelden op en wanneer ze het toch eens probeerden, hoorden ze alleen de klik van de hoorn die op de haak werd gelegd.

Linda's broer Alan had met Sonny te doen. Hij was de enige bron van informatie over de jongen voor de familie Gunderson. Hij is een keer bij Sonny langs geweest om hem een schoolfoto van Armstrong te geven: een kleurenfoto van 20 bij 25 centimeter. De Gundersons bekeken het gezicht van Lance nauwlettend – het was de eerste keer dat ze het in ruim vijf jaar zagen.

Hij had dezelfde donkerblauwe ogen als zijn vader en dezelfde hoge jukbeenderen. Ze vroegen zich af of hij ook andere familietrekjes bezat: zou Lance hard en koppig zijn? Had hij moeite met gezag? Bekeek hij de wereld zwart-wit? Was hij wrokkig?

Armstrongs grootmoeder is inmiddels bijna negentig. Toen ze tachtig werd, is ze ingetrokken bij Micki, die in een van de chicste wijken van Dallas woont, tussen de villa's en landgoederen met wachtershuisjes. Haar man Mike Rawlings werd in 2011 tot burgemeester verkozen.

Het dikke bruine haar van Willine is nu sneeuwwit. Haar ooit zo kaarsrechte postuur is voorgoed gebogen. Ze loopt met een rollator en heeft een bril met dikke glazen en helder licht nodig om iets te kunnen zien. Ook haar gehoor wordt minder, maar haar verstand is nog goed. Op haar nachtkastje staan foto's van zes van haar zeven kleinkinderen en zes van haar elf achterkleinkinderen. Maar er staat niet één foto bij van Lance Armstrong op welke leeftijd dan ook, en ook geen foto's van zijn vijf kinderen. Het is net alsof Lance Armstrong nooit tot haar familie heeft behoord.

## 2

Zijn achternaam is het enige wat er nog van Terry Armstrong over is. Net zoals ze Eddie Gunderson uitvlakte, heeft Linda ook Terry gewist. Volgens de scheidingsakte waren ze veertien jaar getrouwd, bijna tot Lance zeventien werd. Linda presenteert zichzelf intussen nog steeds als een alleenstaande moeder die haar zoon eigenhandig heeft opgevoed.

In haar carrière als spreker – die haar per optreden wel 20.000 dollar oplevert[1] – rept ze nooit met één woord over de rol van Terry in het leven van Lance. (Sommige kranten hebben uit haar mond opgetekend dat het huwelijk slechts standhield tot Lance dertien was.[2] Ze wilde niet voor dit boek worden geïnterviewd.) In haar autobiografie gebruikt ze Terry's naam niet, maar noemt hem 'de vertegenwoordiger'. Het vriendelijkste wat ze over hem te melden heeft, is dat 'de vertegenwoordiger coach is geweest van het honk-balpupillenteam van Lance, dat deed hij wel. Hij verdient wel wat krediet voor zijn inzet, maar ik weet niet zeker of hij het wel leuk vond. Lance was niet de basketbalster in de dop die de vertegen-woordiger graag had gezien.'[3]

In werkelijkheid was Terry Armstrong heel anders dan Eddie Gunderson. De een was een stoere onruststoker die in zijn Pontiac GTO rondreed en liever tot laat op de avond in rhythm & blues-ten-ten bleef hangen dan thuis bij zijn vrouw en pasgeboren kind te zitten. De ander was de tweeëntwintigjarige zoon van een predikant, een kerkganger met een vaste baan die graag een vader wilde zijn.

Deze vertegenwoordiger van een groothandel in voedingsmid-delen die gebarbecued vlees en *corn dogs* aan scholen en bedrijven trachtte te slijten, had Linda Mooneyham Gunderson ontmoet bij een autohandelaar en hij was als een blok voor de knappe, pittige brunette gevallen. Hij zag eruit als iemand die met contant geld een auto kon kopen, wat natuurlijk niet onaantrekkelijk was. Ze kregen een relatie en hij deed haar al snel een huwelijksaanzoek. Door zijn huwelijk met Linda kreeg Terry de rol die hij altijd had begeerd: vader van een zoon. Met Terry had Linda een betrouwbare, stabiele kostwinner getroffen.

Volgens de scheidingsakte en volgens Terry zelf was het stel tijdens het merendeel van de vormende jaren van de jongen getrouwd – van zijn tweede tot zijn zestiende. Dit was de periode waarin Lance leerde om op zijn kenmerkende manier aan wedstrijden deel te nemen: als een prikkelbare en arrogante pestkop.

Vader en zoon werden allebei gedreven door een intensiteit die vaak in genadeloosheid omsloeg. Lance kwam hierachter toen Terry zijn footballploegen coachte en hem adviseerde tijdens zijn eerste pogingen als wielrenner. Terry kon veeleisend zijn, vooral wanneer zijn zoon niet aan zijn verwachtingen voldeed.

Tijdens zijn eerste bmx-fietskoers kwam Lance ten val en begon te huilen. Terry beende naar het gevallen kind en zei: 'Zo is het genoeg. We gaan naar huis.' Daarop greep hij de fiets van Lance. 'We zijn hier klaar. Een kind dat mijn achternaam draagt, geeft de moed niet op.' Op zijn plaats gezet of misschien wel uit angst klom Lance weer op zijn fiets en begon fanatiek aan een andere koers. Terry geloofde dat dit bewees hoe bikkelhard zijn zoon was.

Toen Lance zeven en acht was, speelde hij bij de Oilers, een ploeg in een footballcompetitie voor pupillen van de ymca in Garland, Texas. Terry Armstrong was een van de coaches. Tijdens de eerste training van de ploeg riep Terry de spelertjes en hun vaders bij elkaar.

'Ik zal jullie allemaal vertellen wat voor een footballploeg we gaan hebben,' zei hij. 'Als je kind er niets van bakt, wordt hij niet opgesteld. Het is bij ons niet genoeg om te komen opdagen en een beetje rond te rennen. Wij gaan winnen.'

Geheel tegen de regels van de bond in maakte hij video-opnamen van trainingen van andere ploegen en organiseerde hij na schooltijd trainingen in zijn eigen achtertuin om in het voordeel te zijn. Zijn opvatting van een verhaaltje voor het slapengaan voor Lance was een oud exemplaar van een hel-en-verdoemenistoespraak van football-coach Vince Lombardi over winnaars en verliezers. Toen hij een keer vond dat Lance er tijdens het vierde kwart van een football-wedstrijd met de pet naar had gegooid, sprak hij een week lang niet tegen hem. Als Lance aan tafel verscheen, zei hij: 'Je bent gewoon een sukkel en hebt geen inzet getoond.' Intussen bleef zijn ploeg van achtjarige jongetjes elf wedstrijden lang ongeslagen.

Terry en Linda zijn nooit een volmaakt koppel geweest. Geen van beiden heeft ooit beweerd dolverliefd geweest te zijn, of zelfs dat hun verbintenis op liefde berustte. Ze kunnen zich hun trouwdag allebei niet goed herinneren – Linda Armstrong niet in haar boek, Terry Armstrong niet tijdens interviews.

Verschillende vrienden van Lance zeggen dat zijn moeder eerder een vriendin dan een ouder voor hem was. Ze weten nog dat Lance haar een keer vroeg om zich op te doffen zodat ze kon rondrijden in de limousine die hij voor het schoolbal had gehuurd. Dit leverde een ongemakkelijk driemanschap op – Lance, zijn afspraakje voor het bal en zijn moeder. Lance' vrienden en enkele voormalige coaches zeggen dat Linda een toegeeflijke moeder was die alle wensen van haar zoon inwilligde. (Zo reed hij in zijn eentje met de auto naar zijn rijexamen.[4])

Volgens Terry Armstrong werd hij zo'n strenge vader om dat te compenseren. Als Lance ongehoorzaam was of een grote mond op-zette – wat allebei veel gebeurde – handelde Terry volgens een vast ritueel. Hij wachtte tot Linda thuis was, wapende zichzelf met een slaghout en zei tegen Lance: 'Grijp je enkels!'[5] Dan mepte hij met het slaghout op de billen van de opgroeiende jongeman.

Als Lance zijn kamer niet had opgeruimd – er mocht geen sok verkeerd liggen, geheel volgens het protocol van de militaire aca-demie Kemper in Booneville, Missouri, waar Terry door andere ca-detten in een deken was gewikkeld en ongenadig afgerost – deelde

Terry twee tikken uit. Grote mond terug? Twee tikken. Lance heeft die afranselingen jaren later als traumatisch omschreven en gezegd dat de pijn eerder emotioneel dan lichamelijk was.

Terry en Linda hadden vaak ruzie over het huiswerk van Lance. Terry herinnert zich: 'Dan zei ik: "Je mag pas naar buiten als je huiswerk klaar is," maar dan zei zij: "Het is mijn zoon en ik bepaal de regels." Als ik om zijn rapport vroeg, zei ze altijd: "Laat mij maar, het is mijn kind."'

Een wellicht onvermijdelijk gevolg van deze ouderlijke tweespalt was dat Lance uitgroeide tot een boos, agressief kind. Klasgenoten uit de bovenbouw van de basisschool vertelden dat hij een klassieke pestkop was, 'die kwetsbare kinderen uitkoos en ze elke dag lastigviel'.[6] Hij leek het altijd met iets of iemand aan de stok te hebben.

Ook op de middelbare school bleef Armstrong een buitenstaander, een kort, tenger joch met stug haar en een spuuglok die niet met een kam of borstel te bedwingen leek. Hij was arrogant tijdens het sporten, maar minder zelfverzekerd op het sociale vlak – wat in elk geval voor een deel kwam doordat hij met football was gestopt. Dit was immers Texas, waar football het allerbelangrijkst was.

Volgens Terry Armstrong is zijn zoon op de middelbare school met football gestopt omdat hij razend werd als zijn ploeggenoten faalden. Hij stapte over op individuele sporten als hardlopen en zwemmen, waarbij hij helemaal zelf de uitkomst bepaalde. Hij was een natuurtalent en zijn vader moedigde hem aan, omdat hij niet geloofde dat Lance op grond van zijn studieprestaties tot de universiteit toegelaten zou worden. 'Er is één ding dat ik altijd over mijn zoon zal zeggen. Ik hou nog steeds heel veel van hem, maar een groot licht is hij niet,' vertelt Terry. 'Hij had niet genoeg discipline om te gaan studeren. Dat is de enige reden waarom ik zijn sportieve bezigheden zo gestimuleerd heb. Ik wist dat hij daarmee op de universiteit kon komen. Hij was lui. Hij wilde niet blokken. Hij wilde hardlopen. Hij wilde op zijn fiets springen. Hij wilde buiten spelen.'

Terry zorgde ervoor dat Lance over goed materiaal beschikte voor het sporten en andere buitenschoolse activiteiten. De beste honkbalhandschoen. Een gloednieuw drumstel. Eersteklas fietsen. Een rode Fiat cabriolet. 'Wat Lance wilde, kreeg Lance ook,' zei Armstrongs buurman en goede vriend Adam Wilk.

Lance trainde met een klein vriendenclubje, waarin zich verschillende toekomstige topsporters bevonden, zoals Chann McRae, die als wielrenner reed in de Postal Service-ploeg van Armstrong. Hoewel de jonge sporters het vooral leuk vonden om elkaar uit te dagen om beter te presteren, putte Lance geen plezier uit nipte overwinningen. Hij moest zijn tegenstanders vernederen. Wilk weet nog dat hij zei: 'Heb je vandaag je slipje aan? Je bent een mietje. Je bakt er niks van, waarom ben je eigenlijk gekomen?'

Hoewel de rapportcijfers van Lance niet overhielden,[7] was Linda trots op zijn sportprestaties. Wilk vertelt: 'Als de sport er niet was geweest, zou je moeten concluderen dat Linda Lance vrij beroerd heeft opgevoed.' Wilk zou niet weten wat er van Armstrong zou zijn geworden als hij niet zoveel sportieve aanleg had gehad. 'Een jeugdcrimineel, misschien in de gevangenis?' zei hij. 'Ik kan me niet herinneren dat hij andere hobby's had. Hij was gefocust op winnen en volgens mij is hij daar nog steeds op gefixeerd.'

Lance Armstrong was veertien toen hij ontdekte dat Terry een dubbelleven leidde.[8] Ze waren onderweg naar een zwemwedstrijd in San Antonio. Hij zag Terry iets noteren en daarna velletjes papier verfrommelen en weggooien. Toen de jongen een van die velletjes opraapte, las hij de aanhef van een liefdesbrief van zijn vader aan een minnares. Om haar het verdriet te besparen, vertelde hij het niet aan zijn moeder. Maar in zijn ogen veranderde Terry in een vijand die verpletterd moest worden – opnieuw een verloren vader.

Armstrong vond onmiddellijk een vervanger: Rick Crawford, een professioneel triatleet. Crawford wist niet wat hem te wachten stond toen hij in een zwembad in Dallas met de veertienjarige Armstrong kennismaakte. Ze trokken baantjes in aangrenzende banen. Armstrong zette alles op alles om hem te verslaan. Crawford was onder de indruk.

Hij weet niet meer precies hoe het gelopen is, maar Crawford – die twaalf jaar ouder was en nooit als coach heeft gewerkt – heeft Armstrong geholpen om zijn carrière als triatleet van de grond te krijgen. Armstrong blonk al snel uit in deze specialistische tak van sport en was iemand die door wedstrijdorganisatoren graag bij hun evenement werd gehaald. Ze adverteerden hem als een wonderkind, een jongen die een bedreiging vormde voor de beste deelnemers aan deze tak van sport. Crawford stond versteld van de snelheid waarmee Armstrong uitblonk. Zijn plaats in het nationale triatletenklassement verbeterde met de dag, vertelt Crawford, waarbij het getal daalde 'als stront door een gans'. Ze hebben anderhalf jaar lang samen getraind.

Crawford vertelt dat hij schrok van Armstrongs strijdbaarheid. Tijdens wedstrijden hoorde hij hem tegen rivalen zeggen: 'Ik maak je helemaal af. Jij stelt niets voor.' Zulke dingen zei hij zowel bij de start als de finish. Crawford weet nog dat hij tegen hem gezegd heeft: 'Niet doen, Lance. Niet cool. Laat je benen maar voor je praten, maatje.'

Tijdens trainingsritten moest Crawford een oogje houden op Armstrong, die elke motorrijder als een bedreiging beschouwde. Met een soort maniakale fietsstijl achtervolgde hij auto's die te dicht langs hem waren gereden om de chauffeur de huid vol te schelden en te bedreigen. Hij temperde zijn emoties voor niemand. Crawford merkte dat dit vooral gold voor de manier waarop Armstrong met zijn vader omging.

In het begin vond Crawford het huishouden van de familie Armstrong in de wijk Los Rios, een degelijke middenklassensector van Plano, niet zo opmerkelijk. De Armstrongs woonden in een eenvoudig bakstenen boerderijachtig huis met drie slaapkamers, 140 vierkante meter grond, een grasveld en een paar groene struiken.

Maar geleidelijk vernam Crawford verhalen van Armstrong over de problemen die binnen het gezin speelden. Hij hoorde over de manier waarop Armstrong en zijn vader elkaar hadden geslagen en waren neergevallen op een glazen koffietafel, die daarop aan diggelen ging. 'Hij werd aangespoord om slecht te zijn,' vertelt Crawford. Vrienden van de familie zagen een tiener die niet in toom te houden was.

Terwijl Linda en Terry Armstrong thuis ruziemaakten, trok Crawford steeds meer op met hun zoon. Ze trainden en reisden samen naar evenementen, en werden vanwege hun sporttalent allebei voorzien van gratis vliegtickets en chique hotelkamers. Ook dat was een leerervaring. De avond voor een triatlon in Bermuda 'leende' Armstrong een scooter die Crawford had gehuurd en bracht hem een paar uur te laat weer terug bij het verhuurbedrijf. Later vernielde Armstrong in een bungalow waar verschillende andere proftriatleten verbleven glazen en flessen door met een cricketbat een bal tegen de drankenbar te slaan.

Dat was de druppel voor Crawford. Hij had geen zin meer om het werk van de ouders van dit joch, die hij maar waardeloos vond, op zich te nemen. Hij duwde Armstrong tegen een muur en gromde: 'Nu ophouden, maat.'

'Zak door de stront,' zei Armstrong, 'je bent mijn vader niet! Spreek nooit meer tegen me.'[9]

Net zoals hij met zijn biologische vader en Terry Armstrong had gedaan, liet hij Crawford vervolgens achter zich.

'Je kunt het hem waarschijnlijk niet aanrekenen,' zegt Crawford. 'Hij verbleef toen al in vijfsterrenhotels en werd door mensen aanbeden.'

Crawford herinnert zich Armstrongs gedrag als oedipaal. Volgens hem is elke vaderfiguur in het leven van Lance geëindigd als kwaaie pier. 'En elke vrouw met wie hij ooit wat heeft gehad, lijkt sprekend op zijn moeder.'

Armstrong op zijn beurt noemt Crawford een verbitterde, 'gestoorde en kwaaie' vent. Hij wijst er ook op dat Crawford later sporters aan doping heeft geholpen. In 2012, jaren na zijn vervreemding van Armstrong, gaf Crawford toe dat hij de profrenners Levi Leipheimer en Kirk O'Bee van de Postal Service-ploeg inderdaad aan prestatieverhogende middelen heeft geholpen. Volgens Crawford

deed hij dat alleen omdat Armstrong de maatstaf voor dopinggebruik in de ploeg had gevestigd. Volgens hem waren die wielrenners
nieuwelingen die hadden gehoord dat Armstrong en andere topwielrenners uit de ploeg een uitgekookt dopingprogramma volgden. Ze wilden alleen maar het tempo kunnen bijbenen. Toch werd
Crawford later door Colorado Mesa University als coach ontslagen
vanwege het vermeende verstrekken van doping aan een sporter,
een aantijging die hij overigens ontkent.[10] En wat het dopinggebruik van Armstrong betreft – zou Crawford ooit een jonge triatleet
hebben geholpen om creatief met de regels om te gaan?

'Nee,' zei hij. 'Ik zou nooit drugs in een jonge jongen stoppen.'[11]

Linda Armstrong was altijd op zoek naar mensen die Lance konden helpen – en toen was daar opeens Scott Eder, een plaatselijke
sportorganisator in dienst van sportschoenenfabrikant Avia. Hij
kwam Armstrong tegen in 1986, tijdens een biatlon in Dallas. Nadat
Armstrong de wedstrijd had gewonnen, bezorgde Eder hem thuis
een paar gratis Avia's en vertrok daar weer – zo stel je je voor – met
precies datgene waarvoor hij gekomen was.

Linda vroeg Eder: 'Kun je voor mijn zoon zorgen, min of meer als
zijn agent?'[12]

Eder werd, zoals Lance dat later noemde, 'een coach annex agent
annex grote broer'.[13]

Armstrong had al bewezen dat hij een indrukwekkende sporter
was. Op zijn dertiende won hij zijn eerste triatlon, een evenement
van IronKids, en werd hij tweede in het IronKids-landskampioen-
schap van dat jaar.[14] Op zijn veertiende nam hij al stiekem deel aan
wedstrijden voor volwassenen, waarvoor Terry Armstrong de datum op zijn geboorteakte veranderde.[15] Een van die wedstrijden was
de President's Triathlon in Dallas in 1987, een evenement met veel
toptriatleten, onder wie Mark Allen, die later zes keer Ironman-
wereldkampioen zou worden.

Op zijn vijftiende bleef Armstrong niet ver achter bij zijn beste
rivalen. In het fietsonderdeel van die wedstrijd in 1987 reed hij naast

Allen en wist zo diens aandacht te trekken. 'Ben jij Mark Allen?' vroeg Armstrong.[16] Toen Allen daar bevestigend op antwoordde, bleef Armstrong bijna de hele rest van de wedstrijd naast hem rijden. Armstrong eindigde als tweeëndertigste, maar had zijn reputatie als grote belofte voor de sport gevestigd.[17]

Later vertelde Allen aan organisator Jim Woodman van de President's Triathlon dat de jonge Armstrong griezelig goed was. 'Het lukte maar niet om hem te lozen en daar werd hij knettergek van,' zei Woodman. Het jaar erop won Armstrong de triatlon.[18] Hij won ook het staatskampioenschap van Texas en hield daarbij zijn voormalige mentor Crawford van de eerste plaats af. Het tijdschrift *Triathlon* schreef dat hij een van de grootste sporters uit de geschiedenis van deze sport zou worden.[19]

Op zijn zestiende verdiende hij 20.000 dollar per jaar en was hij profsporter.[20] Eder trad op als zijn meereizende secretaris, wedstrijdonderhandelaar, reclamedirecteur en roadmanager. Hij stelde triatlonschema's op, sloot contracten met sponsors en maakte begrotingen voor hun wedstrijden. Eder regelde ook dat Armstrong twee zomers lang in Californië met de beste triatleten kon trainen.

Alles bij elkaar, zo vertelde Eder, is hij met Armstrong naar ruim vijfentwintig wedstrijden buiten de stad gereisd. Hij liet me de routebeschrijvingen zien die hij op zijn typemachine had getikt. De reis – inclusief overnachtingen in dure hotels, zoals het Princess op Bermuda – werd veelal door de wedstrijdsponsors betaald. Armstrong was nog maar een kind, maar werd al behandeld als een superster. Het kostte de Armstrongs allemaal geen cent.

Linda heeft beweerd dat ze haar zoon bij de meeste van die wedstrijden heeft vergezeld. Eder ontkent dat. 'Ze is hooguit drie keer mee geweest,' zegt hij.

Hij beschouwde het joch als een opschepper die een tikkeltje paranoïde was. Als het hem niet zinde hoe je hem aankeek, zei hij soms: 'Waar valt er te zien, verdomme?' Hij sloop bij een kroeg naar binnen, raakte betrokken bij een knokpartij en vervolgens kwam hij als minderjarige jongen met een bloedneus en kapotte knokkels thuis.

Een andere keer smeet hij een Kestrel-fiets – een van de allereerste racefietsen van koolstofvezels – over een paar rijstroken van een snelweg nadat hij tijdens een triatlon in Miami een lekke band had gekregen. Kestrel zegde daarop het sponsorcontract met hem op.[21] De woedeaanval was schadelijk voor Armstrongs aantrekkelijkheid voor sponsors, vooral omdat hij door tv-camera's was vastgelegd.

Hoewel zijn reputatie hem vooruitsnelde, wilden mensen in de sportwereld toch graag aanhaken. Ze voelden dat hij een grote toekomst voor zich had. Maar hoe beter Armstrong als sportman presteerde, hoe arroganter hij werd. Inmiddels durfde niemand hem nog tegen te spreken. Op school raakte hij regelmatig verzeild in vechtpartijen. Hij dronk alcohol. Hij reed te hard. Zijn coaches en sponsors in de stad hoorden alle verhalen, maar konden of wilden er niets tegen ondernemen.

Volgens Eder verzuurden Armstrongs relaties met vaderfiguren altijd om een of andere reden. Eder moest een keer alles in het werk stellen om Jim Hoyt, de eigenaar van fietswinkel Bike Mart in Richardson, over te halen om Armstrong te blijven sponsoren, ondanks de capriolen die de tiener uithaalde als hij niet op een fiets zat. Ook Hoyt was een weldoener uit de begintijd, die hem bijna vanaf het eerste begin had gesteund. Hij had Armstrong op zijn twaalfde uit zijn winkel getrapt omdat hij spullen pakte die hij nooit terugbracht, zo vertelde Hoyt aan mij. Vervolgens schopte hij Armstrong op zijn zeventiende nog een keer uit de winkel omdat Hoyt een lening op Armstrongs nieuwe, witte Chevy Camaro iroc Z28 mede had ondertekend waarna Armstrong zijn royale vertrouwen had misbruikt. Toen hij op een avond aan de politie probeerde te ontkomen, liet Armstrong de auto bij een kruising doodleuk achter en rende ervandoor. De politie nam de auto in beslag en klopte bij Hoyt aan omdat de auto op zijn naam stond.

'Een week later komt dat huftertje met zijn vrienden bij me langs om die auto terug te halen,' zo vertelt Hoyt, een Vietnam-veteraan die een Silver Star voor getoonde moed heeft gekregen. 'Ik stroopte mijn mouwen op en zei, kom maar op, probeer hem maar van me af te pakken.' En tegen Eder zei Hoyt: 'Die jongen van jou heeft me weer genaaid.'

Hoyt en Armstrong spraken elkaar daarna tien jaar lang niet meer.

In het jaar waarin Lance eindexamen deed, was Terry Armstrong al vertrokken. Linda Armstrong had een van zijn minnaressen opgespoord.[22] (Terry vertelde me dat hij er zoveel heeft gehad, dat hij niet meer wist hoe deze heette.) Toen Terry van zijn werk thuiskwam, trof hij zijn echtgenote en de andere vrouw samen op de bank.

'Wie ben jij?' vroeg hij aan de minnares.

Terry Armstrong raakte zowel zijn vrouw als zijn zoon kwijt. Bij de scheiding werd de Cadillac van haar man toegewezen aan Linda Armstrong, plus al het geld en de pensioenfondsen die op zijn naam stonden. Het huis moest worden verkocht en de opbrengst gelijkelijk verdeeld. Maar Terry Armstrong stond erop dat zijn vrouw en zoon in het huis bleven wonen tot Lance zijn middelbare school had afgemaakt. Volgens de scheidingsakte nam hij ook alle schulden van het gezin op zich, inclusief de maandelijkse aflossingen van de Buick Skylark uit 1986 van zijn vrouw en 8.265,78 dollar aan creditcardrekeningen.

Volgens Scott Eder belde Terry Armstrong vaak om te informeren hoe het met Lance ging. Eder heeft vele malen gezien dat Terry zich achter de struiken verschool om zijn zoon in een openluchtzwembad te kunnen zien trainen. Toen Lance dat ook een keer zag, zei hij tegen Eder dat hij hem moest waarschuwen: als Terry Armstrong hem bleef stalken, zou hij hem helemaal verrot schoppen.

Lance begon het leven als steeds oneerlijker te ervaren. In zijn eindexamenjaar kreeg hij het gevoel dat de hele Plano East High School het op hem gemunt had.[23] De schoolleiding wilde hem niet samen met zijn klasgenoten eindexamen laten doen omdat hij te vaak absent was geweest; hij had vaak dagen vrijgenomen voor triatlons en om in het Amerikaanse olympische trainingscentrum te trainen voor zijn specialisatie, wielrennen. Hij bereidde zich voor op het wereldkampioenschap wielrennen voor de jeugd in Moskou, waar hij iedereen versteld deed staan door het veld zo sterk aan te voeren dat sommige grote namen uit de sport nog steeds kippenvel krijgen als ze terugdenken aan zijn verbazingwekkende prestatie.[24] (Hij putte zichzelf echter veel te snel uit en eindigde achterin.)

Lance en zijn moeder vonden niet dat hij gehouden was aan een nieuwe staatswet volgens welke een leerling een minimaal aantal dagen naar school moest.[25] Volgens een van zijn klasgenoten was Lance 'die jongen wie z'n moeder altijd stennis schopte om vrijaf voor hem te regelen'. Ze betoogde dat hij het recht had om eindexamen te doen, maar de schoolleiding gaf geen krimp.[26]

Daarom weken ze uit naar Bending Oaks Academy in Dallas, een alternatieve school met een stuk of twaalf leerlingen per klas. Deze school, die niet was gebonden aan de regels voor openbare scholen, zou minder moeilijk doen over Armstrongs absenties dan zijn vorige school. Hij kon op tijd eindexamen doen, zolang zijn schoolgeld maar werd betaald. En Terry Armstrong, de man die Armstrongs moeder later als een afwezige vader zou omschrijven, bekostigde het allemaal.

In zijn ruime boerderij met drie slaapkamers, die regelrecht uit een Pottery Barn-catalogus afkomstig lijkt, zet Terry Armstrong een doos op de keukentafel. Hij haalt de ene kaart na de andere tevoorschijn, de ene foto na de andere. Een kaart voor Vaderdag: 'Ik kon mijn vader niet uitzoeken, maar ik ben blij dat mijn mamma jou heeft uitgezocht.' Aan de binnenkant, in een kinderlijk handschrift: 'Liefs van Lance.' Op een foto bestuurt Lance het golfkarretje van Terry's vader. Er is een foto van Lance aan het orgel in de kerk waar zijn grootvader had gepredikt.

Terry Armstrong toont vol trots een glimlachende Lance op de bank bij zijn grootouders, en nog een met een glimlachende Linda op dezelfde plek op dezelfde bank. Op de achterkant van de foto's staat 'Kerstmis 1983' geschreven. Lance was twaalf en zou pas een paar jaar later een beroemde triatleet worden. Hoewel het contact met zijn zoon kort nadat diens wielercarrière een vlucht nam is verbroken, heeft Terry hem via de kranten en tv gevolgd. Aan de muur van zijn werkkamer heeft hij foto's opgehangen die de ontwikkeling van Lance van jongen tot man laten zien. De meest recente foto van Lance en diens kinderen heeft Terry van internet gehaald en uitgeprint en ingelijst. Hij is trots op alles wat Lance heeft bereikt, zegt hij. De tegenslag van zijn zoon doet hem veel verdriet, ook al zal dit nooit zo erg zijn als in 1996, toen er kanker bij Lance werd vastgesteld en Terry de ziekenhuiskamer van zijn zoon in Indianapolis niet in mocht.

Toen Lance zijn eerste Tour de France had gewonnen, stond Terry Armstrong versteld van de beweringen die Linda deed over de jaren dat zij samen een gezin waren. Was Linda een alleenstaande moeder? Waren haar eerste twee huwelijken van korte duur geweest? Hadden Lance en zijn moeder altijd met hun rug tegen de muur gestaan? Het deed hem verdriet dat hij door de media, inclusief CNN, ten onrechte de stiefvader van Lance werd genoemd, en niet zijn adoptievader.[27]

Terry probeerde terug te slaan door naar de media te schrijven dat ze het mis hadden. Hij stuurde kopieën van zijn huwelijksakte en scheidingsakte op, die bewezen dat hij veertien jaar met Armstrongs moeder getrouwd was geweest. Hij wilde het verhaal rechtzetten, maar een advocaat adviseerde hem ervan af te zien omdat Terry 'niet de inkt had', waarmee hij bedoelde dat Lance de pers in zijn macht had. Journalisten, zeker Amerikaanse, waren dol op het Lance Armstrong-verhaal. Toen verscheen Lance' autobiografie, *It's Not About the Bike* (*Door de pijngrens*), waarin Terry als een verschrikkelijke vader werd afgeschilderd, terwijl het boek van Linda daar nog een schepje bovenop deed. Terry noemde deze verhalen 'een onophoudelijk bombardement van onwaarheden'.

Hij had het plan opgevat om zijn ex-vrouw er in 2005, tijdens een van haar boeklezingen, mee te confronteren. Hij vertelde dat hij tot het allerlaatst had gewacht, door het middenpad naar voren was gelopen en op de voorste rij had plaatsgenomen. Tami, Terry's nieuwe vrouw, die Linda nog nooit had ontmoet, zat op een afstand van haar man zodat zij de vraag kon stellen: 'Hebt u Lance nu wel of niet zelfstandig opgevoed?' Linda zei: 'Nou, dat kunt u gewoon in het boek lezen.'[28]

Terry Armstrong vertelt dat hij die dag ook zijn hand opstak en zwaaide als een kind dat de aandacht van zijn schooljuf probeert te trekken. Maar de schrijfster negeerde hem volledig. Pas na de lezing, toen Linda achter een tafel zat te signeren, kwamen de voormalige echtelieden oog in oog met elkaar.

'Ik heb erg van het boek genoten,' zei Terry tegen haar.

'Echt waar?' zei Linda.[29]

'Ja,' zei hij. 'Ik ben dol op fantasy.'

# 3

John Thomas Neal was een rijke, financieel onafhankelijke vastgoed-speculant en massagetherapeut, een echtgenoot en vader van achtenveertig, die als *soigneur* in de top van de wielersport werkte. Soigneur is een Frans woord dat verzorger betekent. In het wielrennen is dat iemand die de renners masseert, hun lunch klaarmaakt en hun bidon vult, hun ploeguniform wast en hun bagage van en naar hotels vervoert. Neal had eerder tijdens een beachvolleybaltournee en voor de zwemploeg van de University of Texas met profsporters gewerkt als regelaar, voeder en wijze raadgever. Maar zijn grote passie was het wielrennen, omdat hij zo van die sport en van reizen hield.

Hij was weggevlucht uit Montgomery, Alabama, waar hij tijdens de rassenrellen van de jaren zestig was opgegroeid. Zijn ruimdenkendheid en eclectische smaak pasten beter bij de liberale mentaliteit in Austin. Ooit stelde hij zijn huis, een voormalige kerk op een heuveltop met uitzicht op de skyline van de stad, ter beschikking voor een homohuwelijk. Hoewel hij een rechtengraad had, bevredigde het werk als jurist hem niet en hield hij dat niet vol. Hij kon het zich overigens veroorloven om ermee te stoppen, want hij was met een rijke vrouw getrouwd.[1]

Neal, ongeveer 1,60 meter lang en erg smal gebouwd, was een groot sportliefhebber – van football, zwemmen en volleybal aan de University of Texas, proftennis, wielrennen, noem maar op – en was op zoek naar een manier om in de profsport aan de slag te gaan. Hij kon niet coachen, want hij was niet zo'n agressief type, en een sporter was hij ook nooit geweest. Massagetherapie bood de oplossing. Hij was gefascineerd door de medische aspecten ervan. Hij vond het ook een prettig idee dat je kon leren hoe je de kwalen van andere mensen geneest.

Neal nam zijn nieuwe beroep zo serieus dat hij naar China reisde om daar een paar maanden te leren over oosterse behandelwijzen, tot acupunctuur op het binnenoor aan toe.

Eenmaal terug in Austin bood hij zich aan als verzorger van de sporters van de University of Texas. Hij had inmiddels voldoende connecties en genoot zo'n goede reputatie binnen de wereld van de olympische sporten dat hij werd gevraagd als soigneur van de professionele wielerploeg Subaru-Montgomery. Deze ploeg stond onder leiding van Eddie Borysewicz, een voormalige coach van de Amerikaanse olympische wielerploeg. De eigenaar was Thomas Weisel, een zakenbankier die een legendarische naam had in financiële kringen.

Kort nadat hij was aangenomen werkte Neal alleen tijdens wedstrijden in de Verenigde Staten en hoorde hij weinig over doping in deze tak van sport, behalve dat veel wielrenners in Europa prestatieverhogende middelen gebruikten.

Hij maakte kennis met Lance Armstrong in 1989, tijdens een triatlon in Texas, nadat Borysewicz hem had gezegd eens op de veelbelovende wielrenner te letten. Met zijn alles-of-nietsactie, tijdens het wereldkampioenschap voor de jeugd eerder dat jaar in Moskou, had Armstrong de aandacht van Borysewicz getrokken. De coach haalde hem over om de triatlon te verruilen voor het wielrennen, omdat wielrennen een olympische sport was en de triatlon niet.

Armstrong, op dat moment waarschijnlijk de meest veelbelovende wielrenner ter wereld, kreeg later een plek in de Subaru-Montgomery-ploeg. Tegen die tijd kenden Neal en Armstrong elkaar inmiddels goed.

Meer dan tien sporters uit Austin – zowel mannen als vrouwen – zeggen nog steeds dat ze een hechtere band met Neal hebben gehad dan met hun eigen vader. Hij nam hen mee naar huis en bood hun een beetje vastigheid. Lance Armstrong was gewoon de zoveelste sporter die met zichzelf in de knoop zat.

Armstrong verhuisde van het vlakke Plano naar het glooiende Austin, omdat het heuvelachtige landschap ideaal voor trainingsritten was. Tegen een sterk gereduceerde huur betrok Armstrong een flat in een appartementencomplex dat eigendom van Neal was. Het was het een comfortabele, veilige plek dicht bij het centrum, tussen hoge bomen en op twintig stappen van Neals werkkamer, die Armstrong zijn 'thuis' kon noemen. Later heeft Armstrong aan *Dallas Morning News* toevertrouwd dat zijn flat 'te gek' was, 'zooooo fijn'.[2] Hij zag Neal dagelijks, soms meerdere keren per dag tijdens massages en maaltijden. Het stemde Neal tevreden dat hij een positieve invloed had op het leven van een tiener die wel wat sturing kon gebruiken.

Neals eerste indruk was dat het ego van deze jongen groter was dan zijn talent. Armstrong was arrogant en onbeschoft, en moest nodig manieren leren. Maar hoe meer Neal te weten kwam over Armstrongs familieachtergrond, hoe meer hij met hem te doen kreeg. Hij had als kind geen betrouwbare vader gehad. Linda Armstrong was blij dat er nu een verantwoordelijk mannelijk rolmodel in het leven van haar zoon was gekomen, en Neal bood ook haar een luisterend oor terwijl zij de moeizame overgang van het ene naar het andere huwelijk maakte.[3]

Neal onderkende al snel dat Armstrongs onzekerheden en boosheid een gevolg waren van zijn gebroken gezin – hij voelde zich in de steek gelaten door zijn biologische vader en mishandeld door zijn adoptievader. Armstrong hield er niet van alleen te zijn, dus ging Neal vaak samen met hem ontbijten in het Upper Crust Café, vlak bij het huis van Neal. Later lunchten ze vaak in een sportcafé dat The Tavern heette. Armstrong dineerde bovendien drie of vier keer per week bij de familie Neal. Hun drie kinderen waren er dan ook, en af en toe een vriend van Armstrong of een student die Neal coachte. Het eten was niets bijzonders – soms gewoon langzaam gekookte bonen die met plastic bestek uit niet bij elkaar passende mokken werden gegeten, alsof ze aan het kamperen waren. Maar ze vormden een gezin.

Armstrong en Neals vrouw Frances waren de grappenmakers van het gezelschap. Ze joegen elkaar soms achterna rond de eettafel. Ze zongen stukjes uit 'Ice Ice Baby', het nummer van de uit Dallas af-komstige rapper Vanilla Ice, dat in die tijd de hitlijsten aanvoerde. Dan zong de ene *Ice, ice, Baby!* en antwoordde de ander *Too cold, too cold!* Soms gaven ze die show ten beste in de motorboot van de familie Neal, waar ze de dag zwemmend of waterskiënd doorbrachten.

Het was waarschijnlijk de gelukkigste, minst gecompliceerde periode uit Armstrongs hele leven. Hij hoefde niet langer te tobben over Terry Armstrong, terwijl de nieuwste huwelijksperikelen van zijn moeder zich ver weg in Plano afspeelden, 350 kilometer rijden naar het noorden over Interstate 35. Zijn wereld draaide om Austin en Neal, die zijn huizen of flats met plezier ter beschikking stelde aan wielrenners van de nationale ploeg – zoals zijn toekomstige ploeggenoten bij Postal Service, George Hincapie, Frankie Andreu, Chann McRae en Kevin Livingston – die met Armstrong wilden trainen in het Texaanse heuvellandschap.

De dag nadat Armstrong zijn nieuwe flat had betrokken, zagen de Neals hem rijden in een koers in Lago Vista, op 55 kilometer van Austin. Armstrong presteerde niet best en vertrouwde Neal later toe dat hij de avond ervoor laat was opgebleven en had zitten zuipen in de Yellow Rose, een stripclub in Austin. Neal deed het af als normaal gedrag voor een onbesuisde tiener die zijn net ontdekte vrijheid beproefde.

Op een ochtend in augustus 1991 belde Armstrong al voor zonsop-gang naar J.T. Neal. Zou Neal hem in San Marcos kunnen ophalen? Armstrong stond niet met panne langs de weg in de woestenij van Texas. Hij had ook geen lekke band gereden tijdens een trainings-tocht van marathonlengte op de fiets. Hij zat in de cel.

De vorige avond had Armstrong zo'n vijftig kilometer buiten Austin feestgevierd met een paar studentes van Southwest Texas State University. Terwijl ze zich vermaakten in een openluchtjacuz-zi bij het flatgebouw van een van de studentes, maakten ze zoveel herrie dat de politie de rust kwam herstellen. En dat was nog maar de eerste aanvaring van Armstrong met de politie op die avond. De tweede had meer om het lijf. Toen zijn auto werd aangehouden omdat hij over de weg slingerde, dacht hij zich er wel uit te kunnen praten. Wat maakte het uit dat hij een beschonken indruk maakte en weigerde een blaastest te doen? De agent zou ongetwijfeld onder de indruk zijn als hij vertelde wie hij was – de beste jeugdwielrenner van het hele land.[4]

Als hij een quarterback was geweest, had die truc misschien gewerkt. Maar de politieagenten van Texas gaven niets om een jochie dat opschepte over zijn topprestaties in het wielrennen. Nee, hij mocht mee naar het cachot.

Neal, die zich toch al zorgen maakte omdat Armstrong soms auto reed met een slok op, haalde hem de volgende dag uit de gevangenis van San Marcos. Toen Armstrong maanden later bericht kreeg dat zijn rijbewijs kon worden geschorst, stuurde Armstrong de brief door aan Neal. Op de envelop schreef hij: 'J.T. – Dit kreeg ik vandaag?? Heb een geweldige kerst! Lance.' Ditmaal trad Neal op als Armstrongs advocaat en vriend, door hem te helpen de aantijgingen te weerleggen en zijn rijbewijs te behouden.

Neal kreeg op zijn beurt iets zeldzaams en kostbaars van Armstrong: zijn vertrouwen. Armstrong stuurde hem briefkaarten van trainingstochten en -koersen, zoals een briefje van 16 augustus 1991, uit het Duitse wijn- en vakantieoord Bischoffingen:

J.T. – Hoe gaat-ie? Nou, Duitsland is erg leuk. Zoals je vast wel weet, is het WK over bijna een week en ik ben zo zenuwachtig als de neten. In elk geval rij ik nu goed! Jammer dat je er niet bent! De groeten van de jongens. Lance

Neal wist van zichzelf dat hij een wielergroupie was. Hij is nooit goed genoeg in enige sport geweest om erin uit te blinken – hij fietste, maar louter recreatief – maar nu kon hij rondwandelen tussen de sporters en door hen worden geaccepteerd en gerespecteerd. Hij had de droombaan van een wielerliefhebber.

Neal genoot ervan dat de renners van de nationale ploeg en Amerikaanse profrenners wisten wie hij was. Sommigen belden hem zelfs op voor advies. In het geval van Hincapie: '*Ik ben door de douane aangehouden met een koffer vol epo en andere medicijnen. Wat moet ik doen?*'⁵ Sommigen, zoals Armstrong en Hincapie, spraken openhartig met hem over hun dopinggebruik. Of Neal daar ooit aan heeft meegewerkt, blijft onduidelijk. Hij heeft echter wel gezegd dat de taken van een soigneur in de vs anders waren dan die van zijn collega's in Europa, waar een intieme vertrouwdheid met geneesmiddelen al langere tijd een vereiste was. Dat had hij opgestoken van andere soigneurs die in het buitenland hadden gewerkt. Volgens Neal zelf heeft hij Armstrong maar één keer een prik gegeven: een vitamine-injectie in zijn bil.

In die begintijd wond Armstrong er geen doekjes om dat hij regelmatig injecties kreeg. Neal heeft altijd gezegd dat Armstrong dingen nooit graag zelf deed, en dat hij het volgens hemzelf verdiende dat iemand gratis zijn auto waste of een tafel in een restaurant reserveerde. In het begin vond hij het onprettig om zichzelf te prikken. Nancy Geisler, een studente die als secretaresse voor Neal werkte en met beide mannen goed bevriend was, heeft gezegd dat Neal haar een keer heeft gevraagd om Armstrong een vitamine-injectie te geven omdat hij de stad uit was en het zelf niet kon doen. Ze ging ervan uit dat dit gewoon een onderdeel van Armstrongs trainingsprogramma was.⁶

Armstrong deed heel nonchalant toen ze insprong. Er zat geen etiket op de ampul vanwaaruit met de injectienaald vloeistof werd getrokken. Ze vermoedde dat Armstrong doping gebruikte en dat Neal dat wist. Pas jaren later dacht ze bij zichzelf: 'Heb ik meegewerkt aan iets wat verboden was?'⁷

Volgens Neal was Armstrong sterk afhankelijk van prikken en infusen voor zijn herstel na wedstrijden en voor een extra dosis energie ervoor. Tijdens de Olympische Spelen van 1992 liep mede-olympiër Timm Peddie op de avond voor de wegwedstrijd Armstrongs hotelkamer binnen en zag daar hoe Neal en een trosje Amerikaanse wielersportbobo's om Armstrong heen stonden terwijl hij met een infuus in zijn arm op bed lag.[8] Peddie was verbijsterd over de openlijke aard van deze behandeling. Iedereen in de kamer staarde de onverwachte gast aan, totdat Peddie weer net zo snel vertrok als hij gekomen was. Hij wist niet zeker wat hij had gezien. Een bloedtransfusie misschien? Een infusie van elektrolyten of proteïnen? Hij wist alleen dat hijzelf nog nooit vóór een wedstrijd een infuus van wat dan ook had gekregen. Armstrong was duidelijk een speciaal geval.

Tot begin jaren negentig kende het Amerikaanse wielrennen maar één grote ster: Greg LeMond. In 1986 had hij als eerste Amerikaan de Tour de France gewonnen, een prestatie die hij in 1989 en 1990 zou herhalen. Maar zijn zeges hadden weinig gevolgen gehad voor de wielersport in de Verenigde Staten. LeMond had bij een Europese ploeg gereden en had zijn overwinningen hoofdzakelijk behaald in Europa, buiten het gezichtsveld van Amerikaanse sportliefhebbers.

Armstrong verscheen echter in de wielersport met een dramatische voorgeschiedenis – de sappelende alleenstaande moeder die haar school had afgebroken om hem op te voeden – en vanaf 1992 reed hij bij een Amerikaanse ploeg, Motorola. Hij was jong en charismatisch, voorbestemd om een ster te worden, en hij hunkerde naar de roem.

Hij eiste dat Steve Penny, de directeur marketing van de Amerikaanse wielerbond USA Cycling, hem flink in de schijnwerpers zette om het wielrennen meer bekendheid te geven.[9] Nieuws over wielrennen kwam tot dan toe zelden verder dan de uitslagenkolommen op de sportpagina's.

Penny kreeg Descente, de nieuwe kledingsponsor van de bond, zover om een poster met vier topsporters uit de nationale ploeg te maken: Armstrong, Hincapie, Bobby Julich en Jeff Evanshine, in 1991 wereldkampioen wegrennen bij de jeugd. In de toekomst zouden ze allemaal toegeven dat ze doping hadden gebruikt of geschorst worden wegens het overtreden van het dopingreglement.

Het was een dramatische foto van de wielrenners, elk met een grimmige, vastberaden blik, met Pikes Peak als decor. Rechtsonder stond een lijst 'Regels van de Amerikaanse ploeg':

Regel 1: Zoek geen ruzie met Lance, Bobby, George en Jeff.

Regel 2: Zeur niet.

Regel 3: Het telt alleen als je het ook onder druk kunt.

Regel 4: Er bestaat geen 'achterdeurtje'.[10]

Regel 5: Er zijn geen regels: *Goud winnen in Barcelona is het enige wat telt.*

Hoe heerlijk Armstrong het ook vond om een ster te zijn, zijn hang naar beroemdheid viel in het niet bij zijn honger naar geld. J.T. Neal voelde dat al vroeg aan.

Hij zag dat Armstrong door geld gemotiveerd was – hoe hij eraan kwam, hoe hij het kon behouden en wat hij moest doen, ethisch of onethisch, om nog meer geld te krijgen.

In 1993 was Armstrong op jacht naar een bonus van één miljoen dollar. Die prijs had apotheekketen Thrift Drug uitgeloofd voor de wielrenner die drie grote Amerikaanse koersen wist te winnen – de Thrift Drug-klassieker in Pittsburgh, de Kmart-klassieker in West Virginia en het CoreStates landskampioenschap voor profrenners in Philadelphia. Elk van die koersen vereiste een ander specialisme: de wedstrijd in Pittsburgh was een zware eendagskoers, die in West Virginia bestond uit zes afmattende etappes waarbij de beste klimmers in het voordeel waren, en de koers in Philadelphia was vooral op sprinters gericht.

Tot ieders verbazing won Armstrong, die pas eenentwintig was, de eerste koers. Na vijf etappes in de tweede koers behoorde hij tot de favorieten om ook die te winnen. Met de kans op een uitkering van een miljoen dollar in het vooruitzicht broedden een paar renners van de Motorola-ploeg naar verluidt op een plan dat hun gegarandeerd de overwinning zou opleveren.[11]

Ze boden de renners van Coors Light de som van 50.000 dollar als ze Armstrong zouden helpen om de prijs van één miljoen te winnen door zijn overwinning in de rest van de tweede koers en de hele derde koers niet in gevaar te brengen.[12] Coors Lite was een sterke ploeg met renners die ook kans op de zege maakten.

Later die avond bespraken een paar renners van beide ploegen de deal in Armstrongs hotelkamer.[13] Als Armstrong het miljoen won, zouden beide ploegen profiteren. Armstrong zou het prijzengeld opstrijken – 600.000 dollar ineens – en er 200.000 dollar aan overhouden, terwijl de rest zou worden verdeeld tussen zijn equipe en de andere coureurs die hem aan de winst hadden geholpen.[14] Volgens Stephen Swart, een Coors Lite-renner die beweert dat hij op de hoogte was van de besprekingen, zou elke Coors Lite-renner drie- tot vijfduizend dollar krijgen.[15]

Zolang Amerika niet te weten kwam hoe dit was gegaan, zou Armstrongs jackpot van één miljoen ook de wielrennerij de positieve publiciteit opleveren die ze nodig had om groot te kunnen worden. Iedereen had er baat bij.

Wedstrijduitslagen werden al tientallen jaren gemanipuleerd, en deze praktijk was net zo'n onlosmakelijk onderdeel van de wielersport als doping. Joe Parkin, een Amerikaan die koersen in Europa heeft gereden, vertelt erover in zijn boek *A Dog in a Hat*. Hij schrijft dat tijdens de jaren tachtig het verkopen van overwinningen een veel voorkomend en algemeen geaccepteerd gebruik was in Europa.[16] Een wielrenner die in zijn eigen woonplaats reed, telde soms een paar duizend dollar neer voor een zege. De verliezers kregen gegarandeerd snel verdiend geld. Iedereen was blij en had zakken vol geld.

Zoals Parkin schreef: 'Aan mijn ervaring als profrenner in Europa heb ik een ietwat gewijzigd moreel besef overgehouden, waardoor veel dingen waar normale mensen zich aan ergeren voor mij onzichtbaar zijn.'

Armstrong won de tweede wedstrijd in de reeks koersen voor het miljoen. In de eindfase van de koers in Philadelphia – de laatste wedstrijd van de reeks – zat Armstrong in een kopgroepje van zes renners en demarreerde tijdens een onmogelijk steile klim, de zogeheten Manayunk Wall. Geen van de andere renners in het kopgroepje ondernam een poging om hem bij te houden, zodat hij de wedstrijd met zijn schijnbaar heroïsche soloactie won.

Vóór deze wedstrijd had Neal nog geloofd dat Armstrong zou winnen omdat hij de sterkste renner was. Na afloop kwam hij erachter dat Armstrong voor de hoogste plaats op het podium had betaald. Armstrong heeft Neal verteld dat hij de Italiaanse coureur Roberto Gaggioli in de laatste kilometers van deze rit heeft omgekocht om hem te laten winnen. Hij bood Gaggioli, een van zijn sterkste tegenstanders, 10.000 dollar als hij zich zou inhouden wanneer hij demarreerde, en de Italiaan heeft die steekpenning aangenomen. Gaggioli heeft later gezegd dat Armstrong hem 100.000 dollar heeft gegeven, hoewel dat bedrag onwaarschijnlijk lijkt.[17]

Neal, die zich ongemakkelijk voelde met dit schijnbaar schaamteloze bedrog, heeft naar eigen zeggen Armstrong gekapitteld omdat hij vals had gespeeld.

'In vredesnaam,' zei hij tegen Armstrong, 'schep daar niet zo over op.'[18]

Neal was ook kwaad op Ochowicz, van wie hij vermoedde dat hij in het complot zat. Hij mocht Ochowicz sowieso al niet. Hij klaagde dat de ploegleider weinig benul van wielertactiek had en zich alleen maar volvrat met de boterhammen met pindakaas en jam die in de ploegwagen voor hem klaarlagen. Volgens hem had Ochowicz een slechte invloed op Armstrong, een jongen die nauwelijks aangespoord hoefde te worden om de regels aan zijn laars te lappen. Het was Neal inmiddels wel duidelijk dat Armstrongs morele maatstaven voorgoed gewijzigd waren. Armstrong heeft volgens iemand die erbij is geweest later de Clásica de San Sebastián van 1995 alleen maar gewonnen omdat hij in de laatste paar kilometer een andere wielrenner had omgekocht.[19] Als Armstrong ooit een geweten had bezeten, hadden de gevestigde tradities van de wielersport hem er nu wel van overtuigd dat het van geen belang was. Ochowicz had zijn goedkeuring gegeven aan de omkoping om een miljoen dollar te winnen en de definitieve beslissing genomen. Het had gewerkt.

In de tv-uitzending van de prijsuitreiking vatte Armstrong zijn zege samen met een ironische toespeling op het daadwerkelijke wedstrijdverloop: 'Vandaag heeft iedereen gewonnen.'

In dat jaar, 1993, rees Armstrongs ster snel. Niet alleen won hij een miljoen, maar hij won ook voor het eerst een etappe in de Tour de France. In augustus werd hij als eenentwintigjarige de op één na jongste wereldkampioen wegwielrennen aller tijden. Hoewel Motorola van plan was om met de wielrennerij te stoppen, gaf Armstrongs briljante seizoen zijn ploeg reden om te denken dat ze een nieuwe sponsor konden vinden, waarschijnlijk eentje die dieper in de buidel wilde tasten.

Opeens telde het wielrennen mee in de vs. Journalisten van over de hele wereld daalden neer in Austin. ABC News deed een interview met Armstrong en zijn moeder, noemde hem een 'wonderkind' en vergrootte Linda Armstrongs rol als tienermoeder nog verder uit.[20]

'Nou, toen ik jong en zwanger was,' zei ze, 'was ik bang.'[21]

Lance vertelde: 'We hebben in ons leven veel hindernissen en veel weerstand moeten overwinnen. Ik bedoel maar: al die mensen hadden haar afgeschreven, ze hadden mij afgeschreven.'[22]

In krantenartikelen werd beweerd dat hij zijn vader nooit had gekend en dat Linda's tweede huwelijk na tien jaar was gestrand. Die leugens maakten Armstrongs verhaal in zekere zin nóg aantrekkelijker voor de media.

'Lance is precies wat ons land nodig heeft om enthousiast te worden voor de wielersport,' zei PR-medewerker Steve Penny van USA Cycling tijdens een nieuwsuitzending. 'Als iemand op zoek is naar een held om te steunen, dan past Lance precies in dat stramien.'[23]

Ploegleider Ochowicz vertelde dat hij dolblij was met Armstrongs zege van één miljoen. 'Het is een grote dag voor het Amerikaanse wielrennen.' Aan het eind van het jaar presteerden Armstrong en de fietsploeg zo goed dat Motorola hun contract met een jaar verlengde. De ploeg werd toch niet opgeheven. Armstrong gaf Penny een nieuwe bijnaam: 'Dime'.

Thuis in Austin gaf Armstrong 70.000 dollar uit aan een nieuwe sportauto, een zwarte Nissan NSX. Vervolgens vroeg hij Neal om naast het flatgebouw een garage te bouwen. Neal verzette zich ertegen, maar niet lang. Voor pakweg 50.000 dollar bouwde hij de garage. Wat Armstrong ook vroeg, het leek of J.T. Neal er was om 'ja' te zeggen.

Tijdens de kerst van dat jaar uitte Armstrong zijn dank met meerdere cadeaus. Een daarvan was een gesigneerde regenboogtrui van het landskampioenschap. Met zwarte markeerpen schreef hij: 'J.T., ik mag van geluk spreken dat onze wegen elkaar gekruist hebben. Je bent echt mijn rechterhand! En niet te vergeten mijn beste vriend! Lance Armstrong.'

Hij gaf Neal een Rolex-horloge met de inscriptie 'Voor J.T., Van LANCE ARMSTRONG'. Neal aanvaardde het horloge als symbool van Armstrongs dankbaarheid, van zijn liefde zelfs. Een paar jaar lang heeft Neal het met trots gedragen – tot de dag dat hij besloot het nooit meer om zijn pols te doen.

# DEEL II

*Leugens in de sport*

# 4

In 1992 zou iemand die het medicijnkastje van de Motorola-ploeg had geopend de gebruikelijke artikelen zijn tegengekomen: pleisters, diarreemedicijnen en ontsmettingsmiddelen tegen 'zadeluitslag'. Maar bovendien ook verboden middelen als cortisone en testosteron, naast het gewonere Tylenol.[1] De meeste renners beschouwden deze niet als echte dopingproducten. Dat coureurs die geneesmiddelen gebruikten, betekende gewoon dat ze op hun gezondheid letten terwijl ze een slopende sport beoefenen.

Cortisone, dat geïnjecteerd of geslikt kan worden, vermindert spierpijn en is een ontstekingsremmer voor stijve en pijnlijke gewrichten. Veel wielrenners gebruiken het vaak omdat het helpt tegen pijn in de benen. Ze vergelijken het met een aspirientje nemen als je hoofdpijn hebt en veel ploegartsen schrijven valse recepten voor dit medicijn uit.[2]

Testosteron is een steroïde, maar het wordt niet door renners gebruikt om spiermassa te kweken. Het helpt hen om na een training sneller te herstellen, zodat ze de volgende dag weer fris zijn en net zo hard kunnen trainen. Wielrenners gaan met het middel om alsof het een massage is of water dat ze moeten drinken ter voorkoming van uitdroging.

Al deze middelen werden veelvuldig door Europese renners gebruikt. Iedereen die de Tour serieus nam, wilde een voordeel behalen, of dat nu met steroïden was, met injecteerbare vitaminen als B12 en B-complex of met foliumzuur.

Het gebruik van prestatieverhogende middelen is onlosmakelijk verbonden met de wielersport, vooral met de Tour de France, een koers die drie weken duurt en een parcours van ruim drieduizend kilometer omvat. Deze wedstrijd, die jaarlijks in juli wordt verreden, is vrijwel ondoenlijk en was dat al vanaf het eerste begin in 1903.

Wielrenners hebben altijd manieren bedacht om de Tour doenlijker te maken. In 1904 stapten de wielrenners van hun fiets en reden een stuk per auto, trein of bus om de route enkele kilometers in te korten. Alle etappewinnaars en de hoogste vier van het eindklassement behoorden tot de negenentwintig wielrenners die dat jaar werden bestraft wegens 'valsspelen'. Ze hebben daarmee de rondedans van de Tour met de oneerlijkheid ingeluid.

In het begin van de twintigste eeuw verlieten wielrenners zich op middelen als ether, cocaïne en strychnine om de pijn af te zwakken.[3] Sommigen hielden halt bij cafés om een paar glazen wijn achterover te slaan, anderen verdoofden zich met sterke drank. Met cocaïnemengsels probeerden ze hun lichaam ervan te overtuigen dat ze verder konden, terwijl hun hersenen zeiden van niet. Renners geloofden dat hun ademhaling verbeterde na het gebruik van wat strychnine (een gif dat zo sterk is dat het als rattengif wordt gebruikt) en/of nitroglycerine (dat mensen na een hartaanval wordt toegediend om hun hart weer op gang te krijgen).

Het misbruik van deze middelen werd bevestigd door Henri Pélissier en zijn broer, François, Franse wielrenners die uit de Tour van 1924 stapten en vervolgens een enorm interview gaven aan journalist Albert Londres van *Le Petit Parisien*.[4] Het artikel was getiteld 'Les forçats de la route' oftewel 'De gevangenen van de weg'.

Henri Pélissier verklaarde aan Londres: 'U hebt geen idee wat de Tour de France voor iets is. Het is een marteling. Zelfs van de kruisstaties zijn er maar veertien, terwijl wij vijftien etappes hebben. Wij lijden van de start tot aan de finish.' Pélissier liet de journalist zien wat er in de tas zat die hij de hele koers met zich had meegezeuld: cocaïne voor zijn ogen, chloroform voor zijn tandvlees, paardenzalf voor zijn knieën. En pillen die hij 'dynamiet' noemde.

Amfetaminen werden halverwege de jaren veertig populair en zouden gevaarlijke ongevallen veroorzaken.[5] De Franse wielrenner Jean Malléjac stortte tijdens de Tour van 1955 neer met zijn fiets, tien kilometer voor de top van de Mont Ventoux, de beroemde kale berg die 1912 meter boven de Provence uittorent. Hij viel op de keien langs de weg, met één voet nog vast aan een pedaal terwijl de andere als een bezetene in de lucht bleef doortrappen en bleef daarna een kwartier buiten westen.[6] De Tourarts beschouwde het als een inzinking ten gevolge van amfetaminegebruik.[7]

Een andere Franse wielrenner, Roger Rivière, viel tijdens de Tour van 1960 op een kluwen metaal onder aan een steile helling nadat hij over een muur heen was gereden.[8] Hij brak zijn ruggengraat. Artsen vonden pijnstillers in zijn zak, die mogelijk zijn inschattingsvermogen hadden vertroebeld en zijn reflexen zodanig hadden vertraagd dat hij niet meer in zijn remmen kon knijpen. Zijn benen waren permanent verlamd. Nog maar twee jaar later verlieten veertien renners de Tour omdat ze ziek waren geworden van de morfine.

De Tour en doping gingen hand in hand, ondanks de groeiende bezorgdheid van de toeschouwers. Vijfvoudig Tourwinnaar Jacques Anquetil stond bekend om zijn openhartigheid over zijn middelengebruik. Hij heeft ooit gezegd: 'Met alleen mineraalwater kun je de Tour de France niet winnen. [...] Iedereen gebruikt doping.'[9] Geen enkel middel was verboden.

In 1963 had het dopinggebruik zulke gevaarlijke vormen aangenomen dat een groot gezelschap, bestaande uit wielrenners, artsen, juristen, journalisten en sportbonzen met vereende krachten aandrong op dopingcontroles.[10] Twee jaar later nam Frankrijk zijn eerste nationale dopingwetten aan en werden dopingcontroles tijdens de Tour ingevoerd.

Onder aanvoering van Anquetil kwamen de renners in opstand. Voorafgaand aan de eerste Touretappe scandeerden ze gezamenlijk: 'Niet pissen in reageerbuizen!' Tijdens deze protestactie liepen ze de eerste vijftig meter van de etappe met hun fiets aan de hand. Tourdirecteur Félix Lévitan omschreef de wielrenners als 'een bende drugsverslaafden' die erop uit waren 'de wielersport in diskrediet te brengen'.[11]

Toen brak een van de zwartste dagen uit de zwarte geschiedenis van de wielersport aan. Op 13 juli 1967 begon de Britse wielrenner Tom Simpson niet ver van de top van de Mont Ventoux over de weg te zwalken. Op een gegeven moment viel hij om en zei tegen een mecanicien van de Britse ploeg: 'Help me overeind, help me overeind. Ik wil verder. Ik wil recht rijden. Help me overeind, zet me rechtop.'[12] Toeschouwers zetten hem weer op het zadel, maar honderd meter verderop stortte hij opnieuw neer op de weg. Hij hield zijn stuur nog steeds vast terwijl hij in coma raakte.

Drie uur later was hij dood. Volgens de schouwarts was hij bezweken aan oververhitting met een hartaanval tot gevolg. Maar de zakken van zijn trui vertelden een heel ander verhaal: ze bevatten lege ampullen met sporen van amfetaminen.[13]

Don Catlin, de oprichter van het eerste laboratorium voor het testen van prestatieverhogende middelen in de Verenigde Staten, het UCLA Olympic Analytical Laboratory in Los Angeles, had al meteen in het begin een studie gemaakt van erytropoëtine, gewoonlijk 'epo' genoemd. Het kwam in 1989 in de Verenigde Staten op de markt als een medicijn voor nierpatiënten en aids-gerelateerde bloedarmoede, maar sporters waren al veel eerder op de hoogte van de magische krachten ervan. Epo is een krachtig hormoon dat het uithoudingsvermogen verbetert door de aanmaak van rode bloedlichaampjes te verhogen. Meer rode bloedlichaampjes betekent meer uithoudingsvermogen. In het wegwielrennen bleek het een tovermiddel te zijn.

Het medicijn wordt geleverd in een ampul die nog geen drieenhalve centimeter lang is. Maar hij bevat meerdere doses. Duursporters zouden niet langer gevaarlijke en logistiek ingewikkelde bloedtransfusies hoeven te ondergaan om hun aantal rode bloedlichaampjes te verhogen. Nu kon je je uithoudingsvermogen heel eenvoudig vergroten door een naald onder je huid te prikken. Volgens een niet-gepubliceerd Zweeds onderzoek konden sportlieden hun aerobe prestaties met bijna tien procent verbeteren.[14] Bij hardlopers kon het middel volgens dit onderzoek een loop van twintig minuten met dertig seconden bekorten. In de wielersport kon het gebruik van dit middel het verschil uitmaken tussen de Tour winnen en je niet eens kwalificeren voor een Tourequipe.

Maar er is een griezelige schaduwzijde. Epo verhoogt de hematocrietwaarde van een wielrenner – het relatieve aantal rode bloedlichaampjes in het bloed, een maatstaf van de relatieve dikte van bloed. De hematocrietwaarde van een man is doorgaans 42 tot 48 procent van al zijn bloed.

Maar met behulp van epo verhoogden sommige wielrenners hun hematocrietwaarden tot ruim vijftig procent of zelfs nog hoger. Bjarne Riis, de Tourwinnaar van 1996, kreeg zelfs de bijnaam 'Mister 60 procent' omdat het gerucht ging dat epo zijn hematocriet zo hoog zou hebben opgejaagd.[15] Deze methode had een ingebouwd gevaar. Als sporters een overdosis epo namen, kon het middel hun bloed in een stroperige, kleverige pap veranderen en een attaque of hartfalen veroorzaken. Door uitdroging, iets wat veel voorkomt bij lange wedstrijden, wordt het bloed nog dikker. Eind jaren tachtig kochten wielrenners het middel op de zwarte markt. En daarna begonnen ze dood neer te vallen.

In 1987 overleden vijf Nederlandse renners als gevolg van hartziekten.[16] Op 17 augustus 1988 viel de Nederlandse olympische wielrenster Connie Meijer flauw en overleed tijdens de deelname aan een criterium. De diagnose luidde 'hartaanval'. Ze was vijfentwintig jaar oud. Een dag later overleed Bert Oosterbosch, eveneens een Nederlandse wielrenner, op zijn tweeëndertigste in zijn slaap. Opnieuw een hartaanval.

Volgens artsen en hematologen kan het misbruik van epo een rol hebben gespeeld bij het overlijden van zeker achttien Europese profielwielrenners tussen 1988 en 1992.[17] Tien sterfgevallen werden door hartziekten verklaard. Het wielertijdschrift *VeloNews* verklaarde dat er 'een atoombom' in de wielersport was ontploft. Berichtgeving over deze sterfgevallen werd door de grote media overgenomen. *The New York Times* kopte: 'Middel dat uithoudingsvermogen verhoogt in verband gebracht met dode sportlieden'.[18]

Catlin sloeg alarm bij het Internationaal Olympisch Comité. Als lid van de medische commissie van het IOC drong hij aan op nader onderzoek. De sporters hadden een middel gebruikt waarvoor nog geen controle was ontwikkeld. Catlin vond dat het IOC daar wat aan moest doen, en wel onmiddellijk, want het ging om mensenlevens.

Hij reisde met een IOC-team naar Europa om feitenonderzoek te doen. Maar daar bleek niemand bereid om over epo te praten. Familieleden weigerden mee te werken. Wielrenners zeiden dat ze er nog nooit van gehoord hadden. In wezen zeiden ze tegen Catlin dat hij moest ophoepelen. Keer op keer hield hij hun voor: wees niet bang om je mond open te doen. We proberen het leven van andere wielrenners te redden. Help ons, alsjeblieft.[19]

Maar hij kreeg geen respons. Hij kreeg de indruk dat sommige mensen niet alleen de nagedachtenis van vrienden, familieleden en ploeggenoten wilden beschermen, maar ook de wielersport. Het ene dopingschandaal volgde op het andere. Er moest iets gebeuren.

Catlin had zijn voorstel in 1988 gedaan. Maar de zwijgplicht die de wielrennerij zo lang goede diensten had bewezen, viel niet te doorbreken. Zeven jaar later zou Lance Armstrong voor het eerst epo gebruiken.[20]

Toen Armstrong in 1992 bij Motorola tekende, had hij zich al ingelaten met coaches met een twijfelachtige reputatie. De eerste van hen was Eddie Borysewicz.

In 1985 was Borysewicz de spil geweest in een van de grootste dopingschandalen uit de Amerikaanse olympische geschiedenis. De Pool Borysewicz had het vak geleerd aan de sportacademies in het voormalige Oostblok. Toen hij in 1984 tijdens de Olympische Spelen in Los Angeles de Amerikaanse ploeg coachte, werd hij ervan beticht dat hij wielrenners dwong om bloedtransfusies te ondergaan om zo het aantal zuurstoftransporterende rode bloedlichaampjes te verhogen. Als zulke transfusies onjuist werden uitgevoerd of als het bloed niet op de juiste temperatuur werd bewaard, konden renners van bloeddoping ziek worden – of zelfs doodgaan.

Deze praktijk werd niet expliciet door het Internationaal Olympisch Comité verboden, maar volgens de reglementen mogen sportlieden geen medicijnen gebruiken of andere behandelingen ondergaan die een oneerlijk wedstrijdvoordeel kunnen opleveren. Of het nu wel of niet verboden was, Borysewicz en andere ploegbestuurders waren erbij toen zeven leden van de Amerikaanse olympische wielerploeg van 1984 in een kamer in de Ramada Inn in Los Angeles zaten te wachten op hun beurt om op een bed te gaan liggen en bloed van een familielid of iemand met dezelfde bloedgroep te ontvangen.[21] Twee renners werden ziek. Vier wonnen vervolgens een medaille, waarvan één gouden.[22]

Maanden later lekte uit dat deze transfusies hadden plaatsgevonden, wat het imago van de wielersport en de reputatie van Borysewicz bepaald geen goed deed.

'Eddie B. heeft de keiharde doping in de Amerikaanse wielersport ingevoerd en die is daar nooit van bijgekomen,' zegt Andy Bohlmann, die van 1984 tot en met 1990 leidinggaf aan het dopingsbestrijdingsprogramma van de United States Cycling Federation, toentertijd het landelijke bestuurslichaam van de Amerikaanse wielersport.

In 1990 werd Chris Carmichael, die vroeger bij 7-Eleven had gereden, aangesteld als hoofdcoach van de nationale ploeg met tientallen wielrenners onder zijn leiding – onder wie Armstrong en drie andere veelbelovende wielrenners uit het nationale jeugdploegensysteem. Dat waren Greg Strock, Erich Kaiter en Gerrik Latta.

Later zouden ze alle drie beweren dat officials van de nationale ploeg hun, terwijl ze nog tieners waren, buiten hun medeweten doping hadden gegeven.[23] Een van hen wees beschuldigend naar Carmichael. Volgens deze renners waren ze geïnjecteerd met middelen waarvan de ploegbestuurders zeiden dat het gewoon vitaminen waren of 'cortisone-extract'. Ze kregen merkloze pillen die in repen werden verstopt, zodat ze die tijdens de koers konden opeten. Uit bidons dronken ze water dat was aangelengd met verboden prestatieverhogende middelen.

Toen hij jaren later geneeskunde studeerde, ontdekte Strock dat er helemaal niet zoiets als cortisone-extract bestaat. Toen besefte hij pas dat zijn coaches hem waarschijnlijk hadden geïnjecteerd met het echte spul, dat waarschijnlijk de auto-immuunziekte had veroorzaakt die in 1991 een eind aan zijn wielerloopbaan maakte. Hij dacht terug aan het nationale kampioenschap van 1990, toen Carmichael met een koffertje vol medicijnen en injectienaalden was verschenen en onder het toeziend oog van René Wenzel, een andere coach, Strock in zijn bil had geprikt. Strock weet nog dat hij Carmichael bij andere wedstrijden ook met dat koffertje heeft gezien. Hij leek wel een artsenbezoeker op weg naar zijn klanten.

Strock, Kaiter en Latta hebben allemaal een zaak aangespannen tegen USA Cycling, waarbij Strock en Kaiter een schikking hebben getroffen.[24] (Het is onbekend hoe de zaak van Latta is afgelopen.)[25] Naar verluidt heeft Carmichael 20.000 dollar aan Strock betaald om zijn naam buiten het proces te houden. En wat vond Lance Armstrong eigenlijk van Carmichael? Hij heeft me verteld dat ze als broers waren. Later zou er een foto van Armstrong prijken op de hoes van een trainingsvideo van Carmichael. Armstrong zou voor meerdere boeken van Carmichael een voorwoord schrijven. Dat alles gebeurde vanuit de gedachte dat Carmichael het brein achter het succes van Lance Armstrong was. Ook jij kon wat leren van de man die de beste wielrenner ter wereld had gecoacht, helemaal als je een week naar een trainingskamp van Carmichael ging. Dat kostte je dan wel 15.000 dollar.

In de jaren negentig was J.T. Neal Armstrongs belangrijkste soigneur tijdens bepaalde wedstrijden in de VS en trainingskampen van de nationale ploeg. Maar in Europa en tijdens de grote wedstrijden viel de eer om Armstrong te mogen masseren te beurt aan ene John Hendershot. Onder de soigneurs van de Europese wegrenners was Hendershot zowel het stoere joch als de berekenende oude man. Andere verzorgers benijdden hem om zijn salaris en de status die het geld hem verleende. Waar hij ook liep, tussen de menigte tijdens wedstrijden of thuis in België, wilden mensen een glimp van hem opvangen. Ploegen wilden hem inlijven. Armstrong wilde hem hebben. J.T. Neal verklaarde dat hij 'als een god voor me was' en noemt hem 'de beste soigneur die ooit geleefd heeft'.[26]

De Amerikaan Hendershot was massagetherapeut, fysiotherapeut en wonderwerker. Met handopleggingen kon hij een uitgeputte, pijn lijdende wielrenner opnieuw tot leven wekken. Een renner die op aanwijzingen van Hendershot at en volgens zijn adviezen sliep kon elke ochtend als herboren opstaan. Hij bezat alle geheime capaciteiten van een soigneur en daarnaast een verrassende vaardigheid die hij in de loop der jaren had ontwikkeld. Om met Neal te spreken: Hendershot voelde zich in de dopingcultuur van de wielrennerij 'als een vis in het water'. Zijn enthousiasme voor en vaardigheden op het gebied van de scheikunde zouden in de herinnering voortleven als zijn speciale talent.

Bijna tien jaar lang bereidde Hendershot zich thuis, in zijn geïmproviseerde laboratorium in België, voor op de wedstrijden. Daar mengde, combineerde en klutste hij geneesmiddelen, altijd met één doel voor ogen: ervoor zorgen dat wielrenners sneller gingen rijden.[27]

De waanzinnige wetenschapper toverde wat hij zelf 'vreemde brouwsels' noemde uit stoffen als efedrine, nicotine, sterk geconcentreerde cafeïne, bloedvatverwijders, bloedverdunners en testosteron. Hij probeerde daarbij vaak creatieve manieren te verzinnen om renners tijdens wedstrijden extra energie te bezorgen. Hij goot het mengsel in kleine flesjes en overhandigde die bij de start aan de renners. Op andere momenten injecteerde hij hen ermee. Hij was niet de enige die dat deed. Soigneurs in heel Europa brouwden hun eigen melanges van potentieel dodelijke cocktails en dronken die zelf als eerste of injecteerden ze bij zichzelf. Ze waren hun eigen proefkonijn.

Hendershot, die geen formele medische of wetenschappelijke opleiding had genoten, leerde de kunst van het wielrenners drogeren door te observeren welk effect doping had op een menselijke proefpersoon – hemzelf. Hij wist dat een formule niet deugde als

zijn hart zo snel en luid ging bonken als een op hol geslagen vrachtwagen. Daar hadden renners, die toch al zwaar lichamelijk belast
werden, niets aan. Hij wilde hen 'oppompen', maar geen hartaanval
bezorgen.

Ook al was Hendershot zijn eigen proefkonijn, het duurde niet
lang voor hij zijn brouwsels en pillen uitprobeerde op wielrenners,
onder wie Armstrong. Toen Armstrong na de Olympische Spelen van 1992 prof werd, tekende hij bij Motorola, een van de twee
grootste Amerikaanse ploegen. Omdat Armstrong de beste soigneur wilde, werd hij direct aan Hendershot gekoppeld. Het was een
gedroomde dopingcombinatie.[28] De verzorger en de wielrenner
waren allebei bereid om tot de uiterste grens van wat veilig was te
gaan.[29]

'We bewandelden het smalle pad tussen sterven op je fiets en ze-
gevieren,' zo zei Hendershot.

Hendershot verklaarde dat de renners in zijn ploegen mochten
kiezen tussen wel of geen doping gebruiken. Ze konden 'de ring
grijpen of niet'. Naar eigen zeggen heeft hij geen profrenner gekend
die niet op zijn minst met doping heeft geëxperimenteerd. De wielersport was domweg te zwaar – en vaak onmogelijk, zoals de Tour
de France, die drie weken duurde – voor renners zonder farmaceutische ruggensteun.

Hendershot was van mening dat wielrenners hooguit vier jaar
clean konden rijden voor ze de wielersport moesten opgeven. Aangezien een peloton op doping sneller reed, konden cleane wielrenners hun kopman pakweg tijdens de eerste week van een koers
bijstaan, bijvoorbeeld door het tempo te dicteren aan de kop van
het peloton of door bidons uit de ploegwagen aan te reiken, maar
daarna zouden ze wegens uitputting moeten afhaken. Zo'n carrière
duurde niet lang.

Toen Armstrong in 1992 bij Motorola aantrad, was het systeem
dat dopinggebruik mogelijk maakte al aardig in de ploeg ingebur-
gerd – en waarschijnlijk in de hele wielersport. Hendershot verklaarde dat hij met een lijst van middelen en neprecepten naar zijn

lokale apotheek in het Belgische dorp Hulste ging om daar de recepten en ook andere middelen op te halen.

Wielrennen is altijd erg populair geweest in België – het is daar al vele decennia een van de belangrijkste nationale sporten. De apotheker stelde Hendershot geen lastige vragen over de enorme hoeveelheden medicijnen. In ruil daarvoor gaf Hendershot de apotheker een gesigneerde ploegentrui of nodigde hem uit voor een belangrijke wedstrijd, waar hij met een vippasje overal mocht komen. Vervolgens verliet hij de apotheek met tassen vol epo, menselijk groeihormoon, bloedverdunners, amfetaminen, cortisone, pijnstillers en testosteron, een bijzonder populair middel dat hij 'als snoep' aan de renners uitdeelde.

In 1993 gebruikte Armstrong al die middelen – net als vrijwel al zijn ploegleden, volgens Hendershot. Hij herinnert zich Armstrongs houding nog – 'Dit is het spul dat ik inneem, dit hoort bij mijn werk' – en dat Armstrong zonder aarzelen meedeed met het dopingprogramma van de ploeg omdat iedereen gebruikte.

'Het was net als het avondeten met de hele ploeg,' zegt Hendershot. Hij had een vermoeden dat echt iedereen het wist – artsen, verzorgers, renners, ploegleiders, mecaniciens – iedereen. Hij noemt het dopinggebruik nonchalant en zegt dat hij het nooit heeft hoeven verheimelijken. Nadat de renners in het ploeghotel waren geïnjecteerd, gooide hij een vuilniszak vol spuiten en lege medicijnampullen in de vuilnisbak van het hotel.

Hoewel Hendershot nooit epo of groeihormoon bij Armstrong heeft toegediend, heeft hij het wel gegeven aan andere ploegrenners en wist hij dat Armstrong de middelen ook gebruikte. Hendershot vertelt dat er in 1995 een keer een massale hoeveelheid van de twee middelen vanuit België naar het trainingskamp van de ploeg in Zuid-Frankrijk is gebracht.

Renners als Armstrong konden via verschillende routes aan doping komen – via Hendershot, via hun eigen arts of een arts die de ploeg begeleidde, of door ze zelf over de toonbank te kopen. Elke renner ging met de middelen naar Hendershot, die ze dan toediende door ze te injecteren, door een drankje te mixen dat de renner opdronk of door hen aan een infuus te hangen op doktersvoorschrift. Sommige doping was in pilvorm leverbaar, en dan deelde Hendershot pillen uit.

Begin jaren negentig had volgens de schatting van Hendershot nog niet de helft van de profploegen een arts in dienst. Die ploegen liepen voor op de curve. 'Middelen nivelleren de concurrentie, maar hoe beter je arts is, hoe beter jij bent,' zegt Hendershot. Hij voegt daaraan toe dat volgens hem bijna alle artsen doping aan hun renners moesten toedienen, gezien de dopingcultuur in de wielersport.

Toch was Hendershot voortdurend bang dat een middel dat hij aan de renners had gegeven hun schade zou berokkenen of mogelijk zelfs doden, vooral wanneer hij stoffen toediende die renners zelf in infuuszakken spoten of als de eigen artsen van de renners mengsels bereidden die Hendershot dan moest toedienen. Hij was bang dat hij schuldig zou worden bevonden als er iets misging, maar hij rationaliseerde zijn daden voortdurend. Zelfs terwijl hij doping aan renners verstrekte, hield Hendershot zich naar eigen zeggen voor: je bent geen drugsdealer. Dit is niet georganiseerd. Dit stelt niets voor.

Hij wist dat hij loog.

Hij rationaliseerde de leugen door te zeggen dat de gang van zaken werd begeleid door Max Testa, een Italiaan die in december 2013 nog steeds werkzaam is in de wielersport en een sportkliniek in Utah leidt. Testa heeft me verteld dat hij zijn renners heeft geïnstrueerd hoe ze epo moesten gebruiken, maar dat hij hun nooit middelen heeft toegediend.[30] Dus ook al was dopinggebruik niet verplicht gesteld door de ploeg, toch was het op zijn minst quasi-officieel beleid.[31] Hendershot vertrouwde erop dat Testa ervoor zou zorgen dat de renners geen risico liepen, vanuit de overtuiging dat Testa – anders dan andere wielerartsen – werkelijk bezorgd was om de gezondheid van de renners, en minder maalde om winnen of geld.[32]

Hendershot verwoordde het echter als volgt: een arts die zijn renners geen doping gaf, zou het in de wielersport niet lang volhouden.

Armstrong mocht Testa zo graag dat hij naar Italië verhuisde om dichter bij diens praktijk te zijn in het stadje Como, ten noorden van Milaan. Kort nadat hij bij Motorola had getekend, ging Armstrong tijdens het wedstrijdseizoen eveneens in Como wonen. Hij nam zijn goede vriend Frankie Andreu mee, en na verloop van tijd kregen ze gezelschap van andere renners, onder wie George Hincapie, een New Yorker, en Kevin Livingston uit het Midwesten. Ze werden allemaal patiënten van Testa.[33] Later zouden ze allemaal rijden voor de Postal Service-ploegen waarmee Armstrong de Tour de France won.

Volgens Hendershot geloofden de renners waarschijnlijk allemaal dat ze met hun dopinggebruik niets verkeerds deden. De definitie van valsspelen was flexibel in een sport die van de geneesmiddelen vergeven was: als iedereen het doet, is het geen valsspelen. Armstrong zag dat als een onomstotelijke waarheid.[34] Hij deed niet aan aarzelen, speculeren en rationaliseren. Zoals Hendershot vóór hem had gedaan, greep Armstrong op zijn beurt de ring.[35]

20 april 1994. Drie renners van de Italiaanse Gewiss-Ballan-ploeg stonden op het erepodium in hun lichtblauwe, rode en marineblauwe outfit nadat ze de Waalse Pijl, een eendagskoers in de Ardennen, hadden gedomineerd. Twee van hen hielden een boeket boven hun hoofd terwijl ze naar de menigte zwaaiden. Armstrong was ziedend. De renners van Gewiss pronkten met hun succes ten koste van hem. Hij was als zesendertigste geëindigd, op liefst twee minuten en tweeëndertig seconden na de winnaars.

Op ongeveer vijftig kilometer voor de finish van de Waalse Pijl hadden de renners van Gewiss zich losgemaakt van het peloton en hadden ze, zoals Armstrong dat later omschreef, 'iedereen gedemotiveerd'. Ze voerden hun tempo op terwijl het peloton achter hen ineenkromp tot een stipje aan de horizon. Ze vlogen bijna over de smalle, dalende wegen naar de laatste beklimming van de Mur de Huy, een steile weg met hellingen tot 26 procent. Ze reden tegen die muur op alsof hij zo vlak als een tafelblad was. Moreno Argentin kwam als eerste over de finish, terwijl zijn ploeggenoten Evgeni Berzin en Giorgio Furlan als tweede en derde eindigden.

Daar in België, in 1994, werd het uitgeputte peloton duidelijk gemaakt welke verbazingwekkende kracht epo volgens velen in de wielersport bezat. De arts van de winnende ploeg vertelde erover. Hij verkondigde het zelfs aan de hele wereld. Na de koers deed Jean-Michel Rouet, een journalist van het Franse sportblad *L'Equipe*, een interview met Michele Ferrari en vroeg hem of zijn wielrenners epo gebruikten.

'Ik schrijf dat spul niet voor,' zei Ferrari. 'Maar in een land als Zwitserland kun je epo zonder doktersrecept kopen. Als een renner dat doet, moet je mij niet zwartmaken. Epo heeft geen wezenlijke invloed op de prestatie van een renner.'[36]

De journalist reageerde: 'Het is hoe dan ook gevaarlijk! Er zijn in de afgelopen paar jaar tien Nederlandse wielrenners overleden.'

Daarop deed Ferrari, die lang heeft ontkend dat hij doping aan zijn sporters heeft verstrekt, een uitspraak die hem nog jaren zou achtervolgen: 'Epo is niet gevaarlijk, maar het misbruik ervan wel. Het is ook gevaarlijk om tien liter jus d'orange te drinken.'

Met andere woorden: het hoort bij een evenwichtig ontbijt.

Maar onder de niet-ingewijden heerste verwarring. Armstrong, Andreu, Hincapie en Livingston – vier wielrenners die de kern van het Amerikaanse wielrennen zouden worden – bestookten hun eigen ploegarts Testa met vragen. *Wat is het effect van epo? Is het gevaarlijk? Denk je dat andere ploegen het gebruiken? Kun je ons helpen om het te gebruiken?*[37]

Testa probeerde hen ervan te overtuigen dat zij dat middel niet nodig hadden. Hij zei dat de natuurlijke aanleg van wielrenners genoeg zou moeten zijn om succes te behalen in de wielersport, en dat het maar een gerucht was dat alle wielrenners epo gebruikten. 'Mensen proberen hier een slaatje uit te slaan. Jullie hebben dat spul niet nodig. Uit onderzoeken blijkt dat het niet heel veel helpt.'[38]

Toch had Testa het gevoel dat epogebruik onvermijdelijk was.

Daarom staakte hij zijn pogingen om zijn wielrenners ervan af te houden. Op een dag overhandigde hij elke renner een enveloppe met onderzoeken over epo en instructies voor het gebruik ervan. Hij vertelde de coureurs hoeveel epo ze moesten nemen en wanneer ze dat moesten doen, zodat ze niet te veel zouden nemen en ziek werden of zelfs doodgingen. 'Als je een geweer wilt gebruiken, kun je ook beter een handboek raadplegen dan advies vragen aan zomaar iemand op straat,' vertelde hij me.[39] Testa gaf toe dat hij het epogebruik faciliteerde, maar ontkent dat hij het toediende.

De trainingsrit was een ontspannen tochtje, waarbij de Motorola-renners uren achter elkaar reden om hun benen los te maken. Het was 18 maart 1995. De vorige dag, op de terugweg naar huis na Milaan-San Remo – waar hij als drieënzeventigste was geëindigd – had Armstrong tegen Hincapie, een oude vriend, gemopperd: 'Dit is waardeloos. Anderen gebruiken doping. We worden ingemaakt.'[40]

Toen de ploeg de volgende dag langs het Comomeer fietste forceerde Armstrong een doorbraak. Hij was drieëntwintig, had een wereldkampioenschap gewonnen en had in 1993 één etappe van de Tour de France gewonnen. Maar in zijn ogen was dat nog maar het begin. Hij werd met de dag streberiger en had geen zin om zich te laten inmaken door een stel Europese mietjes omdat zij een wondermiddel gebruikten en hij niet.

Armstrong benaderde de ene renner na de andere. 'Ik word ingemaakt en daar moeten we iets aan doen. We moeten een regime gaan volgen.'[41] Ze wisten wat hij bedoelde. Ze vonden het, net als hij, tijd om aan de epo te gaan.[42] Het nieuwe middel was overal. Wielrenners droegen thermoskannen vol ijs en piepkleine glazen epo-ampullen met zich mee. Ting, ting, ting. Je kon de ampullen tegen het ijs horen rinkelen. Ting, ting, ting. Het was de soundtrack van het wielrennen in deze tijd.[43]

Armstrong had natuurlijk kunnen besluiten om als enige epo te gaan gebruiken, maar daar zou hij weinig aan gehad hebben. Al lijkt het misschien niet zo, toch is wielrennen een teamsport. Er is doorgaans één leider in elke ploeg die de baas is en door de andere ploegleden wordt gesteund. Bij Motorola was dat Armstrong, waarschijnlijk de beste allround-coureur.

De andere ploegleden zijn knechten. Zij offeren zich op om hun kopman aan de winst te helpen, deels via ploegtactiek en deels via aerodynamica. De knechten rijden om beurten voor hun kopman – of naast hem, als er zijwind is – zodat ze de wind breken en de kopman achter hen kan schuilen om zijn krachten te sparen. De kopman wordt meegezogen in hun slipstream, en verbruikt daardoor veertig procent minder energie dan hij zou doen als hij in zijn eentje reed.

Dit dient allemaal om de kopman op het cruciale moment van de wedstrijd zo fris mogelijk af te leveren. Dan kan hij demarreren om de etappewinst te behalen of tijdwinst te behalen ten opzichte van zijn concurrenten in de overkoepelende strijd om de gele leiderstrui.

Maar uiteindelijk putten de knechten zich uit en laten ze hun leider los, waarna ze met grote moeite de etappe uitrijden. Dus hoe sterker de knechten van een kopman zijn, hoe groter zijn kans op de zege, omdat ze bij hem kunnen blijven en kunnen helpen terwijl de finish dichterbij komt.

In 1995 stelde Armstrong zijn knechten een ultimatum: als ze dat jaar voor de Tourequipe in aanmerking wilden komen, moesten ze aan de epo gaan. Geen zin in? Daar is de deur.[44] Armstrong nam het heft in handen. Zíjn succes stond op het spel. Het Motorola-programma was om hem heen gebouwd. Een drieënzeventigste plaats in het eindklassement van een grote koers zou sponsors niet verleiden om een contract te tekenen. Motorola had al gezegd dat het zijn sponsoring aan het eind van dit seizoen zou beëindigen. Het was dus zaak een andere sponsor aan te lokken die de meeste rekeningen van de ploeg kon betalen.

Toen Hendershot de soigneur van Armstrong werd, werd J.T. Neal Armstrongs persoonlijke assistent. In Como deed hij de boodschappen en veraangenaamde het leven van Armstrong in alle opzichten, terwijl Armstrong wedstrijden reed of trainde. Toen Armstrong vroegtijdig de Tour de France verliet – wat hij in 1993, 1994 en 1996 deed – haalde Neal hem op en reed hem naar Como. Hij verhuisde hem met het wisselen der seizoenen van de ene flat naar de andere. Hij bestierde zijn huishouden. Hij heeft een keer de elektriciteitsrekening betaald om te zorgen dat er stroom was nadat Armstrong en Andreu een rekening niet hadden betaald. Hij repareerde de wasdroger.

Wanneer Armstrong na een Tour in Como aankwam, begon Neal met massages om hem voor te bereiden op het wereldkampioenschap in de herfst. De mannen trokken veel met elkaar op. Neal maakte Armstrong bekend met de kunst in de Milanese musea. Soms zaten ze gewoon voor het huis van Armstrong naar het Comomeer te kijken en aten ze samen caloriearme maaltijden, zoals tonijn met balsamico-azijn en olijfolie.

Vaak stond er een bezoek aan Testa op het dagelijkse werklijstje. Hoewel soigneur Hendershot vertelt dat hij Armstrong kort nadat hij in 1992 bij Motorola had getekend met prestatieverhogende middelen heeft geïnjecteerd, zegt Armstrong zelf dat hij pas doping is gaan gebruiken voor het wereldkampioenschap van 1993.[45] Hij zegt dat Testa hem Synacthen gaf, een middel dat de bijnieren prikkelt om glucocorticoïden af te geven.[46] Wielrenners zeggen dat ze zich door Synacthen sterker voelen en dat het de pijn tijdens zware ritten deels wegneemt. De Motorola-ploeg beschikte zelfs al over het middel voordat Armstrong zijn ploeggenoten tot het gebruik van epo aanzette. Hendershot zegt dat Armstrong tijdens die WK's 'zo clean was als hij ooit geweest is'.[47]

Neal kreeg de indruk dat Testa's werk eruit bestond om Armstrong te prikken met elke naald die hij kon vinden. Testa legde Armstrong voortdurend aan infusen met middelen die de arts 'leverreinigers' noemde, hoewel de officiële naam van die middelen – en of ze wel of niet verboden waren – onduidelijk blijft.[48] Stephen Swart, een Nieuw-Zeelandse ploeggenoot die in 1987 voor het eerst in Europa reed, woonde niet in Como en bezocht Testa niet regelmatig, zoals de Amerikaanse wielrenners deden, maar had over Armstrongs dopinggebruik gehoord omdat de wielersport zo klein was en geruchten – vooral met betrekking tot doping – snel de ronde deden.

Swart, een norse, bonkige man, vond dat Armstrong dingen eiste die de ploegdirecteuren nooit zouden verlangen. Jim Ochowicz, een tweevoudige olympische baanwielrenner die wordt beschouwd als de peetvader van de Amerikaanse wielersport, had de 7-Eleven-ploeg opgericht, de eerste Amerikaanse ploeg die wedstrijden reed in Europa, en was daar aangebleven toen Motorola de hoofdsponsor werd. Ochowicz was de eerste die het voor mogelijk had gehouden dat Amerikanen de oude Europese garde konden uitdagen en had ervoor gezorgd dat dit inderdaad gebeurde.

In 1986 nam 7-Eleven als eerste Amerikaanse ploeg deel aan de Tour en een van zijn renners, Davis Phinney, won zelfs een etappe. Jarenlang was Ochowicz het eerste aanspreekpunt in de vs voor het internationale wielrennen, de onderhandelaar in contacten met de Europese Tourdirecteuren. Tegenover journalisten liet hij om een of andere reden niet merken hoeveel hij af wist van de interne organisatie van de wielersport.

Als Ochowicz een vraag kreeg over Armstrong en epo of andere prestatieverhogende middelen, keek hij vaak met een blik van: hoe kun je dat in hemelsnaam denken? Dan glimlachte hij nerveus en zei: 'Ik weet werkelijk niet wat ik daarop moet zeggen' (2005), 'Daar heb ik geen antwoord op' (2009) of 'Het antwoord luidt dat ik geen flauw idee heb' (2010).[49] In de loop van zeven jaar wekte dat bij mij steeds meer de indruk dat Ochowicz ofwel een doortrapte leugenaar was ofwel de meest vergeetachtige man die ooit heeft rondgelopen in de van ampullen rinkelende wielerwereld.

Het is onwaarschijnlijk dat Ochowicz niet geweten heeft van het dopinggebruik of er geruchten of feiten over gehoord heeft. Hij behoorde tot Armstrongs intieme kring en Armstrong noemde hem zelfs zijn 'surrogaatvader'. Ochowicz was getuige bij Armstrongs huwelijk en is de peetvader van diens oudste zoon.

In de ogen van Hendershot zou Ochowicz het meest onethische lid van de Postal-ploeg geweest zijn als hij op de hoogte was van het dopinggebruik maar toch een oogje toekneep. Ochowicz leek niet om de veiligheid van de renners te malen. Volgens Hendershot liet hij het grotendeels over aan de artsen en verzorgers om te zorgen dat de coureurs niet na een overdosis dood neervielen.

Armstrong heeft gezegd dat het epogebruik bij Motorola is begonnen in mei 1995, tijdens de Tour DuPont, de bekendste etappewedstrijd in de vs.[50] Armstrong, die tijdens de twee voorgaande edities als tweede was geëindigd, werd na Greg LeMond de tweede Amerikaan die hem won. Zijn zege leverde hem ook een flinke geldprijs van 40.000 dollar op. Inclusief bonussen haalde Armstrong 51.000 dollar op. Hij deelde het geld met zijn ploeggenoten.

Swart vertelt dat hij Testa's epo-instructies in het voorjaar van 1995 ontving en dat hij en Andreu vervolgens naar Zwitserland reisden om het middel te kopen. Ze gebruikten het tijdens de Ronde van Zwitserland, die kort voor de Tour de France werd verreden. Swart zegt dat hij voor het laatst epo heeft gebruikt na de proloog van de Tour van 1995. Tijdens die Tour verschenen er elke ochtend en elke avond ploegmedewerkers in het hotel met zakken ijs en thermoskannen voor de renners. Ze waren soms helemaal uitgeput na een hele dag zoeken in landen waar drankjes hoofdzakelijk op kamertemperatuur worden geserveerd.[51]

Tijdens de rustdag van die Tour van 1995 kwamen Armstrong en meerdere leden van zijn Motorola-ploeg in een hotelkamer bijeen om bloed te geven, dat ze in een centrifuge testten. Die centrifuge draaide het bloed rond, waardoor het in drie categorieën werd gescheiden: plasma, rode bloedlichaampjes en witte bloedlichaampjes. Als het bloed was gescheiden, konden de renners hun hematocrietwaarde bepalen. Als deze te hoog was, hadden ze te veel epo gebruikt en liepen ze het gevaar een hartaanval te krijgen. (Het gerucht ging dat sommige wielrenners hun wekker zetten, zodat ze midden in de nacht even zouden bewegen en hun door epo verdikte bloed niet een hartstilstand veroorzaakte tijdens hun slaap.)

Met de halve Tour en veel afmattende kilometers achter de rug, zouden hun hematocrietwaarden een stuk onder de normale waarde gedaald moeten zijn. Maar doordat ze epo hadden gebruikt, had hun lichaam meteen weer nieuwe rode bloedlichaampjes aangemaakt. Hun hematocrieten waren torenhoog, alsof ze geen kilometer hadden gefietst. Ze waren fris.

Swart zag dat de meeste van zijn ploeggenoten een hematocrietwaarde van boven de vijftig hadden.[52] Hij weet nog dat hij met 47 procent de laagste waarde van allemaal had.[53] Hij herinnert zich de waarden van de anderen nog: die van Andreu was rond de vijftig. Die van de Italiaan Andrea Peron was de hoogste, met 56. (Er is niet bewezen dat Peron ooit doping heeft gebruikt.) De waarde van Armstrong was 52 of 54, in elk geval ongeveer tien procent boven zijn norm. Zelfs met dat voordeel zou Armstrong, de sterke eendagsrenner, die Tour eindigen als zesendertigste, op bijna anderhalf uur afstand van de winnaar, Miguel Indurain.

Kathy LeMond werd in het holst van de nacht gebeld.[54] Toen de vrouw van de beroemde Amerikaanse wielrenner Greg LeMond de telefoon in hun Belgische flat opnam, hoorde ze iemand schreeuwen en huilen. Daarna hoorde ze een stem zeggen: 'Hij is dood! Hij is dood! Ik heb geprobeerd hem te helpen, maar hij is al dood! Ik heb hem aangeraakt – hij is koud! Hij is dood!'

De stem was die van Annalisa Draaijer, de Amerikaanse vrouw van de zesentwintigjarige Nederlandse wielrenner Johannes Draaijer. Die nacht, drie dagen nadat haar man na een wielerkoers was thuisgekomen in Nederland, hoorde Annalisa dat Johannes op bed een gorgelend geluid maakte. Ze probeerde hem wakker te maken, maar zijn lichaam was slap. Hij was aan haar zijde gestorven. Ze wist niemand anders tot wie ze zich kon wenden.

Greg LeMond had met Draaijer in de Nederlandse PDM-ploeg gereden. Hun Engelssprekende vrouwen hadden een band met elkaar gekregen. En nu was hun vriend dood. Zodra het nieuws van

Draaijers overlijden bekend werd, werd er gespeculeerd dat het bloed van de wielrenner door epogebruik zo dik als modder was geworden en op die manier een hartaanval had veroorzaakt.

Niemand heeft ooit bewezen dat Johannes Draaijer is overleden aan zijn epogebruik. Maar voor Greg LeMond was het zonneklaar.

'Waarvoor is hij gestorven?' vraagt Greg LeMond. 'Voor niets. [...] Iedereen wist wat er aan de hand was, maar niemand heeft het tegengehouden. Niemand.'[55]

# 5

In het najaar van 1995 ging Lance Armstrong op zoek naar dokter Michele Ferrari. Hij wilde een samenwerking aangaan met de man die de fietsers van Gewiss-Ballan tijdens de Waalse Pijl had veranderd in vliegmachines.[1]

Maar Ferrari was inmiddels een koningsmaker in de wielrennerij en was steeds selectiever geworden in zijn klantenkeuze. Dus zelfs sterke wielrenners als Armstrong moesten een lichamelijk onderzoek ondergaan voor er een afspraak kon worden gemaakt. Omdat hij bang was om ergens in zijn eentje heen te gaan, haalde Armstrong zijn vriendin Monica Buck, een voormalige Miss Hawaiian Tropic uit Texas, en J.T. Neal over om hem te vergezellen naar de praktijk van Ferrari in Bologna. Ze stapten in Como in Armstrongs auto en reden tweeënhalf uur over de *autostrada* A1 in zuidoostelijke richting.

Het was niet bepaald een gezellig tochtje. Neal wilde eigenlijk niet dat Armstrong erheen ging en was kwaad dat hij toch een afspraak had gemaakt. Met zijn zangerige accent uit het Amerikaanse Zuiden zei hij alleen maar: 'Je moet nu niet inhalig worden, Lance.'[2]

Armstrong was pas vierentwintig en had bijna 750.000 dollar op zijn bankrekening staan.[3] Maar Neal wist dat Armstrong enorm opkeek tegen mensen als Ochowicz – de ploegdirecteur van Motorola die in de beste restaurants dineerde, in vijfsterrenhotels verbleef en alleen de allerduurste wijn bestelde. Armstrong zag maar één manier om dat te bereiken – als Ferrari hem de weg wees. Hij zegt dat hij Eddy Merckx, de vijfvoudige Tourwinnaar uit België, gevraagd heeft om hem aan de arts voor te stellen, en dat Merckx dat heeft gedaan.[4]

Monica Buck was een tengere, wulpse en ambitieuze actrice die uit Texas was overgekomen voor een bezoek aan Armstrong.[5] Neal maakte zich zorgen over haar. Lance was een versierder. Hij had Bucks voorgangster Daniëlle Overgaag, de Nederlandse topwielrenster die in Austin met hem had samengewoond, gedumpt omdat ze 'te eigengereid' was.[6] Neal vermoedde dat Armstrong nooit naar Ferrari zou zijn gegaan als Overgaag nog in zijn leven was geweest. Maar aan het eind van de zomer van 1995 had Armstrong Neal gevraagd om de spullen van Daniëlle uit het appartement in Como te verwijderen om plaats te maken voor Miss Hawaiian Tropic, die nu alweer bijna over haar houdbaarheidsdatum heen leek.

De spreekkamer van dokter Ferrari, in de kelder van zijn huis in Bologna, was een wirwar van draden, buisjes, fietsen en machines. Armstrong had gehoord over een paar klanten van Ferrari,[7] onder wie Axel Merckx.[8] Axel reed opeens sneller dan ooit, en Armstrong vroeg hem of hij een geheim had. Ja, blijkbaar had Merckx dat. Ferrari, de lange, tengere Italiaan met de wijkende haargrens en het vogelachtige profiel, had aan de universiteit van Ferrara gestudeerd bij Francesco Conconi, een wetenschapper die als de grootmeester van de Italiaanse sportgeneeskunde werd beschouwd. Conconi, een voormalig lid van de dopingbestrijdingscommissie van het Internationaal Olympisch Comité, wist alles van epo.[9] Het IOC had hem vorstelijk betaald voor zijn onderzoek naar het ontwikkelen van een epocontrolemethode. Maar hij had een dubbele agenda. Terwijl het IOC hem betaalde om die test te ontwikkelen, voorzag hij tegelijkertijd Italiaanse skiërs en wielrenners van epo.

Ferrari had van Conconi geleerd. Nu wilde Armstrong de hematocrietrijke leerling van Ferrari worden. Na hem te hebben onderzocht, prees Ferrari Armstrong omdat hij 'verbazingwekkend, verbazingwekkend, zo verbazingwekkend' was.[10] Maar, zei hij, hij kon alleen sterker worden als hij zich aan zijn advies en zijn plan hield en daar nooit van afweek. 'Ik zal je opleiden,' zei hij, 'en samen kunnen wij grote dingen bereiken.'

Ferrari bracht Armstrong 10.000 dollar in rekening voor het consult en eiste tien procent van zijn salaris op.[11] Zelfs Armstrong, die aan zijn geld vasthield alsof hij net zo arm was als zijn moeder volgens haar verhalen was geweest, vond dat die deal zijn potentiële toekomstige inkomsten wel waard was en stemde toe.

De arts en de renner moesten hun contact in het geheim onderhouden, omdat de Italiaanse overheid in die tijd onderzoek deed naar Ferrari in verband met sportfraude en het verschaffen van doping aan zijn renners.[12] Hij deed uitsluitend contante geldtransacties en schreef bijna niets op, om zo weinig mogelijk papieren sporen na te laten. Maar gaandeweg werd Ferrari lakser met zijn regels.

Terwijl Armstrong opgewekt terug naar Como reed, praatte hij onophoudelijk over de hoge vlucht die zijn carrière zou nemen met de hulp van Ferrari als coach en dopingleverancier.[13] (Ferrari ontkent echter dat hij zijn rijders doping heeft verstrekt.) Het enige waar Buck over wilde praten, waren de twee uur dat ze samen met Neal had gewinkeld, terwijl ze wachtten tot Ferrari klaar was met Armstrong. Vanuit een eenzame melancholie zag Neal dat Armstrong niet onder schuldgevoelens gebukt ging. Neal kreeg de indruk dat Armstrong hun reis naar de familie van Fabio Casartelli, Armstrongs ploeggenoot bij Motorola die tijdens de Tour van 1995 was omgekomen, volledig was vergeten. Armstrong had het zoontje van Casartelli in zijn armen gehouden en zijn weduwe omhelsd.

Casartelli was tijdens een Touretappe gevallen en met zijn hoofd op een cementblok op de weg terechtgekomen. Testa, die vermoedelijk het dopinggebruik van de Motorola-renners begeleidde,[14] schijnt de lijkschouwer in Frankrijk ervan te hebben overtuigd dat een autopsie niet nodig was omdat de doodsoorzaak van Casartelli evident was.[15]

Armstrong zou later zeggen dat hij op de dag dat Casartelli doodging heeft ontdekt wat het inhield om de Tour te rijden. 'Het gaat niet om de fiets,' zei Armstrong. 'De Tour is niet zomaar een wielerwedstrijd, absoluut niet. Hij is een beproeving. Hij beproeft je lichamelijk, hij beproeft je mentaal, hij beproeft je zelfs moreel. Dat begreep ik nu. Ik begreep dat je niet kon sjoemelen.'[16]

Niet kon sjoemelen – tenzij je een geheime deal met de beroemdste en beruchtste dopingarts van heel Europa sjoemelen noemt.

In Austin hing Armstrong uren met Ferrari aan de telefoon. Hij kreeg trainingsadviezen en zaagde de arts ongenadig door. De fax in het kantoor van Neal spuugde eens per week, diep in de nacht, Ferrari's trainings- en dopingschema's uit – het tijdstip waarop hij epo, menselijk groeihormoon of testosteron moest toedienen om te voorkomen dat hij werd betrapt.[17]

Hoewel het grote publiek dacht dat Chris Carmichael als enige coach verantwoordelijk was voor de voorbereidingen van Armstrong, was die relatie slechts een dekmantel.[18] Niet dat Carmichael dat zou toegeven. In 2006 vertelde hij me dat hij Armstrongs belangrijkste coach was, maar meer recentelijk heeft hij niet gereageerd op verschillende telefoontjes en e-mails waarin ik hem om een reactie vroeg.

Armstrong had verschillende methoden om aan doping te komen. Hij haalde ploeggenoten over om ze bij Zwitserse apotheken voor hem te kopen of kocht ze daar zelf. Ook de soigneur Hendershot kon via zijn leveranciers op de zwarte markt aan middelen komen. Wat ze er ook voor moesten doen, welk risico ze ook moesten nemen, de Tourzege zou het allemaal de moeite waard maken.

In 1995 kon Neal, Armstrongs officieuze zakelijke manager, diens contracten niet langer in zijn eentje bolwerken. Sommige bedrijven wilden verzamelplaatjes van Armstrong uitgeven. Andere vroegen hem reclame voor hen te maken. Neal had hulp nodig. Armstrong was nauwelijks bij te benen. Op dat moment verscheen Bill Stapleton.

Stapleton, een voormalige olympische zwemmer die was uitgekomen voor de University of Texas, was net bij advocatenkantoor Brown McCarroll in Austin begonnen als belangenbehartiger van sporters en was op zoek naar nieuwe klanten. Hij was op zoek naar Armstrong.

Toen Armstrong in het voorjaar van 1995 contact met hem opnam, beloofde Stapleton dat hij hem zou overladen met individuele aandacht.[19] Hij vroeg een laag commissietarief, vijftien procent van Armstrongs reclamecontracten. Andere agenten, zoals de befaamde superagent Leigh Steinberg, hadden twintig procent gevraagd.

Hij ging bier drinken met Armstrong om hem voor zich te winnen.

'Je wordt een grote vis in een kleine vijver,' hield Stapleton hem voor. 'Je telefoontjes zullen te allen tijde worden beantwoord. Jij zult de man zijn om wie mijn wereld draait.'

'Je bent er voor alles, op ieder moment dat ik je nodig heb?' vroeg Armstrong.

'Ja, voor alles, altijd.'

'Voor alles?'

'Ja, voor absoluut alles.'

Dat was precies wat Armstrong wilde horen. Hij hield ervan de belangrijkste persoon in de kamer te zijn.

Intussen was in Amerika Linda Armstrongs derde huwelijk gestrand omdat haar man, John Walling, te veel dronk en onregelmatig op zijn werk verscheen.[20] Neal vond dat Armstrong zijn moeder wat geld moest toestoppen – een voorstel dat Armstrong van de hand wees.[21]

Om een of andere, voor Neal onduidelijke reden werd Armstrong steeds bozer op zijn moeder, die lang zijn voornaamste bondgenoot was geweest, de bedenker en verkondiger van een fantastische mythe die de wielerwereld voor zoete koek had geslikt.[22] Maar nu wilde hij niets met haar te maken hebben.

Toen Armstrong in 1994 zijn landgoed in Austin voor 240.000 dollar kocht, had hij zijn moeder kunnen inschakelen en haar een deel van de commissie kunnen toespelen. Maar dat deed hij niet.[23] De relatie tussen moeder en zoon was zo zorgwekkend geworden dat Neal en Linda hebben geprobeerd hem over te halen naar een sportpsycholoog te gaan om de woede te kanaliseren naar het wielrennen. Opnieuw bedankte Armstrong voor de eer. Dit was een Armstrong die Neal niet kende en niet aardig vond. Hij vond het zorgwekkend dat Lance aan elke relatie begon met de gedachte: wat kun je voor mij betekenen?

Het jaar ervoor waren Linda Armstrong en Neal naar Minneapolis gevlogen om bij Greg en Kathy LeMond advies in te winnen over de contractonderhandelingen van Lance.[24] Aan de keukentafel, met uitzicht op het meer dat zich op het landgoed van de familie LeMond bevond, vroegen ze hoe het grote ego van de jongeman beteugeld kon worden.

'Hoe zorg ik ervoor dat Lance minder egocentristisch wordt en werkelijk geeft om andere mensen in al deze hectiek?' vroeg Linda.[25]

Daar hadden de LeMonds geen antwoord op. Een paar pijnlijke tellen lang waren ze sprakeloos. Hadden ze dat goed verstaan? Zei Linda Armstrong echt dat haar zoon geen inlevingsvermogen had? Dat hij niet te beteugelen viel? Ze geloofden dat ze werkelijk bang was. Ze beperkten zich tot zakelijke adviezen: houd hem goed in de gaten, zorg dat hij niet vreemdgaat, kies zijn partners zorgvuldig uit.

Twee jaar nadat de Gewiss-ploeg met overmacht de Waalse Pijl had gewonnen en de buitenwereld op het idee had gebracht dat zijn wielrenners doping gebruikten – onder het toeziend oog van hun ploegarts Ferrari – beklom Armstrong de eerste plaats op dat podium, als eerste Amerikaan die deze beroemde voorjaarskoers had gewonnen. In datzelfde jaar, 1996, won hij voor het tweede jaar op rij de Tour duPont. Hij werd tweede in Parijs-Nice, een eendagskoers, en hij werd steeds beter in de sprint en tijdrijden. Het enige wat hij nog moest doen om een serieuze kanshebber voor de Tourzege te zijn, was zijn prestaties als bergrijder verbeteren.

Maar in de loop van de zomer van 1996 voelde Armstrong zich steeds trager worden. Hij verliet de Tour de France al na vijf dagen met een keelontsteking en bronchitis. Tegen journalisten zei hij: 'Ik kreeg geen lucht.'[26]

Ook Neal voelde zich niet honderd procent. De reden daarvoor werd algauw duidelijk: hij leed aan kanker. Er werd de ziekte van Kahler bij hem geconstateerd, een zeldzame vorm van kanker van de plasmacellen die de aanmaak van gezonde bloedlichaampjes afremt. Het raakte Armstrong als een kuil in de weg. De artsen gaven Neal nog maar twee jaar.[27]

Toch reisde Neal mee met Armstrong naar de Olympische Spelen van 1996 in Atlanta. Een elektrische pomp transporteerde de medicijnen voor de chemotherapie naar zijn borst. Hij was uitgeput. Hij sliep op de vloer van het huis dat Armstrong voor de Spelen had gehuurd.

'Hij had het nodig voor zijn privacy,' zei Neal over het huis. 'Hij had het nodig voor al die ellendige prikken die hij kreeg. Hij had die privacy nodig omdat de andere deelnemers niet hetzelfde dopingregime volgden. Zij kregen geen injecties. De slaapkamer leek wel een apotheek.'[28]

Neal zag hoe Hendershot verscheen met een tas vol ampullen, injectienaalden en infuuszakken, en hoe hij Armstrong verzorgde alsof híj de kankerpatiënt was.[29] Hij zag hoe Hendershot Armstrong voor en na wedstrijden aan het infuus legde.[30] Armstrong gebruikte al testosteron, groeihormoon en epo, maar Neal wist niet precies welke middelen hij tijdens die Zomerspelen had gekregen. Armstrong wilde niet zeggen of hij tijdens die Olympische Spelen of tijdens de voorbereiding daarop verboden middelen had gebruikt. Ook Hendershot kon niet meer precies zeggen welke middelen hij Armstrong tijdens die Zomerspelen had toegediend, maar hij zei wel: 'Het zou me hogelijk verbazen als hij geen verboden middelen had gebruikt.'

Hendershot heeft me verteld dat het gebruikelijk was om wielrenners verschillende cocktails van steroïden met epo te geven, en om hun aspirine of medicinale bloedverdunners te geven om te verhinderen dat hun bloed stroperig werd. Maar wat Hendershot tijdens die Olympische Spelen ook aan Armstrong heeft gegeven, het leidde niet tot wonderbaarlijke prestaties. Armstrong werd twaalfde in de wegwedstrijd en eindigde als zesde in de tijdrit. Tijdens beide onderdelen, die hem zwaar vielen, voelde hij zich om onduidelijke redenen opgeblazen.

Aan het eind van zijn profseizoen stond Armstrong zevende op de wereldranglijst, wat genoeg was voor een lucratief contract met de prestigieuze Franse Cofidis-ploeg voor de komende twee jaar. Zijn salaris bedroeg tweeënhalf miljoen dollar. Hij had zelfs bedongen dat hij Hendershot aan de ploeg mocht toevoegen als zijn eigen soigneur, een voorrecht dat alleen echte topwielrenners werd gegund.[31]

Inmiddels had Armstrong ook een hele rits sponsors, waaronder Nike, Giro, Oakley en Milton Bradley. Zijn bankrekening stroomde over. Stapleton zei dat Armstrong 'een zeer rijke jongeman' was en schatte dat hij dat jaar twee à drie miljoen dollar zou verdienen.

Het werd tijd dat Armstrong volwassen werd. Hij verliet eindelijk de flat die hij zeven jaar van Neal had gehuurd en verhuisde naar een vrijgezellenhuis dat beter bij zijn salaris paste. Armstrong liet een huis bouwen van 460 vierkante meter aan Lake Austin in mediterrane stijl, met een zwembad, een jacuzzi, twee aanlegsteigers en negenentwintig palmbomen. Hij ruilde zijn dierbare NSX van 70.000 dollar in voor een paar veel mooiere speeltjes: een Porsche 911 van 100.000 dollar, een Harley Davidson, een jetski en een speedboat. Hij organiseerde een extravagant feest voor zijn vijfentwintigste verjaardag in zijn nieuwe villa. Maar toch was er iets niet in orde.

Na zijn terugkeer uit Europa had hij zich slap gevoeld, alsof hij griep had. Zijn hardnekkige hoofdpijn was zelfs niet te verdrijven met een handvol Ibuprofen, en soms drie migrainepillen tegelijk. Op zijn verjaardag weet hij dat aan te veel margarita's, maar een paar dagen later hoestte hij bloed op. Zijn huisarts zei dat Armstrongs voorhoofdsholten waarschijnlijk bloedden als gevolg van allergieën.

Op 2 oktober 1996 hadden Armstrong en Neal rond één uur 's middags een lunchafspraak op hun vaste adres, The Tavern in Austin.[32] Na afloop gingen ze naar het winkelcentrum om een paar schoenen voor Neal te kopen. Deze keer klaagde Armstrong over buikpijn.

'Ik kan nauwelijks lopen,' zei Armstrong terwijl hij dubbelklapte.

Neal zei Armstrong dat de diagnose van een allergische aanval van de eerste arts hem onjuist voorkwam. Hij waarschuwde Armstrong dat het iets ernstigs kon zijn en dat hij ogenblikkelijk een andere arts moest raadplegen. Via de telefoon regelde hij een afspraak. Al voor drie uur zat Armstrong bij die arts in de spreekkamer, terwijl Neal thuis zenuwachtig afwachtte.

Artsen onderzochten Armstrong met een echo, maakten daarna een röntgenfoto van zijn borst en meldden hem toen het slechte nieuws. 'Het is ernstig,' zei de arts, Jim Reeves. 'Het is waarschijnlijk teelbalkanker met een grote uitzaaiing naar de longen.'[33]

Tussen half zes en kwart voor zes rinkelde het mobieltje van Neal. Het was Armstrong.[34]

'Ik heb teelbalkanker,' zei hij. 'Ik weet niet wat ik moet doen.'

Armstrong was van de kaart en Neal was in shock. Nu hadden ze allebei kanker.

Binnen enkele dagen ontdekten de artsen dat de kanker bij Armstrong naar zijn buikholte en hersenen was uitgezaaid. Aan het eind van de maand werd hij opgenomen in het Indiana University Cancer Center in Indianapolis om de tumoren te laten verwijderen. Volgens zijn artsen had hij een overlevingskans van nog geen vijftig procent.

Het nieuws maakte iedereen in de wielersport zenuwachtig. Ferrari was bang dat de middelen die Armstrong op zijn aanraden had gebruikt de kanker hadden veroorzaakt of dat ze hadden bespoedigd dat de kanker zich in zijn lichaam uitzaaide.[35] Armstrong geloofde niet in die theorie. Als dopinggebruik echt kanker verwekte, moesten veel andere wielrenners dood neervallen. Het enige wat hij erover kwijt wilde, is dat hij spijt had dat hij groeihormoon had gebruikt. 'Dat is slecht. Dat heeft er waarschijnlijk voor gezorgd dat de kanker sneller is uitgezaaid,' zei hij tegen vrienden. Naar eigen zeggen heeft hij het sindsdien nooit meer gebruikt.[36]

Toch vroeg iedereen zich, net als Ferrari, af of Armstrong zichzelf een dodelijke kaart had toegedeeld – vooral Hendershot, die vertelt dat hij onmiddellijk dacht: 'Wat heb ik gedaan?'

Alle injecties, alle cocktails, brouwsels en reinigingsmiddelen die hij ruim drie jaar lang bij Armstrong had geïnjecteerd moesten iets met zijn ziekte te maken hebben. 'Dat is niet heel moeilijk te bevatten,' zegt de verzorger. 'Het is een vorm van zelfbedrog om te denken dat het geen rol heeft gespeeld. Hij heeft zich beslist blootgesteld aan verhoogde risico's.'[37]

Nu ging Armstrong misschien wel dood. Hendershot was doodsbang te moeten leven met schuldgevoelens over de dood van een jongeman.

'Ik voelde me niet schuldig,' zegt Hendershot. 'Ik voelde me medeplichtig.'

Maar iedereen wist dat Armstrong doping gebruikte, zei Hendershot. De wielrenners. De ploegleiders. De soigneurs. De mannen die de velgen schoonmaakten. Ze wisten het allemaal. En niemand heeft het tegengehouden, en Hendershot zelf al helemaal niet.[38]

Hendershot en zijn vrouw Diann deden het enige wat ze konden bedenken om zich beter te voelen. Ze gooiden zijn hele voorraad doping in de vuilnisbak. Daarna pakten ze hun biezen. Ze verlieten het wielrennen. Hendershot heeft Armstrong nooit over de kanker gebeld. Hij heeft hem überhaupt nooit meer gebeld.[39]

Hendershot verdween gewoon.

# 6

Een jaar voordat Armstrong en de Motorola-renners hun plannen om epo te gaan gebruiken bespraken, en twee jaar voordat er kanker bij Armstrong werd geconstateerd, maakte Frankie Andreu kennis met een aantrekkelijke brunette in Buddy's Pizzeria in hun woonplaats Dearborn in Michigan. Het was 1994. Zij was zevenentwintig, verkocht waterfilters en smeedde intussen plannen voor het openen van een Italiaanse koffiebar. Hij was net zo oud als zij en was net terug van de voorjaarskoersen in Europa.

Een snelle inventarisatie van Andreus lichaam – hij was 1,90 meter lang en woog 75 kilo, met ongeveer vier procent lichaamsvet – zette de brunette, Betsy Kramar, aan het denken.

'Waarom zijn je armen zo dun?' vroeg ze, terwijl ze naar zijn iele biceps wees.

Hij bloosde. 'O, ik ben profwielrenner.'

'Wat zeg je? Dus dat is je beroep, op een fiets rijden? Ik wist niet dat je dat voor je vak kon doen.'

Hij was knap en had goudbruin haar, groene ogen en een aantrekkelijke glimlach. Ze viel voor hem, ook al leken ze weinig met elkaar gemeen te hebben.

Ze was als theaterwetenschapper afgestudeerd aan de University of Michigan. Hij had alleen een paar vakken gevolgd op een *community college* terwijl hij zich op zijn wielercarrière concentreerde. Zij was extravert en had een venijnig gevoel voor humor. Hij was serieuzer. Ze waren allebei koppig en hadden uitgesproken meningen (in de wielrennerij droeg Andreu de bijnaam Ajax, vanwege zijn onbehouwen omgangsvormen). Ze hadden allebei een ouder die voor het communisme was gevlucht – de vader van Andreu had Cuba verlaten, de vader van Kramar kwam uit voormalig Joegoslavië.

Kramar zag al snel in dat Andreu voldeed aan de drie eisen die ze aan een potentiële echtgenoot stelde. Katholiek? Ja. Conservatief? Ja. Tegen abortus? Ja. Op de avond dat ze elkaar leerden kennen had ze hem over die onderwerpen uitgehoord. Die inquisitie had andere mannen misschien afgeschrikt, maar Andreu vond haar zelfvertrouwen en rechtlijnigheid wel aantrekkelijk.

Algauw werd Kramar meegezogen in het wielrennen. Andreu nam haar mee naar wedstrijden en stelde haar voor aan zijn vrienden. Ze ontdekte dat Andreu altijd een knecht was geweest – een renner die zijn kopman aan de winst probeert te helpen – en dat Andreus kopman een jongeman was die Lance Armstrong heette.

Ze ontmoette Armstrong voor het eerst tijdens een wedstrijd in Philadelphia en dacht dat hij zomaar een wielrenner was. Maar hij was toen al een Amerikaanse wielerheld, wat dat in 1994 ook mocht betekenen. LeMond zat toen in het laatste jaar van zijn grootse carrière, en de populariteit van het wielrennen in de Verenigde Staten was gedaald.

Afgezien van het succes van LeMond in de Tour de France hadden Amerikanen het beroepswielrennen vooral leren kennen via de film *Breaking Away* uit 1979. Daarin wordt een jongen die net van school komt verliefd op de wielersport. Hij raakt geobsedeerd door de Italiaanse nationale wielerploeg, scheert zijn benen omdat Italiaanse renners dat ook doen en begint met een Italiaans accent te praten.

Na hun kennismaking behandelde Kramar Armstrong zoals ze iedereen behandelde, als de opponent in een debat. Ze discussieerde met hem over zijn ongeloof en probeerde hem ervan te overtuigen dat het geloof in God onmisbaar is voor het menselijk geluk.

'Je hebt niet alles in je leven in de hand, hoor,' zei ze, 'want daar heb je God voor.'[1]

'Wat een lulkoek, Betsy. Ik ben de baas over mijn eigen lot,' antwoordde hij.

Na het geloof bespraken ze de politiek. Hoewel hij best charmant was voor een Democraat, vond ze hem arrogant en egocentrisch.

Toen ze Andreu in Como opzocht, gingen ze vaak pizza's eten. Toen ze een keer risotto kookte in het appartement van Armstrong aan het meer, hielp Lance haar een handje. Hij complimenteerde haar met haar kookkunst en informeerde naar recepten en ingrediënten. Ze besefte dat hij alleen aardig deed om te zorgen dat ze nog een keertje voor hem kwam koken, maar toch viel ze voor zijn vleierij.

In de zomer van 1994, weer terug in de vs, leende Armstrong zijn nieuwe Volvo – die hij had gekregen toen hij het wereldkampioenschap van 1993 won – aan Andreu uit. 'Betsy verdient het om in een mooie auto te rijden,' zei hij, en dat vond Kramar leuk. Armstrong was weliswaar luidruchtig en irritant, vol eigendunk en kraamde meestal grote onzin uit, maar ze ging toch niet met hem trouwen?

Op 14 september 1996, op de vijftigmeterlijn van het footballstadion van de University of Michigan, verklaarde Andreu zijn liefde aan Kramar en deed haar een aanzoek. Ze huilde en zei ja.

De voorgenomen huwelijksdatum was 31 december.

Twee weken na hun verloving in het najaar van 1996 hoorde het stel dat er kanker bij Armstrong was geconstateerd. Geen van beiden had ooit gedacht dat hij minder dan superenergiek zou kunnen zijn. Nu werden ze misselijk bij de gedachte dat hij misschien zou wegteren.

Twee dagen nadat er bij Armstrong tumoren uit de hersenen verwijderd waren, vlogen Kramar en Andreu naar Indianapolis. Voor het ziekenbezoek aan hun vriend betraden ze een vergaderzaal van het Indiana University Cancer Center in het hartje van de stad.

Met haar altijd nieuwsgierige blik nam ze de omgeving in zich op. Aan de linkerkant was de badkamer, rechts stond een lange, rechthoekige tafel. Daarachter een bank en een televisie tegen de achterwand. Armstrong zat aan een tafel met een infuus in zijn arm. In de ogen van Kramar was Armstrong een schim van zichzelf, die in niets leek op de onvermoeibare Texaan die ze zo goed had leren kennen.

De kanker had hem van zijn bravoure beroofd. Hij was broos en kaal en er liep een lang litteken over zijn schedel op de plek waar de artsen zijn hoofd voor de operatie hadden opengemaakt. Ze glimlachte en zei dat hij er goed uitzag. Eigenlijk schrok ze van de futloze indruk die hij maakte.

Kramar en Andreu zaten met Armstrong en vier andere vrienden van hem in de vergaderzaal omdat zijn ziekenhuiskamer te klein was. Op tv was er een footballwedstrijd van de Dallas Cowboys te zien. Iedereen probeerde over koetjes en kalfjes te praten.

Armstrong had een juicer cadeau gekregen, dus daar begon Kramar maar over. 'Hou je van wortelsap?' vroeg ze hem, terwijl ze zich opmaakte om de lof te zingen van wat zij 'de macht van het juicen' noemde.

'En appels? Hou je van appelsap? Ik heb thuis ook een juicer en daar maak ik allerlei sapjes mee. Je kunt er zelfs groenten in stoppen. Dat is heel gezond.'

'Dank je, dat wist ik niet,' zei Armstrong.

Het gesprek stokte toen twee mannen in witte jassen de zaal in liepen. Ze waren gekomen om Armstrong naar zijn medische voorgeschiedenis te vragen.

'Volgens mij moeten we weg, zodat hij een beetje privacy heeft,' zei Kramar en porde Andreu in zijn zij.

'Nee, jullie mogen blijven,' zei Armstrong.

Kramar gebaarde nogmaals naar Andreu, om hem aan te sporen te vertrekken. Ze schopte hem met haar voet.

'Nee, van Lance mogen we blijven,' zei hij.

Een van de artsen vroeg aan Armstrong of hij ooit prestatieverhogende middelen had gebruikt. Betsy's hartslag versnelde. Wát zei hij daar? Ze draaide haar hoofd met een ruk om, zodat ze Armstrong kon zien. Ze zag hoe hij de kamer rondspiedde en de aanwezigen aankeek.

Coach Carmichael en zijn verloofde Paige waren er. Verder Armstrongs nieuwe vriendin Lisa Shiels, een blonde studente geneeskunde aan de University of Texas, die met hem samenwoonde. Ook aanwezig was Stephanie McIlvain, Armstrongs persoonlijke vertegenwoordiger bij Oakley, de fabrikant van zonnebrillen.

Deze mensen behoorden tot Armstrongs intimi. Na één blik om zich heen besloot hij dat ze te vertrouwen waren. Met een hand op zijn infuus gaf Armstrong rustig antwoord op de vraag over prestatieverhogende middelen, alsof hij een boodschappenlijstje voorlas.

Hij zei: 'Groeihormoon, cortisone, epo, steroïden en testosteron.'[2]

Andreu voelde hoe stomverbaasd Kramar was en sleurde haar de kamer uit, de gang op. Op grote afstand van de ziekenhuiskamer, bij de liften, sprak ze Andreu met stemverheffing aan.

'Mijn god, zo heeft hij kanker gekregen, hè?' zei ze. 'Ik ga niet met jou trouwen als jij dat spul ook allemaal gebruikt. De trouwerij gaat niet door!'

'Ik zweer het bij God. Ik zweer het bij God. Ik zweer het bij God,' zei Andreu. Hij sloeg een kruisje. 'Alsjeblieft, ik zweer je dat ik dat spul allemaal niet gebruik.'

Het enige wat Kramar over steroïden wist, was dat de Canadese hardloper Ben Johnson in 1988, tijdens de Spelen van Calgary, na zijn zege op de honderd meter op steroïdengebruik was betrapt. Maar ze wist genoeg om te beseffen dat steroïden ongezond waren. En verboden. Maar het ergste was dat het gebruik van steroïden in haar ogen een immorele daad was. Het was tegen de wedstrijdregels. Het was valsspelen.

'Draait het wielrennen daar nu om?' vroeg ze.

Andreu smeekte haar om niet zo te schreeuwen. 'Betsy, alsjeblieft, ik heb nooit steroïden genomen. Ik heb dat spul allemaal nooit gebruikt.' Hij zei haar dat ze niet bang hoefde te zijn: hij was clean. 'Ik doe niet mee aan al dat rottige dopinggebruik.'[3]

Ze beende weg naar het hotel en hij liep haar achterna. De spanning liep zo hoog op dat ze die dag niet meer terug zijn gegaan om Armstrong te bezoeken. Terwijl zij juist meer wilde weten, wilde hij er niet over praten.

Kramar had geen idee dat haar verloofde haar zojuist keihard had voorgelogen over zijn dopinggebruik. Meerdere voormalige ploeggenoten van hem hebben gezegd dat Andreu met epo was begonnen in 1995, zo niet eerder. [4] Volgens Armstrong en Swart, zijn collega uit de Motorola-ploeg, gebruikte de hele Tourequipe van 1995 het middel.

In Andreus kleine hoekje van de wereld leek iedereen te weten dat wielrenners epo nodig hadden om mee te kunnen doen.

Alleen kwam Betsy Kramar daar als laatste achter.

In de weken die volgden, belde Kramar vier vriendinnen en twee familieleden op om over Armstrongs dopingbekentenis te vertellen. Een van hen was Dawn Polay, Kramars voormalige kamergenote op de universiteit, die Andreu al sinds de basisschool kende. 'Je weet nooit wat de waarheid is,' zei Polay. 'Luister gewoon naar wat hij te zeggen heeft voordat je een besluit neemt. Dat de een het doet, wil nog niet zeggen dat Frankie het ook doet.'

Polay vond dat Armstrong een grote, complexe chaos had gecreëerd. Waarom had hij Kramar in vertrouwen genomen? Als hij in de loop der tijd een beetje op haar gelet had, had hij kunnen weten dat ze een tegenstander van roken en drinken was, om nog te zwijgen van dopinggebruik. Volgens Polay had Armstrong een kapitale blunder begaan – door iets op te biechten wat zo duidelijk 'tegen de regels' was volgens Betsy Kramar, een keihard oordelende moralist.

Kramar en haar vriendinnen analyseerden wekenlang wat Armstrongs biecht voor haar aanstaande huwelijk betekende. Als Andreu doping had gebruikt, zouden ze dan kinderen met drie armen krijgen? Ze vroeg zich af of Armstrong zelf zijn kanker had veroorzaakt. Kramar vroeg het zelfs aan haar huisarts.

Volgens de meeste oncologen is het onmogelijk te zeggen of Armstrongs gebruik van prestatieverhogende middelen kanker bij hem heeft veroorzaakt of de uitzaaiing van reeds aanwezige kankercellen heeft bespoedigd. Hoewel het bewezen is dat testosteron prostaatkanker kan veroorzaken, is er geen bewijs dat prestatieverhogende middelen teelbalkanker, een van de zeldzaamste vormen van de ziekte, veroorzaken. Mannen hebben een kans van 1 op 270 om het te krijgen.[5] Met zijn vijfentwintig jaar behoorde Armstrong tot de leeftijdscategorie waarin teelbalkanker het meest voorkomt, mannen van twintig tot veertig.

Hoewel het nog steeds niet wetenschappelijk is bewezen, zeggen sommige deskundigen dat het gebruik van epo en het groeihormoon het ontstaan van tumoren kan bevorderen en de vermenigvuldiging van kankercellen kan versnellen. Volgens dokter Arjun Vasant Balar, een oncoloog aan NYU Langone Medical Center in New York, stimuleert het groeihormoon de lever en andere weefsels om op insuline gelijkende groeifactor (IGF-1) uit te scheiden, terwijl ook is bewezen dat IGF-1 de ontwikkeling van kanker versterkt.[6]

Lucio Tentori, een oncologisch onderzoeker aan de Universiteit van Rome Tor Vergata, heeft in 2007 een artikel geschreven waarin hij bekeek of doping met HGH, IGF-1, anabole steroïden of epo de kans op kanker vergroot.[7] Hij kende slechts één beschreven geval van een wielrenner bij wie kanker is ontstaan na het gebruik van het groeihormoon, maar die wielrenner had de ziekte van Hodgkin, geen teelbalkanker.

Na al zijn onderzoeken en analyses kon Tentori geen stelliger uitspraak doen dan dat 'sporters erop gewezen moet worden dat langdurige behandeling met dopingmiddelen de kans op het krijgen van kanker wellicht verhoogt'.

Op de foto vormen ze een team. J.T. Neal en Lance Armstrong: twee glimlachende kankerpatiënten met een kale kop. Neal koesterde de foto. Hij bewees dat ze ondanks de onzekerheid van een zware ziekte allebei iemand hadden op wie ze konden bouwen, iemand die elke dag de broosheid van het leven onder ogen zag.

In het najaar van 1996 had Neal zijn jonge protegé begeleid tijdens zijn oncologische behandelingen in het Southwest Regional Cancer Center in Austin. Neal kende de verpleegkundigen en artsen uit de tijd dat hij er zelf gelegen had, wist de weg op de kankerafdeling en regelde een privékamer voor Armstrong.

De beslotenheid van die privékamer was ideaal voor Shiels, Armstrongs nieuwe vriendin, een studente die haar studie serieus nam. Ze kon tegelijk studeren en hem de steun bieden die hij nodig had.

Van de vrienden en familieleden die Armstrong kwamen bijstaan, keken er maar een paar verder dan zijn overleving. Bill Stapleton deed dat wel. Om te zorgen dat Armstrong op de toekomst gericht bleef, stelde hij voor om een liefdadige kankerstichting op te richten die zijn naam droeg, zodat hij tijdens zijn herstel in het nieuws bleef.[1] Armstrong en een paar van zijn wielermaatjes – Bart Knaggs, John Korioth en chiropractor Gary Seghi uit Austin – vonden het een geweldig idee en bespraken het op een avond tijdens een etentje. De stichting was een goede publiciteitsstunt, maar zij kon ook de bekendheid van teelbalkanker vergroten, waarmee Armstrong hoopte te helpen voorkomen dat andere mannen zijn lot deelden. Als hij van deze ziekte af had geweten, als hij haar eerder had opgemerkt, als zijn teelbal niet tot de grootte van een citroen was opgezwollen eer hij er iets aan liet doen, was de kanker waarschijnlijk niet naar zijn buik of hersenen uitgezaaid. Hij dacht dat de stichting kon helpen om andere mannen te beschermen tegen de verwaarlozing van hun lichaam.

In 1997 diende Stapleton een officieel verzoek in bij de staatssecretaris van Texas voor de oprichting van de Lance Armstrong Foundation. Korioth, een kroegbaas in Austin en een van Armstrongs beste vrienden, bood aan om er leiding aan te geven. Knaggs haalde een paar van zijn rijke vrienden over om toe te treden tot de raad van bestuur. Een van hen was Jeff Garvey, een durfkapitalist uit Austin die sterk betrokken was bij de Amerikaanse wielerbond.[2]

Armstrong wilde dat al zijn vrienden hem hielpen bij zijn nieuwe, fietsloze onderneming. Tijdens zijn zoektocht naar een hoofdkwartier voor de stichting concludeerde hij dat een van J.T. Neals gerenoveerde appartementen daarvoor ideaal zou zijn. Hoewel het een marktwaarde van misschien wel 650 dollar per maand had, bood hij tweehonderd dollar – wat Neal als een belediging ervoer.[3]

Neal had geen zin om Armstrong voor de zoveelste keer te matsen. Armstrong was rijk. Bovendien wilde Neal geld sparen voor de toekomst van zijn gezin. Terwijl hij in Austin chemotherapie onderging, had hij de dood van dichtbij gezien en had hij mensen gekend die het niet gered hadden. Zijn eigen dood kwam ook dichterbij, misschien niet volgende week, misschien niet volgende maand, maar wel binnenkort.

Daarom sloeg Neal het aanbod van tweehonderd dollar af, wat Armstrong razend maakte. Hij zei dat Neal niet zijn uiterste best deed om hem te helpen zijn stichting van de grond te krijgen. Neal had zo'n reactie wel verwacht, want hij merkte op dat Armstrong zich steeds meer met jaknikkers omringde: Stapleton, Carmichael, Korioth en Ochowicz. Het was hem ook opgevallen dat ze stuk voor stuk financieel en/of professioneel baat hadden gehad bij hun contact met Armstrong.

'Hij liet allerlei mensen langskomen die van geld hielden en die indruk wilden maken. En hij wilde indruk op hen maken en nam daarom veel waarden en deals van zulke mensen over,' vertelde Neal. 'Ik kon er niet tegen.'

De eerste fundraiser van de Lance Armstrong Foundation was een koers in Austin, de zogeheten *Ride for the Roses*. De naam gaf al aan dat Armstrong door tegenslag had moeten leren dat je soms pas op de plaats moet maken om van het leven te kunnen genieten. De telefoontjes die Korioth pleegde om sponsors te werven, stuitten op een verbazingwekkende onwetendheid: aan de andere kant van de lijn trof hij maar zelden iemand die van Lance Armstrong had gehoord. Maar Michael Ward, een gitarist in de rockband The Wallflowers en een enthousiast wielrenner, nam contact op met Korioth om te zeggen dat hij graag aan de fundraiser wilde bijdragen door met zijn band te komen spelen. Korioth stemde snel in. Het was een geweldige coup voor de jonge stichting. Armstrong had op dat moment nog geen Tour de France gewonnen en was evenmin helemaal kankervrij. De mijlpaal van één jaar kankervrij zijn zou een belangrijke datum voor zijn herstel worden. Maar zo ver keek Armstrong niet vooruit. Geen tijd voor. Terwijl zijn behandelingen werden voortgezet en hij van de Ride for the Roses een succes probeerde te maken, haalde hij alweer een nieuwe vrouw in zijn leven.

Hij leerde Kristin Richard kennen tijdens een persconferentie waarin zijn fundraiser werd aangekondigd. Als bestuurder van een PR-bedrijf had zij de opdracht om reclame voor het evenement te maken. Armstrong vond haar mooi, maar vond het vooral geweldig dat ze zo hard voor hem werkte. Ze was zijn officiële cheerleader, die werd betaald om mensen over te halen om aandacht te schenken aan hem, aan zijn stichting en aan zijn grote wielerevenement.

Hij vertelde Neal dat hij een 'mooie nieuwe meid' uit een stabiele, gefortuneerde familie had leren kennen. Haar vader was een bedrijfsdirecteur. De familie bezat een huis in de buurt van New York. In Armstrongs ogen leek de familie Richard te mooi om waar te zijn. Hij zei tegen Neal dat de normaalheid van de familie hem net zozeer aanstond als dat hij Kristin leuk vond.

Shiels werd gedumpt. Neals oudste dochter C.C. liep haar een paar maanden na de breuk tegen het lijf en zei hoe jammer ze het vond dat het was uitgegaan. Shiels barstte in tranen uit. Ze had vrijwel haar hele laatste studiejaar aan Armstrong opgeofferd en had de indruk dat hij haar had weggedaan toen hij haar niet langer kon gebruiken. Neals vrouw Frances antwoordde daarop: 'Nou, dat was Armstrong ten voeten uit. Hij behandelt mensen als bananen. Hij pakt wat hij nodig heeft en gooit de schil langs de kant van de weg.'[4]

De Ride for the Roses overtrof de stoutste verwachtingen van Korioth. Armstrongs sportieve prestaties – een wereldkampioenschap en enkele etappeoverwinningen tijdens de Tour de France – zeiden de gemiddelde Amerikaanse sportliefhebber misschien niet zo veel. Maar onder wielrenners was Armstrong een grote naam. Er kwamen bijna drieduizend renners opdagen, onder wie Greg LeMond, de vijfvoudige Tourwinnaars Eddy Merckx en Miguel Indurain, en de olympische schaatslegende Eric Heiden, die naar het wielrennen was overgestapt. Achteraf besefte Korioth dat hij op een grote opkomst had kunnen rekenen.

Korioth merkte op dat Armstrongs fans het gevoel hadden dat ze hem intiem kenden. Ze begrepen welke pijn je tijdens een steile beklimming leed en hoe eentonig het was om over lange, eindeloze wegen te rijden. 'Het is een heel persoonlijke band,' vertelt Korioth. 'Ze hebben het gevoel dat ze zo met hem zouden kunnen meerijden. En waarschijnlijk zouden ze dat nog kunnen ook.'

Armstrongs ziekte verdiepte die emotionele banden en verbond de kring van wielerliefhebbers met die van genezen kankerpatiënten. Hij bracht mensen bij elkaar die bij hem op zoek waren naar inspiratie, niet alleen als sportman, maar ook als een symbool van veerkracht.

En zo begon Armstrongs verheffing tot het pantheon van de Amerikaanse sporthelden. Hij was van zijn sterfbed opgestaan en opgestegen tot een seculier heiligdom. De Amerikanen probeerden hem bijna kwijlend voor zich op te eisen. Hij was iemand voor wie de natie kon juichen, op wie ze trots kon zijn, een man die een klassieke heldentocht had afgelegd met alle elementen van een verhaal over een dorpsjongen die het ver geschopt had. Amerikaanse kankerpatiënten konden niet alleen hun ziekte overwinnen, maar ook inzien dat ze die vervelende Fransen konden inmaken tijdens hun eigen spelletje, de Tour de France. Armstrong zou een kankervermorzelaar, een Frankrijkvermorzelaar en een algehele geweldenaar worden. Amerikanen zijn nu eenmaal dol op een sympathieke bikkel.

In zekere zin bevredigde Armstrong een oeroude behoefte van mensen om voorbeelden te scheppen die ze heilig kunnen verklaren. Hij was de underdog die was veranderd in een superheld, eerst op de kankerafdeling en vervolgens op de fiets. Mensen die in hem geloofden, zagen alleen zijn mooie kant of maakten zichzelf wijs dat dat de enige kant was die er bestond.

Kort nadat er kanker bij Armstrong was geconstateerd, raadpleegde Kevin Kuehler, een wielrenner die vooral bergritten reed, een arts omdat hij symptomen had die leken op die van Armstrong.[5]

Volgens de arts was het geen kanker, maar vier maanden later vroeg Kuehler een second opinion aan. Toen kreeg hij te horen dat het wel degelijk kanker was. Die dag sprak Kuehler onderweg naar huis met Armstrong, tijdens een inbelprogramma op de radio.

Terwijl hij zijn ervaring zenuwachtig via de telefoon probeerde uit te leggen, viel Armstrong hem in de rede. 'Bel je omdat je mijn advies wilt,' vroeg hij, 'of om een praatje te maken?'[6]

Armstrong raadde Kuehler aan om de zieke teelbal te laten verwijderen, een ingreep waarvan hij zei dat die zijn leven zou redden. Toen de kanker twee jaar later terug was, deze keer in zijn longen, nam Kuehler opnieuw contact op met Armstrong. Deze keer regelde Armstrong een gesprek van Kuehler met zijn hoofdoncoloog, dr. Larry Einhorn van de medische faculteit van de Indiana University in Indianapolis. Binnen drie kwartier hing Einhorn met Kuehler aan de telefoon om een behandelwijze te bespreken die Kuehler niet had overwogen.

De nieuwe behandeling sloeg aan en Kuehler kon later tegenover de Amerikaanse natie verkondigen: 'Volgens mij doet hij fenomenaal werk. Hij had na zijn genezing gewoon zijn oude leventje kunnen oppakken, maar hij heeft gekozen voor de zwaardere weg om mensen te helpen. De meeste mannen generen zich om te praten over wat er in hun onderbroek gebeurt. Maar bij dit type kanker word je meer getroost naarmate je meer weet. Dat geeft Lance een missie.[7]

Tot de andere gelovigen zouden mensen gaan behoren als een zekere Jim uit Nashville, Tennessee, bij wiens vrouw leukemie was vastgesteld. Op zijn blog schreef hij woorden die veel andere volgelingen van Armstrong als de waarheid beschouwden: 'God verricht duidelijk zijn werk via Lance Armstrong.'[8]

Terwijl mensen als Kevin Kuehler Armstrong kwamen aanbidden, stond J.T. Neal op het vliegveld van Austin op zijn protegé te wachten. Hij belde keer op keer naar zijn mobieltje zonder antwoord te krijgen. Het was in het voorjaar van 1997, toen Armstrong bezig was volledig van teelbalkanker te herstellen. Zijn fans, onder wie veel kankerpatiënten, wilden hem ontmoeten, met hem spreken en hem zo mogelijk even aanraken. Ze stuurden bergen brieven naar zijn woordvoerder bij Nike, om te zeggen dat Armstrong hun held was en om te vragen om een handtekening. Zijn vrienden begonnen hem 'de Jezus van de kanker' te noemen. Armstrong vond het een gruwel.

'Ik hou niet van die drukte,' zei hij. 'Ik hou niet van grote menigten. Ik hou niet van mensen. Ik hou over het algemeen niet van onbekenden.' Neal kreeg de indruk dat hij zich afsloot.[9]

Toch mochten de mensen hem. Ze zagen iets in hem wat ze in zichzelf hoopten te zien – de gulheid, vriendelijkheid en vooral de moed die je nodig hebt om kanker te overleven en vervolgens weer te gaan werken – en leven.

Neal was op weg naar Arkansas voor zijn tweede beenmergtransplantatie, die hem zou doen kokhalzen en overgeven en hem spruw zou bezorgen, een gistinfectie in de mond die vooral bij kleine kinderen voorkomt. Die zou zijn lichaam nog verder verzwakken. De transplantatie zou hem zelfs fataal kunnen worden.

Hij had hulp nodig, iemand die voor hem kookte en die met hem tijdens de therapie van een week heen en weer naar het ziekenhuis kon rijden. Hij wilde zijn eigen gezinsleden de aanblik van zijn ontreddering besparen en had daarom Armstrong gevraagd om hem te vergezellen. Armstrong stemde ermee in. Hij zou zeven hele dagen bij hem blijven. Tot hij dat ineens toch niet deed.

Op het vliegveld ging Neals mobieltje eindelijk rinkelen.

'Waar ben je?' vroeg Neal.[10]

'Eh, ik ga het niet halen, sorry,' zei Armstrong.[11]

Hij had backstagepasjes voor The Wallflowers (ja verdorie, want die hadden tijdens de Ride for the Roses gespeeld en zo) en wilde die niet weggeven.[12] Neal voelde zich verraden. *Hij* had Armstrong gesteund toen hij *hem* nodig had. Ze hadden samen de chemo's doorstaan. Hij had hem verwelkomd in zijn gezin en had gezwegen over alle middelen, de epo, de injecties en wie weet wat hij nog meer had gebruikt tijdens het wielrennen. Hij – en niet Stapleton, niet The Wallflowers – was degene die Armstrong voor de Olympische Spelen van 1996 had opgebeld om met hem uit te knobbelen hoe hij de epo uit de koelkast in een hotelkamer in Milaan moest weghalen, die Armstrong daar per ongeluk had achtergelaten.[13] Hij had Armstrongs diepste angsten en grootste geheimen aangehoord, waaronder die over zijn biologische en adoptievaders. Hij was zijn zakelijke manager en advocaat geweest, zonder hem daarvoor ooit één rekening te sturen. Later zou Neal zeggen: 'Dit is niet de behandeling die ik had verdiend, of die wie dan ook verdiend had.'

Sommige vrienden van Neal hadden hun oncologen voor hem opgebeld en hem geholpen bij het overwegen van alternatieve behandelwijzen. 'Maar Lance niet,' zei hij. 'Dat heeft hij niet gedaan.'

Hoe meer Neal nadacht over het feit dat Armstrong hem op het vliegveld had laten barsten, hoe gekwetster hij zich voelde. Hij deed de Rolex af die Armstrong hem had gegeven en heeft hem nooit meer omgedaan.

Op een dag aan het eind van de zomer van 1997 voerde Armstrong een bespreking met Carmichael, die net uit Austin was overgevlogen. Carmichael wilde dat Armstrong weer wedstrijden ging rijden en had Stapleton overgehaald om dat bij hem te komen bepleiten. Beide mannen hadden financieel belang bij een comeback.

Carmichael, die in 1995 als Armstrongs hoofdcoach was verdrongen door Ferrari, zei dat het zonde zou zijn als Armstrong de wielersport zo jong vaarwel zou zeggen.[14] Stapleton hield Armstrong voor dat een comeback heel lucratief kon zijn. Sponsoren zouden op hem af vliegen, en niet de eerste de beste, maar topbedrijven uit de *Fortune* 500-lijst. Armstrong zou zeer waarschijnlijk de provinciale wortels van de wielersport kunnen overstijgen.

Hoewel Armstrong besefte dat hij dan opnieuw aan de doping moest, vertelde hij me dat hij daar niet bang voor was, omdat hij zich veilig voelde in de handen van Ferrari en uit ervaring wist dat hij maar een fractie nodig zou hebben van de epo die hij – ironisch genoeg – tijdens zijn chemotherapie had gekregen. Hij geloofde niet dat zijn dopinggebruik de kanker had veroorzaakt. En daarom besloot hij weer op zijn fiets te klimmen.[15]

Het enige probleem was dat hij geen kant op kon.

De Franse Cofidis-ploeg had zijn tweejaarlijkse contract ter waarde van 2,5 miljoen dollar beëindigd. Als alternatief bood het nu 180.000 dollar met vooruitzicht op een hoger salaris als hij onverwacht zijn oude vorm hervond. De ploeg was er niet gerust op dat Armstrong dezelfde renner zou zijn als vroeger.

Dit aanbod, dat Armstrong een belediging vond, maakte hem razend. Die 'Eurohufters' hadden hem genaaid. De meester in het koesteren van wrok zon op wraak.

Armstrong had één kans op een betere deal: United States Postal Service. Deze in Amerika geregistreerde ploeg was eigendom van Thomas Weisel, een zakenbankier uit San Francisco die door verschillende wielrenners van Postal Service een *jock sniffer* werd genoemd, een neerbuigende term voor iemand die ervan houdt om aan te pappen met topsporters. Hij had zelf ook op hoog niveau gesport. Weisel was Amerikaans jeugdkampioen wedstrijdschaatsen en wereldkampioen wielrennen voor de jeugd geweest en had ook aan wedstrijdskiën gedaan. Het was zijn volgende sportieve doel om de beste wielerploeg van de vs op te bouwen.

Armstrong had in 1990 en 1991 als amateur voor Weisel gereden, in de Subaru-Montgomery-ploeg die Weisel had bekostigd. Weisel had de ruwe diamant opgemerkt. Met die gedachte in het achterhoofd accepteerde Weisel Stapletons voorstel van een basissalaris van 215.000 dollar voor Armstrong, met veel prestatiebonussen daarbovenop.[16]

Dat was in oktober 1997, ongeveer een jaar nadat er kanker bij Armstrong was vastgesteld. De ziekte zou zich ontpoppen tot een financiële zegen voor Armstrong – en ook voor Stapleton. Stapleton geneerde zich niet om de kankervrije Armstrong de droom van een reclamemaker te noemen. Een autobiografie was in de maak. Mensen die nog nooit belangstelling voor wielrennen hadden getoond wilden nu weten wie deze superheld was.

'Lance is niet langer alleen een wielrenner – door zijn ziekte heeft het merk Lance Armstrong een veel grotere aantrekkingskracht,' zei Stapleton tegen de *Austin-American Statesman*. 'Onze uitdaging is om dat nu te benutten. Hij staat op het punt een grensoverschrijdende spreekbuis te worden. Hij zou net zo iemand kunnen worden als de sporters die spotjes doen voor Pepsi of Gatorade. Als zijn comeback slaagt, hopen we hem mee te nemen naar bedrijven als Kodak of Sony, in de hoop dat zij hem als gezicht van hun bedrijf willen hebben.'[17]

Terwijl Stapleton en Carmichael bezig waren Armstrong langzaam naar de internationale roem te duwen, probeerde J.T. Neal hem met beide benen op de grond te houden. Misschien omdat hij de dood onder ogen zag, werd hij niet verblind door de presentatie van Armstrong als het uithangbord van de kankervoorlichting. Zoals altijd was zijn houding tegenover Armstrong een vaderlijke.

Tijdens Neals tweede beenmergtransplantatie was een familievriend voor Armstrong ingevallen als verzorger. De hele week had

Neal zich zitten afvragen wat hij en Armstrongs moeder fout hadden gedaan. Hij had al langer oog gehad voor het egoïsme dat inherent was aan Armstrongs grote ambitie, maar deze keer was Armstrong over de schreef gegaan door Neal te laten zitten toen hij hem keihard nodig had. Ook al had Neal dat wel een beetje zien aankomen.

Armstrong had geen aandacht gehad voor de artsen en verpleegkundigen die tijdens zijn behandeling in Austin om zijn bed stonden, maar was er als de kippen bij om zijn genezing aan te grijpen om geld te verdienen. Het was hypocriet van Armstrong om een spreekbuis van de kankervoorlichting te zijn, zei Neal. 'Kijk om te beginnen eens hoe hij kanker heeft gekregen,' zou Neal later zeggen. 'Hoe hij de regels aan zijn laars lapt. Alsof hij zegt: "Ik heb kanker en ik ben een goeie vent" en "Ik zal alle middelen gebruiken om het doel te heiligen".'[18]

Neal wist dat Armstrong weer aan de doping was. Terwijl Armstrong geld ophaalde voor zijn stichting, was hij op zoek naar een manier om in de Verenigde Staten aan epo te komen toen hij die niet langer kreeg als kankermedicijn.[19] Armstrong had zelfs het lef gehad om Neal te vragen om de epo die hij in het kader van zijn behandeling kreeg toegediend. Nadat Neal bij herhaling had geweigerd het medicijn met hem te delen, meldde Armstrong uiteindelijk dat hij een leverancier in het zuidwesten van de vs had gevonden.

Ook al had Neal zijn buik vol van Armstrongs gemanipuleer, toch bleef hij hem vragen om zijn moeder Linda te helpen. Neal vroeg hem om haar 10.000 dollar per jaar te geven. Maar dat weigerde Armstrong.

Daarom vroeg Neal uiteindelijk aan Garvey, de bestuursvoorzitter van de stichting, om hier bij Armstrong op aan te dringen. Toen Armstrong opnieuw weigerde, bood Garvey aan om het geld zelf te fourneren.[20] Maar dan had hij een pr-probleem. Als bekend werd dat Armstrong zijn eigen armlastige moeder niet wilde helpen, hoe zou dat dan op de stichting afstralen? Stel dat Amerika ontdekte dat Lance Armstrong geen onbaatzuchtige held was?

# 8

Twee jaar voordat Armstrong zich bij de Postal Service-ploeg voegde, was die ingrijpend gereorganiseerd. Na het seizoen van 1996 werd Borysewicz, de coach van de olympische ploeg van 1984 en Armstrongs voormalige mentor, niet gevraagd om het volgende seizoen terug te komen. Ook ploegarts Prentice Steffen werd niet terug gevraagd.

Steffen had in 1996 tijdens de Ronde van Zwitserland in een hotelkamer van de ploeg gezeten toen twee Postal-renners – Tyler Hamilton en Marty Jemison – hem voor een gesprek benaderden.[1] Jemison bracht het medische programma van de ploeg te berde. Hij zei dat de equipe niets opschoot met het huidige programma – de wielrenners waren tijdens de koers, de eerste grote Europese wedstrijd die de ploeg reed, verpletterd – en vroegen Steffen om advies.

'Zou je wat extra's kunnen doen om ons te helpen?' vroeg hij.

Steffen vatte dit op als een eufemisme en kreeg de indruk dat Jemison om prestatieverhogende middelen vroeg.[2] In zijn herinnering was het een ironisch gesprek waarvan hij wist dat het nergens toe kon leiden, omdat hij als voormalige medicijnverslaafde gekant was tegen het gebruik van prestatieverhogende middelen.

'Nee, aan zulke praktijken ga ik echt niet meewerken,' antwoordde Steffen.

Hamilton heeft ontkend dat dit gesprek ooit heeft plaatsgevonden. Volgens Jemison hebben ze die dag wel met Steffen gesproken, maar vroegen ze om toegestane producten zoals vitamines en aminozuren. Hoe dan ook kreeg Steffen de indruk dat de renners en de ploegleiding zich van hem begonnen te distantiëren. Mark Gorski, de algemene ploegleider, die in 1984 zelf aan de Olympische Spelen had deelgenomen, beantwoordde zijn telefoontjes en e-mails niet langer. Voor hij wist wat er gebeurde, was hij vervangen door een Spaanse arts, Pedro Celaya.

Steffen had de ploeg een paar jaar begeleid en voelde zich gekwetst door zijn lompe ontslag. Hij kreeg geen formeel afscheid. De ploeg liet zijn contract gewoon verlopen. Hij schreef een woedende brief aan Gorski: 'Wat heeft een Spaanse arts, een volslagen onbekende voor de organisatie, te bieden wat ik niet kan of wil bieden? Doping is het nogal voor de hand liggende antwoord.'

Het antwoord van de ploeg stond in een brief van zijn advocatenkantoor. Steffen werd gedreigd met een proces als hij die aantijgingen publiekelijk zou herhalen.

Ook Borysewicz was zijn baan bij de ploeg kwijt. Hoewel hij bij het bloeddopingschandaal van de Zomerspelen van 1984 betrokken was geweest, hebben meerdere wielrenners van Postal Service verklaard dat hij hun nooit iets dergelijks heeft aangeboden. Zelf heeft hij gezegd dat hij geen behoefte had om in nóg een dopingaffaire verwikkeld te raken. Hij werd in 1997 vervangen door de Deen Johnny Weltz, een oud-wielrenner die hoofdzakelijk had gereden voor de Spaanse ONCE-ploeg, die bekendstond als een van de smerigste uit de hele wielrennerij.[3] Weltz voegde zich bij Celaya, een arts die volgens sommige renners wel raad wist met het verstrekken van doping aan sporters. Het United States Anti-Doping Agency zou Celaya uiteindelijk een levenslang werkverbod opleggen wegens het drogeren van zijn sporters, maar Celaya heeft altijd ontkend dat hij doping heeft toegediend. Begin 2014 was deze zaak nog onder arbitrage.

Er werd een nieuw regime ingesteld dat de weg plaveide voor de terugkeer van Armstrong in het volgende jaar, nadat hij zijn strijd tegen de kanker had overleefd. Tijdens zijn afwezigheid was er in de dopingcultuur in de wielrennerij niets veranderd.

Zodra hun ploeggenoten hun appartement in het Spaanse Girona hadden verlaten togen Darren Baker en Scott Mercier aan het werk.[4] Ze spiedden onder bedden, in laden, in jaszakken – werkelijk alle mogelijke bergplaatsen in de slaapkamers van Tyler Hamilton en George Hincapie, hun kamergenoten en Amerikaanse landgenoten in de Postal Service-ploeg. Uiteindelijk stuitten ze op een schoenendoos vol pillenflesjes onder in de kast van Hincapie. Tussen de vitamineflesjes was een klein bruin flesje testosteron verstopt.

'Niet te geloven!' zei Mercier.

'Wat? Is dat alles? Ik wist zeker dat er meer zou zijn,' zei Baker.

Dit was alles wat ze vonden, maar ze hadden nu antwoord op de vraag: gebruiken onze ploeggenoten doping? Ja. In elk geval sommigen van hen.

In 1997 was Hincapie pas drieëntwintig, maar was al heel lang een van de beste wielrenners van de vs. Hij was opgegroeid in Queens, als kind van Colombiaanse immigranten, en was op zijn achtste met fietsen begonnen. Zijn vader Ricardo was wedstrijdrenner geweest. George Hincapie ging regelmatig met zijn oudere broer Rich trainen in Central Park. In het weekend reed de hele familie Hincapie met de auto naar wedstrijden in New Jersey, Connecticut, en door de hele staat New York. Anders dan Armstrong, die als zuivere wielrenner een laatbloeier was, omdat hij zich aanvankelijk op triatlons had geconcentreerd, won Hincapie al op zijn twaalfde zijn eerste landskampioenschap.

Op school fantaseerde hij over deelname aan Europese wedstrijden, misschien zelfs aan de Tour de France. Hij verwaarloosde zijn huiswerk en schreef trainingsschema's. Hij heeft één semester gestudeerd aan Hofstra University, maar besloot toen dat een universitaire studie niets voor hem was.

Hij kreeg zijn eerste vitamine-injecties bij de Amerikaanse ploeg in Italië. Daar in Europa, zei hij, was het injecteren van vitaminen zo doodnormaal dat injectienaalden in de supermarkten 'naast de appels' lagen. Tijdens de Olympische Spelen van 1992 kreeg hij injecties toegediend door Angus Fraser, de coach van de nationale ploeg – die later werd beticht van het verstrekken van doping aan jonge wielrenners, hoewel Fraser dit onkent –, maar Hincapie geloofde dat zijn injecties uitsluitend toegestane supplementen bevatten, zoals vitamine B12 en C.[5] In zijn begintijd als profrenner bij Motorola zag hij een ploeggenoot iets inspuiten waarvan hij vermoedde dat het epo was.[6] Een andere ploeggenoot had een hele la vol medicijnen die hij aan Hincapie naliet toen hij de ploeg vanwege een blessure moest verlaten.[7] De soigneurs van de ploeg, onder wie Hendershot, gaven Hincapie verschillende injecties, maar hij verzuimde te vragen wat ze bevatten. Hij vertelde dat zijn mentor, Frankie Andreu, die al jaren profrenner was en later bij Postal Service kwam, hem in de epo heeft ingewijd.

'Het was iets heel gewoons,' vertelt Hincapie, waarmee hij doelt op het dopinggebruik onder profrenners in Europa. 'Het was schokkend, maar ik had geen alternatief plan. In die tijd zei je niet: "Verdomme, ik moet de kluit belazeren." Je zei eerder: "Ik ga me niet laten belazeren. Ik moet dit doen."'

Tijdens zijn eerste grote koers – de Ronde van Spanje in 1995, toen hij nog clean was – kon Hincapie 'de dikste vent met de slechtste conditie in de hele wedstrijd maar moeizaam bijhouden, zo zwaar was dat'. Toen begreep hij dat hij zich helemaal kapot kon trainen, maar dat hij nooit de top zou bereiken als hij niet aan de doping ging.

Dertig jaar lang was zijn vader om vier uur 's ochtends opgestaan en vertrokken naar zijn werk in de bagageverwerking van United Airlines op LaGuardia Airport. Zijn moeder had tien jaar lang een stadsschoolbus gereden. 'Die concentratie en toewijding waren echt aan me doorgegeven,' vertelde hij. 'Ik zou gaan doen wat ik wilde doen, voor de volle honderd procent.'

Dus toen hij voor de beslissing stond om wel of geen prestatieverhogende middelen te gaan gebruiken, volgde Hincapie het voorbeeld van zijn goede vriend Armstrong: hij ging er helemaal voor. Een jaar later zat Armstrong weer met Hincapie in een ploeg. Ze reden samen en gebruikten samen doping. Het was een partnerschap waarmee ze dingen zouden beleven die ze nooit hadden voorzien – dingen die zowel triomfantelijk als tragisch waren.

Baker en Mercier waren de twee renners van Postal Service – misschien wel de enige twee topwielrenners – die nee zeiden tegen de doping. Hoewel ze hun ploeggenoten nooit prestatieverhogende middelen hebben zien gebruiken, vonden ze het verdacht dat hun kamergenoten Hamilton en Hincapie zo waren ingelopen op de Europeanen, die wel epo gebruikten. Hoe hadden ze dat klaargespeeld?

Hincapie, de lange, tanige sprinter die uitblonk in snelheid en krachtvertoon op vlakke wegen, was een betere bergrijder geworden. Hamilton, een kleine man met sproeten, ijsblauwe ogen en golvend kastanjebruin haar, klom de laatste tijd ook beter dan ooit.

Geen van beiden leek het type om doping te gebruiken. Hincapie, die de bijnaam Big George had, was een rustige en doodgoeie vent die in het peloton net zo populair was als onder de fans.

Hamilton leek te zijn weggelopen uit een advertentie van het kledingmerk J. Crew, die van een jongen met zijn golden retriever. Hij kwam uit New England, had als tiener aan wedstrijdskiën gedaan en had van zijn ouders geleerd om button-downoverhemden te dragen en altijd voorkomend en beleefd te zijn. Op het eerste gezicht was Hamilton niet zozeer een profsporter als wel een tiener op een fiets die de ochtendkrant niet op de drempel, maar op het dak gooide.

Armstrong kwam in 1998 bij de ploeg. In het jaar van zijn afwezigheid was de dopingcultuur in de sport niet veranderd. Dat de ploeg nu werd gesponsord door Postal Service, een onafhankelijke dienst van de Amerikaanse overheid, wilde niet zeggen dat de ploeg zich nu aan de regels zou houden. Misschien was zelfs het omgekeerde het geval, omdat de zeer bekende sponsor veel druk op de wielrenners uitoefende. De ploegleiding was in handen van Weisel, de financiële duivelskunstenaar die zo gebrand was op winnen. Hij was zelfs zo fanatiek dat het gerucht ging dat hij sommige medewerkers niet in dienst nam vanwege hun financiële kundigheid, maar op grond van hun vermogen om zijn bedrijf te helpen om weg- en veldkoersen te winnen.[8]

Baker heeft verteld dat hij eens met een Russische toprenner heeft gedebatteerd over de vraag of doping viel te rechtvaardigen.[9] De Rus kwam met een goed argument. Hij was op zijn elfde of twaalfde naar een sportkamp gestuurd en moest zijn familie en vrienden achterlaten. Dat vond hij prima, gezien het alternatief: een baantje in de fabriek. In het kamp reden drie kinderploegen op tien fietsen en die kinderen slikten plichtsgetrouw 'vitaminen'. Hun leven werd voor hen bepaald. De meeste Amerikanen hadden trouwens ook niets om op terug te vallen als hun wielercarrière geen succes werd. Slechts enkelen van hen hadden doorgeleerd.

Baker en Mercier waren twee zeldzame uitzonderingen. Baker had financieel beheer gestudeerd aan de University of Maryland, en Mercier economie aan de University of California in Berkeley. Ze beschouwden het gebruik van doping daarom niet als een halszaak. Ze zaten in de wielersport omdat ze dat leuk vonden.

'Het is een fietswedstrijd,' zegt Mercier. 'Het is een leuke manier om aan de kost te komen, maar het blijft een fietswedstrijd, kom op zeg!'

Hincapie hoorde dat niet graag en haatte Mercier om die uitspraak. Mercier mocht dan andere opties hebben, maar renners zoals hij en Armstrong hadden die niet – of dat dachten ze in elk geval. Armstrong was bang dat hij bij Starbucks moest gaan werken als het wielrennen geen succes werd.[10]

Terwijl hun ploeggenoten hen binnensmonds vervloekten, maakten Mercier en Baker grappen over het welige dopinggebruik. Mercier rammelde regelmatig aan de afgesloten koelkast in de ploegvrachtwagen tot hij de glazen ampullen die erin zaten kon horen rinkelen. 'Hm, ik vraag me af wat daar in zit. O, het speciale middagmaal? Dit zijn mijn speciale vitaminen B,' zei hij dan lachend tegen Baker, terwijl de epo-ampullen hun bedrieglijke muziek maakten.

Baker en Mercier twijfelden er niet aan dat de wielersport door de doping was overgenomen. Mercier zag dat renners van in de twintig en dertig acne hadden, een mogelijke bijwerking van steroïden, terwijl sommigen grote wenkbrauwbotten leken te hebben gekregen, een mogelijke bijwerking van menselijk groeihormoon.

Tijdens de Tour DuPont van 1994 merkte Mercier bij het betreden van een toiletruimte dat twee Spaanse wielrenners samen een hokje deelden. Hij hoorde de ene '*Poco más, poco más*' zeggen, waarna een injectiespuit aan de voeten van de wielrenners viel. 'Ik vond het goor,' zegt Mercier. 'Het leken wel heroïneverslaafden. Ik dacht bij mezelf: als ik dat ook moet doen, is dit niet de sport voor mij.'

Tijdens dezelfde koers had Mercier bij de start van een etappe naast Armstrong gestaan, die zulke gespierde armen had dat hij de mouwen van zijn trui had moeten afknippen. Ook zijn benen waren extreem gespierd. Mercier zei: 'Jemig, Lance, je lijkt wel een linebacker, zo fors ben je. Je zou voor de Dallas Cowboys kunnen spelen.'

Armstrongs antwoord: 'Denk je dat echt?'

Drie jaar later werd Mercier keihard met doping geconfronteerd. Tijdens een trainingskamp van Postal Service in 1997 nam de Spaanse ploegarts Pedro Celaya bloed af bij de renners om hun hematocrietwaarden te controleren. Die van Mercier was 40,5.

'Om een prof in Europa te zijn, misschien 49 of 49,5,' zei Celaya tegen hem.

'*Gracias*, Pedro, hoe doe ik dat?'

'Speciale vitaminen B. Zullen we het er straks even over hebben?'

Toen hij wegliep, wist Mercier dat hij epo zou krijgen.

In het voorjaar van 1997 zou Mercier vier weken op vakantie gaan in Zuid-Afrika, waar zijn vrouw vandaan kwam. Hij zou erheen reizen na de Tour de Romandie in Zwitserland, twee weken vrij nemen en daarna twee weken trainen. Voor het eind van de koers besprak hij met Celaya in een hotelkamer zijn trainingsschema voor de komende maand.

Celaya overhandigde hem een kalender met allerlei cirkeltjes en sterretjes bij bepaalde dagen.[11] Vervolgens verscheen er volgens Mercier een plastic zak vol pillen en ampullen. Hoewel Celaya zegt dat hij nooit doping heeft verstrekt, beweert Mercier dat hij wel degelijk een rol heeft gespeeld in het dopingprogramma van de ploeg. Hij kan zich zijn gesprek met Celaya waarbij de arts hem de zak pillen en ampullen overhandigde nog goed herinneren, zegt hij.

'Wat is dit, Pedro?' vroeg Mercier.

'Dit zijn steroïden,' antwoordde Martí.

'Gaan mijn ballen daarvan verschrompelen?'

'Nee, nee,' zei Celaya lachend met zijn zware accent. 'Jij wordt sterk als een os. Niet rijden, want dan jij wordt bevonden zeker positief. Maar het zal jou helpen sterker worden dan ooit.'

Volgens Mercier heeft Celaya hem gezegd een paar injectienaalden te kopen na zijn aankomst in Zuid-Afrika, en deed voor hoe je de vloeistof uit een glazen ampul haalde. Toen adviseerde hij Mercier om de middelen tijdens zijn vlucht in zijn borstzak te bewaren. Als een douanebeambte hem ondervroeg, zei Martí, moest hij gewoon zeggen dat het vitaminen waren.

Mercier bereikte Zuid-Afrika zonder problemen. Toen zijn training eenmaal geacht werd te beginnen, haalde hij de zak met doping tevoorschijn en de kalender met instructies over wat hij wanneer moest nemen. Op sommige dagen moest hij de groene pillen 's ochtends vroeg slikken, en 's avonds nog eens. Op andere dagen ook tijdens de lunch. Volgens de instructies moest hij met de pillen stoppen op de zondag voor een koers in de vs die de daaropvolgende zaterdag werd verreden. De middelen verlieten zijn lichaam zo snel, dat hij dan niet betrapt zou worden. Hij kon makkelijk wegkomen met dopinggebruik, mocht hij besluiten daarmee te beginnen.

Merciers vrouw Mandie zei dat ze die beslissing niet voor hem kon nemen. Ze wilde niet dat haar gevoelens hierover hun relatie zouden verstoren. Hij keek haar aan en zei: 'Ik ga die dingen niet slikken.'

Mercier hield Celaya's trainingsprogramma maar drie dagen vol. Op de vierde dag kreeg hij zijn hartslag maar tot zeventig procent van het maximum, in plaats van de 85 tot 95 procent die het programma vereiste. Zijn benen waren vaatdoeken. Nog dagen daarna was hij zo uitgeput en had hij zoveel spierpijn dat hij maar tachtig procent van zijn trainingen kon doen.

Toen moest hij een paar dagen vrij nemen. Zonder medicijnen

kon hij die training onmogelijk twee weken volhouden. Met steroïden had hij na elke zware training kunnen bijkomen, zodat hij de volgende dag het uiterste van zijn lichaam kon vergen.

Terwijl hij zich door die trainingen heen worstelde, besefte hij dat hij aan de doping moest als hij het volgende seizoen wilde meekomen. Hincapie had gelijk. Coureurs die clean reden waren tegenwoordig kansloos. Middelen leken een must. Bovendien hadden ze een groot voordeel: betere prestaties en hogere inkomsten.

Maar Mercier besloot met wielrennen te stoppen. Hij zou dit seizoen nog uitrijden, maar zijn contract bij Postal Service niet verlengen. Zijn droom was uit.

Sommigen noemden het een moedige en moreel juiste beslissing, maar hij schaamt zich er een beetje voor. Dat hij de wielersport heeft verlaten, bewijst volgens hem dat hij te zwak was om de verleiding te weerstaan.

'Volgens mij had ik nooit met de doping kunnen stoppen,' zegt hij. 'Ik vond het een hellend vlak.'

Mercier besloot het seizoen en zijn carrière met de Ronde van Spanje. Ook al was hij een sterke klimmer geweest, toch klommen de sprinters – die bekendstonden om hun snelheidsexplosies op rechte stukken – sneller dan hij. Het peloton vloog de bergpassen op. In een van de etappes reed hij vlak voor een zware beklimming in de derde positie. Maar de anderen snelden hem één voor één voorbij, alsof hij zich in slowmotion voortbewoog.

De Vuelta a España velde ook Baker, wiens vertrek uit de wielersport extra tragisch werd gevonden omdat hij als een verbazingwekkend natuurtalent werd gezien. Jonathan Vaughters, een coureur uit Denver die het jaar erop bij Postal Service zou komen, heeft gezegd dat Baker goed genoeg was om in de Tour bij de bovenste tien te eindigen, 'gesteld dat hij doping gebruikte uiteraard'. Tijdens die laatste Vuelta heeft Baker zelf tegen Sam Abt van *The New York Times* gezegd dat hij ooit net zo goed als Armstrong was. 'Ik was meestal sterk, ik was net zo sterk als Lance Armstrong, tijdens de beklimmingen misschien wel sterker. Maar hij had altijd een grotere drang om te winnen dan ik.'[12]

Toen hij voor de nationale ploeg werd geselecteerd, wist Baker dat topwielrenners doping gebruikten. 'Iedereen wist dat,' zegt hij, 'en iedereen had het erover.' Wielrenners citeerden de beroemde uitspraak van de vijfvoudige Tourwinnaar Jacques Anquetil – 'Laat me met rust, iedereen gebruikt doping' – en herhaalden wat tweevoudig Tourwinnaar Fausto Coppi tegen een televisiejournalist had gezegd. Hij gebruikte alleen doping wanneer dat nodig was, zei hij, 'en dat is vrijwel voortdurend'. Baker wist dat het ware woorden waren en voelde een steeds grotere druk om ook aan de doping te gaan, maar hij weigerde.

Hij was voortdurend in de verleiding gebracht. Tijdens het wereldkampioenschap van 1995, zo beweert hij, had de arts van de Amerikaanse nationale ploeg Baker een paar pillen toegestopt nadat hij had geklaagd dat andere renners zoveel energieker oogden dan hij zich voelde. Baker wilde de arts niet bij naam noemen, maar meerdere ploegleden hebben gezegd dat het Max Testa was, die bij Motorola Armstrong en andere Amerikaanse topwielrenners heeft begeleid.

'Hier, dat helpt tegen de pijn in je benen,' zou de arts tegen Baker gezegd hebben. 'Het is maar cortisone.'

'Maar dat is toch verboden?'

'Ja, maar het is te weinig om te zorgen dat je positief bevonden wordt.'

Baker gooide de pillen in een vuilnisbak.

In 1997, tijdens Parijs-Nice, hoorde hij in zijn hotelkamer een snerpend gezoem dat zijn rust verstoorde. Hij had diep in slaap op bed gelegen en toen hij zijn ogen opendeed zag hij een Italiaanse ploeggenoot met een centrifuge in zijn hand. Hij was zijn hematocrietwaarde aan het meten. Baker trok een kussen over zijn hoofd.

Sommige Franse renners hadden zelfs hun eigen arts naar wedstrijden meegenomen, die een veearts uit de wereld van de paardenrennen bleek te zijn. 'Het was echt volslagen idioot,' vertelt Baker. 'Die vent behandelde niet eens mensen!'

Baker las zijn ploeggenoten de les over de gevaren van doping. 'Als je de motor voortdurend in de hoogste versnelling laat draaien,' zei hij een keer, 'is dat niet goed voor je auto, en zo is doping ook niet goed voor je lichaam.' En: 'Hormonen reguleren werkelijk alles wat er in je lichaam gebeurt. Als je met die basale bouwstenen van het leven gaat rommelen, weet je nooit wat ervan komt.'

Niemand nam hem serieus. De ploegleiding was inmiddels vervangen. Systematisch dopinggebruik was een vast onderdeel geworden van de Postal-strategie.

Aan het eind van het wielerseizoen van 1997 pakten Baker en Mercier hun koffers in hun appartement in Girona. Baker zou naar San Francisco verhuizen en in de financiële dienstverlening gaan werken, Mercier naar Hawaï om een van de restaurants van zijn vader te helpen runnen, waarmee hij 45.000 dollar per jaar verdiende. Het was geen vetpot voor hem, zijn vrouw en hun pasgeboren kind.

Het is onduidelijk of Kristin Richard, voordat ze in mei 1998 met Armstrong trouwde, ooit had nagedacht over de gevolgen van doping voor haar toekomstige gezin. Ze heeft niet gereageerd op verzoeken om een interview voor dit boek.

Hun wervelende liefdesaffaire was vroeg in 1997 begonnen en zes maanden later deed Lance haar al een aanzoek. Meteen daarop nam ze Armstrongs financiën en huishouden op zich – werkzaamheden die hiervoor door Armstrongs moeder en J.T. Neal werden verricht.

Later zou ze verklaren dat ze een zeer gelovig katholiek was, maar in het begin konden Armstrongs vrienden die kant van haar niet ontdekken. Korioth, de voormalige kroegbaas die nu de Lance Armstrong Foundation bestierde, was met zowel Lance als Kristin bevriend geweest. 'Ze maakte doorlopend schunnige opmerkingen tegen me en tapte schuine moppen,' zei hij. 'Dat is haar trucje – ze probeert een van de jongens te worden door choquerende dingen te zeggen.'

Korioth zag Kristin Armstrong veranderen van een onafhankelijke, zelfverzekerde vrouw in een onderdanige echtgenote die zich uitsloofde om haar man te plezieren. Wat hij ook wilde en wanneer hij het ook wilde, zij was er om zijn leven te veraangenamen. Tijdens het wereldkampioenschap van 1998 hielp ze hem volgens sommige berichten zelfs aan doping. Maar daar bleef het niet bij. Ze zou doping aan de hele Postal Service-ploeg bezorgd hebben.[13] Terwijl de renners hun hotel verlieten, op weg naar de wedstrijd, zagen verschillende ploeggenoten haar cortisonetabletten in aluminiumfolie wikkelen. Eén voor één overhandigde ze hun de piepkleine pakketjes.

Christian Vande Velde, een coureur uit een voorstad van Chicago, vond het wel grappig. 'De vrouw van Lance rolt joints!' zei hij.[14]

# 9

Armstrong zat in Bend, in de staat Oregon, toen de grootste doping-inval uit de geschiedenis van de Tour de France plaatsvond, acht-duizend kilometer verderop. De ploeg van Festina, een van beste van de Tour, werd wegens dopinggebruik uit de Tour van 1998 ver-wijderd. Willy Voet, een van de soigneurs, was betrapt achter het stuur van een ploegwagen die meer van een rijdende apotheek weg had. Hij had 234 ampullen epo, 82 doses menselijk groeihormoon en 160 testosteroncapsules bij zich.[1]

Armstrong had de Tour dat jaar overgeslagen omdat hij zo kort na zijn chemo's te weinig kracht had voor een koers van drie weken. Dus terwijl de eerste Postal-ploeg in Frankrijk reed, nam Armstrong deel aan de Cascade Classic, een meerdaagse etappekoers in Bend. De organisatoren van de Cascade Classic waren blij dat de tweede ploeg van Postal Service, met Armstrong in de hoofdrol, naar hun evenement kwam. Nu de drievoudige Tourwinnaar LeMond geen wedstrijden meer reed, was de populariteit van het wielrennen in de vs gestagneerd. De organisatoren hoopten dat Armstrong, de we-reldkampioen van 1993, veel publiek zou trekken.

Hij opende deze koersweek met een van zijn eigenaardigste over-winningen. Voorafgaand aan de Cascade Classic namen tientallen kinderen, met een gemiddelde leeftijd van vijf jaar, deel aan de jaar-lijkse kinderwedstrijd. Ze verschenen op driewielers, skateboards en fietsen (de meeste met steunwieltjes). Om het evenement extra cachet te geven, was Armstrong gevraagd om aan de start te ver-schijnen en het kinderpeloton over de weg te begeleiden.

Na het startschot reed iedereen over een kort parcours van een paar honderd meter. Sommige kinderen zwalkten schuin over de weg, anderen dwarrelden naar hun ouders langs de zijlijn. Sommigen namen het zo serieus dat er voorin zowaar een kopgroep ontstond, en Armstrong kwam daar achteraan.

Terwijl de kopgroep zich over het parcours voortbewoog, kwam Armstrong naast de koploper rijden, een dapper jochie van een jaar of tien. Maar toen, door op het laatste moment stevig op de pedalen te trappen, wist wereldkampioen Lance Armstrong de jongen bij de finish nipt voor te blijven.

Paul Biskup, de technisch directeur van de Cascade Classic, geloofde zijn ogen niet. Tegen de andere officials zei hij: 'Waarom moest hij nou zo nodig als eerste eindigen? Waarom laat hij zich niet door dat jochie verslaan?'

Ze waren het allemaal over één ding eens: blijkbaar was Armstrong zo ongenadig ambitieus dat hij zich gewoon niet kon inhouden.

De Cascade Classic won hij ook.

Vanaf zijn kant van de wereld maakte Armstrong grappen over de arrestatie van Voet. 'Misschien hebben ze hem aangehouden omdat de uitlaatpijp over de grond sleepte door al dat gewicht in de kofferbak,' zei hij tegen zijn ploeggenoten bij de koers in Oregon.[2]

Maar in Frankrijk werd niet gelachen. De arrestatie van Voet vormde voor de politie de aanzet tot een groot offensief tegen dopinggebruik onder wielrenners. Er vonden invallen plaats in ploegbussen, hotels en opslagplaatsen van materieel. In het hoofdkwartier van Festina in Lyon werd doping aangetroffen in verpakkingen waar de namen van renners op stonden.

Aan het begin van de achtste etappe raakten de renners van Postal Service in paniek toen ze zagen dat de gendarme zich ophield bij een camper die de toprijders van de ploeg gebruikten. Celaya, de zachtmoedige arts, vloekte binnensmonds: '*Mierda. Mierda. Por que? Por que? Qué debemos hacer? Qué debemos hacer?*'[3] Hij had reden tot bezorgdheid. De politie deed invallen in busjes en campers en het busje van Postal Service zat vol epo, testosteron en groeihormonen. Ook al was dopinggebruik binnen de wielerwereld geaccepteerd, in Frankrijk was het bezit van die middelen strafbaar. De ploegarts van Festina zat al vast en Celaya had waarschijnlijk zelf weinig trek in gevangenisstraf.

De camper was volgestouwd met dopingproducten voor de ploeg ter waarde van 25.000 dollar. Terwijl vlakbij de renners van de starthelling vertrokken voor de tijdrit en duizenden fans hen toejuichten, schijnt de arts alles – alle epo, alle testosteron, alle groeihormoon en alle cortisone – verzameld te hebben. Er werd gezegd dat de politie invallen bij ploegen deed en hij was bang dat zij de volgende zouden zijn. Daarom was Celaya, zoals twee ploegleden later onder ede zouden verklaren, erop gebrand de dopingvoorraad door de wc te spoelen.[4]

Maar vóór de arts kon doortrekken nam Hincapie, die aan het begin van de achtste etappe op de tweede plaats in het algemeen klassement stond, 'nog één laatste, enorme dosis' epo zoals een andere renner dat zei.[5] Hij kon die extra steun wel gebruiken tijdens de rest van de koers – een Tour tijdens welke sommige wielrenners voor het eerst clean zouden deelnemen, omdat veel ploegen hun middelen op de een of andere manier hadden geloosd. Het vooruitzicht van een dopingvrije koers was zo pijnlijk dat Viatcheslav Ekimov, een Russische Postal-renner die voortdurend heeft ontkend dat hij doping had gebruikt, bij wijze van grap schijnt te hebben gezegd dat hij de wc in was gedoken om het spul eruit te vissen.[6] Een ploeggenoot had de wanhopige Ekimov aangekeken en gedacht: mijn god, volgens mij zou hij dat nog doen ook.[7]

Armstrong las in de kranten over de Festina-affaire en ontving berichten van Hincapie en andere Tourvrienden. Hij was onmiddellijk van mening dat Festina zo professioneel had geopereerd dat het dopingprogramma van Postal Service daarmee vergeleken maar een amateuristische bedoening was. Terwijl de dopingcontroles sommige ploegen deden besluiten om zonder doping te gaan rijden, of in elk geval minder doping te gaan gebruiken, spoorde de Festina-affaire Armstrong juist aan om een complexere operatie op te bouwen.

Toen Celaya van een andere ploeg een lucratiever aanbod kreeg voor een dienstverband tijdens het volgende seizoen, liet Armstrong geen traan om zijn vertrek. Tegen een ploeggenoot zei hij: 'Hij wil alleen maar je temperatuur opnemen zodat hij je een cafeïnepil kan geven.'[8] Voor iemand die door een dal der schaduw des doods was gegaan, zou Celaya's houding tegenover doping niet agressief genoeg geweest zijn.

Jonathan Vaughters was een sullig joch dat wollen blazers en Europese broeken met rechte pijpen droeg. Hij had extravagante bakkebaarden, tot scherpe puntjes geschoren, een intellectuelenbril met een plastic montuur en had vanaf 1994 koersen in Europa gereden. In hun tienertijd hadden hij en Armstrong aan dezelfde wedstrijden deelgenomen. Ze geloofden ook allebei dat succes in het wielrennen berustte op een fundament van epo.[9]

Hij was een van Armstrongs meest vertrouwde acolieten. Een andere, Christian Vande Velde, was een vriendelijke Midwesterner die saxofoon speelde en later met zijn schoolvriendinnetje zou trouwen. Beiden waren knechten die de opdracht hadden om Armstrong aan de overwinning te helpen.

Zowel Vaughters als Vande Velde lachten als boeren met kiespijn wanneer Armstrong moppen tapte over de Festina-affaire.[10] Later hebben ze verteld dat zij van dat schandaal juist in de stress raakten. Vaughters, een uitmuntend klimmer, en Vande Velde, een groentje, waren zich rot geschrokken dat wielrenners en ploegleiders vanwege de doping gevangenisstraffen kregen. Vaughters wist dat dopinggebruik tot op het allerhoogste niveau met de wielercultuur was verweven. Vande Velde begon dat toen pas te ontdekken.

Ze deelden een appartement in Europa. Op een dag in de zomer van 1998 riep Vaughters opeens: 'Hé, wil je wat epo zien?'[11] Hij deed de koelkast open en toonde Vande Velde een waterfles die ijs en een aantal piepkleine glazen ampullen bevatte. Vaughters voelde zich al schuldig over zijn dopinggebruik en wilde het niet erger maken door zijn ploeggenoot voor te liegen. Daarom vertelde hij alles aan

Vande Velde, een privéles van een veteraan over de geheimen van het wielrennen. Hij legde uit wat de voordelen van epo waren en hoe het middel ervoor zorgde dat je meer rode bloedlichaampjes kreeg. Alle topwielrenners gebruikten het volgens hem.

Vaughters legde Vande Velde uit dat Celaya voor elke wielrenner bidons klaarmaakte en dat elke fles met ijs gekoelde epo bevatte. Op de flessen waren etiketten met namen en doseringen geplakt. Armstrong. Livingston. Andreu. Hincapie. Op de fles van Vaughters stond: 'Jonathan – 5 x 2', wat betekende dat de fles vijf ampullen epo met tweeduizend eenheden per stuk bevatte.

Vaughters zei Vande Velde dat wielrenners ook andere middelen moesten innemen om de epo effectiever te maken, zoals vitamine B en C en testosteron. Hij liet Vande Velde eponaalden en testosteronpleisters zien. 'Die spullen zul je ooit allemaal nodig hebben,' zei hij.[12]

'Echt waar, alles?'

'Ja, alles wel zo'n beetje, als je het tempo wilt bijhouden. En als je wilt blijven wielrennen.'

Dat was allemaal nieuw voor Vande Velde, die als vijfjarige voor de wielrennerij was gevallen. Zijn vader, een tweevoudig olympisch kampioen baanwielrennen, pompte hun fietsbanden om zes uur 's ochtends op, zodat ze door hun wijk in een voorstad van Chicago konden rondrijden. Zijn oudere zus Marisa was ook een serieuze wielrenster.

Voor de kinderen van de familie Vande Velde was wielrennen veel meer dan een hobby. Hun vader John verwierf bekendheid in de wielrennerij als de P.T. Barnum van het baanwielrennen en doorkruiste het land met het zogenoemde 'Vandedrome'. Het was zijn eigen velodroom van hout en staal, een ronde wielerbaan waarop hij wedstrijden organiseerde. John Vande Velde heeft zelfs een bijrolletje gespeeld in de wielercultfilm *Breaking Away*. Hij speelde een van de slechteriken uit de Italiaanse profwielerploeg, Team Cinzano. Christian had het gevoel dat hij bij een echte beroemdheid woonde, die hem en zijn zus meenam op lange tochten door de voorsteden van Chicago. Hij was voor het wielrennen in de wieg gelegd.

Telkens weer bekeek hij de sleutelscène uit *Breaking Away*, waarin Team Cinzano een koers in Indiana kwam rijden en de plaatselijke coureurs uitdaagde. Dave, de hoofdpersoon, gaat gelijk op met Team Cinzano todat een van hen een fietspomp tussen zijn spaken steekt en hem ten val brengt. 'Iedereen speelt vals,' zegt Dave later. 'Ik wist het alleen niet.'

Na Vaughters' inleiding over doping dacht Vande Velde terug aan het trainingskamp eerder dat jaar. Daar was hem opgevallen dat er een mysterieuze thermoskan in de plunjezak van Armstrong zat. Gek, daar had hij Armstrong nooit een slok uit zien drinken.

Tijdens dat trainingskamp had hij Armstrong gevraagd of doping een probleem was binnen de wielersport, maar Armstrong had alleen gezegd dat hij zich er niet druk over moest maken.[13] Achteraf vond Vande Velde het stom van zichzelf dat hij die vraag gesteld had. Nu snapte hij waarom zijn ploeggenoot Dylan Casey hem had uitgefoeterd toen hij tijdens dat trainingskamp een keer 's ochtends op het ontbijt was verschenen met een thermoskan in zijn hand.[14] 'Waar ben je in godsnaam mee bezig?' zei Casey. 'Ben je helemaal gek geworden?' Vande Velde begreep er niets van. In zijn thermoskan zat écht koffie.[15]

Vaughters maakte Vande Velde wegwijs in de doping omdat hij wilde dat iemand het hem allemaal al eens had uitgelegd voordat hij voor de kleine Spaanse profploeg Porcelana Santa Clara ging rijden.

Hij had niet verwacht te moeten kiezen tussen wel of niet aan de doping gaan. De ploegleider, José Luis Nuñes, was lid van Opus Dei, een conservatieve stroming binnen de katholieke kerk die eenvoud en vroomheid in het dagelijks leven nastreeft. Hij was celibatair en ging tweemaal per dag naar de mis. Hij had tegen Vaughters en diens ouders, Donna en Jim, gezegd dat het zijn doel was om jonge wielrenners op een natuurlijke, dopingvrije manier te ontwikkelen, omdat God het zo wilde. Zij stelden hun vertrouwen in hem.

Als dat het werkelijke doel van Nuñes was, dan had hij daarin jammerlijk gefaald. Terwijl zijn ploeg sappelde en achterliep met de salarissen van de renners, lijkt Nuñes te zijn bezweken voor de realiteit van de wielersport en gaf de ploegartsen toestemming om Vaughters en de andere ploegrenners met epo te laten kennismaken.[16]

'We gaan epo gebruiken, maar dat doen we niet om jullie hematocrietwaarde te verhogen, goed?' schijnt Nuñes tegen zijn renners gezegd te hebben. 'We gaan er gewoon voor zorgen dat die niet zal zakken onder het niveau waar die zou zitten als jullie normale, gezonde mensen zouden zijn. Dit helpt voorkomen dat je bloedarmoede krijgt.'[17]

Vaughters haalde zichzelf over om in die rationalisatie te geloven. 'Oké, goed, dat klinkt redelijk. Ik bedrieg niemand.' Hij stemde toe in zijn eerste epo-injectie en liet een trainer met een klein naaldje onder de huid van zijn arm prikken.

Iedereen in de wielersport kende het middel en wist dat het algemeen werd gebruikt. Vaughters omschreef het als 'het slechtst bewaarde geheim aller tijden'.

Omdat er nog geen epotest bestond, zo vertelde hij me, liepen wielrenners in wezen rond 'met epo op hun voorhoofd geplakt'. Hij hoorde Spaanse wielrenners tijdens een wedstrijd een keer terloops over epo kletsen alsof ze het over het avondeten hadden. 'Hoeveel eenheden epo heb jij op?' 'O, echt waar, was het lekker? Hm, misschien moet ik dat ook maar eens proberen.' Vaughters dacht: 'Wauw, die kerels zijn zeker allemaal aan de doping. Het stelt kennelijk niet zoveel voor.'

Toch heeft het bedrog Vaughters nooit lekker gezeten. Hij was een kerkgaande lutheraan en was opgegroeid in een conservatief gezin. Zijn vader werkte als jurist bij de marine en zijn moeder was lerares. Als hij stout was geweest, zetten zijn ouders hem altijd op een gele, met tweed beklede stoel in de woonkamer tot hij een oplossing had bedacht voor het probleem dat hij had veroorzaakt. Zijn leven was volkomen rationeel.

Vaughters was zo innerlijk verscheurd over zijn dopinggebruik dat hij colleges ging volgen die indirect betrekking hadden op de keuzen die wielrenners maakten: Ethiek i en Ethiek ii, Zedenleer, Endocrinologie. Als hij dan toch doping moest gebruiken, wilde hij zich er op zijn minst in verdiepen. Net als Armstrong wist Vaughters welk effect de middelen hadden, hoe het lichaam ze verwerkte en wat wielrenners ertoe bracht om ze te gebruiken.[18]

Vaughters wist vrij zeker dat Armstrong meer uit het dopinggebruik haalde dan hijzelf. Vaughters had van nature al een hoge hematocrietwaarde, die fluctueerde tussen 48 en 51, afhankelijk van waar hij zich bevond, op zeeniveau of in de bergen. Daarom mocht hij maar kleine doses epo hebben, anders zou hij worden betrapt bij een nieuwe bloedproef die de internationale wielrennersbond, de Union Cycliste Internationale uci, in het voorjaar van 1997 had ingevoerd.

Op dat moment bestond er nog steeds geen epocontrole – het zou vier jaar duren tot die tijdens de Tour zou worden ingevoerd. In een poging om het epo-gebruik in de wielersport te beteugelen, begon de uci bloedmonsters af te nemen bij de wedstrijddeelnemers om hun hematocrietwaarde te bepalen. Elke wielrenner met een waarde van vijftig procent of meer kreeg een boete en werd vijftien dagen geschorst. Hein Verbruggen, de voorzitter van de uci, noemde het een 'gezondheidscontrole', omdat deze wielrenners met een gevaarlijk hoge hematocrietwaarde (en dik bloed) ontmoedigde om deel te nemen aan een wedstrijd en zo hun gezondheid mogelijk in gevaar te brengen.

Door de nieuwe controles kon Vaughters zijn hematocrietwaarde hooguit met een paar procent verhogen met behulp van epo, terwijl Armstrong een veel groter voordeel kon behalen, omdat zijn normale hematocrietwaarde 42 of 43 bedroeg. Hoewel elke wielrenner anders op epo reageert – sommigen reageren van nature op het middel, terwijl anderen er helemaal niet of zelfs negatief op reageren – wist Armstrong zijn waarde met zeven of acht procent, en waarschijnlijk nog meer te verhogen. Dat was veel meer dan Vaughters kon.

Vaughters kon zijn hematocriet met epo verhogen tot pakweg 52, een verbetering van hooguit vier procent, waarna hij die voor de gezondheidscontrole van de UCI tijdelijk verlaagde met een zoutoplossing uit een infuus – een methode die veel werd gebruikt door renners die hun bloed met epo manipuleerden. Na inname van het middel zag Vaughters de cijfers stijgen op zijn krachtmeter, het elektronische apparaat dat aan het stuur van zijn fiets was bevestigd om de krachtprestatie van een wielrenner te meten.

Vaughters merkte dat epo hem vaak vier tot zes procent extra kracht opleverde. Dat zorgde voor een paar procent extra snelheid. En dat leverde betere eindtijden op.

Mettertijd zou Vaughters uitgroeien tot een van de beste klimmers in Europa. En dat alles stemde hem somber.

Tijdens de 'Festina'-Tour de France van 1998, toen de koers door gendarmes werd omgeven, verstopte een van de ploegen zijn epo in een stofzuiger. Een van de renners liet door familieleden epo naar zijn hotelkamer smokkelen. Aan het eind van de Tour was een renner van Postal zo slordig zijn thermoskan vol epo-ampullen in de koelkast van de ploegbus te laten staan. Niet bepaald een cleane wedstrijd.[19]

De Tour eindigde met slechts veertien van de eenentwintig ploegen die waren gestart. De andere waren opgestapt of verwijderd. Slechts 96 van de 198 wielrenners die aan de start waren verschenen, bereikten de finish.

De Amerikaan Bobby Julich eindigde als derde, het hoogtepunt van zijn carrière. Hij deelde het podium met de Italiaan Marco Pantani, die onlangs de Giro d'Italia had gewonnen, en de Duitser Jan Ullrich, de Tourwinnaar van het vorige jaar. Jaren later zouden ze alle drie alsnog betrokken zijn bij dopingschandalen, positief worden bevonden en/of toegeven dat ze doping gebruikt hadden. Julich leek te weten wat er stond te gebeuren. Na de koers zei hij: 'Over tien jaar zie je misschien een sterretje bij de finishes van 1998.'[20]

Later dat jaar reden Armstrong en Vaughters in de Vuelta a España, de Ronde van Spanje, die drie weken duurde. Armstrong en Vaughters wisten van elkaar dat ze hun hematocrietwaarden met epo tot de UCI-limiet hadden opgevoerd, maar spraken daar niet over.

Toen Celaya de hematocrietwaarde van elke renner controleerde om zeker te weten dat geen van hen voor de UCI-bloedproef zou zakken, noteerde hij de initialen van de wielrenners en hun hematocrietwaarde doorgaans op een papieren servetje. Vaughters spiekte altijd op die servetjes. Armstrong zorgde dat hij van iedereen de waarde wist.

'Hé, 49, JV? Je bent er al bijna, man,' zei hij dan. Als iemands epo laag was, gaf hij hem op zijn kop.[21]

In die tijd sprak Armstrong vrijuit over zijn dopinggebruik. Tijdens die Vuelta vroeg hij zelfs aan Vaughters en Vande Velde om een cortisonepil voor hem te halen. Tegen het eind van een erg zware etappe vroeg hij: 'Kun je die voor me uit de wagen halen?'[22]

Ze keken hem aan alsof hij gek geworden was. Wilde hij cortisone? Halverwege een etappe? En moeten wij dat voor hem halen? Maar hij was de baas, dus ze lieten zich tot de ploegauto afzakken. De ploegdirecteur, Johnny Weltz, raakte in paniek omdat hij geen cortisone bij zich had. Om de baas tevreden te houden, sneed hij een aspirientje op maat, wikkelde het in aluminiumfolie en overhandigde het aan Vande Velde om aan Armstrong te geven.

Toen hij de Ronde Andorra, het prinsdom in de Pyreneeën, aandeed wilde Vaughters zijn moeder een mail sturen, dus ging hij naar Armstrongs hotelkamer om diens laptop te lenen. Armstrong liep met ontbloot bovenlijf de badkamer uit, terwijl hij met zijn ene hand zijn tanden poetste en in zijn andere een minuscuul injectienaaldje vasthield. Met een behendige handbeweging greep Armstrong een buikplooi en – klik! – injecteerde zichzelf met epo.

'Nu jij ook epo gebruikt, kun je daarover niet uit de school klappen,' zei Armstrong.

# DEEL III

## Leugens in de media

Enkele weken voor de Tour van 1999 maakte Tourdirecteur Jean-Marie Leblanc een pelgrimage om een wonder af te smeken.[1] Hij ging naar Notre-Dame-des-Cyclistes – Onze Lieve Vrouwe der Wielrenners – een stenen kapelletje in het zuidwesten van Frankrijk dat geldt als het spirituele hoofdkwartier van de wielersport. In het kerkje staan tien houten banken, vijf aan elke kant van het middenpad. Drie rijen fietstruien in allerlei kleuren, alles bij elkaar ruim achthonderd, hangen aan de muren. Achter in de kerk staan wielertrofeeën en zelfs fietsen.[2]

Leblanc ontmoette de parochiepriester en zei met hem een gebed voor de zesentachtigste editie van de grote nationale koers. Leblanc had meer nodig dan goddelijke interventie – hij had een cleane koers nodig. Het Festina-schandaal wierp nog steeds zijn schaduw over de Tour. Een Franse krant had het over de 'Tour de Farce'.[3] Zelfs president Jacques Chirac vroeg zich af of de wedstrijd inmiddels niet te zwaar was om als normaal, niet doping gebruikend mens te doorstaan.

Leblanc adverteerde de koers van 1999 als de 'Tour der Vernieuwing'. Maar niet elke wielerliefhebber, sponsor en journalist ging daarin mee. Er waren aanwijzingen dat die benaming eerder wens dan realiteit was. Een maand geleden was Marco Pantani, de Tourwinnaar van 1998, nog uit de Giro d'Italia verwijderd. Zijn hematocriet was gestegen tot 52, een waarde die op dopinggebruik wees. Pantani werd vijftien dagen geschorst en besloot zijn Tourtitel niet te verdedigen.

Dit was het gedrogeerde, helse landschap dat Lance Armstrong binnenreed. Toen hij op de eerste dag van de Tour verscheen in het themapark Le Puy du Fou, een soort Disneyland voor geschiedenisliefhebbers, maakte hij duidelijk dat zijn ziekte maar een onbeduidende hobbel voor zijn carrière was geweest. Hij won de proloog, een individuele tijdrit over een parcours van 6,7 kilometer door het park, en deed de wielerwereld versteld staan. De ervaren televisiecommentator Phil Liggett werd er duizelig van: 'Wat een manier om je comeback te maken in het topwielrennen na een bijna-doodbezoek van de gevreesde kanker!'

Armstrong zei dat het hem verbaasde hoe snel hij had gereden, zeven seconden sneller dan nummer twee. 'Ik heb alles gegeven en voelde me goed,' zei hij. Hij gaf alle eer aan zijn oncologen omdat ze zijn leven hadden gered en zei dat het verbazingwekkend was dat hij überhaupt kon deelnemen. Over Festina zei hij dat wielerliefhebbers niet bang hoefden te zijn dat zoiets ooit nog een keer zou voorvallen. Het was veilig, zei hij, om verliefd te worden op een man en zijn fiets.

Postal Service had een nieuwe arts, een nieuwe ploegleider en een nieuwe denkwijze. Om prestigieuze wielerwedstrijden te winnen, moesten ze agressiever te werk gaan dan ooit. Sommige ploegen waren zich misschien rot geschrokken van het Festina-schandaal, maar Armstrong rook zijn kans.

Na het winnen van de proloog had hij wel op vragen over doping gerekend. Dat was de prijs die je als kopman betaalde als je in de gele trui reed in de eerste Tour sinds het Festina-incident. Terwijl zijn ploeggenoten in de schaduw zaten, moest hij elke dag vragen van journalisten beantwoorden.

'Het is een lang jaar geweest voor het wielrennen,' zei hij, 'en wat mij betreft is het verleden tijd. Er is misschien een probleem geweest, maar problemen heb je op elk gebied van het leven: de sport, het wielrennen, de politiek.'

Hij vervolgde: 'Jullie komen naar trainingskampen in de verwachting dat we allemaal vol doping zitten. Dat is lulkoek. Dat is niet zo.'[4]

Terwijl Armstrong na de proloog de journalisten te woord stond, waren zijn urinemonsters op weg naar het Franse nationale dopinglaboratorium in Parijs voor een analyse op verboden stoffen. Voor het eerst zouden de dopingcontroleurs tijdens de Tour naar corticosteroïden zoeken – middelen die al langere tijd door wielrenners werden misbruikt, hoofdzakelijk als pijnstiller. De wielrenners waren er stellig van overtuigd dat de Tour daar niet op controleerde.

Volgens Antoine Vayer, de hoofdcoach van de infame Festina-ploeg, waren corticosteroïden erg populair bij de meeste renners. Aan David Walsh, een journalist van *The Sunday Times*, vertelde hij dat wielrenners afhankelijk waren geworden van het middel alsof ze eraan verslaafd waren.

'Renners nemen ze wanneer ze gestrest zijn, wanneer ze down zijn, wanneer ze gefaald hebben,' zei Vayer. 'Voor hen moet het leven vrij van stress zijn. Het is een verslaafdenmentaliteit. Veel van de beste wielrenners zijn psychotisch geworden. Ze willen geld verdienen en anderen naaien omdat vergeleken met hen iedereen onbeduidend is. Ze willen een mooi huis, een mooie vrouw, een mooie auto en ze zullen alles doen wat nodig is om die dingen te krijgen.'[5]

In de Postal Service-ploeg van 1999 was het agressieve nieuwe dopingprogramma begonnen met de nieuwe ploegarts, Luís García del Moral.[6] Del Moral, een kalende, brommerige kettingroker, leidde een populaire sportkliniek in het Spaanse Valencia en had de plaats van de zachtmoedige Pedro Celaya ingenomen als hoofdarts van de ploeg. Celaya is ervan beschuldigd dat hij de coureurs prestatieverhogende middelen heeft verstrekt, maar velen van hen waren van mening dat hij alleen het uiterste minimum gaf. Sommigen, zoals Vaughters, vonden dat hij een blok aan hun been was. Del Moral had vroeger gewerkt bij de ONCE-ploeg, die de naam had stijf te staan van de doping.[7]

Op voorstel van de arts experimenteerden Armstrong en zijn ploeggenoten met een plasmavergrotend middel – waarvan niemand zich de naam herinnert – dat diende om hun bloedvolume te vergroten en daarmee hun uithoudingsvermogen te verbeteren.[8] Deze stof, die normaal gesproken werd verstrekt aan patiënten die door brandwonden bloed waren verloren of in shock waren geraakt, zou hetzelfde effect moeten hebben als een epotransfusie, maar dan kleinschaliger en op een andere manier.

'Hé, ik plas paars,' zei Vaughters een keer tegen Del Moral. 'Weet je zeker dat dit in de haak is?'[9]

Ondanks de geruststellingen van Del Moral maakte Vaughters zich steeds meer zorgen over de nieuwe middelen. Hij had epo en testosteron genomen. Maar naar die middelen had hij tenminste zelf nog onderzoek gedaan. Nu voerde Del Moral andere en nieuwe middelen in en breidde hij het farmaceutische arsenaal van de ploeg uit. Naast de plasmavolumevergroters gaf hij Vaughters een middel waarvan hij zei dat het de bloedsomloop verhoogde. Vaughters lag 's nachts wakker terwijl hij zich inbeeldde dat er dopingcontroleurs verschenen die de nieuwe en de oude, vertrouwde middelen in zijn lichaam zouden aantreffen. Maar zo was het leven in de nieuwe Postal Service-ploeg nu eenmaal.

Het was allemaal deel van de voorbereidingen van de ploeg op de zogenoemde 'Tour der Vernieuwing'. Armstrong heeft het programma later als 'behoudend' omschreven. Onder aanvoering van Del Moral en de nieuwe ploegleider Johan Bruyneel – die kort daarvoor bij ONCE als wielrenner was gestopt – leek het dopingregime van de ploeg te functioneren als een kil, hard bedrijf. Hoewel Bruyneel en Del Moral beweren dat ze nooit aan enige vorm van doping hebben meegewerkt – en later bij hoog en bij laag zouden ontkennen in dopingzaken tegen hen, waarbij ze zeiden dat hun beschuldigers onder druk waren gezet om hen aan te wijzen – noemde Vaughters het nieuwe dopingregime 'alle remmen los'.[10] De middelen werden gratis door de ploeg verstrekt. De Italiaanse dokter Ferrari begeleidde Armstrong en twee van zijn beste ploeggenoten, Tyler Hamilton en Kevin Livingston. De andere leden van het team moesten het doen met de nieuwe ploegleiding.

'Niemands dopinggebruik werd begeleid,' vertelt Vaughters. 'Het was godsamme een vloedstroom van: "Hé, laten we dat doen. Goed, laten we dat ook maar doen." Hoe meer doping, hoe beter.'

Celaya had Vaughters indertijd misschien drie ampullen van 6.000 internationale eenheden epo gegeven, die hij in de loop van twee of drie weken moest innemen, maar Del Moral gaf hem er 15.000 à 20.000. 'Ja, kijk een beetje uit. Je moet niet alles gebruiken, dan wordt je hematocriet te hoog,' zei hij steeds tegen Vaughters, die verbijsterd was over de nonchalance van de arts.

De goed georganiseerde en emotieloze Del Moral hield het dopingschema van iedereen bij op een spreadsheet. Hij had geen zin om de renners thuis op te zoeken om te bespreken hoe en wanneer ze de middelen die hij had ingevoerd moesten gebruiken. In het geval van Vaughters dropte Del Moral de middelen doorgaans in Girona, als hij onderweg was naar Armstrong in Nice. Hij nam niet eens de moeite om de stad in te rijden. Hij sprak met Vaughters af bij een tolpoortje om ze te overhandigen.

Vaughters reed daar op de fiets heen en propte het pak met dopingampullen en -naalden voor de terugrit onder zijn trui. Toen hij op de terugweg een keer zijn voet bij een stopbord op de weg zette, glipte het pakket onder zijn hemd vandaan en kletterde op de stoep. De ampullen en naalden vlogen alle kanten op terwijl een groepje bejaarde vrouwen toekeek. Nu Del Moral de leiding voerde, raakte Vaughters gestrester dan ooit. Het zat hem niet lekker dat de arts vooraf gevulde injectienaalden gebruikte, waardoor de wielrenners maar moesten gissen wat erin zat, aangezien ze geen etiket konden lezen. Wanneer wielrenners 'Hé, wat is dat?' vroegen, zei hij doorgaans: 'Dat is beroepsgeheim. Wil je het of wil je het niet?'[11]

Vaughters was al onverschillig geworden over het dopinggebruik in de wielersport en zei altijd ja. Injecties krijgen, soms vijf achter elkaar, was onderdeel geworden van zijn werk: hij moest ervoor zorgen dat Lance Armstrong de Tour de France won.

Bruyneel had bij ONCE al met Del Moral samengewerkt. Hoewel Bruyneel twee Touretappes had gewonnen, was hij vooral bekend vanwege het feit dat hij in de Tour van 1996 van een berghelling af was gereden. (Hij raakte niet gewond en klom geschrokken en onder de modder weer op zijn fiets.)

Bruyneel en Armstrong hadden elkaar leren kennen tijdens de Ronde van Spanje in 1998, het jaar waarin de genezen Armstrong zijn comeback maakte en een verrassende vierde plaats behaalde. Bruyneel was er als wedstrijdcommentator en het klikte meteen tussen hen. Bruyneel zei dat Armstrong misschien wel eens de Tour zou kunnen winnen, iets wat nog nooit iemand tegen hem had gezegd, en dat vertrouwen in hem wekte Armstrongs interesse. Volgens Bruyneel keek hij Armstrong aan en had het gevoel 'dat ik in een spiegel keek'.[12] Beide mannen hadden dezelfde monomane drang om te winnen.

Armstrong gebruikte zijn overwicht op de ploeg om te regelen dat Mark Gorski, de zakelijk directeur van Postal Service, Bruyneel opbelde om hem een baan als ploegleider aan te bieden. Bruyneel accepteerde het aanbod en verzon een plan.

Armstrong zou zich op slechts één wedstrijd concentreren: de Tour de France. Vergeet alle koersen die eraan voorafgaan – die zouden hem alleen maar blootstellen aan onnodige dopingcontroles. De UCI verrichtte in die tijd geen controles buiten de wedstrijden om, dus hij kon niet positief worden bevonden terwijl hij de doping gebruikte om harder te kunnen trainen.[13]

Het verschil tussen Bruyneel en de voormalige ploegleider Johnny Weltz was dat Bruyneel volgens uitlatingen van renners geobsedeerd was door de nuances van het dopinggebruik en het straffeloze gebruik ervan.[14] Hij zou het dopingprogramma van elke coureur hebben bijgehouden en van iedereen hebben geweten wat zijn hematocrietwaarde was. Toen Vaughters een keer in Europa terugkwam nadat hij thuis in de VS was geweest, in de hooggelegen stad Denver, was zijn hematocrietwaarde 48. Hij vertelt dat hij van Bruyneel de wind van voren kreeg.

'Je bent in je eentje doping aan het gebruiken, hè?' zei hij volgens Vaughters.[15] Vaughters vertelde dat zijn hematocriet op die hoogte vanzelf steeg, maar Bruyneel geloofde hem niet en liep weg. Hij wilde de controle behouden over alle knechten die Armstrong, de ster van de ploeg, op de Franse wegen zouden vergezellen.

Door dit stringentere dopingprogramma – waarbij de doping direct door de ploeg werd verstrekt en net zo onmisbaar werd als fietsonderdelen – reed Vaughters sneller dan ooit. Voor de Dauphiné Libéré, een van de koersen die aan de Tour voorafgingen, had hij genoeg epo gebruikt om zijn hematocrietwaarde tot 53 op te drijven. Met behulp van een zoutoplossinginfuus om zijn bloed te verdunnen doorstond hij de bloedproef van de UCI.

Hij won de bergopwaartse tijdrit van de Dauphiné Libéré, waarvan de finish zich bevond op de top van de Mont Ventoux, die hoog boven de Provence uittorent en alleen met een onmogelijk vertoon van kracht en uithoudingsvermogen valt te beklimmen. Maar Vaughters won niet alleen, hij deed dat in een recordtijd van 56 minuten en 50 seconden, bijna 43 seconden voor de nummer twee. Armstrong werd vijfde, op ongeveer een minuut afstand. Het was de eerste keer dat Vaughters echt het gevoel had dat hij de kluit belazerde. Al die andere keren had hij alleen epo gebruikt om het tempo te kunnen bijhouden, om zich te kunnen handhaven in een peloton dat op abnormale snelheden reed. Deze keer, na de zege, de roem en het prijzengeld, voelde hij zich smerig.

'Ik zag de touwtjes van het poppenspel. Oké, nu snap ik het,' vertelde Vaughters me bijna veertien jaar na die etappezege. 'Ik dacht bij mezelf: ben ik echt goed genoeg om de beste van de wereld te zijn als ik helemaal vol doping zit? Ja, was het antwoord. Alle mystiek leek verdwenen.'

Een paar weken later won hij de Route du Sud, een andere belangrijke voorjaarskoers. Maar uit angst om op doping te worden betrapt, begon hij zijn dopinggebruik te matigen. Hij snapte er niets van dat Armstrong en zijn vrouw in Nice woonden, ondanks de strenge Franse wetgeving op het gebied van dopinggebruik. Hij vroeg Kristin Armstrong hoe ze omging met de mogelijkheid dat de politie elke dag een inval bij hen kon doen, terwijl de epo-ampullen gewoon in hun koelkast lagen.

'Het codewoord is boter, als in "Ligt er nog boter in de koelkast?"' legde ze volgens Vaughters uit. Hij lag in de koelkast, naast de melk.[16]

Vaughters begon Bruyneel ook op zijn zenuwen te werken omdat hij steeds vragen stelde over het dopinggebruik tijdens de Tour. Dan vroeg hij: 'Hoe krijgt de ploeg de middelen Frankrijk in? Moeten we bang zijn dat een controle positief uitvalt? Als we daar betrapt worden, krijg je zeven jaar gevangenisstraf, dat weet je toch?'

Dan zei Bruyneel volgens Vaughters: 'Maak je niet druk, Jonathan. Het is allemaal geregeld.'[17]

Terwijl Jean-Marie LeBlanc een gebedje zei op de ochtend dat de Tour van 1999 van start ging, deed de UCI zijn gebruikelijke rondedansje om de wedstrijd van alle epogebruikers te ontdoen. Ze nam een bloedproef af bij alle wielrenners om hun hematocrietwaarden te bepalen. Iedereen met een waarde boven de vijftig procent zou onmiddellijk twee weken worden geschorst – tenzij hij, zoals Vaughters, een medische vrijstelling had. Maar zoals wel vaker bij verslaafden en hun achtervolgers, hadden de dopinggebruikers een voorsprong.

Vaughters weet nog dat acht van de negen Tourrenners in zijn ploeg gevaarlijk dicht bij de UCI-limiet zaten. Volgens hem hadden ze dat aan Del Moral en Ferrari te danken. Vaughters' hematocrietwaarde zat 0,001 onder de limiet. Hincapie, de sprinter, zat net zo dicht in de buurt, met een waarde van 49,999. Die van Armstrong was 49,4. 'De hele ploeg is er klaar voor,' zei Armstrong.[18]

Een paar weken eerder, tijdens de Dauphiné, was Armstrongs hematocrietwaarde nog maar 41 geweest. Dat had hij gemeld aan zijn soigneur, Emma O'Reilly. Toen zij hem vroeg wat hij daaraan ging doen, lachte hij en zei: 'Je weet wel, Emma. Wat iedereen doet.'[19]

O'Reilly, een felle Ierse die tot elektricien was opgeleid, zat midden in haar vierde jaar als soigneur bij Postal Service. Het was ondankbaar werk, maar ze mocht op kosten van Postal Service over de hele wereld reizen en vond het leuk om deel uit te maken van een ploeg in opkomst. Aan haar rol in het dopingprogramma van de ploeg beleefde ze veel minder plezier.

Gedurende haar eerste anderhalve jaar was ze buiten het dopingprogramma gehouden, maar in april 1997 had ze naar eigen zeggen tijdens het Circuit de la Sarthe, een koers die aan het begin van het seizoen in het noordwesten van Frankrijk wordt verreden, gezien hoe een collega-soigneur injectienaalden met een vloeistof vulde en bij de coureurs inspoot.[20] Ze was onder de indruk van de behendigheid en snelheid waarmee hij de wielrenners in hun billen prikte. Toen begon het haar te dagen: haar collega was een matige soigneur, die beroerde massages gaf en niet uitblonk in zijn eenvoudige taken, zoals eten klaarmaken voor de coureurs en hun bidons schoonhouden. Maar dat waren dan ook niet zijn voornaamste werkzaamheden. Bij lange na niet, zelfs. Zijn echte baan was het om de coureurs te helpen bij hun dopinggebruik.[21]

Het volgende seizoen gleed O'Reilly zelf in die rol. Tot haar verbazing trad ze in de vroege zomer van 1998 op als Hincapies drugskoerier.[22] De inwijding van Emma O'Reilly in het dopingcircuit was begonnen. Toen de Festina-affaire aan het licht kwam, was O'Reilly indirect betrokken bij het georganiseerde dopinggebruik van de ploeg. Ze wist te voorkomen dat de ploeg door douanebeambten betrapt werd voor het begin van de Tour van 1998 in Dublin. Ze was naar Ierland vooruitgereisd om wat tijd bij haar familie door te brengen en ontmoette de ploeg in de haven toen die na middernacht arriveerde. Toen er douanebeambten verschenen, maakte ze hun duidelijk dat 'de pleuris zou uitbreken' als ze ploegauto's gingen doorzoeken, want de wielrenners waren moe en chagrijnig.[23] De douanebeambten lieten de wagens passeren zonder ze te doorzoeken.

De samenwerking met O'Reilly beviel Armstrong wel, want ze had een bijtend gevoel voor humor en nam haar werk bloedserieus.

Ze was een harde grote zus voor hem die zich niets liet wijsmaken, die zich niet door hem liet afzeiken en zorgde dat het werk gedaan werd. 'Iemand moest hem op zijn nummer zetten, en binnen de ploeg was ik dat,' vertelde ze in 2012.

Toch haalde O'Reilly ijs voor Armstrong, voor zijn thermoskan met epo, en reed naar eigen zeggen een keer naar Spanje om bij Bruyneel een fles pillen te halen, die ze op een parkeerplaats bij een Franse McDonald's weer aan Armstrong overhandigde. Terwijl Armstrongs vrouw Kristin naast hem op de voorbank zat, zo herinnert O'Reilly zich, stopte ze hem de fles toe alsof ze een drugsdeal beklonken.[24]

Armstrong vertrouwde haar zozeer dat hij haar tijdens de Tour van 1999 vroeg om een mogelijke indicatie voor zijn dopinggebruik te verbergen. Vlak voor de medische controle en persconferentie die aan de koers voorafgingen, ontdekte Andreu een kneuzing op Armstrongs arm, een blauwe plek als gevolg van een injectie. Uit angst dat journalisten het zouden opmerken en hem met vragen zouden bestoken, vroeg Armstrong aan O'Reilly om wat *concealer*, en ze sloofde zich uit om hem te helpen.[25]

Terwijl Armstrong gestaag afkoerste op de finish in Sestriere, hoog in de Italiaanse Alpen, zag hij eruit alsof hij een trainingsritje maakte op een zondagmiddag in Austin. Deze bergetappe was de negende van de twintig etappes, en Postal Service reed alle andere ploegen eruit. Tijdens de eerste beklimmingen hadden Andreu en Hincapie een moordend tempo voor Armstrong neergelegd en andere ploegen gedwongen om hen bij te houden. Wanneer Andreu en Hincapie het niet langer volhielden, zouden de klimspecialisten Hamilton en Livingston het stokje overnemen. Maar zij waren allebei tijdens een lastige afdaling gevallen, waardoor Armstrong het alleen moest zien te redden.

Zonder ploeggenoten om hem af te schermen, demarreerde Armstrong toen er nog zo'n tien kilometer van de laatste beklimming gereden moest worden. Het was een opmerkelijk vertoon van kracht, en de televisiecommentatoren zorgden ervoor dat hun kijkers dat beseften. Een van hen zei dat het verbazingwekkend was om te zien hoe beheerst Armstrong tijdens deze beklimming was. Zijn gezicht vertoonde nooit een grimas en zijn tempo vertraagde geen milliseconde. Hij leek wel een machine.

Armstrong had de proloog van de Tour gewonnen, en had daarna de gele trui pas weer veroverd in de achtste etappe door de individuele tijdrit te winnen. In deze negende etappe liet hij iedereen eindelijk zien dat hij een geheel vernieuwde Lance Armstrong was. Nooit eerder had hij in de bergen zo sterk gereden.

Terwijl het eind van de etappe naderde en de menigten langs de weg hem toejuichten, schreeuwde Armstrong, de genezen kankerpatiënt, in zijn microfoon, zodat de mensen in zijn ploegwagen hem luid en duidelijk konden verstaan: '*How do you like them fuckin' apples!* ('En wat vinden jullie hier dan van?')'[26] Hij finishte 31 seconden voor de nummer twee, de Zwitser Alex Zülle, en meer dan een minuut voor de renner op de derde plaats.

De volgende dag zetten de Franse kranten de aanval in op zijn geloofwaardigheid en zinspeelden erop dat hij de overwinning van de bergetappe niet zonder de hulp van farmaceutische middelen had kunnen behalen.

*Le Monde* zette vraagtekens bij de rit en wees erop dat Armstrong tijdens zijn beste bergrit in de periode voor zijn ziekte achttien minuten tot een halfuur na de etappewinnaar was geëindigd. De krantenkoppen luidden: 'Armstrong, de buitenaardse Tourdeelnemer', 'Armstrong verbijstert', 'Van een andere planeet,' en 'Hallucinante Armstrong'.

En toen verscheen de eerste beschuldiging van dopinggebruik uit zijn carrière.

*Le Monde* schreef dat Armstrong na de eerste Touretappe positief op cortisone was bevonden. Tijdens een persconferentie vroeg een journalist of hij dat middel op medische gronden had gebruikt. Armstrong heeft twee dagen lang ontkend dat hij het middel gebruikt had. 'Ze willen dat ik kapotga op de fiets en dat ga ik niet doen. Het is gierenjournalistiek. Ik word opgejaagd,' zei hij.[27]

O'Reilly wist al dat Armstrongs uitspraken over de cortisonecontrole gelogen waren.[28] Ze vertelt dat ze hem een keer, terwijl ze hem masseerde, met ploegeigenaar Thomas Weisel en zakelijk leider Mark Gorski heeft horen brainstormen over een smoes die Armstrongs positieve uitslag zou kunnen verklaren.[29] Weisel en Gorski ontkennen dat ze dit gesprek hebben gevoerd of iets af wisten van het dopinggebruik binnen de ploeg. Maar O'Reilly beweert dat ze gehoord heeft hoe ze met zijn drieën op het idee kwamen van een geantedateerd doktersrecept voor een middel tegen zadelpijn, een blessure waarvoor cortisonecrème wordt voorgeschreven. Ze zouden Del Moral een doktersrecept laten uitschrijven dat Armstrong vervolgens aan de uci kon geven. Dat zou verklaren waarom Armstrong positief op cortisone was bevonden. Gorski zou de kamer uit zijn gelopen om het te halen. 'Nu weet je genoeg om mij onderuit te kunnen halen, Emma,' zei Armstrong.

Armstrong beweert dat ook de uci probeerde hem uit dit lastige parket te bevrijden. uci-voorzitter Hein Verbruggen nam contact op met hem en zei: 'Dit is een echt probleem voor me; dit is de doodsklap voor onze sport.'[30] Armstrong beweert dat Verbruggen, die alle betrokkenheid bij een doofpotactie krachtig ontkent, tegen hem heeft gezegd dat hij zijn prachtige comebackverhaal niet wilde verpesten, vooral niet na de Festina-affaire. Daarom heeft Verbruggen volgens Armstrong zijn goedkeuring gegeven aan Armstrongs plan voor een geantedateerd doktersrecept.[31] Maar Armstrong moest zelf een crème tegen zadelpijn of een oogzalf zien te vinden die Cemalyt bevatte, het middel waarop hij positief was bevonden. Verbruggen ontkent dat dit zo gegaan is. 'Het is een onzinverhaal en verder niets. Ik zou werkelijk nooit een gesprek voeren waarin ik uitspraken doe als "We moeten dit oplossen",' vertelt hij.[32]

Geen van Armstrongs ploegleden hechtte enig geloof aan zijn verhaal over zadelpijn. Ze wisten dat de positieve uitslag een gevolg was van Armstrongs cortisone-injectie van een paar weken geleden, tijdens de Route du Sud.

Enkele dagen nadat het nieuws van zijn positieve uitslag bekend werd, kwam de wielerunie met een verklaring dat Armstrong Cemalyt had gebruikt, een cortisonecrème tegen allergische dermatitis. Hij was positief bevonden op 'minimale sporen' van het geneesmiddel, zo werd gezegd, maar Armstrongs gebruik van de crème 'was toegestaan volgens het reglement en kan niet als dopinggebruik worden aangemerkt'.

De verklaring ging vergezeld van een verzoek: 'We verzoeken alle vertegenwoordigers van de pers om de complexiteit van deze materie en de reglementen en juridische aspecten in overweging te nemen voordat ze hun artikelen publiceren. Dat zal ervoor zorgen dat oppervlakkige en ongefundeerde beweringen worden vermeden.'

Ter verdediging van de wielersport en zijn belangrijkste wedstrijd zou Verbruggen uiteindelijk verklaren dat de Tour 'overwegend clean' was.[33] Volgens hem bewezen de bloedproeven die de UCI bij Tourrijders had afgenomen dat alle deelnemers ver onder de hematocrietgrens van vijftig procent zaten. Dit in tegenstelling tot eerdere Tours, tijdens welke de hematocrietwaarden van renners hoofdzakelijk 48 of 49 waren. Volgens Verbruggen wezen de controles tijdens de Tour van 1999 niet op 'een dergelijk niveau'.

Maar klopte dat wel? Volgens Vaughters hadden bijna alle Postal-renners aan het begin van de Tour hematocrietwaarden die gevaarlijk dicht tegen de vijftig aan zaten.[34] En dat was nog maar één van de twintig deelnemende ploegen.

Het onwaarschijnlijk hoge tempo tijdens de bergetappe in Sestriere was ook opgemerkt door een paar renners die hadden getracht het bij te houden. De voormalige Postal-renner Jean-Cyril Robin zei tegen zijn Franse landgenoot Christophe Bassons: 'Dit kan zo niet langer. We kunnen niet zo blijven jakkeren.'[35] (De gemiddelde snelheid tijdens deze Tour was 40,5 kilometer per uur. Hij was nog nooit boven de 40 uit gekomen.)

Robin en Bassons waren die dag geëindigd in de achterhoede van het peloton en ze wisten allebei waar dat aan lag: doping. Van Bassons werd gezegd dat hij in het voorgaande jaar de enige cleane renner in de Festina-ploeg was. Naar eigen zeggen heeft hij een salaris van tienmaal zijn normale loon, dat hij kon krijgen als hij epo ging gebruiken, afgeslagen.[36] Dat bezorgde Bassons de bijnaam *monsieur Propre*, meneer Netjes, en de andere leden van het peloton maakten hem het leven zuur omdat hij zich tegen dopinggebruik uitsprak en de zwijgplicht van de wielrennerij doorbrak. Armstrong had Bassons een maand voor de Tour, tijdens de Dauphiné Libéré, zo ontzettend op zijn kop gegeven dat Vaughters hem op de schouder had geslagen en zei: 'Sorry dat je dat moest doormaken.' Armstrong zag het gebaar en gaf Vaughters de wind van voren: 'Ben jij net zo'n eikel als Bassons?'[37]

Tijdens de Tour van 1999 hield Bassons een dagboek bij voor de krant *Le Parisien*. Daarin schreef hij dat er na de Festina-affaire niets was veranderd. Wielrenners gebruikten nog steeds doping, zonder schuldgevoel. Na de Sestriere-etappe zei hij tegen het dagblad *Aujourd'hui* dat de rit van Armstrong hem 'deed walgen' omdat het zeer verdacht was dat hij zo gemakkelijk zo snel had gereden. Hij vond dit het perfecte moment om hardop te spreken over *cyclisme à deux vitesses*, 'wielrennen op twee snelheden'.

De volgende dag tikte Armstrong Bassons tijdens alweer een bergetappe zeer openlijk op de schouder om te zeggen dat hij zijn mond moest houden. Als Bassons zo neerkeek op de wielersport, verdiende hij het niet een profwielrenner te zijn en kon hij er maar beter mee kappen.

'Jouw verhalen zijn niet goed voor het wielrennen,' zei Armstrong. 'Ga naar huis! Val dood!'[38]

Daarna deed de macht van Lance Armstrong, de nieuwe *patron* van de wielersport, zich in het hele peloton gelden. Veel wielrenners spraken niet meer met Bassons. Niemand wilde met hem samen gezien worden.

Wedstrijddirecteur Leblanc heeft tegen *Aujourd'hui* gezegd dat

Bassons sprak alsof 'hij de enige coureur is die niets te verwijten valt'. Volgens Leblanc was het gebruik van epo 'vrijwel verdwenen'. Bassons' eigen ploeg noemde hem een lafaard en zei dat hij zich over doping uitsprak ter meerdere eer en glorie van zichzelf, en dat hij het wielrennen moest verlaten. Hij was een getekend man, en een dag later verliet hij inderdaad de Tour.

'Als ik iets fout heb gedaan, dan is het om te denken dat anderen me zouden steunen,' vertelt Bassons.[39] Hij voegt daaraan toe dat wielrenners die niet aan de epo zaten vermoedelijk cortisone of minder sterke middelen gebruikten, waardoor zij het zich niet konden permitteren om zijn kruistocht tegen het dopinggebruik te steunen.

De Franse krant *L'Equipe* schreef dat Bassons 'op de brandstapel was gestorven' en net als Jeanne d'Arc was 'verbrand door zijn passie'.[40]

Een half jaar lang werd Bassons elke dag zonder duidelijke reden huilend wakker. Het jaar erop reed hij een koers met een aantal oud-ploeggenoten van Festina die weigerden met hem te praten. In 2001, tijdens de Vierdaagse van Duinkerken, probeerden verschillende andere deelnemers hem een greppel in te rijden. Uiteindelijk heeft hij het wielrennen helemaal verlaten.

Armstrong, de onlangs gezalfde nieuwe leider van de wielersport, had gesproken: Bassons moet weg. En zijn wil geschiedde.

Na de Festina-affaire wilden de beste klimmers van Postal Service niet langer met epo in hun bagage reizen, voor het geval de gendarmes besloten een inval in hun ploegbus of hotelkamer te doen. Daarom huurden ze iemand anders in: volgens Tyler Hamilton zou Philippe Maire, de Franse klusjesman en tuinman van Armstrong uit Nice, tijdens de Tour hun drugskoerier zijn.[41]

Maire zou de Tour volgen op zijn motor, wat hem de bijnaam 'Motoman' opleverde.[42] Als Armstrong, Hamilton of Livingston epo nodig hadden, zou ploegcoach Jose 'Pepe' Martí met een prepaid mobieltje naar Motoman bellen en dan slalomde hij door het drukke verkeer voor een ontmoeting op een overdrachtsplaats. Maire en Martí ontkennen iedere betrokkenheid. Als het Moto-man-verhaal waar is, was het net zo eenvoudig als een pizza bestellen.[43]

Hamilton en Livingston zouden steeds een hotelkamer delen, zodat Bruyneel en Armstrong daarheen konden komen voor dopingoverleg. Dit exclusieve groepje, dat de 'A-ploeg' werd genoemd, reed in de mooiste camper, terwijl de andere coureurs hutjemutje in de gammele tweede camper zaten.

Del Moral of Martí zou een reeds gevulde injectienaald naar de camper of hotelkamer brengen, zodat de A-ploeg tot de derde week van de Tour om de drie of vier dagen epo-injecties kon zetten.[44] Na afloop stopte een van hen de naalden in een zak of colablikje en sloop hij de kamer uit om het bewijsmateriaal weg te gooien.[45]

Leden van de 'B-ploeg' kregen met aluminiumfolie omwikkelde naalden en Del Moral gaf iedereen injecties zonder te zeggen wat erin zat.[46] Hoewel sommige wielrenners dat inderdaad niet wisten, kreeg de hele ploeg Actovegin, het kalfsbloedextract dat wordt gegeven aan mensen die een attaque hebben gehad en dat de bloedsomloop stimuleert.[47] Het was maar een van de vele middelen uit het medicijnkastje van Postal Service.

Vande Velde, die zijn eerste Tour reed, was zo uitgeput dat hij Del Moral toestond om hem testosteron te geven. Tijdens mijn interview met hem in begin 2013 vertelde hij dat hij net werd gemasseerd door een soigneur, 'een grote Nederlandse vent die Ronnie heette,' toen Del Moral de hotelkamer in liep. De arts zei: 'Ik heb testosteron. Wil je die wel of niet? Ja of nee? Ik kan ook later terugkomen.'

Vande Velde lag daar en dacht: 'Godskolere, dit is de eerste keer dat hij me over doping toespreekt waar iemand anders bij is. Man, man, ik word helemaal gek.' Hij bedacht wat de gevolgen zouden zijn als hij ja zei. (Het zou bedrog zijn en hij zou positief bevonden kunnen worden.) Daarna overdacht hij wat er zou gebeuren als hij nee zei. (Hij zou niet vooraan kunnen rijden om Armstrong te assisteren; hij zou misschien te moe zijn om de Tour uit te rijden.) Ten slotte zei hij: 'Ach, wat zal het ook. Ik neem het.' Del Moral vroeg hem zijn mond te openen en druppelde een paar druppels testosteron, vermengd met olijfolie op zijn tong. 'Morgenochtend is het uit je lichaam verdwenen,' zei hij.

Vande Velde vertelde me: 'Het had net zo goed een placebo kunnen zijn. Het was een minieme hoeveelheid. [...] Misschien slaap ik beter omdat mijn hormonen eigenlijk best in orde waren.'

Volgens Vande Velde was het georganiseerde dopingprogramma niet de enige reden waarom Postal Service uitblonk. 'Kort gezegd, het voornaamste was dat we harder trainden dan alle anderen, beter aten dan alle anderen en betere doping gebruikten dan alle anderen.'

Vaughters had ook in het dopingplan van de B-ploeg gezeten als hij niet tijdens de tweede Touretappe ten val gekomen was. Het peloton reed in westelijk Frankrijk over de glibberige Passage du Gois, die bij vloed blank komt te staan. De renner die vóór Vaughters reed, ging onderuit nadat hij over een bemost stuk weg was geslipt. Vaughters knalde tegen hem op en vloog door de lucht.

Hij viel zo hard op de keien langs de weg dat hij buiten westen raakte. Toen hij zijn ogen weer opendeed, zag hij een gillende vrouw. Er stroomde bloed over zijn gezicht. Toch klom hij weer op zijn fiets en reed, eenzaam en peinzend, voorzichtig verder over het parcours.

Toen ze voor de Tour uit Spanje vertrokken, had hij vlak voordat de deuren van het vliegtuig dichtgingen een epo-injectie gehad. Daarom had hij tijdens de uci-controle bijna boven de maximale hematocrietwaarde gezeten. Nu was hij bang dat hij bij een nieuwe controle boven de limiet zou uitkomen, omdat zijn lichaam zo gevoelig was voor epo. Hoe meer hij erover nadacht, hoe zenuwachtiger hij werd en hoe trager hij reed.

Vaughters vatte zijn val op als een vingerwijzing dat hij met de doping moest stoppen. Daar kwam alleen maar ellende van. Hij hield op met trappen en wachtte op de ambulance achter hem.

'Ik gebruik nooit meer doping, nooit,' zei hij tegen niemand in het bijzonder.

Renners als Vaughters en Hincapie observeerden Armstrong vanaf een afstand en waren blij dat hij namens de hele wielersport moest liegen, en niet zij.

'Wat moet ik anders? Ik ben bijna dood geweest en ik ben niet op mijn achterhoofd gevallen,' zei Armstrong tegen journalisten tijdens de Tour van 1999. 'Ik ben nooit positief bevonden.'[48]

In een tv-interview na een etappe zei hij: 'Ik kan nadrukkelijk verklaren dat ik geen doping gebruik. Ik weet dat er wordt gezocht, gespioneerd en gegraven. [...] Jullie zullen niets vinden. Of het nu L'Equipe of Channel 4 is, of een Spaanse krant, een Belgische krant of een Nederlandse krant – er is niets te vinden. En als iedereen er alles aan heeft gedaan en zich realiseert dat ze zich professioneel moeten opstellen en geen onzin moeten opschrijven, zullen ze volgens mij eindelijk inzien dat ze te maken hebben met iemand die helemaal clean is.'[49]

In een interview met SBS-televisie uit Australië zei hij botweg: 'Er is geen geheim. We hebben het oudste geheim dat er bestaat – hard werken.'

Hij heeft zijn dopinggebruik bij hoog en laag ontkend en steeds volgehouden dat hij niet opeens 'de nieuwe wielrenner' was, zoals sommige journalisten suggereerden. Die journalisten wezen erop dat hij vóór zijn ziekte nooit verder was gekomen dan de zesendertigste plaats in het Tourklassement. Armstrong legde uit dat hij niet in Frankrijk, een land met strenge dopingwetten, zou wonen, trainen en rijden als hij wat te verbergen had.

Toen een journalist van Le Monde vroeg waarom Armstrong aanvankelijk had ontkend dat hij de UCI een doktersrecept voor cortisone had gegeven om het gebruik daarvan te rechtvaardigen, riposteerde Armstrong: 'Monsieur Le Monde, noemt u me nu een dopinggebruiker of een leugenaar?'[50] Op die vraag kwam geen antwoord. De andere journalisten in de kamer vielen hun collega niet bij.

Armstrong gebruikte zijn ziektegeschiedenis om sympathie te wekken, iets wat zijn critici later zijn 'kankerschild' zouden noemen. Hij zei: 'Ze zeggen dat je kanker krijgt van stress, dus als je geen kanker wilt krijgen, moet je niet naar de Tour de France gaan en de gele trui dragen.'[51]

Terwijl de Europese pers Armstrong kritisch bleef bezien, schoot het merendeel van de Amerikaanse journalisten hem te hulp. Reporters uit de Verenigde Staten kwamen in groten getale naar de Tour om te schrijven over de nieuwe Amerikaanse held die het wielrennen van het dopinggebruik had gered. Bijna duizend journalisten waren voor de koers geaccrediteerd, tweehonderd meer dan gebruikelijk. In alle drukte raakte de lange historie van de Tour op het gebied van doping ondergesneeuwd.

*USA Today* meldde dat Armstrong niet van zijn succes kon genieten en gaf de Franse media de schuld. 'Het is begrijpelijk dat hij zich opwindt over hun slordige, jaloerse en chauvinistische manier van journalistiek bedrijven.'[52]

*The Philadelphia Inquirer* schreef dat de Tour de France 'na de dopingaffaire van vorig jaar zijn geneesheer' had gevonden. 'De Franse pers, waarin objectiviteit dun gezaaid is, insinueert op cynische wijze, met dubbelzinnige koppen en citaten van anonieme artsen, dat geen mens zonder kunstmatige hulp zo uit de as kan herrijzen.'[53]

*Detroit News* schreef dat Armstrong 'zijn best deed om het onnozele gefluister in de Franse pers te negeren' en dat veel journalisten die nooit eerder over wielrennen hadden geschreven bleven zoeken 'naar een nieuwe dopingaffaire, zoals het schandaal dat de Tour vorige zomer deed sidderen'.[54]

*The Washington Post* omschreef hem als 'een genezen kankerpatiënt en een man die bijna eigenhandig een sport die door doping was besmeurd nieuw leven heeft ingeblazen'. De krant noemde de Franse media bovendien 'prikkelbaar'.[55]

*The New York Times* noemde Armstrong 'een verklaard tegen-

147

stander van het gebruik van prestatieverhogende middelen in de sport', die de Tour 'een zeer positief imago' heeft bezorgd en 'een inspirerend *feelgood*-verhaal heeft geschonken'.[56]

De Amerikanen werden overspoeld met propaganda die Armstrong steunde. Phil Liggett, de Tourverslaggever van ABC Television, wees erop dat de Fransen het slechtst presteerden sinds de Tour van 1926 en gewoon jaloers waren op het succes van Armstrong. 'Het is ondenkbaar dat hij doping gebruikt,' zei hij. 'Ze steken hem daar gewoon een mes tussen de ribben.'

Zelfs Armstrongs oncologen lieten van zich horen. 'Die man leeft zo gezond, dat is gewoon niet te geloven,' zei dokter Lawrence Einhorn van het academisch ziekenhuis van Indiana University tegen Associated Press.[57]

Sportliefhebbers, ook journalisten, willen graag geloven in de wonderen van de sportieve strijd. Journalisten noteerden wat de Postal Service-ploeg hun via Armstrong en diens agent Stapleton vertelde. Gorski, de zakelijk leider, zei dat dopingvrije wielrenners als Armstrong dankzij de Festina-affaire eindelijk de kans kregen om de top te bereiken. 'Het lijkt wel een wonder!' zei hij.[58]

Ze legden uit waarom Armstrong nu een etappekoers van drie weken kon winnen, terwijl hij jarenlang vooral tijdens eendagskoersen had uitgeblonken. Dat kwam door de kanker. Daardoor was deze man met een lengte van 1,75 meter zeven kilo kwijtgeraakt – hoewel het volgens sommige media vijf kilo was en volgens weer andere tien kilo. Zijn gewichtsverlies werd zijn verdediging: omdat hij minder woog, kon hij veel gemakkelijker tegen die steile bergen op fietsen.

De Amerikaanse pers had ook veel lof voor Armstrongs 'coach', ook al wist Chris Carmichael dat indertijd niet, hij was in wezen een rekwisiet om Armstrongs deelname aan Ferrari's dopingprogramma te verhullen. Volgens USA Today hielp Carmichael Armstrong met 'geavanceerde technieken om een geweldig aerobisch vermogen en efficiënte fietsmethoden te ontwikkelen'.[59] The Washington Post schreef dat Carmichaels technieken draaiden om 'meer omwentelingen op een lagere versnelling in plaats van krachtiger fietsen op een hogere versnelling'. Carmichael pochte een keer dat Armstrongs trainingsresultaten 'zelfs beter' waren 'dan wanneer hij epo zou hebben gebruikt'.[60]

Betsy Andreu zat thuis in Dearborn, Michigan, met haar zoontje Frankie van twee maanden te kijken hoe Armstrong een fenomenale etappe reed naar de bergtop van Sestriere. Ze wist dat wielrenners doping gebruikten, maar geloofde dat haar eigen man clean was. Dat had hij immers tegen haar gezegd op die dag in 1996, toen ze samen hadden gehoord hoe Armstrong zijn dopinggebruik aan zijn artsen in Indianapolis opbiechtte. Maar toen ze op de televisie zag hoe de etappe in Sestriere verliep, werd het haar duidelijk.

Niet alleen tjoekte Armstrong als een trein de berg op, maar ook haar man reed voorin, en trok Armstrong met zich mee tijdens een van de zwaarste beklimmingen in de Alpen. Ze belde haar vriendin Becky Rast, de vrouw van wielerjournalist en fotograaf James Startt.

Becky Rast dacht dat Betsy haar opbelde om te pochen over de prestaties van haar man. 'O mijn God, Betsy,' zei ze. 'Frankie doet het! Hij doet het geweldig!'[61]

'Geweldig? M'n reet,' zei Andreu. 'Waarom is hij verdomme aan het trekken? Hij kan helemaal niet klimmen! Normaal gesproken haalt hij maar met moeite de tijdslimiet.'

Betsy Andreu wist dat haar lange, tengere echtgenoot een geboren sprinter was, gebouwd op snelheid, die zijn kracht op korte afstanden moest gebruiken. Ze zag iets wat fysiek onmogelijk was. Ze had Europa eind maart verlaten om thuis te kunnen bevallen van haar eerste kind en had Frankie alleen kort gezien tijdens de bevalling. In alle jaren dat ze bij elkaar waren, had ze maar één keer gezien dat hij zichzelf injecteerde, en toen had hij verteld dat het vitamine B12 was. Maar nu werd duidelijk dat hij in haar afwezigheid een vorm van doping had gebruikt.

Toen ze hem later die dag opbelde, sloeg ze de beleefdheden over. 'Wat had dat te betekenen?' vroeg ze.

Tijdens de Tour van 1999 vermoedde Betsy dat hun grote vriend Lance op meer dan één manier bedrog pleegde. Toen Betsy Armstrong dat voorjaar sprak, op de ochtend voordat ze Europa verliet, werd haar beeld van hem alleen maar ingewikkelder. Ze hadden elkaar de vorige avond nog gezien, tijdens een feestje bij Armstrong thuis in Nice. Hij belde Betsy meteen nadat hij wakker was geworden om haar te vertellen dat hij rondslingerende kleren en juwelen van een vrouw bij zijn zwembad had gevonden.

'Met wie ben ik in bed beland?' vroeg Armstrong.[62]

Betsy trok een overhaaste conclusie. 'Dat meen je niet. Je hebt thuis [in de vs] een zwangere vrouw! Hoe kon je?'

Helemaal hoteldebotel belde ze Becky, de vrouw van Kevin Livingston, die vertelde dat zij haar kleren en juwelen bij het zwembad van Armstrong had laten liggen nadat ze haar badpak had aangetrokken. Er was niets tussen hen voorgevallen, zei ze. Toch trok Andreu de conclusie dat Armstrong 'moreel stuurloos' was.

Ze heeft jarenlang alleen familie en vrienden verteld over Armstrongs ziekenhuisbiecht over zijn dopinggebruik, maar is er nooit mee naar buiten gekomen omdat de wielerfamilie de vuile was niet buiten wenste te hangen. Haar man Frankie was niet hoog opgeleid en had geen andere keuze dan de wielrennerij omdat hij, net als Hincapie en veel anderen, het gevoel had dat dit de enige manier was waarop hij de kost kon verdienen. Dus Betsy zweeg, omdat ze geloofde dat Armstrongs biecht 'het wielrennen tot op zekere hoogte blootlegde. Het was een geheim dat we allemaal moesten bewaren.'

Armstrong rekende erop dat ze zijn geheim zou bewaren. Tijdens een trainingsrit in het jaar nadat de familie Andreu zijn dopingbiecht in het ziekenhuis in Indiana had aangehoord, vroeg hij aan Frankie hoe Betsy erop had gereageerd.

'Heeft ze er nog iets over gezegd?'[63]

'Ze was zich rot geschrokken en we hebben er een paar keer ruzie over gehad. Maar daarna is het min of meer overgewaaid.'

'Mooi, mooi. Vragen daarover kunnen we niet gebruiken.'

Armstrong reed onbezorgd verder, gerustgesteld door de verzekering van zijn maat dat het min of meer was overgewaaid.

Tijdens de laatste etappe van de Tour van 1999 waren Armstrong en zijn Postal-ploeg aan de kop van het peloton Parijs binnengereden, en schoten ze als een rood-wit-blauwe flits naar de finish in de snelste tijd die ooit werd gemeten – meer dan veertig kilometer per uur. Onderweg naar het eind van deze odyssee van 3.870 kilometer poseerden ze voor foto's en dronken ze champagne. Na drie weken verstandig eten likte Armstrong gretig aan een ijshoorntje.

De straten waren omzoomd met bijna 500.000 wielerliefhebbers, onder wie een groter contingent uit de Verenigde Staten dan ooit tevoren. Armstrong reed als een keizer onder de Amerikaanse en Texaanse vlag terwijl hij – na Greg LeMond – als tweede Amerikaan ooit het kroonjuweel van de wielersport won.

Vanaf de hoogste plaats op het podium, met de Arc de Triomphe achter hem, luisterde Armstrong naar *The Star-Spangled Banner* met zijn rechterhand op zijn hart. Zijn zwangere vrouw stond naast hem en hij liep even naar haar toe om de tranen uit haar ogen te vegen. 'Ik ben in shock, ik ben in shock, ik ben in shock!' zei hij.[64]

Hij vertelde dat hij hoopte dat zijn Tourzege kankerpatiënten zou inspireren: 'We kunnen terugkeren naar wat we eerst waren – en zelfs beter.'[65] Vervolgens zwaaide hij alle lof toe aan de mensen die hem hadden geholpen om dit ooit onvoorstelbare doel te bereiken.

'Vijftig procent hiervan is voor de kankergemeenschap – de artsen, verpleegkundigen, patiënten, familieleden, de genezen patiënten en de mensen die het niet gered hebben,' zei hij.[66] 'Vijfentwintig procent was voor mezelf en mijn ploeg. En de andere vijfentwintig procent was voor de mensen die niet in mij geloofden.'

George W. Bush, die toen gouverneur van Texas was, belde Armstrong op diens mobiele telefoon: 'We zijn zo trots op je. Het is ongelooflijk.'[67]

Kirk Watson, de burgemeester van Austin die zelf teelbalkanker had gehad, was in zijn woonplaats bezig een optocht en een festival ter ere van Armstrong voor te bereiden.

Armstrongs oncologen sloegen zich op de borst. Dokter Einhorn, een van zijn behandelend artsen in Indianapolis, zei: 'Als ze hier in Hollywood een film van maken, zullen de meeste mensen hoofdschuddend van ongeloof de bioscoop verlaten. Zelfs de naam "Lance Armstrong" klinkt gewoon te mooi om waar te zijn.'[68]

Armstrongs zegetocht maakte het wielrennen op slag razend populair in de vs – de kijkcijfers op de laatste dag van de Tour waren tachtig procent hoger dan het jaar ervoor. Televisiekijkers vingen een eerste glimp op van Armstrong als woordvoerder van Nike, in een van hun 'Just Do It'-spotjes. Het bedrijf toonde hem als de eerste dode die aan de Tour had deelgenomen: 'Volgens de meest recente statistieken over de overlevingskans van kankerpatiënten leeft Lance Armstrong niet en neemt hij niet deel aan de Tour de France.'

Bernie Lincicome, een sportcolumnist uit Chicago, schreef dat supporters zich niet schuldig hoefden te voelen dat ze Armstrong toejuichten na de insinuaties over dopinggebruik, die hij omschreef als 'kleinzielige kwaadsprekerij' van een stel jaloerse journalisten.[69] Supporters zouden moeten geloven dat Armstrong een lichtend voorbeeld en een eerlijk sportman is, schreef hij in zijn column.

'Ik bedoel maar, hij overwint kanker en bedwingt de Alpen,' schreef hij. 'Hebben ze Hannibal ook op doping gecontroleerd?' En hij vervolgde: 'We hebben het volste recht om een positief gevoel te hebben over hem en over zijn plaats aan de top van de Amerikaanse zomer.'

Een heel leger schaarde zich om Armstrong heen vanwege zijn Tourzege. Supporters die wielrennen als een exotische en specialistische sport hadden beschouwd en nooit hadden geweten dat er bijna elke zomer in Frankrijk een belangrijke wielerkoers plaatsvond – laat staan elke zomer in de afgelopen 86 jaar – kochten ineens een fiets en lieten zich door Armstrong inspireren. Fietsenfabrikant Trek beloofde zijn dealers dat er met de kerst een gesigneerde Armstrong-fiets zou zijn. Een winkelier in Indianapolis zei dat de Postal Service-truien niet vielen aan te slepen, omdat ze razendsnel werden verkocht, à zeventig dollar per stuk.[70]

Armstrong zou al gauw op niet één, maar twee Wheaties-verpakkingen staan, terwijl die pakken volgens General Mills zo'n tien procent beter verkochten dan andere, wat miljoenen dollars aan extra omzet genereerde.[71] Postal Service heeft verklaard dat het vanwege zijn relatie met Armstrong 'miljoenen en miljoenen' dollars aan omzet van zijn rivalen wist af te snoepen.[72]

Sommige reclamedeskundigen, zoals David Carter en Rick Burton, vertelden aan USA Today dat Armstrong net zo'n beroemde Amerikaanse topsporter kon worden als Michael Jordan en Tiger Woods.

Carter noemde Armstrong een 'typisch Amerikaanse, Norman Rockwell-achtige belichaming van hoe mensen hun helden graag zien.[73] Burton zei 'Hij is zo'n kerel van wie je hoopt dat je zoon er een wordt – of met wie je dochter trouwt.'[74]

Armstrong, op zijn beurt, stond als nieuwbakken Amerikaanse sportheld op het punt schatrijk te worden. Zijn agent Bill Stapleton had al een boekencontract gesloten dat Armstrong gegarandeerd 400.000 dollar opleverde, en aan twee filmcontracten werd gewerkt. Stapleton zei dat Armstrong al vóór het eind van de Tour voor bijna een miljoen dollar aan nieuwe reclamecontracten had getekend. 'En we hebben nog niet eens van de frisdrank- en fastfood-bedrijven gehoord,' zei hij.[75]

Bristol-Myers Squibb, de fabrikant van Armstrongs chemotherapiemedicatie, sloot een reclamecontract met hem af dat hem 250.000 dollar opleverde. Postal Service verhoogde zijn salaris tot twee miljoen dollar. Zijn tarief voor spreekbeurten steeg van 30.000 tot 70.000 dollar, plus eersteklas reis- en verblijfkosten voor twee personen.[76]

Hij zou een autobiografie schrijven, *It's Not About the Bike*, een bestseller waarin hij vertelde hoe hij kanker overleefde en tegen de verdrukking in de Tour won. Over het gebruik van prestatieverhogende middelen schreef hij in dit boek: 'Doping is een onplezierig gegeven bij wielrennen, en trouwens bij alle duursporten. Sommige ploegen bekijken doping net als atoomwapens: je moet het wel gebruiken om in het peloton te kunnen meekomen. Zo heb ik er nooit over gedacht en zeker na de chemokuren leek het me een walgelijk idee om vreemde stoffen in je lichaam te stoppen.'

Dankzij het boek steeg hij als reclamemaker tot atmosferische hoogten. In 2000 zou hij vijf miljoen dollar aan reclamecontracten verdienen, boven op zijn salaris van twee miljoen dollar, waarmee hij het niveau bereikte van de beste spelers uit de American Football League – de sporters die zijn klasgenootjes in Texas vroeger hadden verafgood.[77]

Kort na de Tour van 1999 vloog Armstrong met het straalvliegtuig van Nike naar New York, waar hij alle ochtendprogramma's en talkshows aandeed, waaronder *The Late Show* met David Letterman, die de Europese journalisten 'idioten' noemde en hun beschuldigingen over dopinggebruik als 'je reinste lulkoek' omschreef. Daarna ging Armstrong onder andere langs bij het Witte Huis, waar hij president Bill Clinton een fiets aanbood.

Armstrong en Stapleton hadden gelijk: dat Armstrong kanker had gekregen was het beste wat hem als reclamemaker had kunnen overkomen. Aanbiedingen van reclamecontracten die minder dan een miljoen dollar opleverden, sloeg hij af. Armstrong zei dat hij nu 'een bedrijf, in plaats van een persoon' was.[78]

Maar op die laatste dag van de Tour kon Armstrong nog eventjes genieten van zijn overwinning en alles wat die hem zou brengen. Toen hij van het erepodium was gestapt, greep hij een enorme Amerikaanse vlag en zette de mast tegen zijn schouder terwijl hij met zijn ploegmaten op zijn fiets stapte. De ploeg die Armstrong 'the Bad News Bears' had genoemd, reed over de Champs-Élysées voor het ererondje rond de Arc de Triomphe. Zeven van de negen renners waren Amerikanen, en de ploeg had gedaan wat ze moest doen om te winnen in een tak van sport die geen scrupules kende.

Tijdens deze rit kwam een Franse journalist op een motor naast

Armstrong rijden en vroeg wat hij van zijn prestatie vond.

'Als je ooit een tweede kans krijgt in het leven,' zei Armstrong, 'ga er dan helemaal voor!'[79]

# 11

Ter voorbereiding op de Tour van 2000 vlogen Armstrong, Hamilton en Livingston met een privétoestel van Nice naar het Spaanse Valencia.[1] Over drie weken zou Armstrong een poging doen om zijn tweede Tour op rij te winnen. Maar volgens Hamilton moest er eerst een belangrijke klus worden geklaard.

In Valencia, in een verlaten luxehotel aan het strand, zouden Bruyneel en Martí hebben toegekeken terwijl Del Moral dikke naalden in de aderen van de sterren van de Postal Service-ploeg stak.[2] Binnen een kwartier of twintig minuten liep vijfhonderd cc bloed van elke renner via een dun slangetje naar een plastic infuuszak op een witte handdoek op de vloer. Daarna werden de bloedzakken in een blauwe koelbox opgeborgen.

De maand erop, twee dagen voor de loodzware beklimming van de Mont Ventoux, kwamen de bloedzakken weer tevoorschijn, juist toen vele renners ze keihard nodig hadden. Terwijl die coureurs in een grote suite in het hotel van de Postal Service-ploeg op bed lagen, werden de bloedzakken met sporttape aan de muur boven hen bevestigd. De dikke naalden en de infuusslangetjes kwamen weer tevoorschijn. De ploeggenoten huiverden terwijl het gekoelde bloed hun aderen in druppelde.

Er circuleerden geruchten dat de Tour misschien een onlangs ontwikkelde epotest zou gebruiken, en daarom nam de Postal Service-ploeg zijn toevlucht tot de ouderwetse bloedtransfusietechniek. Er bestond geen test om te bepalen of renners een transfusie met eigen bloed hadden ondergaan. De UCI controleerde nog steeds de hematocrietwaarde van alle renners om ervoor te zorgen dat die onder de vijftig procent bleef, maar deze keer verhoogden de renners hun hematocrietwaarde met transfusies in plaats van doping.

Het was een 'Frankensteinachtig' procedé, zei Hamilton later, 'iets voor olympische robots van achter het IJzeren Gordijn uit de jaren tachtig'. Hij vond ook dat het op 'een biologie-experiment op de middelbare school' leek.[3]

Toen de coureurs tijdens de Tour van 2000 deze transfusie van eigen bloed ondergingen, droeg Armstrong de gele trui al. Hij was aan kop gekomen tijdens de tiende etappe, toen hij van de zestiende naar de eerste plaats opschoof en een onwaarschijnlijke tien minuten inliep op zijn rivalen. Hamilton, Livingston en hun Russische ploeggenoot Viatcheslav Ekimov hadden Armstrong op sleeptouw genomen naar de laatste beklimming van de etappe. Met nog zo'n dertien kilometer te gaan demarreerde Armstrong en klom zo snel dat zijn rivalen zijn inspanning 'buitenaards' noemden, alsof zijn fiets een verborgen motor had.

Met een snelle beklimming van de Mont Ventoux bouwde Armstrong zijn voorsprong in het algemeen klassement nog verder uit. Hij vloog de berg op en eindigde slechts enkele centimeters achter etappewinnaar Pantani, een tanige, gedrongen Italiaan, een van de beste klimmers uit die tijd. In de mediaruimte hapten de journalisten naar adem.[4]

Afgezien van een paar Franse supporters die 'Doper! Doper!' riepen terwijl hij passeerde, won Armstrong de Tour van 2000 zonder te worden gehinderd door controversen.

Pas later dat jaar merkte hij dat hij opnieuw in de problemen zat.

Hugues Huet, een journalist van de publieke tv-zender France 3, had een ongemarkeerde ploegwagen van Postal Service zo'n 160 kilometer gevolgd. Tijdens een stop gooiden twee ploegmedewerkers vuilniszakken in een vuilniscontainer. Huet filmde dat ze dat deden, doorzocht de vuilniszakken en vond daarin gebruikte injectienaalden, bebloed gaas en lege verpakkingen van medische producten, waaronder Actovegin. Dat was geen verboden dopingproduct, maar volgens dopingcontroleurs kon dit middel op basis van kalfsbloed de prestatieverhogende effecten van bloedtransfusies of epo versterken.

De beelden van ploegmedewerkers die vuilniszakken weggooiden zouden terechtkomen in een documentaire op France 3. Maar al voor die film werd uitgezonden, stelde het OM in Parijs een onderzoek in naar de vraag of Armstrongs Postal Service-ploeg de Franse dopingwetten had overtreden.

Armstrong en zijn ploeg deden alsof dit onderzoek hen verbaasde. Dan Osipow, een woordvoerder van Postal Service, zei dat de ploeg dopinggebruik absoluut niet tolereerde. Armstrong was zo ziedend dat hij de Tour van 2001 dreigde te boycotten en zijn twee op rij behaalde titels niet te zullen verdedigen.

'Het middel dat de mensen zo bezighoudt – Activ-o-dinges – is nieuw voor mij,' zei Armstrong. 'Vóór deze ellende had ik er nog nooit van gehoord, en mijn ploeggenoten evenmin.'[5]

Hij beweerde dat hij onschuldig was, dat zijn ploeg clean was en dat niemand uit zijn ploeg positief was bevonden. Later heeft hij gezegd dat die aantijging van dopinggebruik zijn reputatie en gezinsleven had kunnen verwoesten, als zij hard was gemaakt.

'Ik kon alles verliezen waar ik zo hard voor gewerkt had: mijn reputatie, wat ik als sportman bereikt had, alle mensen om me heen, alles wat je verliest wanneer de mensen niet geloven dat je deugt,' schreef hij in een van zijn boeken.[6]

Uiteindelijk gaf Armstrong toe dat de ploeg Actovegin bij zich had, zodat de ploegarts zadeluitslag kon behandelen. Later beweerde hij dat het medicijn was bestemd voor een medewerker met diabetes.[7] Gorski hield vol dat geen van de negen renners het middel had gebruikt.[8]

Vaughters zat buiten het wedstrijdseizoen thuis in Denver toen hij hoorde over het strafrechtelijke onderzoek in Frankrijk. Uit nieuwsgierigheid zocht hij het middel op via internet en kreeg toen het vermoeden dat dit het spul was waarmee Del Moral hem tijdens de Tour van 1999 had geïnjecteerd. Kalfsbloedextract? Hij moest bijna overgeven.

Toen Alisa, zijn eerste vrouw, thuiskwam, lag haar man opgerold op de gang te huilen, terwijl hij zijn knieën vastklampte.

'Ik wist niet wat het was,' zei hij. 'Dat wilden ze niet zeggen.' Hij spuugde de woorden er snikkend uit. 'En nu, stel nu dat ik gekkekoeienziekte heb? Wat heb ik gedaan? Wat heb ik gedaan?'

Alisa Vaughters had haar man pas één keer eerder horen huilen, nadat hij tijdens de Dauphiné epo had gebruikt om het koersrecord op de Mont Ventoux te kunnen vestigen. Maar gekkekoeienziekte? In Frankrijk waren daar mensen aan doodgegaan. Ze maakte zich zorgen over haar man, de vader van hun jonge zoontje, Charlie.

Anders dan Betsy Andreu, die door haar echtgenoot was voorgelogen tijdens de Tour van 1999, toen hij epo gebruikte om Armstrong aan de zege te helpen, wist Alisa Vaughters dat haar man doping had gebruikt. Ze vond het schokkend dat andere vrouwen en vriendinnen zich van den domme hielden – als hun man epo gebruikte, dan moesten zij dat weten. Haar man bewaarde zijn epo in de koelkast, net als Armstrong. 'Je was wel oerdom als je dat niet in de gaten had,' zei Alisa.

Toen Alisa Jonathan had leren kennen, had hij open kaart gespeeld over zijn dopinggebruik en leek hij goed op de hoogte van potentiële bijwerkingen. Later vertelde hij haar dat sommige vrouwen hun man bij hun dopinggebruik hielpen, maar tot haar opluchting zei hij dat zij dat niet hoefde te doen.

In dat opzicht verschilde ze van Kristin Armstrong, die epo nonchalant 'boter' schijnt te hebben genoemd en naar verluidt tijdens het wereldkampioenschap van 1998 cortisone aan coureurs had uitgedeeld alsof ze hun een flesje limonade gaf. En ze was evenmin als Haven Hamilton, van wie veel Postal-renners hebben gezegd dat ze zeer actief betrokken was bij de carrière van haar man en daar net zo veel energie in stak als hij. Tijdens de dagelijkse, urenlange trainingen van Tyler Hamilton op de Spaanse wegen reed zijn vrouw vaak in een volgauto mee. (Tyler zou later beweren dat Haven een 'teamspeler' was die er soms voor zorgde dat zijn bloed in hun koelkast werd gekoeld, verstopt in een sojamelkpak.[9]) Nee, Alisa

Vaughters was een stewardess die zelden beschikbaar was voor zulke trainingsassistentie en zich er sowieso niet voor interesseerde.

De eerste keer dat ze met een andere wielrennersvrouw over doping had gesproken was in 2002, tijdens een vrijgezellenfeest voor Leah, de verloofde van Christian Vande Velde. Zij had voortdurend ruzie met Christian over de injectienaalden bij hen thuis.[10] (Vande Velde was eind 2000 bij Ferrari in behandeling gegaan.) Hij zette zijn injecties in een gesloten badkamer, zodat zij het niet zag, maar als ze toch rondslingerend bewijsmateriaal vond, werd ze woedend. Ze was bang dat hij door zijn dopinggebruik geen kinderen meer zou kunnen krijgen. Uiteindelijk wendde Leah zich tijdens haar vrijgezellenfeest in Boulder, Colorado, tot Alisa, met tranen in haar ogen.

Nadat haar remmingen door een paar drankjes waren verzwakt, riep ze boven de zware beat van de dansmuziek uit: 'Het is gewoon zo moeilijk! Al die naalden! Het is gewoon zo moeilijk!'[11]

Alisa gilde terug: 'Ik weet het!' Ze omhelsden elkaar en moesten allebei huilen. Het luchtte op dat ze eindelijk bij een andere vrouw konden uithuilen over het dopinggebruik. Ze voelden zich allebei hopeloos verstrikt in de leugens van de wielersport.

Net als maffiavrouwen die van de opbrengst profiteren, maar met geen woord reppen over het vuile werk dat hun man doet, hadden deze twee vrouwen nog nooit het onderwerp doping aangeroerd. Net als andere wielrennersvrouwen gingen ze in Girona gezellig samen lunchen of koffiedrinken. Ze trokken uren en zelfs weken met elkaar op en zochten in een vreemd land steun bij elkaar terwijl hun mannen trainingsritten van vijf uur maakten of deelnamen aan koersen die wel een week konden duren. Terwijl zij onderling vrijuit spraken over hun dopinggebruik, hulden vrouwen als Leah en Alisa zich in een ongemakkelijk stilzwijgen.

Na afloop van het vrijgezellenfeest keerden de twee vriendinnen terug naar hun oude manier van doen. Ze hebben het nooit meer over doping gehad.

Het kwam Betsy Andreu onwaarschijnlijk voor dat Armstrong doping zou gebruiken nadat de kanker hem bijna fataal was geworden. Ze kon er gewoon niet bij dat Armstrongs vrouw Kristin en andere rennersvrouwen het dopinggebruik van hun man blijkbaar goedkeurden. Dat vertelde ze aan Angela Julich, de vrouw van Bobby Julich, een Amerikaanse wielrenner die met Armstrong in de nationale jeugdploeg had gezeten en die tijdens de Tour van 1998 als derde was geëindigd. Toen ze Angela over Armstrongs ziekenhuisbiecht vertelde, antwoordde Julich: 'Dat verbaast me niets.'[12]

Ze hadden allebei een hekel aan doping, maar konden niets bewijzen. Ze wisten echter wel dat Armstrong, Hamilton, Livingston en Axel Merckx zich lieten behandelen door Ferrari, naar wie op dat moment in Italië een onderzoek werd ingesteld.[13] Volgens Betsy Andreu bewees die connectie afdoende wat er in de Postal Service-ploeg gebeurde.

'Als je man in zijn ondergoed een hotelkamer uit loopt, terwijl er in die kamer een andere vrouw op bed ligt, heb je dan nog meer bewijs nodig om te weten dat hij vreemdgaat?' zei ze. 'Ik ben niet achterlijk, hoor.'

Ze vroeg Haven Hamilton over doping, maar Tylers vrouw antwoordde: 'Ik wil er niets over horen.'[14] Andreu was bang de kwestie aan te roeren bij Livingstons vrouw Becky, omdat Becky te naïef leek. De manier waarop ze over Ferrari sprak, leek erop te duiden dat ze werkelijk geloofde dat haar man regelmatig naar de Italiaanse arts in Bologna reed om zich te laten stretchen of masseren. Toen Andreu haar vertelde dat ze gehoord had hoe Armstrong zijn dopinggebruik opbiechtte, werd Becky Livingston helemaal stil. 'Wauw,' zei ze bijna fluisterend. 'Wauw.'[15]

Maar Andreu ergerde zich vooral aan Kristin Armstrong, deels vanwege haar neerbuigende snobisme, met haar Gucci-kleding en Louis Vuitton-tassen, maar vooral omdat ze het dopinggebruik zo nonchalant leek te accepteren. 'Het was min of meer een noodzakelijk kwaad,' zou Kristin Armstrong tegen haar gezegd hebben, toen Andreu haar naar de epo vroeg.

Alleen al de gedachte aan epo maakte Andreu woest. Begin 1999, zo herinnerde ze zich, was ze in Nice geweest voor een etentje met de Armstrongs en de Livingstons. Pepe Martí, de trainer en mogelijk dopingkoerier, kwam toen laat op de avond binnenvallen. Volgens haar kwam hij net uit Spanje gereden en was hij 's nachts de grens overgestoken om Armstrong zijn epo te bezorgen. Terwijl Armstrong het middel van Martí aannam, zou hij gezegd hebben: 'Vloeibaar goud!'[16]

Een paar weken later reden Betsy en Frankie Andreu samen met de Armstrongs naar Milaan-San Remo. Ze maakten een opmerkelijke pitsstop op een parkeerplaats bij een Agip-benzinestation vlak bij de snelweg, in een buitenwijk van Milaan. Daar kon Armstrong ongestoord spreken met Ferrari in een kampeerbusje dat daar geparkeerd stond.

Betsy vroeg Armstrong: 'Waarom stoppen we hier? Is het niet raar om met een arts af te spreken op een parkeerplaats?'

'Dat is om te zorgen dat de ellendige pers hem niet achtervolgt,' zei Lance, waarmee hij doelde op journalisten die Ferrari wilden vragen naar zijn rol bij het dopinggebruik door wielrenners.[17]

Terwijl ze die dag op Armstrong wachtten, vertelt Betsy Andreu, had ze het gevoel dat ze in een spionagethriller was beland. Pakweg een uur later sprong Armstrong uit de camper van de arts en riep: 'Mijn waarden zijn geweldig!'[18] Toen ze weer op de snelweg zaten, zei Armstrong tegen Frankie Andreu dat hij zelf ook beter zou presteren als hij niet te gierig was om Ferrari in te huren.[19]

Frankie had tegen Betsy gezegd: 'Natuurlijk zou ik dat geld best willen uitgeven, maar ik wil die rotzooi niet in mijn lichaam.' Hij vertelde haar over het honorarium van Ferrari, tien à twintig procent van een wielrennerssalaris, wat hij veel te veel vond. Armstrong zette hem ook onder druk om zijn training 'serieus te nemen', wat hij interpreteerde als regelmatig epo gebruiken.[20]

Met al die dingen in haar achterhoofd begon Betsy Andreu helemaal aan het eind van de Tour van 1999 een eigen onderzoek om te achterhalen welke middelen haar man had gebruikt, waardoor hij tijdens de bergetappes zo snel kon klimmen. Het eerste moment dat ze onder vier ogen waren, was op de avond van het luxueuze Postal-feest om het eind van de Tour te vieren, in het Musée d'Orsay aan de Seine-oever. Zij wilde over doping praten. Hij niet. Hij smeekte haar om Armstrong een hand te geven en hem te feliciteren met zijn overwinning. Dat weigerde ze.

'Ik wil verdomme weten wat je gedaan hebt,' zei ze. 'Waarom heb je zo geklommen? Het bestaat niet dat Lance dit clean gewonnen heeft.'

'Ga hem alsjeblieft een hand geven, Betsy.'

'Nee.'

'Alsjeblieft, voor mij?'

'Nee. Begrijp het nou toch eens. Ik doe het niet.'

Pas tijdens de autorit naar hun huis in Nice begon Frankie te vertellen over zijn dopinggebruik. Betsy had een thermoskan en een thermometer in hun koelkast aangetroffen, een onmiskenbare aanwijzing dat haar echtgenoot epo gebruikte.

'Je snapt het niet. Ik kan het tempo zonder epo helemaal niet bijhouden,' zei hij. 'De snelheden zijn zo hoog dat ik de tijdslimiet niet eens zou halen.'

'Ga me nou niet zeggen dat iedereen iets gebruikt, Frankie. Je weet dat het niet waar is. Maar het kan me niet schelen wat anderen doen. Als jij epo nodig hebt om bij Postal te blijven rijden, dan wil ik dat je weggaat bij de ploeg van Lance. Stap uit die ploeg, Frankie. We hoeven die rottigheid niet te accepteren.'

Frankie Andreu bleef in het seizoen van 2000 nog aan bij Postal, maar vertelde me dat hij in die tijd niet heeft deelgenomen aan het nieuwe bloeddopingschema van de ploeg. Volgens hem heeft hij die Tour clean gereden. Zijn contract werd niet verlengd. Hij zou nooit meer een wielerwedstrijd rijden.

Voor de toprenners van Postal Service – Armstrong, Hamilton en Livingston – waren dubbelhartigheid en geheimhouding onderdeel van het spel dat ze met het publiek speelden.[21] Iets wat als een onschuldige liefde voor het fietsen was begonnen, was veranderd in een leven van codewoorden, heimelijke ontmoetingen en vluchtige gesprekken. Ze ontvingen hun dopingcocktails in witte papieren zakken, alsof het hun lunchpakketten waren, en ze hadden elk een geheime, schijnbaar ontraceerbare mobiele telefoon, die ze gebruikten voor gesprekken over doping en plannen om dopingcontroleurs te ontlopen. Om te voorkomen dat anderen hen over doping hoorden praten, noemden ze epo vaak 'Edgar Allan Poe' of gewoon 'Poe'. Ze vlogen naar wedstrijden in Armstrongs privétoestel om nieuwsgierige beveiligingsbeambten op vliegvelden te ontwijken.

Tijdens een trainingsrit in Girona hoorde Vaughters Armstrong een keer in zijn mobiele telefoon zeggen: 'Ik heb een ijsje met strooisel gehad.'

'Wie was dat?' vroeg Vaughters.

'Gaat je niks aan,' was het antwoord.[22]

Uit zulke gesprekken maakte Vaughters op dat Armstrong plezier beleefde aan de intriges die het dopinggebruik omringden. Het was gewoon het zoveelste wedstrijdje voor hem.

Bloedtransfusies bezorgden de Postal-ploeg een ruime voorsprong op de andere valsspelers in het peloton. De andere ploegen hadden niet zoveel geld als Postal Service. Bovendien had Armstrongs ploeg 'Motoman' – Armstrongs persoonlijke medewerker op de motor – die hun gekoelde bloed naar Frankrijk bracht en naar de hotels waar de wielrenners verbleven wanneer ze een transfusie nodig hadden. Naar verluidt gaf Bruyneel leiding aan het plan, terwijl volgens Hamilton Del Moral de medische kant begeleidde en Ferrari de topwielrenners behandelde.

'De systematische aanpak bezorgde hun een voordeel,' volgens Vaughters. 'Terwijl andere ploegen één of hooguit twee kerels hadden die zoveel doping gebruikten, liet Postal als enige al zijn toppers een geraffineerd plan volgen.'

De wielrenners die voor Ferrari's particuliere behandelingen betaalden, gebruikten vaak testosteronpleisters. Hij vertelde hun dat het middel alleen heel even nadat de pleister van de huid getrokken was naspeurbaar was.[23] Ferrari had hun ook medegedeeld dat epo veilig in het gebruik was, zelfs nog in 2001, toen de UCI erop begon te controleren.[24] Ze konden een kleinere hoeveelheid van het middel injecteren in hun aderen in plaats van onderhuids te prikken, zodat het middel sneller uit hun lichaam verdween. Ze konden die kleine doses ook vaker nemen, wat microdosering werd genoemd. Zelfs wanneer ze bloedtransfusies gebruikten om vals te spelen, moesten ze epo blijven gebruiken om het effect van de transfusie te maskeren.

Door die bloedtransfusies kwam het lichaam vol rode bloedlichaampjes te zitten, waardoor het geen onvolgroeide bloedlichaampjes hoefde aan te maken, de zogeheten reticulocieten. Vervolgens stimuleerde epo de aanmaak van die reticulocieten, een waarde die de controleurs nauwgezet in de gaten hielden omdat die op dopinggebruik wees. Door bloedtransfusies met epo te combineren, hadden de renners normaal ogende bloedwaarden en leidden ze de dopingcontroleurs om de tuin.

Niet dat het heel moeilijk was om dopingcontroleurs te misleiden. In deze tijd werden profrenners zelden of nooit buiten de wedstrijden gecontroleerd, dus ze hoefden niet bang te zijn voor onverwachte dopingcontroles.

Het United States Anti-Doping Agency, een semi-overheidsinstelling die was opgericht om het dopinggebruik in olympische sporten in de VS te bestrijden, stond nog in de kinderschoenen en was pas sinds oktober 2000 een zelfstandige organisatie. Tot dan toe hadden USA Cycling en de UCI de leiding over de dopingcontroles gehad, maar die organisaties leken niet te vertrouwen te zijn. Ze hadden er vooral belang bij dat hun sport clean overkwam.

In 2001 werd Armstrong tweemaal door het USADA gecontroleerd. Hincapie werd driemaal getest, Hamilton één keer en Livingston nooit. In de twee daaropvolgende jaren heeft het USADA Armstrong eens per jaar getest, terwijl hij tijdens de Tour door andere organisaties werd gecontroleerd.

Tot het midden van de jaren 2000 verrichtte de UCI buiten de wedstrijden om nauwelijks dopingcontroles. Door die controle-achterstand was het in de voorgaande jaren voor wielrenners eenvoudig geweest om doping te gebruiken, want dat deden ze vooral tijdens de voorbereidingen op een koers. In de aanloop naar een wedstrijd konden ze dankzij doping harder trainen en herstelden ze sneller.

Het was in die tijd niet moeilijk om te voorkomen dat je positief werd bevonden, zelfs bij wedstrijdcontroles. Renners werden niet adequaat naar de dopingcontrole gechaperonneerd en kregen veel te veel tijd om hun urine zodanig te manipuleren dat die geen positief monster opleverde (door liters water te drinken of zelfs een verborgen katheter met schone urine te gebruiken op het moment van afname).[25]

Wanneer er dopingcontroleurs opdoken in het hotel waar een ploeg tijdens een wedstrijd verbleef of bij iemand thuis, leken Armstrong en zijn ploeggenoten te weten dat ze eraan kwamen.[26] In 2000, tijdens een koers in Spanje, redde Hincapie – het trouwe hulpje – Armstrong van een positieve uitslag door hem te waarschuwen dat er dopingcontroleurs in de hotellobby liepen. Armstrong had zojuist testosteronolie genomen en zag af van deelname aan de koers om elke controle te vermijden.[27] Bij andere gelegenheden leek Bruyneel op de hoogte te zijn van het rooster van de controleurs, alsof iemand hem had getipt.[28]

Toen er controleurs bij de familie Hamilton aanklopten, wist Haven Hamilton schijnbaar genoeg om aan haar echtgenoot te vragen: 'Alles goed met jou?' Als hij recentelijk doping had gebruikt, als hij nog 'gloeide', zoals hij dat zelf noemde – bleven ze kennelijk plat op de vloer liggen tot de controleurs weer weggingen.[29]

Bij wedstrijden moeten doorgaans de winnaar en drie willekeurig gekozen renners een dopingcontrole ondergaan. Van Postal Service was nog nooit iemand positief bevonden – in elk geval niet officieel. Maar volgens Hamilton zou Armstrong betrapt zijn tijdens de Ronde van Zwitserland van 2001.

'Je zult het verdomme niet geloven,' zou Armstrong tegen hem gezegd hebben. 'Ze hebben me betrapt op epo.'[30]

Volgens Hamilton maakte Armstrong zich geen zorgen over zijn positieve uitslag, want 'zijn mensen hadden contact met de UCI opgenomen, ze zouden een bespreking houden en alles kwam goed'. Armstrong zou ook tegen Floyd Landis, een renner die eind 2001 bij de ploeg zou komen, gezegd hebben dat 'hij en meneer Bruyneel naar het hoofdkwartier van de UCI waren gevlogen en een financiële regeling hadden getroffen om de positieve uitslag geheim te houden'.[31] Verbruggen, die toen voorzitter van de UCI was, heeft later verklaard dat noch hijzelf, noch de UCI heeft meegewerkt aan deze doofpotactie. 'Je zult nooit, echt nooit een doofpotactie in de UCI vinden uit de periode van mijn voorzitterschap, en van daarna ongetwijfeld ook niet,' zei hij.

Armstrong pochte tegenover zijn ploeggenoten dat hij zoveel macht binnen de wielersport had dat zelfs een positieve uitslag hem niet kon stuiten. Grappig genoeg is deze positieve epo-uitslag nooit officieel als zodanig aangemerkt, zo zeggen meerdere mensen die zich over deze zaak hebben gebogen.

De epocontrole was zo nieuw dat Martial Saugy, de directeur van het dopingcontrolelaboratorium dat de urinemonsters uit de Tour van Zwitserland had onderzocht, Armstrongs urine niet als positief aanmerkte omdat de drempel om een monster positief te kunnen noemen zo hoog was. In plaats daarvan noemde hij Armstrongs monsters epo-verdacht.[32] Ongeveer een jaar later merkte Jacques de Ceurriz, de directeur van een ander dopingcontrolelaboratorium, eveneens een urinemonster van Armstrong als verdacht aan. Die keer kwam het monster uit de Dauphiné en werd de UCI niet ingelicht.[33]

Laboratoriumdirecteuren Saugy en De Ceurriz beseften pas veel later dat het een urinemonster van Armstrong was geweest, omdat ze geanonimiseerde monsters hadden onderzocht. Maar de UCI-officials konden het monsternummer wel aan de naam van Armstrong koppelen. Ze belden Armstrong vlug op om hem te verwittigen dat hij gevaarlijk dicht bij een positieve testuitslag was gekomen. Het was een tik op de vingers die Armstrong duidelijk maakte dat hij minder slordig moest zijn.

Armstrong kon het niet geloven. Hij snapte ook niet hoe zijn testuitslag dubieus gevonden kon worden en vond de test onbetrouwbaar. Daarom nam hij zich voor om te achterhalen hoe de epocontrole in zijn werk ging, en vroeg de UCI om hulp. Die regelde een privéles.

De UCI organiseerde een bijeenkomst, die plaatsvond voordat de Tour van 2002 van start ging. Armstrong, Bruyneel en Saugy waren erbij aanwezig, zodat Saugy de wetenschappelijke onderbouwing van de epotest kon uitleggen.[34] Hoewel dit een hoogst ongebruikelijke bijeenkomst was – het USADA brieste later dat Saugy 'de sleutels' voor het ontduiken van de epocontrole aan Armstrong had overhandigd – meende Saugy dat hij aan de *patron* van het peloton bewees dat de methode om op epo te controleren deugdelijk was. Hij hoopte dat Armstrong op zijn beurt de andere renners kon waarschuwen dat ze moesten stoppen met het middel. Per slot van rekening was de vakliteratuur over deze test al openbaar toegankelijk. Saugy had bovendien van de UCI vernomen dat Bruyneel een wetenschappelijke achtergrond had en daardoor veel vragen voor hem had. Daarom legde Saugy aan Armstrong en Bruyneel uit dat wetenschappers bij de epotest het urinemonster op een dun laagje gel legden, er een elektrische stroom doorheen lieten lopen en wachtten tot verschillende vormen van proteïnen in de urine zich verspreidden. Wanneer ze dat ten slotte deden, vormden ze een ladderachtig patroon dat de wetenschapper vervolgens moest duiden als positief of negatief voor de synthetische versie van epo. Omdat er interpretatie bij deze test kwam kijken, was er een groot grijs gebied, waarmee de renners wellicht hun voordeel konden doen.[35]

Armstrong en Bruyneel luisterden naar Saugy als schoolkinderen in een klaslokaal, maar zeiden niets. Aan het eind van de presentatie zei alleen Armstrong iets. Hij sloeg zijn armen over elkaar en wierp Saugy een dreigende blik toe. Hij kneep zijn ogen toe.

'Beseft u wel hoeveel loopbanen u op het spel zet?' zei hij.[36]

Daarna beende hij de kamer uit.

Volgens twee dopingonderzoekers die niet officieel gerechtigd zijn om over deze zaak te spreken omdat ze er niet bij betrokken waren, zou het urinemonster van Armstrong uit de Ronde van Zwitserland van 2001 voor de test gezakt zijn als het volgens de maatstaven van 2013 was onderzocht.

In de aanloop naar de Tour van 2001 verscheen in *The Sunday Times* een artikel van David Walsh, die stelde dat Armstrong in 1995 als eerste in de Motorola-ploeg epo was gaan gebruiken.[37] Walsh was een gelauwerd journalist die al langere tijd twijfelde aan Armstrongs verklaringen omtrent zijn onschuld en als een van de weinige Engelstalige journalisten zijn twijfels op schrift stelde. Nu had hij indirect bewijs vergaard dat erop wees dat deze twijfels gerechtvaardigd waren.

Volgens het artikel van Walsh was Armstrong een klant van Ferrari. Het bevatte ook een uitspraak van een niet bij naam genoemde ploeggenoot van Armstrong dat meerdere Motorola-renners over het gebruik van epo spraken en dat 'Lance het hoogste woord voerde wanneer epo ter sprake kwam'. (Jaren later werd onthuld dat de Nieuw-Zeelander Stephen Swart de bron van Walsh was geweest.)

Armstrong was des duivels en zoals gewoonlijk sloeg hij terug. Zijn agent Stapleton – die later de reputatie verwierf dat hij journalisten met een proces dreigde als ze kritisch over Armstrong schreven – had al van Walsh' artikel gehoord voordat het was verschenen en deed een preventieve aanval door een interview van de Italiaanse krant *La Gazzetta dello Sport* met Armstrong te regelen. In dit interview vertelde Armstrong dat hij zes jaar met Ferrari had samengewerkt ter voorbereiding op een speciale prestatie die hij wilde leveren: een wereldrecord voor het aantal mijlen dat een wielrenner binnen een uur kon rijden in een velodroom.

Zijn ploeggenoten vonden het hilarisch en bespottelijk. Ze hadden nog nooit gehoord van een dergelijke recordpoging en schertsten dat hij waarschijnlijk nog nooit in een velodroom had gereden.

Tijdens de Tour van 2001 was Armstrong na de publicatie van Walsh' artikel aanvankelijk van plan om diens aantijgingen ten overstaan van een groepje vertrouwde journalisten te weerleggen. Hij verzocht om een bijeenkomst met die journalisten, maar gelastte die twintig minuten later af en stuurde in plaats daarvan een schriftelijke verklaring.

Daarin gaf hij toe dat Ferrari hem behandelde. Hij verklaarde dat deze arts 'een dubieuze publieke reputatie heeft genoten, vanwege de onverantwoordelijke uitspraken die hij in 1994 over epo heeft gedaan'. (Ferrari had gezegd dat het middel net zo gevaarlijk was als te veel jus d'orange drinken.) 'Ik heb mijn relatie met Michele Ferrari nooit ontkend. Anderzijds heb ik die ook nooit van de daken geschreeuwd.' Hij schreef ook: 'Hij heeft het nooit met mij over epo gehad en ik heb het nooit gebruikt.'[38]

Armstrong zei dat Ferrari hem alleen maar tips had gegeven 'over voeding en voorbereiding op bergritten' en alleen natuurlijke verbetermethoden had gebruikt, zoals het corrigeren van zijn fietshouding.[39]

Ondanks Armstrongs ontkenningen haalde het stuk van Walsh de sportpagina's, vooral in Europa, en bracht de pr-machine van Armstrong met een schok in werking. Stapleton was een belangrijk onderdeel van dat offensief. Ter verdediging van zijn cliënt kwam Stapleton ook voor Ferrari op. Tegen *The New York Times* zei hij dat Ferrari 'verstand heeft van fysiologie, en dat Lance naar hem luistert als hij iets over het gebruik van versnellingen zegt'.[40]

'Dokter Ferrari is geen medicijnman,' zei Stapleton.

Op vrijwel elke volgende dag van de Tour van 2001 moest Armstrong zijn relatie met Ferrari verdedigen. Hij vertelde journalisten dat hij er 'trots' op was dat hij 'op beperkte basis' met hem samenwerkte en dat hij de inzet van de arts zou heroverwegen als een strafrechtelijk onderzoek naar Ferrari in Italië onoorbare zaken aan het licht bracht.[41]

'Mensen zijn niet achterlijk,' zei hij ongeveer een week voor het eind van de Tour. 'Ze kijken naar de feiten. Ze zullen zeggen: hier heb je Lance Armstrong. Hier heb je een relatie. Is die dubieus? Misschien. Maar de mensen zijn slim. Ze zullen zeggen: is Lance Armstrong ooit positief bevonden? Nee. Is Lance Armstrong ooit gecontroleerd? Regelmatig.'[42]

Armstrong en Stapleton voerden hun strijd niet alleen. Terwijl Armstrong met journalisten in Frankrijk in de clinch lag, bepleitte Nike, een van zijn hoofdsponsors, zijn zaak bij de Amerikaanse bevolking – in elk geval bij de mensen die geloofden wat ze in reclamespotjes op tv zagen. Het bedrijf lanceerde een nieuw spotje met Armstrong in de hoofdrol.

Armstrong keek in de camera en zei: 'Dit is mijn lichaam. En daarmee kan ik doen wat ik wil. Ik kan het onder druk zetten, bestuderen, bijstellen, ernaar luisteren. Iedereen wil weten wat ik gebruik. Wat ik gebruik? Ik zit me zes uur per dag op mijn fiets rot te werken. Wat gebruik jij?'

Walsh had wel een vermoeden welk middel hij gebruikte. En het was zeker niet alleen zijn fiets. Het was doping. Maar hij had hard bewijs nodig.

Voor een volgend artikel dat Walsh schreef over de connectie tussen Armstrong en Ferrari, een voorbeschouwing van de Tour van 2001, interviewde hij Greg LeMond. LeMond vertelde dat hij er kapot van was geweest toen hij over de samenwerking van Armstrong met Ferrari had gelezen. Hij beschouwde Armstrong als een groot wielrenner én een inspirerende held voor kankerpatiënten.

'Als Lance clean is, is dit de mooiste comeback uit de wielergeschiedenis,' zei hij. 'Zo niet, dan is dit het ergste bedrog.'[43]

## 12

In de laatste twee jaar van zijn leven, van het voorjaar van 2000 tot het najaar van 2002, maakte J.T. Neal zesentwintig uur aan audio-opnamen voor een boek dat hij nog hoopte te schrijven. Die tapes zijn een herschepping van en een commentaar op de opwindendste momenten uit zijn leven, met name van de jaren waarin de jonge Texaan Lance Edward Armstrong zich vanuit de onbekendheid ontwikkelde tot een superster.

Neal heeft het boek nooit afgekregen. Lang na zijn dood lagen de banden verstopt in de slaapkamerkast van zijn zoon Scott. Geen van zijn familieleden had ze beluisterd, maar ik kreeg de banden mee, inclusief toestemming om Neals uitspraken in dit boek te gebruiken. In de tijd dat ik in Austin een transcriptie van de opnamen maakte, sprak ik Armstrong en vroeg hem over zijn voormalige beste vriend.

'J.T. Neal? Vergeet het maar. Die ellende moet je niet oprakelen,' vertelde hij me.

Hij bagatelliseerde hoe belangrijk Neal voor hem geweest was, en zei dat Neal niet had geweten van zijn dopinggebruik, omdat dat pas was begonnen nadat ze uit elkaar waren gegroeid. Hij kon niet weten dat ik een paar uur later bij de familie Neal, met een koptelefoon op mijn hoofd en een laptop in de aanslag, de eerste tape die Neal had opgenomen zou afluisteren. Zijn stem kwam weer tot leven: 'Vandaag is het 12 april, en dit is het begin van mijn herinneringen aan Lance Armstrong…'

In een zolder boven de carport van het huis van J.T. Neal – een voormalige kerk op een heuvel die boven Austin uittorent – staan drie grote dozen en twee koffers, bedekt met het stof van ruim tien jaar. De dozen zitten vol documenten, krantenknipsels en posters van Armstrong als jonge wielrenner die door Neal werd begeleid. De ene koffer was van Neal en de andere van Armstrong. Ze zijn allebei beplakt met verschoten logo's van Motorola Cycling en bevatten niet alleen oude truien van de Tour de France, maar ook truien met vilten opstrijkletters van piepkleine plaatselijke koersen uit het begin van Armstrongs carrière.

Hoe meer Neal besefte dat hij niet lang te leven had, hoe meer hij zich ergerde aan Armstrongs gedrag. Neal had de 'Wat gebruik ik?'-reclame van Nike gezien. Hij had Armstrong ook horen ontkennen dat hij met Ferrari samenwerkte en doping gebruikte. Dat Armstrong loog was tot daar aan toe, maar Neal vond dat het niet zomaar liegen meer was, maar een bedrieglijk leven leiden.

'Als hij "Ik heb nooit epo gebruikt" zegt, als hij daar gaat zitten ontkennen dat hij dat ooit gedaan heeft, dan weet ik dat hij liegt,' vertelde hij. 'En ik weet dat de jeugd tegen hem opkijkt. Die heeft altijd tegen hem opgekeken.'

Hoe Armstrong was omgegaan met Kevin Livingston, de oud-renner van Postal Service, zinde hem ook niet. Armstrong had hem uit de Postal-ploeg gegooid en vervangen door een paar Spaanse klimmers. Livingston had Armstrong als vriend terzijde gestaan in de nationale ploeg, later bij Motorola, en vooral toen hij tegen de kanker vocht. Hij was er zelfs voor hem geweest tijdens het genante moment dat Armstrong een lift nodig had gehad om zijn sperma bij een spermabank te deponeren voordat zijn chemo's begonnen. Hij was de man die langzaam naast Armstrong had gefietst toen de chemotherapie hem van al zijn energie had beroofd. Van alle goede soldaten in Armstrongs leger was Livingston een van de beste geweest.

Hij was ook samen met hem aan de doping gegaan. Ze waren allebei klanten bij Ferrari. Livingston, die me in 2001 verklaarde dat hij nooit doping had gebruikt, was Armstrong gevolgd tot de deur van de arts. Helaas voor Livingston had Ferrari niet heel zorgvuldig verdoezeld dat Livingston een klant van hem was geweest. Tijdens een Italiaans strafrechtelijk onderzoek naar Ferrari's vermeende dopingpraktijken werden documenten aangetroffen die erop wezen dat Livingston epo en een krachtige steroïde had gebruikt. Deze documenten zijn later openbaar gemaakt.[1]

Rond dezelfde tijd dat Armstrong en Livingston ieder hun eigen weg gingen, weigerde Armstrong ook om Frankie Andreu te helpen met het afsluiten van een nieuw contract bij Postal Service. Hij zei Hamilton dat zowel Livingston als Andreu te veel geld wilde en 'geen ene reet' zou krijgen.[2]

Betsy Andreu was ervan overtuigd dat Armstrong haar man heeft gedumpt omdat hij niet aan het dopingprogramma van Ferrari wilde deelnemen. In de ogen van Neal heeft Armstrong bewust besloten om twee van zijn trouwste ploeggenoten de rug toe te keren.

Neal vond dat Armstrong zich afsloot voor mensen die hem werkelijk mochten en zich uitsluitend omringde met mensen die hem konden helpen om een wielerkoers te winnen of rijker te worden, of allebei. Hij zei dat Armstrong alleen nog maar 'dubbelhartige vrienden' had, zoals zijn coach Carmichael, zijn voormalige ploegleider Ochowicz en zijn agent Stapleton – die alleen maar met hem bevriend waren omdat hij hun geld opleverde. 'Ik denk dat het op den duur nadelig voor Lance zal zijn, want andere vrienden heeft hij niet. Elke vriend die hij ooit gehad heeft, heeft hij afgedankt,' vertelde Neal. 'Nu wordt Armstrong omringd door jaknikkers en groupies, en als zij het niet met hem eens zijn, dan laat hij ze vallen. [...] Het is een bedroevende toestand voor hem, want ooit zullen zij ook allemaal weg zijn, en dan heeft hij niemand meer. Dan is hij alleen met zijn miljoenen.'

In de maanden na Armstrongs eerste Tourzege in 1999 richtte Carmichael een bedrijf op, Carmichael Training Systems, dat coaching via internet aanbood onder het motto: 'Lance Armstrong zegt "coach" tegen hem. Nu kun jij dat ook.' Hij schreef ook boeken op basis van zijn contact met de Tourwinnaar. Zijn eerste boek, *The Lance Armstrong Performance Program: 7 Weeks to the Perfect Ride*, verscheen in het najaar van 2000 en werd onmiddellijk een bestseller.

Carmichael had het bedrijf opgericht bij hem thuis, in Colorado Springs. Na nog geen twee jaar, halverwege 2001, had het veertig coaches en vijfhonderd betalende klanten en maakte het een omzet die met honderd procent per jaar was gestegen. In juli 2002 had het bedrijf vijftig werknemers, vijfenzeventig coaches en duizend abonnees. Net als Armstrong was Carmichael een gewild artikel geworden. In kranten- en tijdschriftartikelen beschreef hij het wonderbaarlijke trainingsprogramma waarmee Armstrong was veranderd in een Tourwinnaar.[3]

Op een keer werd hij 's nachts wakker, zei hij, en dacht: Armstrong heeft zijn anaerobe energiesysteem uitgeput. Hetzelfde fysiologische systeem dat Armstrong had geholpen belangrijke eendagskoersen te winnen, verhinderde nu dat hij koersen won die drie weken duurden. Carmichael zei dat hij een idee had ontwikkeld dat Armstrong tot een potentiële Tourwinnaar zou omvormen. Armstrong zou niet langer met een groot verzet rijden, maar harder trappen, met 85 tot 95 omwentelingen per minuut, om zijn lichaam te trainen om zijn aerobe capaciteit beter te benutten en anaerobe energie te sparen. Zijn training zou bestaan uit korte, periodieke krachtsexplosies. Dat was volgens Carmichael een van de sleutels tot Armstrongs succes: hij trapte harder dan wie dan ook![4]

Neal verbaasde zich erover dat het tot 2001 heeft geduurd tot het publiek doorkreeg dat Carmichael misschien niet de sturende kracht achter Armstrong was. Armstrong had zijn eerste reisje naar Ferrari immers al gemaakt in 1995, toen Neal met hem was meegereisd. Misschien hadden de contante betalingen hun relatie aan het oog onttrokken, of misschien kwam het doordat zowel Ferrari als Armstrong zijn best had gedaan om het contact geheim te houden.

In november of december 1999 bracht Ferrari een bezoek aan Austin.[5] Hij verbleef in een huis van Armstrong, buiten de stad. Neal ging ervan uit dat veel mensen in Armstrongs omgeving wisten wat er gebeurde.[6] Zelfs Armstrongs moeder was zijdelings betrokken. Een overschrijving van 24 juli 1996 – uit de tijd dat zij nog de rekeningen van haar zoon betaalde – is afkomstig van een bankrekening die op naam van zowel Linda als haar zoon leek te staan. Volgens het afschrift was er 42.082,33 dollar van hun rekening overgeschreven naar die van Ferrari.[7]

Het is onduidelijk of Linda Armstrong – die op dat moment de naam Linda Walling gebruikte – wist dat Ferrari haar zoon van doping voorzag. Op zijn audio-opnamen vertelt Neal dat hij en Linda hadden 'gelachen' om het feit dat Chris Carmichael deed alsof hij een wezenlijke bijdrage had geleverd aan Armstrongs Tourzege van 1999, wat erop wijst dat Armstrongs moeder deksels goed wist dat Carmichael enkel een dekmantel voor Ferrari was. Wat echter wel duidelijk is over die periode, is dat Armstrongs relatie met zijn moeder verslechterde. Na zijn huwelijk met Kristin in 1998 ging die snel bergafwaarts.

'Je weet hoe dat gaat,' zei Armstrong tegen mij, waarmee hij insinueerde dat het contact met zijn moeder was verzuurd vanwege de klassieke spanningen tussen moeder en schoondochter. Volgens hem had zijn moeder de indruk dat Kristin en haar familieleden op haar neerkeken, en vond Kristin het onprettig dat zijn moeder haar zoon nog steeds zo kritiekloos bewonderde. Dat alles werd nog eens verergerd doordat het derde huwelijk van zijn moeder strandde. In november 1998 vroeg ze een scheiding van John Walling aan.

Neal, een van Linda Armstrongs beste vrienden, wond zich steeds meer op. Ze had hem verteld dat zij en Walling zich twee of drie jaar hadden onderhouden met een baan in een 'een buurtkantoortje', zoals zij dat noemde, als *global accounts*-manager bij het telefoniebedrijf Ericsson, en door als makelaar te werken.

Na haar scheiding vertrouwde ze Neal toe dat ze het huis waarin ze met Walling had gewoond, moest verkopen. Ze verhuisde naar een huuretage in Plano. Haar meubilair was grotendeels opgeslagen omdat het niet in haar nieuwe woning paste. Een maand na haar formele scheiding won Armstrong zijn eerste Tour.

In 1999 betaalde haar werkgever haar vliegticket naar de Tour de

France, terwijl Ochowicz haar onderbracht in een hotel, zodat ze haar zoon kon toejuichen.[8] Ze heeft Lance na zijn Tourzege echter nauwelijks gesproken. En zelfs een gesigneerde gele trui, waar zij en Neal om vroegen, kregen ze niet van Armstrong. De kloof tussen Armstrongs moeder en Armstrongs vrouw had moeder en zoon uit elkaar gedreven. Kristin Armstrong schijnt haar man te hebben aangespoord om het contact met zijn moeder te verbreken, zodat ze hun huwelijk niet langer kon ondermijnen.[9] Om haar tevreden te houden voelde Armstrong zich gedwongen dat ook echt te doen.

Toen Armstrong in 1993 wereldkampioen werd, had hij geëist dat zijn moeder mee mocht naar zijn ontmoeting met de koning van Noorwegen, met de woorden: 'Niemand houdt mijn moeder bij de deur tegen.' Toen hij in 1996 zijn eerste huis betrok, noemde hij het Casa Linda, naar haar. Nu belde hij haar niet eens meer terug.[10]

Neal vroeg uiteindelijk aan Armstrong – smeekte hem zelfs – om zijn moeder wat geld toe te stoppen en probeerde uit te leggen hoe belangrijk het is dat je voor je familieleden zorgt. Armstrong zei hem aanvankelijk dat zijn boekhouder hem had afgeraden om zijn moeder belastingvrij geld te geven, maar dat leek Neal gelogen. Hij zei Armstrong dat hij zich moest schamen dat hij zijn moeder in de steek liet. 'Ik nam het tegen hem op omdat zijn moeder niets had terwijl hij miljoenen bezat,' zei hij.

Tot ontsteltenis van zijn vrouw luisterde Armstrong uiteindelijk naar Neal en hielp hij zijn moeder om haar scheidingsadvocaat te betalen.[11] Maar Neal was ervan overtuigd dat Armstrong niet blij was met zijn bemoeienis en dat hij dit voorval zou aangrijpen als excuus om afstand tot hem te nemen.

Neal kreeg de indruk dat Armstrong niet langer gezegd wilde worden wat hij moest doen. Hij wilde dat de mensen om hem heen deden wat híj wilde. Maar volgens sommige inwoners van Austin die zowel Armstrong als Neal goed hebben gekend, werd het contact verbroken omdat Neal niet zakelijk genoeg was voor de rijke durfkapitalisten met wie Armstrong bij Livestrong omging. Neal was het tegendeel van materialistisch: ondanks zijn rijkdom liep hij vaak rond in kapotte slobbertruien en kakibroeken met gaten erin.

Neal wist dat hij stervende was en waarschijnlijk niet veel tijd meer had. Hij gebruikte af en toe steroïden vanwege zijn ziekte, die hem prikkelbaar en spraakzaam maakten, en hem aandrang gaven om zijn ware gevoelens te tonen. Hij was het zo langzamerhand beu om alles wat hij had aan Armstrong te geven, zonder dat Armstrong ooit wat terugdeed. Het was nu te laat om daarover te treuren, maar het speet Neal dat hij zoveel tijd met hem had doorgebracht en daardoor soms zijn eigen kinderen had verwaarloosd.

Ergens was Neal trots op alles wat Armstrong had bereikt en was hij blij voor hem. Zijn vrouw Frances en hij hadden het fijn gevonden om Armstrongs zoontje Luke kort na zijn geboorte vast te houden. De Neals hadden het gevoel dat ze Armstrong hadden grootgebracht en beschouwden Luke als een familielid.

'Als we iets eerder op de alarmsignalen hadden gelet en als hij geen doping had gebruikt, had hij zijn huidige problemen waarschijnlijk nooit gehad,' zei Neal. 'Maar hij heeft zijn ziel aan dokter Ferrari verkocht. Dat is zonde, want hij had ook kunnen besluiten om geen doping te gebruiken en niet al zijn ploeggenoten aan het programma te laten meedoen. Dan was hij ook een uitmuntende wielrenner geweest.'


Op 24 september 2001 kreeg Neal via de post een uitnodiging voor een feest ter gelegenheid van het feit dat er vijf jaar geleden kanker bij Armstrong was geconstateerd, zijn zogenoemde Carpe Diem-dag. Die Latijnse uitdrukking betekent 'pluk de dag', en Armstrong had haar gekozen omdat de diagnose hem had aangespoord om tegenslag te overwinnen en zijn lot in eigen hand te nemen. Ten antwoord had de breekbare, zieke Neal een briefje aan Armstrong geschreven over het jaar 1996, toen ze allebei te horen kregen dat ze kanker hadden – Neal in de zomer, Armstrong in het najaar – een periode waarin hij en Armstrong onafscheidelijk waren. 'Het lijkt als de dag van gisteren dat we de eerste Carpe Diem-dag hadden.' Hij heeft nooit antwoord gekregen.

Neal was Armstrong een paar weken eerder in een restaurant tegen het lijf gelopen, toen Neal nog revalideerde van een gebroken heup en een tumor waarvoor hij meer dan tien bestralingen had moeten ondergaan. Ze hadden elkaar een tijd niet gezien en Armstrong leek opgetogen over het herstelde contact. Hij zei dat ze wat moesten afspreken en ze wisselden mobiele-telefoonnummers uit. Maar Neal kon moeilijk inschatten of het gebaar gemeend was. 'Hij beloofde te zullen bellen, maar ik heb nooit meer wat gehoord,' zei Neal indertijd. 'Hij heeft het zeker erg druk.'

In zijn laatste dagen heeft Neal nog gebeld met Linda Armstrong. 'Ik heb altijd veel om jou en je jongen gegeven,' zei hij. Ze vertelde hem dat hij puik werk had geleverd als 'surrogaatmoeder' van haar zoon, toen hij haar rol vervulde terwijl zij drie uur rijden verderop woonde. Ze wilde weten hoe hij zich voelde. Dat wilde Neal niet zeggen. Hij hield er niet van als mensen dat vroegen.[12]

Dat was ook de reden waarom op 1 oktober 2002 sommige mensen die hem zeer na stonden erg verbaasd waren toen ze hoorden dat hij de volgende ochtend waarschijnlijk niet zou halen. Armstrongs moeder had geprobeerd haar zoon te bereiken om te vertellen hoe het ging met Neal, die zij omschreef als 'een van de weinige mensen die echt om hem [Armstrong] geven zonder dat ze er zelf beter van willen worden'.[13] Vanaf dat moment lopen de verhalen sterk uiteen, afhankelijk van wie ze vertelt.

In haar boek schrijft Linda Armstrong[14] dat ze Lance een keer thuis heeft gebeld, maar het antwoordapparaat kreeg. De volgende keer dat ze belde nam er een onbekende op. Uit de achtergrondgeluiden maakte ze op dat er een feestje gaande was.

Haar zoon vierde de verjaardag van zijn kankerdiagnose. Die zou de volgende dag, 2 oktober, zes jaar geleden zijn. Toen ze vroeg of ze Lance mocht spreken, zei de persoon aan de andere kant van de lijn: 'Hij zwaait buiten aan het touw met Ethel' – zijn schoonmoeder.[15] Armstrongs moeder zei dat het dringend was en dat Lance haar onmiddellijk moest terugbellen.

'Tuurlijk, geen punt,' luidde het antwoord.

Terwijl Armstrong feestvierde, kwamen familieleden en goede vrienden van Neal bij hem thuis bijeen om afscheid te nemen. Een van de sporters die hij had begeleid kwam rechtstreeks aangereden uit Dallas, ruim driehonderd kilometer verderop, met donuts in de hand. Een ander ging in winkels op zoek naar een schuimrubberen noppenmatras voor Neals bed, zodat hij gerieflijker zou liggen. Weer een ander probeerde haar emoties te beheersen, maar snikte onbedaarlijk.

Volgens twee mensen die aan Neals bed hebben gezeten, heeft Armstrong die avond geprobeerd om Neal op zijn mobiele nummer te bereiken. Degene die de telefoon aannam, vertelt dat hij zich tot Neal wendde en zei: 'Ik heb Lance aan de lijn.' Maar Neal, nog steeds diep gekwetst, maakte een afwerend gebaar. 'Dat gesprek neem ik niet aan,' zei hij.

Armstrong en Doug Ulman, zakelijk directeur van Armstrongs stichting, verklaarden dat ze samen in de auto op weg waren naar een Livestrong-evenement dat de volgende dag zou plaatsvinden toen Armstrong telefonisch bericht kreeg dat Neal die ochtend was overleden. Ulman vertelt dat het een van de twee keren is dat hij Armstrong heeft zien huilen.

De *Austin American-Statesman* schreef een gloedvolle necrologie over Neal, met de kop 'Inwoner van Austin was beste vriend van sporters'. Neal, die zestig was geworden, had sporters geholpen 'om gezondheid en grootheid te bereiken,' zonder daarvoor ooit één cent te vragen, zo stelde het artikel. Van Josh Davis, de vijfvoudige olympisch zwemkampioen, werd de uitspraak opgetekend: 'J.T. was een prachtig voorbeeld van een echt mens, die niet op de wereld was gezet om te nemen, maar om te geven.'

Neals uitvaartdienst vond plaats in een kerk op het terrein van de University of Texas. De kist werd gedragen door Kevin Livingston en andere sporters die Neal had bijgestaan. Volgens Armstrongs moeder stond Lance na de dienst op het kerkhof en 'oogde hij aangeslagen en diep bedroefd'.[16] Neals familieleden en andere aanwezigen bij de begrafenis herinneren het zich anders.

Armstrong en zijn vrouw waren rechtstreeks van een fotoshoot naar de begrafenis gereden. Hij droeg een T-shirt, een zwarte leren blazer, een spijkerbroek en slippers. Zij droeg een witte, loshangende blouse met lovertjes.

Hij maakte op hen geen heel geschokte of verdrietige indruk. Hij leek eerder afstandelijk of geïrriteerd. Na afloop van de dienst liep hij naar Neals dochter Caroline. Ze voelde een steek in haar maag toen ze zag hoe informeel hij gekleed ging, maar was te zeer van slag om er iets van te zeggen.

'Ik ga nooit naar begrafenissen,' zei hij tegen haar.

Ze stond daar een seconde, stomverbaasd over zijn houding, en hield haar tranen in bedwang.

'Wat moet ik daar nou op zeggen, Lance? Het draait vandaag niet om jou.'

# DEEL IV

# Leugens van de broederschap

## 13

David Zabriskie wilde opstaan van de tafel in een koffiebar in Girona. Hij wilde zijn stoel achteruitduwen, zich oprichten, 'Nee, bedankt, doping is niets voor mij' zeggen en weglopen van Johan Bruyneel en dokter Luís García del Moral. Het was mei 2003. Zabriskie zat in zijn derde jaar als profrenner en was het jongste lid van de Postal Service-ploeg. Het scheelde weinig of hij was niet bij de ploeg gekomen omdat Armstrong hem, net als Vaughters, te raar vond. Hij beeldde zich in hoe hij wegliep uit het hotel, met de zelfverzekerde tred van een revolverheld. Maar hij verroerde geen vin. Hij kon het niet.

In plaats daarvan had Zabriskie het gevoel dat zijn hand zat vastgelijmd aan het kleine espressokopje dat voor hem op tafel stond. Hij was met zijn ploeggenoot Michael Barry naar het café gegaan om injecteerbare vitaminen op te halen – die binnen de ploeg 'herstel' werden genoemd – toen Bruyneel hem naar zeggen van Zabriskie aanzienlijk meer had overhandigd.

'We hebben herstelproducten voor je meegenomen plus wat epo,' zou Bruyneel nonchalant gezegd hebben, alsof hij een tafelgenoot vroeg om het zout door te geven.

'Hè, wat?' zei Zabriskie. Om tijd te rekken begon hij vragen te stellen aan Bruyneel en de ploegarts, Del Moral.

'Als ik dit gebruik, kan ik dan nog kinderen krijgen?'

'Ja, hoor, je kunt nog kinderen krijgen,' zei Bruyneel.

'En worden die dan achterlijk?' zei Zabriskie.

'Welnee.'

'Krijg ik er grotere oren van?'

'Nee, ook niet,' zei Bruyneel. 'Je hoeft het niet aan te pakken, hoor.'[1]

Zabriskie was een knokige verschijning op zijn fiets, een en al ellebogen en knieschijven. Hij was 1,85 meter lang en woog hooguit 66 kilo. Zijn haardracht wisselde tussen een woeste popsterrenkuif en kort Amerikaans. Hij had ooit een stoere snor gekweekt die zelfs avonturier Wild Bill Hickok te veel zou zijn geweest. Veel van zijn ploeggenoten vonden hem maar een rare snuiter, en niet alleen omdat hij één groen en één blauw oog had. Hij geloofde in – of sprak daar in elk geval over – bepaalde samenzweringstheorieën, zoals de theorie dat de Amerikaanse overheid gemanipuleerde voeding produceerde om haar eigen bevolking uit te moorden. Hij was bang dat hij een hersentumor zou krijgen van zijn mobiele telefoon. Maar als verlegen man tussen onbekenden voelde Zabriskie zich in de ploegbus voldoende op zijn gemak om hardop te zingen, moppen te tappen en te praten over de wereldreddende verzameling superheldenbeeldjes bij hem thuis.

In 1998 was Zabriskie, toen nog een amateur, uitgenodigd om naar Austin te komen om daar met Armstrong en Livingston te rijden. Hij fietste in hun schaduw terwijl hij Armstrong hoorde pochen over zijn seksuele escapades. Zabriskie was zo geïntimideerd dat hij aanvankelijk geen woord kon uitbrengen. Uiteindelijk versnelde hij, zodat hij naast hen kwam rijden en om te bewijzen dat hij ook een casanova was. Moet je horen: hij had een keer een meisje ontmoet in een supermarkt, 'en, o ja, die heb ik gepaald'. Het verhaal was een verzinsel, een opschepperige poging van Zabriskie om erbij te horen.

Maar bij Armstrong viel het slecht. Jaren later, toen Bruyneel overwoog om Zabriskie bij de Postal-ploeg te halen, herinnerde Armstrong zich het bizarre gedrag van Zabriskie op die dag. Hij zei tegen Bruyneel dat hij hem niet moest aannemen. Zabriskie kreeg de baan pas nadat meerdere mensen met connecties bij USA Cycling Armstrong ervan hadden overtuigd dat Zabriskie hem niet zou afleiden.

Toch speelde op die dag in mei 2003 in het café in Girona Zabriskies aangeboren onhandigheid op toen volgens hem Bruyneel het pak epo neerzette. Waarschijnlijk had elke toprenner van Postal zoiets meegemaakt. Maar bij Zabriskie lag het anders. Hij had nooit bij een andere ploeg gereden en was slecht op de hoogte van de dopingcultuur. Van alle renners die bij Postal Service hebben gereden, was niemand zo naïef, zo goed van vertrouwen.

Daarom schrok hij toen Bruyneel hem volgens zijn verhaal epo aanbood. Zabriskie werd al zenuwachtig als er alleen maar over middelen gepraat werd. In zijn jeugd was hij door verdovende middelen omringd geweest en daarom had hij er een spuughekel aan gekregen. Hij had gezien wat drugs konden aanrichten. Hij had gezien hoe ze zijn vader kapot hadden gemaakt.

Volgens de overlijdensadvertentie van Michael H. Zabriskie in *The Salt Lake Tribune* was hij op 7 september 2000 vredig ingeslapen, en was hij 'een liefhebber van muziek, vissen en sport, en een supporter van basketbalteam Utah Jazz'. Het was een sympathieke necrologie voor een man die in de duisternis geleefd had.

Hij zat dagen achter elkaar stoned en dronken in zijn kelder, waar hij vanuit zijn luie La-Z-Boy-stoel marihuana en cocaïne verkocht.[2] Hij maakte zoveel ruzie met de andere gezinsleden dat ze vaak een slaapkamer in vluchtten en beefden van angst terwijl hij met geweld probeerde binnen te dringen. Hij jaagde zijn vrouw Sheree angst aan met dreigementen om haar te mishandelen. Ze dacht dat haar man misschien nog eens zou proberen om haar of haar kinderen te vermoorden. Ze had zulke gruwelen al eens eerder aanschouwd. Haar vader had haar moeder met een geweer doodgeschoten en daarna het wapen op zichzelf gericht.

Ter verdediging creëerde Sheree Zabriskie een andere wereld voor haar kinderen, weg van hun vader. Ze bracht hen onder in een hotel of ging met hen uit kamperen. Op betere dagen ging ze met hen naar de bioscoop terwijl haar echtgenoot kalmeerde. Dat werd in dit gezin als normaal beschouwd.

In de ogen van Zabriskie stond de oude bruine leunstoel van zijn vader symbool voor het ontwrichte gezin. Die stoel. Die versleten, aftandse, godvergeten stoel die in de kelder voor de televisie stond. Zabriskies vader heeft er zeker drie van versleten. Zabriskie wist zeker dat zijn vader daarop zou sterven, met uitgestrekte benen, in een walm van schrale marihuanarook, met een glas Lord Calvert-whiskey in zijn ene hand en de afstandsbediening van de tv in de andere.

Toen Zabriskie op de basisschool zat, maakte zijn vader hem wijs dat hij in de bouw zat. Lange tijd wist Zabriskie niet beter. Hij wist wel dat zijn vader enveloppen met een inhoud van vijfhonderd dollar per stuk in verwarmingsbuizen of een bronzen hoedenrek verstopte, en besefte dat er een rare geur in de kelder hing, maar hij wist niet wat het was. Hij begon te vermoeden dat er iets niet in de haak was toen hij als brugklasser een keer 's avonds op de bar in de kelder zijn huiswerk deed, terwijl zijn vader keek naar een item bij Larry King, over medicinale marihuana.

'Kijk, iemand steekt bij Larry King een joint op!' zei zijn vader tegen een vriend die hij aan de telefoon had.[3] Toen Zabriskie hoorde hoe terloops zijn vader over drugsgebruik praatte en het woord 'joint' hanteerde alsof het een vast onderdeel van zijn woordenschat was, drong het eindelijk tot hem door: o mijn god, papa is een drugsdealer! Na jaren moed te hebben verzameld, sprak Zabriskie zijn vader erop aan. Michael Zabriskie legde uit dat hij als drugsdealer was begonnen toen hij een gezin moest onderhouden, als jonge vader die zijn school niet had afgemaakt.

Maar dat bezorgde Zabriskie geen beter gevoel, vooral omdat zijn leven zo chaotisch was. Terwijl zijn vader gaten in de muren stompte en zijn gezinsleden met geweld bedreigde, was Zabriskie teruggetrokken en timide geworden. Hij trok zich terug in een kamer in de kelder waar hij superheldenbeeldjes van Batman, Spider-Man en He-Man had staan. Het waren symbolen van zijn wens om zijn moeder en zussen te beschermen en zichzelf uit deze ellende te redden. Zabriskie was een niet-mormoon in Salt Lake City, een stad vol mormonen, en zijn schoolvriendjes en buurtkinderen zeiden hem meer dan eens dat hij naar de hel zou gaan.

Hij kon goed leren en haalde overwegend hoge cijfers. Toch at hij tussen de middag in zijn eentje op een veldje in de buurt en ging nooit naar schoolfeestjes. Hij lag eruit. Na schooltijd rolschaatste hij op de parkeerplaats van een mormoonse kerk. Daar kon hij de wereld buitensluiten, terwijl hij op zijn rolschaatsen danste en zijn mixtape van *West Side Story*, *Camelot* en *Tommy* van The Who op zijn walkman draaide. Hij zong uren achter elkaar mee met de liedteksten en droomde over een daad – wat dan ook – die hem beroemd zou maken. Hij wilde niet voor eeuwig het duivelskind uit een probleemgezin zijn dat nooit iets goed kon doen. Dan rolschaatste hij terug naar huis en keerde hij met een schok terug naar de realiteit van zijn vader, die dronken en onderuitgezakt in zijn ellendige luie stoel lag. Hij had zijn vader gesmeekt om te stoppen met drinken, brieven geschreven om uit te leggen hoeveel hij om hem gaf, maar er werd niet naar hem geluisterd.

Toen hij in de tweede klas zat, belde er een vrouw aan bij de familie Zabriskie. Ze zei tegen David dat ze de zijspiegel van het kampeerbusje van de familie, dat op straat geparkeerd stond, eraf had gereden. Ze wilde zijn vader spreken, maar Zabriskie kreeg zijn vader niet zover dat hij naar boven kwam. Opeens deed de vrouw een stap opzij en stormde er een arrestatieteam naar binnen. Een stortvloed van agenten rende het huis in met helmen op, maskers voor en zwarte automatische wapens in de aanslag. 'Politie! Politie,' riepen ze. Ze duwden de veertienjarige Zabriskie opzij en renden de trap af naar de kelder.

Zijn vader werd in handboeien afgevoerd. 'Waarom hebben jullie zo lang gewacht?' schertste hij nog. David schreeuwde door zijn tranen heen tegen hem: 'Dit is allemaal jouw schuld!' De politie nam marihuana, cocaïne en duizenden dollars aan contant geld in beslag. Michael Zabriskie ging wegens drugshandel naar de plaatselijke gevangenis.

Toen David Zabriskie na de inval weer thuiskwam, was het huis helemaal gesloopt. Zijn matras was aan stukken gesneden en op de vloer gegooid. Eerder, toen de politie hem had gevraagd of er geld in het huis was verstopt, was hij zo nerveus geworden dat hij de waarheid had gezegd. Ja, ja, zei hij. Er zat geld voor Kerstmis verstopt in zijn matras. Onder dwang, telkens wanneer de druk ondraaglijk werd, kon Zabriskie geen geheim bewaren.

Het wielrennen werd zijn redding. Zabriskies therapie was om met een mountainbike door de straten van de stad te crossen. Hoe harder hij fietste, hoe verder hij weg was van huis. Hij gebruikte zijn woede om met zijn fiets tegen steile canyons op te rijden. Hoe meer pijn zijn benen en longen deden, hoe meer hij zichzelf onder druk zette: ik word nooit als mijn vader, ik word nooit als mijn vader.

Uiteindelijk, toen hij het gevoel had dat hij een behoorlijk sterke wielrenner geworden was, ging hij naar een bijeenkomst van de Rocky Mountain Cycling Club. Een plaatselijke sportarts, Steve Johnson, gaf er uitleg over tactisch rijden en betoogde dat wielrennen bepaald geen individuele sport was. Johnson bewoog paperclips op een overheadprojector om duidelijk te maken hoe een wielerploeg te werk ging. De ene renner voerde het peloton aan, ging opzij en zette het deurtje open voor de renner achter hem. Een andere renner kon een ploeggenoot afschermen van een aanval. Je had ploeggenoten nodig en zij jou, vertelde hij, en dat is de enige manier waarop je kunt winnen. Dat stond Zabriskie wel aan.

Hij verscheen een uur te vroeg voor zijn eerste groepsrit met de fietsclub. Tijdens de rit van bijna honderd kilometer beleefde hij weinig plezier aan zijn nieuwe schoenen met kliksysteem. Zijn zadel stond te laag en hij had geen water meegenomen, alleen een pakje kauwgom. Hoewel hij slechts met grote moeite thuiskwam, uitvoerig aangemoedigd door de andere wielrenners, genoot hij met volle teugen. Terwijl hij op die wegen een gevecht met zijn lichamelijke en psychische pijn leverde, vond hij eindelijk rust.

Na de rit plofte hij neer op zijn bed en voelde zijn hartslag door zijn hele lichaam bonken. Het enige wat hij van wedstrijdrennen af wist was de naam van het belangrijkste evenement, de Tour de France. Hij wist niet dat het een koers van drie weken en drieduizend kilometer was, met bergritten en razendsnelle sprints, die allemaal meer van een mensenlichaam vergen dan de meeste lichamen aankunnen. Hij wist er eigenlijk nauwelijks iets van. Maar na die rit met de Rocky Mountain Cycling Club wist hij één ding zeker.

Daar op zijn bed zei de jongen die had gewenst dat hij een superheld was tegen zichzelf: 'Ik heb zojuist de eerste stap gezet op weg naar de Tour.'

Zabriskie was slungelachtig en tanig, ideaal voor een wielrenner. Op zijn zestiende won hij zijn eerste nationale wedstrijd, de Iron Horse Classic in Colorado, en later dat jaar won hij het staatskampioenschap in zijn leeftijdscategorie. Op zijn zeventiende won hij een jeugdwedstrijd in Colorado die was vernoemd naar Lance Armstrong, die toen al wereldkampioen was. Dankzij die zege mocht Zabriskie komen trainen in het trainingscentrum van de Amerikaanse olympische ploeg. In 1997, het volgende jaar, werd hij vierde in de individuele tijdrit tijdens het wereldkampioenschap voor de jeugd en besloot op aanraden van Johnson, die zijn mentor was geworden, om niet te gaan studeren, maar een poging te wagen om profwielrenner te worden.

Toen de Festina-affaire in 1998 losbarstte, discussieerden Zabriskie en de andere renners in de nationale jeugdploeg over het gebruik van prestatieverhogende middelen. Ze moesten misschien aan de middelen om de top te halen, dachten ze. Zabriskie polste Johnson eens over doping. 'Maak je niet druk, jij hoeft niet aan de doping,' zei zijn mentor. 'De wielersport is schoner dan ooit.'

'Dus je denkt dat ik moet volhouden?'

'Ja. Je zult je prima redden, dat beloof ik je.'

Volgens Levi Leipheimer, die aan de University of Utah had gestudeerd en Zabriskie al jaren kende, was dit een ideaal moment om profrenner te worden omdat de doping op zijn retour was.

Maar toen ontmoette Zabriskie profrenner Matt DeCanio. Hij maakte een lange rit met hem in Colorado Springs, waar het olympische trainingscentrum gevestigd was. Zabriskie vroeg hem hoe het was om in Europa te wielrennen en of dopinggebruik daar een probleem was.

'Ach man, het is erg, heel erg,' zei DeCanio.

'Hoe erg precies?'

'Die kerels slikken pillen die van dierenartsen afkomstig zijn, paardenpillen, allerlei soorten pillen.'[4]

Anderhalf uur lang vertelde DeCanio zoveel wilde verhalen over het dopinggebruik in Europa dat Zabriskie dacht dat de veteraan hem voor de gek hield, om hem af te schrikken. Het verhaal van De-Canio was in feite Zabriskies eerste waarschuwing: profrenners gebruiken doping, en als je op topniveau wilt fietsen, doe jij dat ook.

Zabriskie kon niet bepaald bij zijn vader te rade gaan. Toen hij de trainingskampen verliet en weer naar huis ging, merkte hij dat zijn vader meer dronk dan ooit. Na zijn eenentwintigste verjaardag besloot hij dat hij zijn buik ervan vol had.

De bom barstte toen hij en zijn moeder telefonisch een ticket probeerden te boeken voor een vlucht naar het trainingskamp van de nationale ploeg in Europa. Zijn vader nam voortdurend de hoorn in de kelder op, om het telefoongesprek te verstoren; hij had een barkruk schuin tegen de kelderdeur gezet zodat er niemand binnen kon komen. Er knapte iets bij David. Tierend en vloekend trapte hij de kelderdeur uit zijn sponning, stormde op zijn vader af en rukte de hoorn uit zijn handen en uit de muur. Nooit eerder had hij zijn vader zo uitgedaagd, en zijn agressie joeg hun allebei angst aan.

Zeven maanden later overleed Michael Zabriskie. De vaten Lord Calvert-whiskey hadden zijn lever verwoest en zijn huid geel gekleurd. David had gelijk gehad met al zijn smeekbeden – zijn vader zou niet meemaken dat zijn zoon een van de beste wielrenners ter wereld werd. Het kwam door de drugs en de drank, hield Zabriskie zichzelf voor. Die ellendige drugs.

David en zijn vader hadden geen afscheid van elkaar genomen of zich met elkaar verzoend. David was woedend geweest toen hij zijn vader in het ziekenhuis opzocht. Hij had niet kunnen dromen dat het zijn laatste kans zou zijn om vrede met hem te sluiten.

Hij sloeg de begrafenis over om te kunnen deelnemen aan de Grand Prix des Nations in Frankrijk. Tijdens die koers vielen zijn woede, wrok, spijt en verdriet samen met zijn talent en duwden hem voorbij de fysieke pijngrens. Hij won die koers voor renners onder de drieëntwintig, zijn eerste grote overwinning in Europa, terwijl Armstrong de koers voor beroepsrenners won. De dag was ook om een andere reden memorabel. Bij de finish maakte Zabriskie kennis met een man die hem de komende paar jaar zou gidsen en vormen: Johan Bruyneel.

Bruyneel was een belangrijk, uitgekookt en doortrapt man, die Armstrong en de Postal Service-ploeg al tweemaal naar de Tourzege had gevoerd. Het maakte indruk op Zabriskie dat zo'n belangrijk iemand toch zo vriendelijk deed. Bruyneel vertelde hem hoe goed hij was, hoe goed hij zou kunnen zijn en hoe rijk hij kon worden als hij bij de juiste ploeg tekende. Zabriskie had geen verkooppraatje nodig. Hij wilde geld en de bijbehorende onafhankelijkheid, en hij wilde dat allemaal meteen. Dus een paar weken later tekende hij in het Belgische Izegem, in een achterkamertje van de juwelierszaak van Bruyneels broer, voor een dienstverband bij Postal Service voor 40.000 dollar per jaar. Hij trad toe tot de ploeg die werd aangevoerd door Lance Armstrong, toen al een van de bekendste en populairste sporters op aarde.

Hij ontdekte al snel dat zijn wereld niet die van Armstrong was. Geen privévliegtuigen, geen miljoenencontracten, geen uitzinnige fans. Wielrenners als Zabriskie waren werkbijen die om de bijenkorf heen zwermden. Zabriskie begon in een trainingskamp in Tucson, Arizona, waar de ploeg zijn tweeëntwintigste verjaardag vierde door shots wodka voor hem te kopen. Aan het eind was hij zo dronken als een tor en ging hij achter de bar over zijn nek. Hincapie nam foto's van hem terwijl Bruyneel hem aanspoorde om nóg een glas te nemen, eentje maar.

'Pak aan, anders ontsla ik je,' zei hij volgens Zabriskie.

Zabriskie wilde weigeren, want hij kon onmogelijk nog meer

drank binnen houden. Maar Bruyneel was de grote baas, de man die zijn toekomst in zijn handen hield en zijn macht binnen de ploeg botvierde. Daarom gaf Zabriskie toe, zoals hij dat altijd aan zijn vader had gedaan. Aan het eind van de avond viel hij na uren overgeven en hevige diarree in het bad bij zijn hotelkamer in slaap.

Met die inwijding trad hij toe tot een nieuwe familie – eentje die net zo verknipt was als zijn familie in Utah. Bruyneel, de vaderfiguur, was voortdurend met Armstrong op pad en verwaarloosde de jongere wielrenners. Zabriskie voelde zich opnieuw ontheemd. Hij was ook dakloos. Marty Jemison, die eveneens uit Utah kwam, had Zabriskie gevraagd of hij zijn flat in Girona voor vierhonderd dollar per maand wilde overnemen, maar Bruyneel zei: 'Die flat moet je niet nemen, niemand gaat nog in Girona wonen, ik help je wel om wat te vinden.'

Zabriskie werd tijdelijk ondergebracht in de flat van twee oudere wielrenners, onder wie de Australische coureur Matt White. Het was er een zootje, met overal eten en rondslingerende kleren. Op de dag dat Zabriskie er introk, hing er de vertrouwde walm van marihuana. Tijdens een trainingsrit op diezelfde dag vertelde White hem hij dat 'tonnen aan menselijk groeihormoon' had geslikt toen hij voor een Italiaanse ploeg reed en dat zijn voeten daardoor een paar schoenmaten waren gegroeid.[5] Het was een overkill aan nieuwe indrukken voor Zabriskie, het groentje dat nog steeds ontzettend verlegen was. Hoe ben ik tussen dit stel misdadigers beland, vroeg hij zich af.

Zabriskie was op zoek naar een flat, maar hij zag alleen het ene groezelige flatgebouw na het andere. Uiteindelijk koos hij voor een eenkamerflat boven een koffiebar in een stadje vijftig kilometer verderop.

Zelfs de aangename koffiegeur uit de winkel onder hem bood Zabriskie geen troost. Hij voelde zich moederziel alleen. Hij leefde van pizza's. Hij reed weinig wedstrijden omdat zijn trainingen zo slecht verliepen. Hij besteedde honderden dollars aan telefoongesprekken met Randi Reich, een mooie, slimme blondine die aan de

University of California, Berkeley, studeerde en die hij had leren kennen voor hij naar Utah was afgereisd. Ze had op de middelbare school bij een van Zabriskies zussen in de klas gezeten. Hij vertelde haar dat de druk om doping te gaan gebruiken langzaam maar zeker werd opgevoerd. Als hij ooit aan de doping ging, zou ze bij hem weggaan, zei ze. Hij verzekerde haar dat hij dat nooit zou doen.

Hij probeerde Armstrong uit te horen tijdens een trainingsrit om erachter te komen of de tweevoudige Tourwinnaar wilde toegeven dat doping onderdeel van de wielersport was. 'Volgens mij kan ik vrij aardig fietsen,' zei hij tegen Armstrong. 'Ik snap alleen niet dat anderen me voorbij vliegen terwijl ik op mijn maximum zit.'

Armstrong zei alleen maar: 'Je moet harder trainen.'

Zabriskie bleef sceptisch. Hij had buitenlandse wielrenners over doping horen praten. Ze kletsten nonchalant over wat zij en andere wielrenners gebruikten, alsof die middelen helemaal niet verboden waren. Hij had gezien wat zich dagelijks in de ploeghotels afspeelde. Soms werd er geprikt met injectienaalden die een groene vloeistof bevatten, soms was de vloeistof geel, andere keren was hij doorzichtig of rood. Del Moral zei dat het een vitaminecocktail was en dat hij niet bang hoefde te zijn. Dat eerste seizoen bedankte hij telkens beleefd wanneer hij een injectie van dat vreemd gekleurde 'herstel' kreeg aangeboden.[6]

In het najaar van 2001 geloofde Zabriskie nog steeds dat sommige toprenners, zoals Leipheimer, die als derde in de Vuelta was geëindigd, misschien clean waren. Zijn finish gaf aanleiding tot geruchten dat hij doping gebruikte, maar Zabriskie geloofde het niet en verdedigde Leipheimer zelfs tegenover sceptici.

'Ik ken Levi, en hij traint zich helemaal suf,' zei hij, waarna de sceptici hem in zijn gezicht uitlachten. Tegen Leipheimer zei hij: 'Man, ik weet dat een heleboel mensen zeggen dat je sjoemelt en middelen gebruikt en zo, maar ik weet hoe hard je traint en volgens mij verdien je het.'

Het jaar daarop verdiende Zabriskie op grond van zijn prestaties tijdens het vorige seizoen maar 15.000 dollar. Zijn voorbereiding was zo beroerd verlopen – hij at slecht en kon zich door de een-zaamheid niet concentreren – dat Bruyneel te weinig vertrouwen in hem had om hem in de koersen te laten meerijden. Zabriskie keer-de pas terug in de ploeg nadat hij Bruyneel om nog een kans had gesmeekt. Vanuit zijn wanhopige behoefte om in het wielrennen te blijven, begon hij te denken dat sommige prestatieverhogende middelen toch acceptabel waren. In april 2002 was hij zo down en uitgeput dat hij een ploeggenoot, Dylan Casey, om een injectie met die 'herstel'-vitaminen vroeg. Casey haalde het flesje tevoorschijn. Zabriskie onderzocht het. Op het etiket stond inderdaad 'vitami-nen' en dus hij liet Casey de vloeistof in zijn arm injecteren. Zabris-kie kon niet echt zeggen of het gewerkt had, maar het voelde niet heel misdadig – en bovendien slikte hij al een hoop vitaminepillen.

Uiteindelijk leerde hij om zichzelf met een naald te injecteren en een goede ader te vinden om het 'herstel' te injecteren. Tot dan toe had niemand hem dopingproducten aangeboden.

Later in het seizoen van 2002 zei Bruyneel tegen hem dat hij al-le vitaminen moest spuiten die de ploeg hem aanbood. Zabriskie stemde toe. Hij vond het raar dat zijn ploeggenoten niets hadden gezegd van het feit dat hij zich regelmatig injecteerde, als een drugs-verslaafde. Toen hij een keer met het 'herstel' naast de ader prikte en er een enorme bobbel onder zijn huid ontstond, haalde Zabris-kie Frankie Andreu erbij. Maar hij lachte het weg en zei: 'Wind je niet op, dat trekt wel weer weg,' alsof hij dat al veel vaker had ge-zien.

Zabriskie bleef weinig genegen om blindelings te accepteren wat de andere wielrenners van de artsen kregen. Tijdens de Spaanse Vu-elta in 2002 moest een groep coureurs zich van Del Moral voor de tijdrit in de ploegbus opstellen voor een injectie in de spieren met een middel waarvan geen enkele renner wist wat het was. Zabris-kie wist niet zeker of het een toegestaan middel was, maar niemand klaagde.

'Goed, ga op één been staan en ontspan je kont,' zei Del Moral voordat hij een naald in de billen van elke renner stak. Zabriskie wilde voor de prik gaan liggen omdat dat minder pijn zou doen. Maar de arts willigde zijn verzoek niet in en eiste dat hij bleef staan, waarop hij de injectie helemaal afsloeg. 'Nee, bedankt.'

Achteraf was Del Moral geïrriteerd dat Zabriskie zich niet aan het plan had gehouden.

'Je bent een watje, je bent een ontiegelijk watje,' zei de arts.[7]

In zijn tweede jaar bij de ploeg veranderde Zabriskie van een klunzig joch in een komische noot. Af en toe barstte hij in de ploegbus spontaan in zingen uit om anderen aan het lachen te maken. Hij bracht een keer een serenade aan Bruyneel met een lied dat hij van een andere profrenner had geleerd. Hij blèrde het op de melodie van 'Purple Haze' van Jimi Hendrix:

*Epo all in my veins*
*Lately things just don't seem the same*
*Actin' funny, but I don't know why*
*'Scuse me, while I pass this guy*

In de Vierdaagse van Duinkerken was Zabriskie als vijfde geëindigd. Hij had een positief gevoel over zijn dopingvrije succes toen hij, zoals hij vertelt, op die dag in mei 2003 in een café in Girona Bruyneel en Del Moral hoorde spreken over de noodzaak van dopinggebruik in het topwielrennen. Om in de wielersport de top te bereiken, zo zouden ze gezegd hebben, moest Zabriskie epo gaan injecteren en testosteronpleisters op zijn lichaam plakken.

'Moet je horen, Dave, de kerels die jou tijdens de koers in Duinkerken te snel af waren, gebruiken het allemaal,' zou Bruyneel gezegd hebben. 'Zelfs de kerels achter je nemen het.'[8]

Zabriskie wist niet zeker of hij wel de waarheid sprak. Hij antwoordde: 'Ik weet dat de ploeg op dit moment moeite heeft om punten te halen, en jullie willen met mij gewoon wat makkelijke punten scoren.'

'Nee, zo ligt het niet,' zei Bruyneel lachend.[9]

Zabriskie keek naar Barry, met wie hij over epo had gesproken toen ze eerder dat seizoen tijdens een wedstrijd een hotelkamer deelden. Hij had behoefte aan steun. Nog maar een paar weken geleden had Barry hem gezegd dat hij op zoek was naar een manier om uit de wielrennerij te stappen, vanwege de doping.

'Ga jij helemaal geen vragen stellen?' vroeg Zabriskie aan Barry. 'Ga jij het doen?'

'Het is gewoon zoals het is,' zei Barry.[10]

Barry, die het jaar daarvoor bij de ploeg was gekomen, was vroeger zo'n wielrenner geweest die artsen vragen over zijn injecties stelt. Dan antwoordde Del Moral: 'Vertrouw je me niet?' of 'Jullie stellen verdomme te veel vragen.'[11] Toch had Barry op de dag dat hij en Zabriskie epo aangeboden kregen al besloten om mee te doen. Hij had te veel dopinggebruik gezien om te geloven dat hij het zonder ver zou kunnen schoppen.

Toen Barry het jaar ervoor naar de kamer van Jonathan Vaughters in Girona was verhuisd, in een appartement dat ze inmiddels deelden met Vande Velde, had Barry ampullen met epo en naalden onder het bed gevonden. Later had hij ontdekt dat de epo en het menselijk groeihormoon van Vande Velde verstopt zaten in een koffiepak in de koelkast, en had hij de chemische brandwonden gezien die testosteronpleisters op zijn lichaam hadden achtergelaten.[12] Hoe langer Barry in de ploeg zat, hoe onbeschaamder zijn ploeggenoten lieten merken dat ze doping gebruikten. Hincapie, die dikke maatjes met Barry was geworden, had hem aangemoedigd om epo en testosteron te gaan gebruiken 'om zich beter te voelen', waarbij hij zei dat hij maar weinig van het spul nodig zou hebben om resultaat te bereiken.[13] Barry ging af op het advies van Hincapie.

Met zijn vieren – Zabriskie, Barry, Bruyneel en Del Moral – stonden ze daarom op van de cafétafel en maakten de korte wandeling naar Barry's flat. Volgens Zabriskie stonden twee nieuwe wielrenners op het punt te promoveren uit de klasse van dopingvrije Postal-renners en te worden ingewijd in het dopingprogramma van de ploeg.

Eenmaal binnen, zo beweren de coureurs, doorliepen Bruyneel

en Del Moral haastig de ceremonie, waarbij Del Moral hun stap voor stap uitlegde hoe epogebruik in zijn werk ging.[14]

'Let goed op als je injecteert. Je moet direct in de ader spuiten. Als je per ongeluk in het vet injecteert, blijft de epo ruim een week traceerbaar en kun je gemakkelijk positief worden bevonden. Je ontvangt een gecodeerde tekst van mij met instructies voor de hoeveelheid die je moet gebruiken.'[15]

Als bestuurder van deze voorturend uitdijende club, die was gegrondvest op geheimhouding, bedrog en leugens, schijnt Bruyneel te hebben benadrukt hoe belangrijk het was om achterdochtig te zijn. 'Spoel je spuit schoon, zodat het middel niet traceerbaar is als iemand hem vindt. Gooi de ampul op grote afstand van je appartement weg en let erop dat niemand je volgt wanneer je dat doet. Als er een dopingcontroleur aanbelt, doe dan niet open. En vertel het echt nooit, aan niemand.'[16]

Beide wielrenners staken hun armen uit, zodat Del Moral ze met de naald kon injecteren.

'Het ging er net zo in als dat andere spul, het "herstel",' vertelt Zabriskie. 'Het voelde helemaal niet anders.' Het was een van de beproevingen die je moest doorstaan om tot de Tourequipe te worden toegelaten. Gewoon de zoveelste maatregel die Armstrong moest helpen om te winnen, rijker te worden en nog populairder te zijn bij zijn miljoenen fans.

In Zabriskies beleving ging het allemaal heel snel – het overleg in het café, de wandeling naar Barry's flat (een betrekkelijk veilige plek om doping te gebruiken omdat hij een Canadees was en het USADA daar niet zou aankloppen), de instructies, de prik van de naald. Het voelde alsof hij een passagier was die tijdens een vliegtuigongeluk geen tijd had om zichzelf te redden. Hij vroeg zich af: heeft iedereen dit de eerste keer zo beleefd? Armstrong? Vande Velde? Hincapie? Is er ook maar een van hen sterk genoeg geweest om de verstikkende druk te weerstaan, om de tijd stil te zetten en weg te lopen?

Zabriskie voelde zich verraden door Bruyneel, een man die hem zou hebben aangezet tot dopinggebruik en die hij had vertrouwd, die zijn leven binnen was gestormd en hem had geholpen de dood van zijn vader te verwerken. Toen hij in zijn flat weer alleen was, gooide hij de epo, de testosteronpleisters en het 'herstel' die Bruyneel hem volgens hem had gegeven van zich af, liet zich op de vloer vallen en rolde zich op in foetushouding. Na een paar uur stond hij weer op en belde zijn moeder om te vertellen wat er was gebeurd.

'Ik heb daarnet, ik heb daarnet doping gebruikt. Ik ben nu net als papa,' zei Zabriskie.

Hij moest die zin een paar keer herhalen voordat zijn moeder hem door zijn tranen heen kon verstaan. Hij had daarnet bedrog gepleegd. Hij had de belofte gebroken die hij aan zijn grote liefde gedaan had.

'Volgens mij moet je daar onmiddellijk weg en daarmee kappen,' zei zijn moeder. 'Kom naar huis. Kom naar huis. Kom gewoon naar huis. Dit zijn geen goede mensen.'

De week erna ging Zabriskie naar huis om zich voor te bereiden op de rest van het seizoen. Op Memorial Day reed hij in zijn eentje door Millcreek Canyon, een populair wandel- en fietsgebied. Terwijl hij razendsnel over de hoofdweg reed, zag hij een witte Nissan suv remmen om een parkeerplaats op te draaien. Hij dacht dat de chauffeur hem wel zag aankomen, maar dat was niet zo. Zabriskie klapte frontaal op de suv. Hij vloog acht meter door de lucht en landde op de scherpe keien langs de weg.

Zijn hele linkerkant lag open. Meerdere van zijn vingernagels waren door de koplampen van de suv afgerukt. Zijn linkeronderbeen stond in een onnatuurlijke hoek, was ernstig gebroken en deed helse pijn. Ook zijn linkerpols was gebroken en begon al dik te worden.

Zabriskie zat onder het bloed, ging overeind zitten en overdacht wat er zojuist was gebeurd. Dit was meer dan een ongeluk, dacht hij. Dit was een vingerwijzing van God.

# 14

In 2001, aan het eind van het seizoen, wilde Lance Armstrong nog een sterke klimmer in zijn ploeg hebben. Hij kreeg er een: een tengere, roodharige jongen met een bleke huid die sprekend op Kid Rock leek en uit een gemeenschap van religieuze fundamentalisten in Pennsylvania afkomstig was. Zijn naam was Floyd Landis, en hij was slim, geestig en niet zomaar een beetje paranoïde. Hij was geneigd tot extreem gedrag en kon een week lang elke avond een krat bier tot zich nemen[1] om vervolgens dagenlang op niet meer dan een kom cornflakes over te schakelen. Maar Landis kon écht fietsen.

In 2004, toen Zabriskie gezond genoeg was om naar Postal Service terug te keren, deelde hij een appartement met Landis en nog een andere renner, Tony Cruz. Allebei waren ze ondoorgrondelijk en hadden ze een apart gevoel voor humor. Algauw raakten ze bevriend. Landis kampte echter met een depressie.[2] In zijn eerste seizoen, in 2002, had hij daarvoor antidepressiva geslikt.[3] Het wonen in Girona, gescheiden van zijn vrouw Amber en zijn stiefdochter Ryan, beviel hem niet, evenmin als de hiërarchie in de ploeg. Hij vond het niet eerlijk dat hij slechts 60.000 dollar per jaar verdiende.

In hun appartement in Girona mopperde hij tegenover Zabriskie over Armstrongs rijkdom: 'Zijn klotengeld, zijn klotenstraalvliegtuig.'[4] Gefrustreerd en boos als hij was omdat hij geen succes van Armstrongs niveau had behaald, liep Landis op een keer het balkon op en dreigde naar beneden te springen. Hij zei dat hij er 'een einde aan wilde maken'.[5]

'Floyd, heb je ooit een goede dag gehad?' vroeg Zabriskie.

'Ja.'

'Nou, je krijgt nooit meer een goede dag als je er nu meteen een eind aan maakt.'

Het zat er dik in dat het hem niet was gelukt er daar ter plaatse een eind aan te maken. Het balkon lag op de eerste verdieping.

De twee mannen werden, bijna letterlijk, onafscheidelijk. Omdat ze geen auto wilden kopen, bereden ze getweeën een kleine scooter. Zabriskie zong 'Simple Man' van Lynyrd Skynyrd: *'Forget your lust for the rich man's gold / All that you need is in your soul.'* Armstrong noemde hen 'Dumb and Dumber'.

Op een regenachtige dag haalde Zabriskie Landis over om hun dagelijkse trainingsrit over te slaan. Ze gingen naar een café en gebruikten een hoeveelheid cafeïne die voor een klein zoogdier dodelijk zou zijn. Het verhaal ging deel uitmaken van de folklore van de ploeg: Landis dronk achter elkaar dertien cappuccino's, Zabriskie hield er na vijf koppen mee op.

Het duo had heel andere ideeën over het leven van een profwielrenner dan Armstrong. Ze wilden pret maken, onder meer door pijltjes te gooien naar een poster van de ploeg die ze aan een muur van hun appartement hadden opgehangen. Armstrong behandelde de wielrennerij als een serieuze zaak waarin hij het voor het zeggen had. Er stond veel geld op het spel. Armstrongs meesterknechten, zoals Hamilton en Vande Velde, zouden een jaarsalaris van bijna een miljoen dollar verdienen. Armstrong streek jaarlijks miljoenen op.

Armstrong zag Landis als een slechte werknemer die verhinderde dat het bedrijf zijn potentieel verwezenlijkte. Landis' gebrek aan discipline beviel hem niet. Erger nog was Landis' voortslepende conflict met de UCI, die de bankgaranties voor de in de wedstrijden uitkomende ploegen bezat en als zodanig verantwoordelijk was voor de betalingen als er een ploeg failliet ging. Landis, die zijn salaris van zijn vorige ploeg nog tegoed had, vertelde journalisten dat de organisatie haar renners niet beschermde.

Verbruggen, de voorzitter van de UCI, reageerde met een brief waarin hij Landis berispte. 'Een dergelijke agressieve benadering werkt misschien in de VS,'[6] schreef Verbruggen, 'maar in Europa is dat niet het geval en zeer beslist niet bij mij.'

Armstrong zei tegen Landis dat hij zich tegenover de UCI-voorzitter moest verontschuldigen.[7] Hij zei: 'Luister Floyd, je moet doen wat die vent zegt, want op een bepaald moment zullen we hem nog nodig hebben.'[8] Armstrong heeft verteld dat hij de hulp van de UCI nodig gehad toen hij in 2001 in de Ronde van Zwitserland blijkbaar positief had getest. Landis moest zich tegenover Verbruggen verontschuldigen zodat de Postal-ploeg bij de UCI goed aangeschreven kon blijven staan.

Landis joeg Armstrong en Verbruggen niet verder tegen zich in het harnas, maar bood zijn verontschuldigingen aan. Het was een bijzonder voorval dat zijn wortels had in zijn jeugd, toen hij boog voor het gezag, zoals het een goede mennonitische jongen betaamt. Maar die dagen waren voorbij.

Floyd Landis was opgegroeid in Ephrata, dat midden in 'Pennsylvania Dutch Country' lag en waar veel mensen amish of mennoniet zijn. Zijn ouders, Arlene en Paul Landis, hadden hem en zijn vijf broers en zusters een mennonitische opvoeding gegeven. Ze behoorden tot een tak van het anabaptistische protestantisme dat de Bijbel letterlijk opvat en het pacifisme predikt.[9] Tot zijn twintigste had Landis met zijn broer Bob in een tweepersoonsbed geslapen, in een wit huis met één verdieping en witgeschilderd hekwerk, een radio die op een lokale evangelische zender was afgestemd en een televisie waarop alleen familiefilms werden bekeken.

Paul Landis verdiende de kost met een wasserette, een autowasserij en allerlei andere baantjes. Ze zaten krap bij kas, maar ze hadden niet veel nodig. Ze kleedden zich heel eenvoudig – de vrouwen droegen simpele katoenen jurken en hoofddeksels, de mannen witte hemden en katoenen broeken die met bretels werden opgehouden. In het leven op de Farmersville Road was geen plaats voor popmuziek, er werd niet gevloekt en geen alcohol gedronken.

Landis groeide op met strenge regels voor hoe hij zich diende te gedragen en hoe hij zijn leven moest inrichten. Geef God alle lof. Leid een eenvoudig leven. Landis was echter een onafhankelijke denker en zat vol met vragen als: 'Waarom heeft de halve wereld nooit van deze godsdienst gehoord en gaan ze naar de hel?'[10] Hij kon passages uit de Bijbel voordragen, maar net als Armstrong worstelde hij met het geloof.

Op zijn twintigste verliet hij op de fiets zijn ouderlijk huis en ging naar Californië. Zes jaar later sloot hij zich aan bij de Postal Service-ploeg en trok naar Europa. Als profwielrenner bleef hij de conventies in twijfel trekken. Hij begreep niet waarom je volgens sommigen tijdens een koers gerust gebak kon eten, maar dat donuts taboe waren. Hij kon moeilijk geloven in de alom geaccepteerde wijsheid dat een renner die geen sokken droeg via zijn voeten een virusinfectie kon oplopen. En waarom mocht een renner wel kaas eten, maar geen ijs? Landis kreeg de reputatie van een man die herrie schopte om de herrie – of vijftien espresso's dronk om de espresso.

Toen duidelijk werd dat hij het gevaar liep te worden uitgesloten, probeerde hij zich aan te passen. Hij stemde ermee in bloedtransfusies te ondergaan om beter te kunnen presteren, en volgens hem ontving hij in het volle zicht van Armstrongs vrouw testosteronpleisters van Armstrong zelf. Landis maakte in 2002 deel uit van de Tourploeg van Postal Service, en lag al na de eerste week aan de andere kant van het bed waarop ook Armstrong lag.[11] Ze kregen daar een bloedtransfusie voor een individuele tijdrit, waarin Armstrong tweede werd en Landis vijftiende.

Als een van de gevreesde leden van de 'blauwe trein' van Postal Service – de bijnaam van de ploeg omdat de renners vaak bij elkaar reden en zodoende als een blauw waas passeerden – hielp Landis Armstrong aan sterke uitslagen in de bergen, onder meer aan achtereenvolgende etappezeges in de Pyreneeën. Deze dagoverwinningen droegen ertoe bij dat Armstrong zijn vierde Tourzege behaalde.

In 2002 had Armstrong Livingston en Hamilton vervangen door Landis en Spaanse klimspecialisten die deden wat hun werd opgedragen.

Op twee na waren de leden van Armstrongs '*band of brothers*', de ploeg van de eerste Tourzege, opgestapt. Gebleven waren Hincapie en Vande Velde. Zij hadden destijds Ferrari ingehuurd om hen met het dopinggebruik bij te staan. Ze kwamen vaak bijeen in Hincapie's appartement – hij woonde namelijk alleen – om zichzelf epo in te spuiten.[12] Ze droegen truien met lange mouwen om gekneusde plekken en andere sporen aan het oog te onttrekken.

Vanuit Armstrongs perspectief was zijn ploeg wel veranderd, maar verliep het dopingprogramma even soepel als altijd. Nadat hij de Tour van 2002 had gewonnen, zei hij dat zijn lichaam na zijn kanker 'herschapen' was,[13] maar dat het succes voor rekening van zijn ploeg kwam. 'Het komt door de organisatie,[14] de ploeg en het programma,' zei hij, en hij voegde daaraan toe dat het van een 'verziekte mentaliteit' getuigde om te geloven dat hij doping gebruikte.

Toch publiceerde de Franse krant *L'Équipe* een artikel met de kop: 'Moeten wij in Armstrong geloven?' Het artikel betoogde: 'Er zijn te veel geruchten, te veel verdenkingen. Hij boezemt zowel bewondering als afkeuring in.'

Intussen schreef *The Washington Times* dat de Fransen gewoon jaloers waren: 'Het devies van Frankrijk: Als je ze niet kunt verslaan, dan onderwerp je ze aan een onderzoek.'[15]

Tegenover verslaggevers prees Bruyneel U.S. Postal Service omdat het de ploeg zijn gang liet gaan.[16] 'We hebben een sponsor die niet tegen ons zegt: "Je moet aan deze of gene wedstrijd meedoen omdat wij daar zakelijke belangen bij hebben." Postal wil dat we honderd procent fit aan de start van de Tour verschijnen. Hoe we dat bereiken, is ons probleem.'

Postal Service was blij met de oppepper die het van Armstrong had gekregen, maar was ook op zijn hoede voor de aantijgingen van dopinggebruik die sinds Armstrongs terugkeer de ronde deden. Toen het bedrijf in 2000 zijn sponsorcontract hernieuwde, nam het in de vierjarige overeenkomst een 'clausule betreffende zedelijke verdorvenheid en stimulerende middelen' op, die inhield dat Postal Service iedere rijder kon schorsen of ontslaan vanwege positieve uitkomsten van dopingcontroles of vanwege onbehoorlijk dopinggedrag dat schadelijk was voor de ploeg of de officiële wielerbond.

Stapleton smoorde alle suggesties dat Armstrong valsspeelde om te kunnen winnen. Aan Coca-Cola, een van de sponsors van de ploeg, vertelde hij: 'Kijk, hij gebruikt geen stimulerende middelen, oké? Daar zet ik mijn hele carrière voor op het spel.'

Armstrong begon aan een vervolg op zijn autobiografie. In dat boek, *Every Second Counts*, hekelde hij alle beschuldigingen van dopinggebruik. Hij schreef over het Franse onderzoek naar het medische afval dat leden van de Postal Service-ploeg tijdens de Tour van 2000 in een afvalcontainer hadden gegooid. Het onderzoek had bij zijn sponsors nervositeit veroorzaakt, maar volgens Armstrong zat híj het meest in zijn maag met het effect op zijn reputatie.

Hij maakte zich zorgen over zijn zoon Luke. 'Lukes naam is Armstrong en de mensen kennen die naam.[17] En wanneer hij weer naar school gaat, wil ik niet dat ze zeggen: "Ja, jouw vader is de grote valsspeler, de dopingslikker." Daar zou ik aan te gronde gaan.'

Armstrong en Kristin hadden een beeld van het perfecte huwelijk naar buiten gebracht – van twee aantrekkelijke mensen die rijk en beroemd waren, en beroemde vrienden hadden, ongeveer zoals het Camelot van de Kennedy's, in de woorden van een van hun vrienden. Maar Armstrong wilde er vanaf. Toen het paar op Valentijnsdag op een strand in Santa Barbara zat,[18] vertelde hij haar dat hij bij haar wegging. Hij wilde van haar scheiden.

Kristin ondertekende een overeenkomst dat ze niets zou onthullen,[19] zodat ze geen vragen over het dopinggebruik van haar man hoefde te beantwoorden, een regel die ze zelfs tijdens processen naleefde. Later zei ze dat ze een 'ja-knikster' was geworden, die alleen probeerde ten koste van zichzelf gelukkig te blijven.

Mike Anderson, die in 2002 de baan van Armstrongs fietsmonteur en persoonlijk assistent had aangenomen, zei dat Armstrong van zijn huwelijk af wilde omdat hij van alle aspecten van het beroemd zijn wilde genieten – en daarbij hoorden ook de 'talloze meisjes die op de ruiten van de ploegbus tikten'.

Uiteindelijk zou Armstrong ook Anderson de laan uit sturen.[20] In 2004 trof Anderson in Armstrongs medicijnkast in Girona steroiden aan, waarna hij merkte dat Armstrong hem op afstand hield omdat hij bij toeval Armstrongs geheim had ontdekt. Onverwachts werd hij ontslagen.

Vervolgens vond tussen de twee mannen een confrontatie voor de rechter plaats. Anderson beweerde dat Armstrong een belofte had ingetrokken om een fietswinkel te financieren die Anderson had willen openen. Armstrong beweerde dat hij door Anderson werd afgeperst. Buiten de rechtbank om kwamen ze tot een schikking.

Anderson, een Amerikaan die met een Amerikaanse vrouw was getrouwd, wist niet hoe snel hij uit de buurt van Armstrong moest komen. Hij voelde zich geïntimideerd door Armstrong en kon niet ver genoeg van hem weg vluchten. Daarom is hij met zijn gezin verhuisd naar Nieuw-Zeeland.

Eind 2002 staakten de Fransen hun onderzoek naar Armstrong. Een Engelse journalist liet zich echter niet zo gemakkelijk afschepen. Jonathan Vaughters hoorde in het najaar van 2003 voor het eerst van David Walsh, ruim een jaar nadat hij met de sport was gestopt, vermoedelijk voorgoed.

Walsh – 'die kleine klotentrol', in Armstrongs woorden – wilde Vaughters in de Verenigde Staten ontmoeten voor een boek over de wielersport. Niets officieels. Alleen bij wijze van achtergrond. Vaughters, die als makelaar in Denver werkzaam was, stemde daarmee in.

Terwijl ze in een lokaal Mexicaans restaurant burrito's nuttigden, zei Walsh dat hij het merkwaardig vond dat Vaughters zo plotseling was gestopt, terwijl hij als negenentwintigjarige op zijn hoogtepunt was en zijn contract met de Franse Crédit Agricole-ploeg nog een jaar geldig was. Walsh zei dat Emma O'Reilly, de voormalige soigneur van Postal Service, hem had verteld dat Vaughters te vertrouwen was en wellicht een verhaal te vertellen had.

'Ik wil dat u eerlijk tegen me bent,' zei Walsh tegen Vaughters. 'Ik weet dat u doping hebt gebruikt, maar ik heb het idee dat u uiteindelijk rechtschapen was. U bent op het hoogtepunt van uw carrière met de sport gestopt. Ik wil weten waarom. En ik wil weten hoe het zat met de doping die bij Postal werd gebruikt. Vertelt u me eens iets meer over Lance Armstrong.'

Vaughters zei geen woord. Walsh zette hem onder druk. Het was tijd, zo zei hij, om een einde te maken aan het liegen en bedriegen waarmee honderd jaar geleden in de wielersport was begonnen. Hij zei dat Armstrong moest worden gestopt.

'Je hebt nu de kans om het op te nemen voor je sport en dingen recht te zetten, Jonathan,' zei Walsh.

Vaughters voelde zich verscheurd. Nadat hij de wielersport vaarwel had gezegd, wilde hij er niets meer mee te maken hebben. Hij was ziek van het bedrog en de leugens. Hij wilde een nieuw leven beginnen.

Nadat hij in 1999 de tijdrit had gewonnen en het koersrecord op de Mont Ventoux had verbeterd, had hij zichzelf beloofd dat hij nooit meer epo zou gebruiken. Hij had zich niet aan die belofte gehouden. Na dat seizoen stapte hij op bij Postal Service en gebruikte vervolgens bij gelegenheid nog doping, zij het zonder het succes dat praktisch gegarandeerd werd door het goed georganiseerde en gecentraliseerde programma van zijn oude ploeg.

Ongeveer een maand voor de Tour van 2002 stelde Livingston[21] – in zijn laatste jaar bij Ulrichs Telekom-ploeg – voor dat Vaughters een nieuw middel zou proberen: albumine. Het was een concentraat van plasmaproteïnen uit menselijk bloed en zou iemands hematocrietwaarde verhogen.

Vaughters wist niet zeker of Livingston het middel ooit had gebruikt, maar nadat hij een pamflet had gelezen dat hij op internet had gevonden, besloot hij het eens te proberen. Hij kocht de albumine bij een apotheek in Spanje.

Vaughters moest zich, evenals veel andere toprenners in het peloton, verlaten op middelen als albumine omdat hij niet over een systeem beschikte om tijdens de Tour zijn eigen bloed weer per infuus toe te dienen. In dat opzicht waren Armstrong en Postal Service een enorm voordeel. Ze hadden de financiële middelen om te doen wat ze wilden en beschikten over een plan dat in de loop der jaren was verfijnd. Ze geloofden dat ze, als er iets misging, bescherming genoten van UCI-officials.

Ploegen die 'schoon' wilden rijden, zoals Crédit Agricole, hadden geen kans. Vaughters leerde dat uit de eerste hand. Toen hij in de Tour van 2001 voor die ploeg reed, werd hij tijdens een trainingsrit door een bij of wesp in zijn gezicht gestoken. Zijn rechteroog zat door een zwelling dicht, maar hij kon geen cortison nemen omdat hij dat niet voor de wedstrijd bij de UCI had opgegeven. Er was voor hem ook geen uitzondering mogelijk, want het middel was niet goedgekeurd voor allergische reacties.

Hij smeekte de ploegarts hem een cortisone-injectie te geven met de verklaring dat het om een knieblessure ging. Dat zou een leugen zijn geweest, maar dat had het voor hem mogelijk gemaakt te blijven koersen. Roger Legeay, de manager van de ploeg stemde er echter niet mee in, omdat de ploeg de regels zou schenden. Vaughters liep gepikeerd weg, met de woorden: 'Kut, dit is huichelarij, hoe je het ook bekijkt.'

De volgende dag verscheen hij aan de start van de etappe, met de gedachte dat waarschijnlijk de helft van de renners irreglementair cortison gebruikte, en Armstrong zei: 'Wat is er verdomme mis met jouw gezicht?'

'Gestoken door een bij.'

'Waarom neem je daar dan geen cortison voor?'

'Omdat het niet toegestaan is voor allergische reacties.'

'Je rijdt voor de verkeerde ploeg, makker.'

In 2002 maakte Vaughters zich weer op voor de Tour. Terwijl Armstrong naar verluidt de logistieke kant van zijn dopinggebruik door ploegleider Bruyneel, Del Moral en Motoman liet regelen, bedacht Vaughters zelf een plannetje. Hij ging door met het gebruik van testosteronpleisters en microdoses epo. Hij nam echter ook albumine, om zijn bloed te verdunnen voordat de UCI de hematocrietwaarde vaststelde. Zo zou het lijken of zijn hematocrietwaarde laag was terwijl ze in werkelijkheid ruim boven de limiet van vijftig procent lag.

Het leek een briljant plan, maar een paar dagen voor de Tour bekeek hij de bijsluiter opnieuw. Er stond in dat gebruik van het middel een risico van één procent op hepatitis-C met zich meebracht. Hij dacht aan zijn bijna tweejarige zoontje en zei dat het zo wel mooi was geweest. Hij smeet al zijn middelen in een vuilniszak en gooide die in een vuilcontainer.

Vaughters viel ongeveer halverwege de Tour uit en verklaarde tegenover Legeay dat hij met de sport stopte om bij zijn gezin te kunnen zijn. Hij zei dat de ploeg hem zijn salaris van 350.000 dollar voor het resterende jaar van zijn contract niet hoefde uit te betalen. Hij wilde gewoon opstappen.

Hij ging terug naar zijn appartement in Girona en vertrok naar Colorado, zo haastig dat hij de testosteronpleisters onder het bed en een centrifuge in de huiskamer vergat.

En nu was Walsh bij hem, die hem in de ogen keek en hem vertelde dat hij zag dat Vaughters een oprecht en goed mens was. Niemand doet iets om van de wielersport een schone sport te maken, zei Walsh, maar Vaughters kon weleens anders zijn. Hij kon de geheimen onthullen. Misschien zouden jonge renners in de toekomst niet voor het besluit komen te staan dat Vaughters eens had moeten nemen: doping gebruiken of met de sport stoppen.

'Moeten we dit echt doen?' vroeg Vaughters. 'In alle eerlijkheid, als je Lance ten val brengt, neemt gewoon een ander zijn plaats in.'

'Ja, Jonathan, maar als je het hoofd afhakt, valt misschien het hele lijf.'

Vaughters zweeg even, slaakte een diepe zucht en zei: 'Oké, oké, ik doe het.'

Betsy Andreu had een bres in het scherm rondom Armstrongs geheimen geslagen. Ze had in 2001 contact met Walsh gezocht, nadat hij over Armstrongs betrekkingen met Ferrari had geschreven. Ze werd een van Walsh' beste informatiebronnen over doping in de sport.

Nu verbrijzelde Vaughters dat scherm door alle vragen te beantwoorden die Walsh stelde.

Na het interview besefte Vaughters wat hij had gedaan. 'Of ík word uit de sport verdreven,' zei hij, 'of Lance.'

Tijdens de negende etappe van de Tour de France van 2003 in Zuidoost-Frankrijk was het zo warm dat het asfalt op de wegen begon te smelten. De Spanjaard Joseba Beloki lag tijdens een afdaling met 65 kilometer per uur in de richting van een haarspeldbocht naar links zo'n drie fietslengten op Armstrong voor. Beloki's achterwiel slipte onder hem weg. Hij kneep in de remmen. Zijn achterband klapte en de fiets begaf het. Beloki werd op de weg gekwakt. Het ambulancepersoneel trof hem zwaar geblesseerd aan, met een gebroken rechterdijbeen, elleboog en pols.

En wat deed Armstrong in de milliseconden tussen Beloki's schuiver en zijn eigen zekere catastrofe? Niemand zag hem een spier vertrekken. Hij stuurde links van de het uitschreeuwende Beloki en ging van de weg af. Van de weg af? In de Tour de France? Alleen Lance Armstrong kon langs een verschrikte gendarme aan de kant van de weg suizen en een braakliggende akker op rijden.

Op het door de droogte hard geworden Franse akkerland schudde en rammelde Armstrongs fiets alsof hij over de bielzen van een spoorlijn reed. Armstrong denderde zo'n honderd meter omlaag en zag toen aan de voet van de heuvel een sloot. En dus sprong hij van zijn fiets, tilde hem op en sprong met de fiets in zijn handen over de sloot, waarna hij de fiets weer op de weg neerzette.

Hij stapte weer op en stak de weg over, voor het peloton dat op hem afkwam. Tyler Hamilton, een voormalige ploeggenoot, klopte Armstrong op zijn schouder, alsof hij wilde zeggen: 'Vet cool, man.' Op de televisie schreeuwde een commentator: 'Dit is ongelofelijk! Dit heb ik nog nooit gezien. Armstrong reed over die akker. Nu rijdt hij weer op de weg. Er zijn nog vier kilometer te gaan, en wat heeft de man uit Texas geweldige reflexen! Hij had alles helemaal onder controle. Dit is ongelofelijk!'

Die zeventien seconden – van Beloki's val totdat Armstrong weer opstapte – toonden dat Armstrong een geboren wielrenner was.

Hij had recht in een muur van maïs of zonnebloemen kunnen rijden of volledig tot stilstand kunnen komen, zoals de renner die achter hem reed. Hij deed het niet. Zijn banden hadden in zachte aarde kunnen wegzakken. Dat deden ze niet. Niemand zal ooit weten of hij dat alles heeft overwogen. Hij reed simpelweg het onbekende in, en iedereen die hem ooit bezig had gezien kon zich indenken hoe die staalblauwe ogen tot spleetjes werden geknepen boven jukbeenderen zo scherp dat je je eraan kon snijden. Als je de actie maar vaak genoeg op YouTube bekijkt zie je misschien de felgekleurde cape van een superheld over zijn schouders golven.

Na afloop van de etappe verklaarde Armstrong tegen de journalisten: 'Ik was erg bang, ik heb veel geluk gehad [...] Ik had geluk, want het veld had vol met gewassen kunnen staan, het had steil naar beneden kunnen gaan.'

De officials oordeelden dat het afsnijden van de weg via de akker onvermijdelijk en daarom reglementair in orde was geweest. Armstrong eindigde hoog in de etappe, op weg naar zijn vijfde achtereenvolgende Tourzege.

Voor de kanker, verklaarde hij, was winnen prettig, maar niet essentieel. Na de kanker, zei hij, 'was ik geconcentreerd als een laserstraal.'

Later zei hij in tien woorden hoe hij dat bedoelde:

'Als ik win, leef ik.

Als ik verlies, sterf ik.'

Toen de Tour van 2004 naderde, zette Armstrong een preventieve aanval in tegen *L.A. Confidentiel: Les Secrets de Lance Armstrong*, het boek dat Walsh had geschreven samen met Pierre Ballester, een Fransman die voor *L'Équipe* had gewerkt. Een maand voordat het boek volgens plan zou worden gepubliceerd, begonnen Nike en de Lance Armstrong Foundation met de verkoop van gele rubberen polsbandjes waarop het woord 'Livestrong' stond en die een dollar per stuk kostten. De opbrengst ging naar de programma's van de stichting voor jongeren die aan kanker leden.

Het tijdstip was uitgekiend,[22] maar aan het idee voor de polsbandjes was maandenlang gewerkt. Nike wilde iets doen om Armstrongs vijfde Tourzege te vieren, en Scott MacEachern, zijn persoonlijke vertegenwoordiger bij het bedrijf, vond dat het iets moest zijn wat mensen konden dragen om te laten zien dat ze de kankerbestrijding steunden. Nike ontwierp vervolgens het rubberen armbandje samen met een een aantal goeroes uit de reclame- en marketingwereld, die het idee hadden opgedaan bij enkele basketbalsterren die iets soortgelijks droegen.

Binnen enkele weken kon men de vraag niet meer bijbenen. Armstrong had net toen hij het hardst een positieve pers nodig had, een fenomeen in de populaire cultuur gecreëerd. Hij had het tezamen met Nike en zijn stichting zo gepland.[23]

Ze hoopten dat de Wear Yellow-campagne met de polsbandjes Walsh' onthulling zou overschaduwen. Het boek zou op 14 juni uitkomen, ongeveer twee weken voor de start van de Tour van 2004. (Op die dag werd alle Amerikanen in een persbericht van de Lance Armstrong Foundation gevraagd om op 16 juni het gele bandje te dragen om steun te betuigen aan mensen die aan kanker leden.)

Armstrong had in het Franse weekblad *L'Express* een excerpt van tien pagina's uit het boek gelezen. Hij besefte dat het de tot dusver schadelijkste beschuldigingen van dopinggebruik tegen hem bevatte: dat hij diverse substanties had gebruikt, onder meer epo. In het boek werd ook beschreven dat Armstrong in een ziekenhuiskamer in Indiana aan zijn artsen vertelde dat hij verschillende prestatiebevorderende middelen had gebruikt.

Ex-soigneur O'Reilly was voor Walsh een primaire bron geweest. Zij had Walsh verteld hoe ze haar make-up had gebruikt om Armstrongs door injecties veroorzaakte beurse plekken te maskeren en hoe ze een flacon met pillen bij Armstrong had afgeleverd. Ze zei dat zijn excuus voor de positieve test op cortison in de Tour van 1999 een leugen was geweest. Hij gebruikte het middel ter verbetering van zijn prestaties en niet voor zadelpijn, zoals de UCI en hij hadden volgehouden.

Na zich jarenlang stil te hebben gehouden had O'Reilly geld voor de informatie gekregen – 'een onbetekenend bedrag', zo'n 7.500 dollar – maar ze zei dat ze voornamelijk had gesproken om zichzelf van de schuld te ontlasten.

Armstrong ging meteen met Walsh in de slag. Aan een Nederlandse krant vertelde hij dat Walsh 'de slechtste journalist die ik ken' was,[24] een man die bereid was te 'liegen, mensen te bedreigen en te stelen' voor een sensationeel verhaal dat niet op feiten was gebaseerd. 'Ethiek, normen, waarden, nauwkeurigheid – voor mensen als Walsh zijn ze van geen belang.'

Vervolgens sleepte hij Walsh in Groot-Brittannië voor de rechter. Hij spande een proces aan tegen Walsh en Alan English, de adjunct-sportredacteur van *The Sunday Times of London*, waarin een stuk was gepubliceerd dat was gebaseerd op onthullingen uit het boek. Hij eiste van hen een miljoen pond. In Frankrijk diende hij een aanklacht in tegen Walsh, Ballester, de uitgevers van *L'Express* en La Martinière, de uitgever van het boek. Ook klaagde Armstrong in Groot-Brittannië O'Reilly aan wegens smaad en verzocht de rechtbank om hem, in O'Reilly's woorden 'meer geld toe te kennen dan ik waard was'. Wellicht geloofde hij dat de dreiging van andere aanklachten wegens smaad artikelen die nog niet ter perse waren gegaan in de kiem zou smoren.

Een dag nadat het nieuws van deze rechtszaken bekend werd, kondigde Armstrong aan dat zijn ploeg voor 2005 een nieuwe sponsor had verworven: Discovery Channel. Judith McHale, de presidente van Discovery Communications, prees hem als rolmodel. 'Er is geen betere ambassadeur voor kwaliteit en vertrouwelijke informatie.'

Op de persconferentie voor die bekendmaking zei Armstrong dat hij de rechtszaken had aangespannen omdat 'het zo wel genoeg was geweest'. Hij sloeg ook bressen in O'Reilly's geloofwaardigheid, met de woorden dat hij niet veel met haar had samengewerkt en dat ze was ontslagen toen er problemen 'met het fatsoen' ontstonden.[25]

Armstrong en Stapleton wilden dat de media partij voor hen kozen. Stapleton vertelde de auteur Daniel Coyle, die aan zijn eigen boek *Lance Armstrongs War* werkte, dat Walsh' poging om Armstrong te ontmaskeren vergeefs zou zijn. Armstrong zou volgens hem nooit doping gebruiken en het risico nemen sponsors als Coca-Cola, Nike en Subaru te verliezen, bedrijven die vertrouwen in hem hadden gesteld.

'Als wij kutleugens vertellen, kunnen we dat alles wel vergeten,'[26] zei Stapleton. 'Gelooft ook maar iemand een seconde dat zo'n groot geheim niet uit zou komen?'

Een paar weken later, aan de start van de Tour van 2004, stond Stapleton op een parkeerterrein met zijn zakenpartner Bart Knaggs en met Frankie Andreu, die met wielrennen was gestopt en als commentator voor het Outdoor Life Network actief was. In een tafereeltje dat zo uit *Goodfellas* kon komen, zo beweert Frankie, zette Stapleton hem zwaar onder druk om zijn vrouw Betsy te laten verklaren dat zij geen bron voor Walsh' boek was geweest. Stapleton wist echter niet dat Andreu het gesprek opnam.

Stapleton, Knaggs en Andreu waren op dat parkeerterrein beland vanwege een verhaal dat in 2001 was begonnen. Toen schreef Walsh dat Armstrong bij Ferrari was geweest. Betsy Andreu had Walsh' werk gezien en was onder de indruk. Ze vroeg haar vriend James Startt of hij Walsh wilde vragen haar te bellen. Dat deed hij, en daarmee begon een langeafstandsrelatie tussen Andreu en Walsh die jaren zou duren – voor allebei was het onthullen van de waarheid over Armstrong uitgegroeid tot een obsessie.

Andreu had genoeg vertrouwen in Walsh om voor hem te bevestigen dat Armstrongs bekentenis in de ziekenhuiskamer inderdaad had plaatsgevonden. Ze vertelde hem dat hij Armstrongs verhaal over schoon koersen terecht in twijfel had getrokken. 'Stop niet met spitten, David,' zei ze. 'Je moet hem ontmaskeren. Blijf spitten.' Ze kon haar woorden niet door hem laten vastleggen, want haar man was nog altijd werkzaam in de sport en ze wist hoeveel macht Armstrong in hun familie en in de wielersport had. De Andreus hadden drie kinderen waarvoor ze moesten zorgen. Betsy Andreu was huisvrouw. Frankie Andreu had geen universitaire studie gevolgd – hij had alleen verstand van fietsen. Armstrong hield de Andreus en hun leven in een wurggreep.

Betsy kon hem echter vanuit de coulissen schade toebrengen. Voor Walsh werd ze een belangrijke bron van informatie over Armstrong. Ze probeerde Walsh te helpen bij het opsporen van Lisa Shiels, Armstrongs ex-vriendin die tijdens Armstrongs biecht in de ziekenhuiskamer aanwezig was. Betsy beging echter de fout Becky Livingston telefonisch om Shiels' nummer te verzoeken, en haar daarbij nadrukkelijk te vragen Livingstons man Kevin niet over haar verzoek te vertellen.

Meteen nadat Betsy haar gesprek met Becky had beëindigd,[27] schijnt ze te zijn gebeld door Kevin Livingston, die tekeerging over Betsy's poging om Walsh te helpen. 'Hij zal iedereen ten val brengen. Je kunt dat niet doen. Dit is Frankies broodwinning, en de mijne ook. Ben je gek geworden?'

Het verzoek kwam bij Armstrong terecht, die vervolgens een vernietigende e-mail naar Frankie Andreu stuurde. 'De ronde doen en tegen Becky zeggen "vertel het alsjeblieft niet aan Kevin": leper en achterbakser kan het niet,'[28] schreef Armstrong op 15 december 2003. 'Ik weet dat Betsy geen fan van me is en dat is best, maar door te helpen mij onderuit te halen, zal ze jullie situatie er volstrekt niet beter op maken. Er is een direct verband met al onze successen hier, dus ik stel voor dat je haar daaraan herinnert.'

En zo kwam het dat Stapleton op die dag kort voor de start van de Tour van 2004 Andreu belde op om de ontmoeting op het parkeerterrein af te spreken. Frankie nam een bandrecorder mee, die hij in de zak van zijn overhemd verborg.

Stapleton zei: 'Je weet dat je vrouw voor Walsh een bron is.'[29]

Andreu sprak dat tegen en zei dat zijn vrouw met Walsh alleen over 'mierenneukerij' sprak en dat Walsh had gevraagd of ze hem kon helpen bij het opsporen van Armstrongs ex-vriendin. Hij zei te beseffen dat hijzelf, de ploeg en iedereen die met de sport te maken had, van Armstrongs prestaties profiteerde.

'Ik heb Lance godverdomme lang beschermd,' zei Andreu. 'Bij elk interview dat ik geef heb ik het verdorie over die kwestie, ik zeg dat alles in orde is en dat ik hem graag mag, weet je?'

Stapleton was sceptisch. Hij zei tegen Andreu dat Walsh pochte over zijn gesprekken met Betsy, haar een moedige vrouw noemde, zei dat ze bereid was om tegen Armstrong te getuigen en dat ze 'het een en ander over Lance weet'.

Vervolgens vroeg hij of Betsy in de smaadzaak in Frankrijk tegen Walsh zou getuigen. Zou ze bereid zijn zich sterk te maken en te zeggen dat Walsh een leugenaar was? Of kon ze misschien vooralsnog alleen een uitspraak over Armstrong doen waarmee ze hem steunde?

'Ik weet dat Betsy Lance niet mag, maar het is in ons belang om de hele kwestie niet op te blazen,' zei Stapleton. Hij zei dat er in het kader van het masterplan voldoende getuigen moesten worden gezocht om Walsh in diskrediet te brengen, zodat de The Sunday Times en La Martinière, de uitgever van het boek, noodgedwongen moesten erkennen dat Walsh' hele premisse flinterdun was. Ze zouden zich publiekelijk verontschuldigen en/of het boek uit de handel moeten nemen, en Armstrong zou van de rechtszaak afzien. Daarmee was de kous af.

'De andere optie is een totale oorlog in een Franse rechtbank, waarbij iedereen gaat getuigen. Dat zou de hele sport kapot kunnen maken,' zei Stapleton.

Toen ze uiteengingen, zei Stapleton dat ze Andreu een tekst zouden toesturen die zijn vrouw moest ondertekenen. Andreu wist echter dat dat niet zou lukken. Ze had Armstrong na de Tourzege van 2004 geen hand willen geven, en nu wilde Stapleton dat ze hem publiekelijk steunde?

Betsy Andreu reageerde als volgt op Stapletons idee: 'Zeg hem dat hij moet oplazeren. Ik teken niets. Ik ga hem godverdomme niet beschermen.'

Walsh werd tijdens de Tour van 2004 als een verschoppeling behandeld. Daar zorgde Armstrong wel voor.

De meeste journalisten verslaan de Tour drie weken lang vanuit auto's die ze met collega's delen, want de dagen zijn lang en het parcours beslaat meer dan drieduizend kilometer. Walsh had gepland om net als vroeger mee te rijden met John Wilcockson en Andy Hood, die als journalist verbonden waren aan het Amerikaanse wielertijdschrift *VeloNews*, en met Rupert Guinness, een Australiër die voor de *Sydney Morning Herald* schreef.

Bij de start in Luik deelde Wilcockson Walsh echter mee dat hij niet met hen mocht meerijden.[30] Deed hij dat wel, dan zou Armstrong niet meer met *VeloNews* praten. Voor een Amerikaans blad betekende dat zelfmoord. En dus sloot Walsh zich aan bij enkele verslaggevers van de Franse krant *Le Monde*. Hij had het idee dat hij Engelstalige journalisten niet om deze gunst kon vragen, omdat Armstrong ook macht over hen had.

Terwijl Walsh in een kwade reuk kwam te staan, beleefden Armstrong en Postal Service een hoogtijperiode. Aan het begin van de Tour wonnen Armstrong en zijn equipe de ploegentijdrit. Armstrong kwam daardoor in het geel, Hincapie veroverde de tweede plaats in het algemeen klassement en Landis werd derde. Voor het eerst in de 101 jaar dat de Tour werd verreden, namen Amerikaanse renners de eerste drie plaatsen in de rangschikking in.

De Postal Service-ploeg verkeerde in de ban van het succes en deed alles wat nodig was om doping te blijven gebruiken. De ploeg was meestal zo paranoïde over het dopinggebruik dat de hotelkamers op slot werden gedraaid voordat er bloedtransfusies werden gegeven. Met plastic en tape werden de ventilatie-openingen, de rookmelders, de airco's en zelfs de toiletten afgeplakt, in een poging te voorkomen dat iemand met een verborgen camera opnamen van de ploegleden zou maken.

Nu echter, op een rit van de eindstreep van een etappe naar het hotel van de ploeg,[31] stopte de ploegbus langs de kant van een bergweg. De bus stopte niet vanwege motorpech: het verhaal gaat dat meerdere renners bloed nodig hadden. Terwijl de chauffeur deed alsof hij het zogenaamde technische probleem verhielp, schijnen enkele renners van de Postal Service-ploeg een bloedtransfusie te hebben gekregen. Sommige renners lagen op hun stoel, Armstrong lag op de vloer. De bloedzakken zouden aan de bagagerekken boven hen hebben gehangen, zodat het bloed vlotter via de slangetjes hun bloedvaten in kon stromen. Als de ramen van de bus niet waren geblindeerd, hadden passerende wielerfans en journalisten het met eigen ogen kunnen zien.

Armstrong liet ook elke schijn van welwillendheid varen. Tijdens de achttiende etappe van de twintig etappes tellende wedstrijd ging hij achter de Italiaanse renner Filippo Simeoni aan, die na een demarrage voor het peloton uit reed en 144ste in het algemeen klassement stond. In het peloton dacht Hincapie: Waarom doet hij dat? Hij heeft zeven minuten voorsprong in het klassement!

De verklaring was: wraak. Simeoni had in het Italiaanse dopingproces tegen Ferrari getuigd en verklaard dat Ferrari hem middelen als testosteron en epo had gegeven. Armstrong had Ferrari verdedigd: hij noemde Simeoni 'een dwangmatige leugenaar' die zelf al lang voordat hij Ferrari had leren kennen doping had gebruikt. Simeoni spande een rechtszaak tegen hem aan wegens smaad.

Toen Armstrong uiteindelijk in die achttiende etappe Simeoni achterhaalde, probeerde hij de Italiaan een lesje te leren. Hij kon het simpelweg niet laten.

Onder het oog van de televisiecamera's fietste hij naast Simeoni en zei hem in het Italiaans: 'Je zat fout toen je tegen Ferrari getuigde en je zat fout toen je mij voor de rechter sleepte. Ik heb veel tijd en veel geld, en ik kan je vernietigen.'[32]

Simeoni probeerde in de kopgroep te blijven, maar de andere renners vroegen hem om op te krassen omdat hun kansen op de dagzege door Armstrongs aanwezigheid waren afgenomen. Hij bond in. Armstrong en hij pasten hun tempo aan zodat het peloton hen kon achterhalen. De Franse renner Laurent Jalabert vergeleek Armstrongs actie met dat van 'een kind dat mieren vertrapt'.

Toen Armstrong in het peloton was teruggekeerd, leek hij met de andere renners te dollen en maakte het universele zwijggebaar met zijn vinger langs zijn lippen. De televisiecamera's betrapten hem, en de beelden werden voortdurend herhaald. Armstrong keek zelfs in de camera en haalde glimlachend zijn duim en wijsvinger langs zijn mond.

Later verklaarde Armstrong dat hij Simeoni had teruggehaald omdat hij 'de belangen van het peloton beschermde. Hij wil alleen de wielrennerij kapotmaken en de sport waarmee hij zijn geld verdient vernietigen, en dat is verkeerd'.[33]

Simeoni verklaarde: 'Ik was verrast door wat Armstrong me flikte, maar hij liet vandaag voor de ogen van de hele wereld zien wat voor iemand hij is. Ik was vandaag het slachtoffer van groot onrecht. Het was voor Armstrong niet mogelijk een kleine renner als ik de kans te geven een beetje roem in de Tour de France te oogsten. Dat is een zonde.'[34]

Armstrong won de ronde met een voorsprong van ruim zes minuten. Hij had zes etappes gewonnen en domineerde meer dan ooit om het record van de meeste Tourzeges op zijn naam te schrijven. De komiek en acteur Robin Williams zat op de tribune bij de eindstreep, gehuld in een T-shirt met de Franse tekst: 'Geel, voorop in de koers.' Ook de zangeres Sheryl Crow was aanwezig en omhelsde en kuste Armstrong. De superheld en de rockster waren een koppel op dat moment. Crow was slechts een van Armstrongs vele vrouwelijke partners die van zijn dopinggebruik op de hoogte waren maar ze deed er het zwijgen toe. Hoe kan het een van hen zijn ontgaan, zei Armstrong tegen mij. *Mijn God, de epo lag vlak naast de boter.*

Op die slotdag van de Tour van 2004 maakte Armstrongs stichting bekend dat er in Parijs 25.000 gele polsbandjes waren verkocht. Zo'n 1,37 miljoen kijkers volgden op het Outdoor Life Network de slotetappe van de Tour – voor een wedstrijd in Frankrijk een enorm Amerikaans publiek.

Ondanks het bewijsmateriaal van Walsh zag alles er voor Armstrong nog net zo geweldig uit als altijd.

Voor Simeoni zou het bestaan er echter niet beter op worden. Evenals Bassons, de Fransman die was gedwongen uit de Tour van 1999 te stappen, werd Simeoni eerst door Armstrong geïntimideerd, waarna de rest van het peloton volgde. Geen enkele ploeg wilde hem nog. Hij was er zeker van dat Armstrong er de hand in had dat zijn ploeg niet voor de Ronde van Italië van 2009 werd uitgenodigd, ook al was Simeoni de Italiaanse landskampioen. Opnieuw had Armstrong zijn zin gekregen. Simeoni stopte een jaar later met wielrennen.

O'Reilly had het niet minder zwaar. Ze raakte zo verwikkeld in de rechtszaken betreffende Armstrong dat haar relatie met haar vriend Mike Carlisle eronder leed. Carlisle vocht tegen zijn multiple sclerose, en door de spanning die de situatie met zich meebracht, verergerden zijn symptomen. Ze had het idee dat Armstrong haar aan de bedelstaf wilde brengen of haar gek wilde maken – of allebei.[35] 'Ik dacht dat hij me alles zou afpakken.'

Voor de Andreus hielden de bedreigingen niet op. Eén dreigement kwam zelfs via een ex-ploeggenoot van Armstrong bij Postal Service, namelijk Hincapie. Hij was altijd al een figuur geweest die deed wat hem werd opgedragen.

'Ik begrijp niet hoe je doodgemoedereerd kunt toelaten dat Betsy de hele ploeg onderuit probeert te halen,' schreef hij in augustus 2004 aan Frankie.[36] 'Inderdaad, ze zegt alleen dingen over Lance, maar dat heeft invloed op ons allemaal. Jij was onderdeel van die ploeg, net als wij. Als hij schuldig is, ben jij dat ook. Het is allemaal zo hypocriet. Ze valt onze broodwinning aan. Een sport waarvan we houden, terwijl we er retehard voor werken om er goed in te worden. Jij bent nog niet zo lang weg. Hoe kun je dat vergeten?'

Volgens Hincapie verstuurde hij de e-mail omdat Andreu ook bij de dopingcultuur betrokken was geweest – en hem zelfs met epo had laten kennismaken.[37] Hincapie zei dat toen Andreu en hij in 1996 voor Motorola reden, hij een met glazen injectieflacons gevulde thermosfles in hun koelkast had aangetroffen. Andreu had aanvankelijk gezegd dat het ging om substanties die bijdroegen aan je herstel. Onder druk van Hincapie had hij toegegeven dat het om epo ging.

Volgens Andreu had hij het middel nodig omdat hij ouder werd. Hincapie wist echter alleen dat zijn concurrent een middel gebruikte om beter te fietsen, en dus had hij het ook nodig.

'Hij was mijn rolmodel en vanwege hem ging ik epo gebruiken,' zei Hincapie. 'Het was krankzinnig dat hij Betsy met de vinger naar Lance liet wijzen, want haar eigen man had hetzelfde gedaan. Ze bedreigde ons aller vermogen om in de sport de kost te verdienen. Ik probeerde hem zo ver te krijgen dat hij haar liet ophouden.'

Maar de machtsverhoudingen verschoven langzaam maar zeker, en Armstrong verloor zijn grip op de sport. Heel geleidelijk raakten Armstrongs voormalige ploeggenoten en employés steeds ontstemder over de manier waarop hij hen had behandeld. Armstrong was niet bijzonder aardig tegen diegenen die zijn geheimen kenden. In plaats daarvan schoof hij hen opzij alsof ze vreemden voor hem waren. Deze karakterfout zou hem uiteindelijk noodlottig worden.

Eind 2004 zou Zabriskie opstappen. Ook Landis vertrok en ging als beoogd kopman naar de Phonak-ploeg, die hem een jaarsalaris van 500.000 dollar had aangeboden[38] – meer dan het dubbele van de 230.000 die hij bij Postal Service had gekregen.

Zabriskie had problemen bij de onderhandelingen over een nieuw contract met de Postal Service-formatie. Volgens hem had hij om een jaarsalaris van 70.000 dollar gevraagd, maar wilde Bruyneel niet verder gaan dan de 65.000 die Zabriskie al verdiende. Bruyneels argument hield in dat de ploeg hem had bijgestaan toen hij door een auto was aangereden en dat hij daarom al genoeg betaald had gekregen. Zabriskie vond dat hij meer moest krijgen, in aanmerking genomen dat hij zojuist een etappezege had behaald in de Ronde van Spanje, een van de grote wielerevenementen. Ze waren in een impasse geraakt.

Nadat Zabriskie tijdens het wereldkampioenschap aan het eind van het seizoen 2004 vierde was geworden in de tijdrit, zat hij op het gazon van het wielerhotel in de Italiaanse stad Verona. Naast hem zat Steve Johnson, die al geruime tijd zijn mentor was en hem ervan had overtuigd dat hij een academische studie moest opgeven voor de wielersport. In 1999 had Johnson een aanstelling bij USA Cycling gekregen, waar hij hoge bestuurlijke functies bekleedde. Ook was hij nauw bevriend met Thomas Weisel, de eigenaar van de Postal Service-ploeg.

Zabriskie zegt dat hij zich bij Johnson heeft beklaagd over zijn problemen bij de contractonderhandelingen, maar uit woede en teleurstelling over de manier waarop hij door de Postal Service-ploeg was behandeld, schijnt hij Johnson ook te hebben ingelicht over het dopingprogramma van de ploeg. Naar eigen zeggen heeft hij tegen Johnson gezegd: 'Ze gaven me injecties met allerlei middelen.'[39]

Zabriskie heeft uitgelegd dat hij een groot risico nam door Johnson over de doping te vertellen. Deels was hij bang dat zou uitlekken dat hij de zwijgplicht in de sport had geschonden en dat hij dood zou worden verklaard, want hij wist dat Armstrong 'mensen in de wielerwereld gewoon platwalste'. Toch had Zabriskie gehoopt dat Johnson het USADA op de hoogte zou stellen en dat iemand het bedrog van Postal Service zou onderzoeken.

Maar volgens Zabriskie gaf Johnson echter zelfs geen antwoord. Later verklaarde Johnson tegenover mij dat hij voor 2010 nooit 'geloofwaardige, specifieke uitspraken' over dopinggebruik bij Postal Service had gehoord.[40] Daarna kwamen er beschuldigingen over Armstrongs dopinggebruik in de openbaarheid.

Nadat Zabriskie met Johnson had gesproken, keerde hij naar eigen zeggen terug naar zijn hotelkamer en vond de door de ploeg verstrekte Livestrong-polsband terug die hij in zijn bagage bewaarde. Hij legde het bandje op een asbak en stak het in brand. Terwijl de kamer vervuld raakte van de scherpe lucht van brandend rubber, keek hij naar zijn kamergenoot, een renner die het volgend seizoen voor Postal Service zou gaan rijden, en zei: 'Veel plezier bij je nieuwe ploeg.'

Op dat moment was Tyler Hamilton al drie jaar weg bij de Postal Service-ploeg. In de zomer van 2004 werd hij het perfecte voorbeeld van wat er gebeurde met Postal-renners die niet onder bescherming van Armstrongs ploeg stonden en niet aan een doelmatig dopingprogramma meededen. Bij de controle werd hij positief bevonden.

Nadat hij goud had gewonnen in de individuele tijdrit bij de Olympische Spelen van 2004, vonden wetenschappers die tijdens de Spelen voor het Internationaal Olympisch Comité werkzaam waren, het bewijs dat zich in zijn aderen bloed van een ander bevond. Het Wereld Anti-Doping Agentschap was net begonnen met het controleren op bloedtransfusies waarbij sporters bloed van een ander gebruiken, een praktijk die in de wielersport sinds het einde van de jaren tachtig verboden was. Hamilton was de eerste die tegen de lamp liep.

De positieve uitslag werd vanwege een laboratoriumfout ongeldig verklaard. Maar zelfs dat kon hem niet zo veel angst aanjagen dat hij dopingvrij ging rijden.

Een maand later werd Hamilton, die in de Ronde van Spanje voor de Zwitserse Phonak-ploeg reed, opnieuw positief bevonden voor een bloedtransfusie.

Hij ontkende onmiddellijk dat hij iets had misdreven. 'Ik ben altijd een eerlijk mens geweest,' zei hij. Net als Armstrong dat jarenlang had gedaan, loog Hamilton alsof het gedrukt stond.

Ter voorbereiding op het nieuwe wielerseizoen had hij zijn bloed in bewaring gegeven bij de in Valencia woonachtige Spaanse sportarts Eufemiano Fuentes.[41] Toen een deel van het bloed in de nazomer weer in zijn lichaam werd ingebracht, kreeg hij waarschijnlijk per abuis bloed van iemand anders – daarom werd hij positief bevonden voor een transfusie met bloed van een ander. Het was ook niet de eerste keer dat Hamilton problemen had met bloed dat hij bij Fuentes in bewaring had gegeven.

Eerder dat jaar, tijdens de Tour, kreeg Hamilton de inhoud toegediend van een andere zak met bloed, die uit Fuentes' vrieskast kwam. Enkele minuten later kreeg hij koorts en besefte hij dat er iets verkeerd was gegaan. Toen zijn urine het toilet in liep, was die zo dieprood dat het zwart leek. Het deed hem denken aan iets uit een 'horrorfilm'.[42]

Hij werd misselijk en huiverde. 'Het voelde alsof mijn schedel gekraakt werd en stukje bij beetje van mijn brein werd getrokken.'[43] Hij legde zijn mobiele telefoon naast zijn bed voor het geval hij een ambulance nodig had en zei tegen zijn ploeggenoten dat hij misschien zou overlijden. Hij was ervan overtuigd dat zijn bloed niet naar behoren was opgeslagen en dat hij dode cellen toegediend had gekregen.

'Óf dat was het geval, óf er was met mijn bloed geknoeid, óf de controle was ondeugdelijk,' verklaarde hij veel later, tijdens zijn getuigenis bij de berechting van Fuentes in Spanje in 2012. Wat de oorzaak ook mocht zijn, de fout had zijn dood kunnen betekenen.

Armstrong hoorde de verhalen over Hamiltons tegenslagen hoofdschuddend aan. Hij vond dat Hamilton ten aanzien van doping te veel risico's nam. In Armstrongs ogen wilde Hamilton altijd meer en zocht hij de grenzen op van wat nog veilig was. Terwijl Armstrong naar eigen zeggen alleen doping gebruikte ter voorbereiding op wedstrijden, gebruikte Hamilton het hele jaar door.

Na de positieve controle-uitslag uit 2004 verscheen Hamilton voor het eerst weer in het openbaar in Las Vegas, en wel op Interbike, de grootste rijwielbeurs van Noord-Amerika. Hij deed daar een poging om zijn reputatie te redden. De mensen hadden hem het voordeel van de twijfel gegeven. Hij stond bekend als de beleefdste figuur in de wielersport.

Zijn sponsors en zijn ploeg steunden hem publiekelijk, terwijl helmenfabrikant Bell buttons met de tekst 'Ik geloof Tyler' uitdeelde. Fans stonden urenlang in de rij om zijn handtekening te bemachtigen en hem te condoleren met het verlies van zijn golden retriever Tugboat, die vlak voor de Olympische Spelen was overleden. Hamilton had zijn olympische zege behaald met Tugboats identificatieplaatje in zijn helm.

Andere renners hadden echter hun geduld met hem verloren. Bobby Julich, die voor Motorola gekoerst had, zei: 'Ik ben ziek van mensen die de kluit belazeren, ik ben het beu om hun rotzooi te moeten opruimen en te proberen een verklaring te geven.'

In Boulder, waar Hamilton was gaan wonen, werd hij op de Universiteit van Colorado aan een hele menigte voorgesteld. Bill Hamilton, zijn vader, sprong van zijn stoel en riep: 'Wij geloven in je, Tyler!'

De Hamiltons toonden zich strijdlustig. Ze vochten de geldigheid van de controle aan en trokken de eerlijkheid van het Anti-Doping Agentschap en het USADA in twijfel. Een van de belangrijkste punten in Hamiltons verdediging was het verhaal dat Tyler een 'verdwenen tweelingbroer of -zus' had gehad, die toen Hamilton nog een embryo was zijn moeders baarmoeder met hem had gedeeld en in Hamiltons lichaam een gemengde populatie van bloedlichaampjes had gevormd. Dat gegeven verklaarde kennelijk alles.

Vaughters was ontdaan. Hij wist dat Hamilton had gelogen en dat de leugens de aloude zwendelcultuur in de sport bestendigden. Ook was hij Armstrongs intimidaties beu, in het bijzonder het zwijggebaar tegenover Simeoni. Nadat Vaughters de makelaardij vaarwel had gezegd, had hij een wielerploeg voor renners van onder de drieëntwintig opgericht. Hij werd al beroerd van de gedachte dat ze mogelijk afkoersten op dopinggebruik en een van leugens doordrenkt bestaan als profwielrenner.

Daarom pakte hij in het najaar van 2004 zijn koffers en reed naar Colorado Springs. Daar liet hij zijn vrouw en zoon achter in het Broadmoor-hotel en begaf zich naar het hoofdkwartier van het USADA. Hij had het gevoel dat hij met de vijand heulde.

Hij sprak met Terry Madden, de hoogste functionaris van de organisatie, en met Travis Tygart, de jurist van het agentschap. Tygart maakte aantekeningen terwijl Madden hem ondervroeg.

'Ik wilde u alleen maar vertellen dat u met Tyler op de goede weg bent,' zei Vaughters.

'Hebt u ooit doping gebruikt?' vroeg Madden. Tygart keek op van zijn blocnote. Vaughters antwoordde niet.

'Tja, ik denk dat u dat niet aan ons gaat vertellen,' zei Madden. Er viel weer een stilte.

'Goed dan, wat kunt u ons wel vertellen?'

Vaughters vertelde hun over het toedienen van microdoses epo – hoe renners wegkwamen met het gebruik van dat middel door over een langere periode kleine hoeveelheden te injecteren. Wilde het agentschap een kans maken om renners die doping gebruikten te betrappen, dan, zo luidde zijn advies, moest men hen meteen na het opstaan en vlak voor het slapengaan controleren. Tevens vertelde hij hun dat renners testosteronpleisters gebruikten om vele dagen lang kleine hoeveelheden van het middel tot zich te nemen.

Madden luisterde. Tygart schreef.

Madden zei dat het agentschap interesse had om behulpzaam te zijn bij het zuiveren van de sport. Vaughters zei dat dat ook voor hem gold, maar dat het agentschap hun besprekingen geheim moest houden. Hij had gezien wat er was gebeurd met renners – zoals Bassons en Simeoni – die zich tegen doping hadden uitgesproken. Hij wilde niet in het openbaar door Armstrong worden vernietigd. Hij moest leiding geven aan een wielerploeg voor jonge renners.

Armstrong had de aandacht van het Anti-Doping Agentschap al op zich gevestigd. Een bepaald incident had de verdenkingen van het USADA echter nog versterkt. Eerder dat jaar, ten tijde van Hamiltons positieve testresultaat in de Vuelta, had Bill Stapleton, Armstrongs agent, het USADA telefonisch meegedeeld dat Armstrong 250.000 dollar wilde doneren voor het werk dat het agentschap verrichtte in de strijd tegen doping. Nadat Tygart het telefoongesprek had beëindigd, liep hij naar Maddens werkkamer. Glimlachend keken ze elkaar aan. 'Is dat zomaar gebeurd?' vroeg Tygart. 'Wat is hier in godsnaam aan de hand?'

# DEEL V

## *Leugens van de Amerikaanse held*

## 15

Voor het najaar van 2004, waarin Vaughters de geheimen van zijn sport aan het USADA overbriefde, had Tygart niet diep nagedacht over de wielersport met zijn lange geschiedenis van dopinggebruik. Hij was een honkballiefhebber, een zoon van een jurist uit een familie van juristen die in Jacksonville in de staat Florida woonde. Zijn overgrootouders hadden een van de talloze grote Amerikaanse immigratiegeschiedenissen beleefd: ze waren vanuit Libanon naar Noord-Florida gekomen, met ambitie als enige bagage. Ze brachten hun kinderen hetzelfde bij wat die kinderen hún kinderen bijbrachten: er zijn geen sluipweggetjes; succes is weggelegd voor hen die in christelijke waarden en hard werken geloven.

Travis Thompson Tygart bezocht de Bolles School, een lokale highschool die de leerlingen klaarstoomde voor de universiteit en nationaal erkende sportprogramma's had. Tygart speelde in honkbal- en basketbalteams die aan de kampioenschappen van de staat Florida deelnamen. Een van zijn teamgenoten bij het honkbal was Larry Jones, die was voorbeschikt om een grote ster bij de Atlanta Braves te worden, die in de Major League uitkwamen. Waarschijnlijk zou hij ook in de Hall of Fame worden opgenomen als 'Chipper', de bijnaam waaronder iedereen hem kende. Tygart en Jones hadden gezien wat steroïden konden uitrichten: zo speelde bij een ander team een catcher wiens spieren zo dik en gespannen waren geworden dat hij nauwelijks meer kon werpen.

Toen hij in training was voor zijn laatste seizoen op school, maakte Tygart voor het eerst kennis met prestatiebevorderende middelen. Samen met zijn neef was hij op een avond in een fitnesscentrum in de weer. Het was een kleine ruimte, waar in de hoeken allerlei halters en gewichten verspreid lagen. Het was echter een perfecte plek om jezelf af te beulen, om door te gaan tot je niet meer kon. Tygart weet nog hoe hij werd benaderd door een van de niet al te snuggere bodybuilders in het centrum: 'Jongens, jullie werken hárd.'

'Ja,' zei Tygart. 'We proberen gewoon sterker te worden.'

'Doe je ook nog wat anders?'

'We trainen in de honkbalkooi.'

'Nog wat anders?'

'Wat bedoel je?'

'Weet je, er zijn medicinale supplementen te krijgen. Ze zijn echt goed en kunnen je helpen.'

Tygart was verbluft. Inderdaad, hij wilde groter en sterker worden. Welke jonge highschoolsporter wilde dat niet? Hij was lang en mager, zeventien jaar oud en derde honkman. Hij wist waar de bodybuilder aan dacht. Anabole steroïden. Hij keek naar zijn neef en vervolgens weer naar de bodybuilder.

'Nee, dank je wel, man,' zei hij. 'Wij zijn goed genoeg.'

Tygart, een sportman in hart en nieren en een natuurlijke leider, zou president van zijn examenklas op de highschool worden, en daarnaast voorzitter van zijn corps op de Universiteit van North Carolina in Chapel Hill, waar hij als hoofdvak filosofie studeerde. Toen hij in zijn studententijd 's zomers als stagiair op het kantoor van een staatsadvocaat van Florida werkte, stapte hij daar op vanwege de – in zijn woorden – 'verspilling van overheidsgeld'. Tygart ontdekte dat de werknemers die in de grote zaal met dossiers aanwezig moesten zijn, daar onder werktijd videospelletjes speelden. Wanneer er iemand binnenkwam om een dossier op te zoeken, ging bij de deur van hun kantoor een zoemer af en dan sprongen de werknemers overeind en deden alsof ze het druk hadden. Hij kon niet verdragen dat hij deel uitmaakte van een overheidsinstantie die haar werknemers betaalde om de hele dag videospelletjes te spelen. Hij zei dat hij uit protest zijn ontslag had ingediend.

Zelfs tijdens zijn studie wist Tygart nog niets van wielersport, de Tour de France en Lance Armstrong. Hij had al helemaal nog nooit gehoord van een evenement dat alleen via het woord 'Festina' naamsbekendheid kreeg. Van honkbal wist hij echter alles. Tijdens zijn studie aan de Universiteit van North Carolina had hij in de recreatieve divisie gespeeld. In 1995 werd hij, inmiddels getrouwd en docent, honkbalcoach op Bolles, zijn oude school.

Een paar jaar later studeerde hij rechten aan de Southern Methodist University in Dallas. Tussen zijn tweede en zijn derde studiejaar werkte hij voor Jones Day, een groot bedrijf in Houston. Het was de zomer van Mark McGwire en Sammy Sosa, de grote kerels die een honkbal zowat in een baan om de aarde konden brengen en die eropuit waren het record te verbreken van het grootste aantal in één seizoen geslagen homeruns in de hoogste divisie, de Major League. De meeste Amerikanen waren gefascineerd, in de ban van deze plotselinge historische ontwikkeling.

Wanneer je echter tien jaar eerder als een zeer op regels gestelde highschool-leerling uit de hoogste klas in een naar zweet stinkende fitnessrumte steroïden aangeboden had gekregen, had je de zomer van 1998 minder kunnen waarderen. Als je op de highschool teamgenoot van Chipper Jones was geweest en nog jarenlang had moeten luisteren naar zijn verhalen over topspelers die op alle mogelijke manieren voordeel probeerden te behalen – bijvoorbeeld door middel van met kurk gevulde knuppels –, zou je je misschien verontrust hebben gevoeld over wat er achter al die wedstrijden met verschillende homeruns en al die opgewonden persconferenties zat.

En dus zou je Tygart waarschijnlijk zijn scepsis hebben vergeven, ook toen McGwire en Sosa de lievelingen van de natie werden – en de nationale televisie de reguliere programma's onderbrak om de slagbeurten van de grote slagmannen live in beeld te brengen. Tygart wist genoeg van honkbal en steroïden om tegen zijn vrienden te kunnen zeggen: 'Zonder iets te gebruiken kunnen ze dat niet doen.'

Hij was nog altijd verzot op sport. In een juridisch vakblad had hij twee artikelen over het onderwerp geschreven: het eerste ging over de ongelijkheid die tussen de honkbal- en softbalteams op zijn highschool had bestaan doordat de honkballers de beste faciliteiten kregen. Het tweede stuk ging over een antitrust- en hervestigingszaak waarbij voetbalvelden in West-Texas betrokken waren. Op een gegeven moment vertelde hij zijn oude maatje Chipper dat hij misschien sportmakelaar zou worden. Jones raadde hem dat af, omdat dat werk volgens hem verachtelijk was.

Evengoed had Tygart er in 1998, toen de Festina-ploeg uit de Tour werd gezet en de renners en de ploegarts van Postal Service hun stimulerende middelen uit angst voor een arrestatie wegens middelenbezit door het toilet spoelden, geen idee van dat hij daar over vier jaar volledig door in beslag zou worden genomen.

Eind 1999 bekeek de jonge, verveelde bedrijfsjurist Travis Tygart een website waarop banen in het hele land in het vooruitzicht werden gesteld. Op de zoekmachine van de site tikte hij 'sportrecht' in.

Op het scherm verscheen vervolgens de site van het advocatenkantoor Holme Roberts & Owen, dat werkte voor een instelling met de naam United States Anti-Doping Agency.

Het USADA was voortgekomen uit de catastrofe rond Festina, die de wereld met de neus op het dopingprobleem in de wielersport had gedrukt. Voor het Festina-drama liepen de regels over doping sterk uiteen. Alle internationale federaties van olympische sporten hadden hun eigen reglementen, voerden hun eigen controles uit en handelden hun eigen zaken af. Geen sportbond hanteerde de eigen reglementen soepeler dan de UCI, de International Cycling Union.

Als er renners positief werden bevonden, schijnt de UCI de strafmaat pas bepaald te hebben na de carrière van de renners te hebben meegewogen, alsmede wat ze voor de sport hadden gedaan en of ze, in de woorden van een antidoping-expert 'de huur van het appartement van hun grootmoeder' moesten betalen.[1] 'Ze wilden er controle over hebben. Ze wilden flexibiliteit en waren niet dol op transparantie.' Evenals veel andere sportbonden en nationale Olympische Comités had de UCI er belang bij de eigen sterren smet-

234

teloos te houden, en daarom ondernam het Internationaal Olympisch Comité iets om de zaken objectiever te laten worden – of tenminste objectiever te laten lijken.

In 1999, na het Festina-drama, richtte het IOC het Wereld Anti-Doping Agentschap op om de regels voor dopingcontroles te standaardiseren. In 2004 werd de antidopingcode van de WADA ingevoerd. Op dat moment had Lance Armstrong de Tour de France vijf keer gewonnen.

Het USADA werd actief in de herfst van 2000. Het had van het Amerikaanse Olympisch Comité en het Congres het mandaat gekregen om toezicht te houden op het dopinggebruik in alle olympische sporten in de Verenigde Staen. Van het USADA werd ook verwacht dat het de WADA-code in praktijk zou brengen.

Het USADA was geen overheidsinstantie, al was het merendeel van het budget afkomstig van het White House Office of Drug Control Policy. Dit budget wordt vervolgens door het Congres goedgekeurd en is derhalve blootgesteld aan de lobby's van machtige organisaties en personen die niet op het werk van het agentschap gesteld zijn. Mettertijd zou zelfs Lance Armstrong in eigen persoon betogen dat de financiering van het USADA beperkt en misschien zelfs beëindigd moest worden.

Op grond van wat hij eind 1999 op het internet had gezien solliciteerde Tygart bij Holme Roberts & Owen. Hij werd aangenomen en zou uiteindelijk werk verrichten voor het Amerikaans Olympisch Comité, de Pro Rodeo Cowboys' Association en de Amerikaanse nationale basketbal-, volleybal- en zwemfederaties. Het meeste belang stelde hij echter in de dopingbestrijding voor het USADA. Ongeveer twee jaar later werd hij daar aangesteld als hoofdjurist.

In het najaar betrok hij zijn nieuwe werkkamer en trof daar een ingelijste poster aan waarop Armstrong ergens in Europa over een kasseienweg reed. Op de poster stonden Armstrongs beroemde woorden, waar de ongeloofwaardigheid vanaf droop: 'Waar ben ik mee bezig? Ik zit op mijn fiets en teister zes uur per dag mijn reet. Waar ben jij mee bezig?'

Hoewel Tygart die poster niet zelf boven zijn bureau had gehangen, liet hij hem ongemoeid. De eerlijkheid ervan beviel hem. Leden van zijn schoonfamilie leden aan kanker, en hier had je Armstrong, een jonge Amerikaan die na te zijn genezen van kanker meteen de Tour de France, de belangrijkste wedstrijd in zijn sport, had gewonnen. Tygart vond het een van de geweldigste sportverhalen aller tijden.

Een paar weken later kruiste zijn levenspad voor de eerste keer dat van Armstrong, toen de wielrenner telefonisch zijn beklag bij het USADA deed. Voordien hadden Tygart en Armstrong parallelle levens geleid en hadden ze, afgezien van het feit dat ze allebei eenendertig waren, niet veel gemeen. De een had op een prestigieuze school gezeten, de ander had zijn highschool-opleiding niet afgemaakt. De een ging naar de kerk, de ander was agnost. De een maakte deel uit van een hechte familie, de ander had geleden onder alcoholisme, overspelig gedrag en een echtscheiding.

Tygart had zich in de wielersport verdiept. Hij had ook het nodige over de dopingproblemen in die sport gehoord van Madden, de hoogste functionaris van het USADA, en van Rich Young, een vennoot bij Holme, Roberts & Owen, die in wezen de antidopingcode van het WADA had opgesteld. Zij vertelden hem dat het gebruik van stimulerende middelen in een duursport als wielrennen veel voorkwam. Het nieuwe beleid van het USADA om niet alleen na wedstrijden te controleren, zou er echter toe moeten bijdragen dat in de wielersport enkele dopingzondaars tegen de lamp liepen.

Om deze onaangekondigde controles te kunnen uitvoeren, moest het USADA van alle olympische sporters voortdurend weten waar ze verbleven. Dit tot woede van Armstrong en zijn trainers, die zich als volgt beklaagden: 'Het is voor Armstrong onmogelijk het USADA het hele jaar door te laten weten waar hij verblijft, want zijn reis- en trainingsschema's veranderen voortdurend. Het is een onredelijke eis. Je stuurt er zo op aan dat sporters zullen falen, want het missen van een controle zou kunnen betekenen dat er een dopingmisdrijf is gepleegd.'

Slechts enkele weken nadat Tygart bij het USADA was gaan werken, kreeg hij Armstrong zelf aan de telefoon. 'Dit is klote, hieraan doen we niet mee,' zei hij.[2] 'Bij ons thuis verschijnen om ons op doping te controleren is verkeerd. Het is niet eerlijk.'

Tygart draaide zich om in zijn bureaustoel en zei: 'Luister, man, je krijgt alle voordeel van de twijfel. Ik zit hier in mijn werkkamer te kijken naar jouw foto aan de muur, maar je zou het volgende goed moeten begrijpen: wij moeten je fans de garantie kunnen geven dat je het goed doet. Controles buiten het wedstrijdseizoen zijn een goede zaak. Het is de beste manier om mensen te pakken. Als je schoon bent – zoals op die poster wordt beweerd – hoef je je nergens zorgen over te maken.'

Tygart wist hoe ver andere topsporters gingen om successen te behalen. Hij was zeer betrokken bij de dopingaffaires die waren voortgekomen uit het onderzoek naar steroïden van het Bay Area Laboratory Co-Operative. Dit bedrijf beweerde dat het topsporters legale supplementen en vitaminen had verstrekt. In werkelijkheid leverde het hun prestatiebevorderende middelen.

Tot de sporters die zulke middelen van BALCO ontvingen, behoorden honkballer Barry Bonds en sprintster Marion Jones. Nog een sporter die bij dat schandaal tegen de lamp liep, was baanwielrenster Tammy Thomas, die vroeger bij de wereldkampioenschappen een zilveren medaille had behaald. Nadat zij in 2002 positief was bevonden op steroïden, was ze levenslang van deelname aan wedstrijden uitgesloten.

In een van de bizarste dopingzaken uit de geschiedenis had ze volgehouden dat ze onschuldig was, maar één blik op haar suggereerde het tegendeel. Ze was breedgeschouderd, had een vaalgele kleur, een waas van baardgroei op haar wangen, een terugwijkende haarlijn en een zware, knarsende stem.

Alleen al door zijn gedachten over de zaak-Thomas te laten gaan werd het Tygart duidelijk dat de wielersport ernstige dopingproblemen kende en dat Armstrong uiteindelijk weleens helemaal niet schoon zou kunnen zijn. Zijn vermoedens over de Postal Service-ploeg ontstonden met name door het feit dat verschillende voormalige renners van die ploeg bij dopingcontroles positief waren bevonden. Sommige van die controles waren door het USADA uitgevoerd, andere door de UCI.

In 2002 werd Kirk O'Bee positief bevonden op testosteron. In 2004 bleek Hamilton een bloedtransfusie te hebben ondergaan, en hij vocht het vonnis aan als een bezetene, een procedure die bijna twee jaar zou duren en die zwaar beslag legde op Tygarts tijd. En er zouden andere zaken volgen.

Hoe graag Tygart ook wilde geloven in het verhaal dat Armstrong na zijn manhaftige gevecht met de kanker zijn comeback had gemaakt en de Tourzeges had behaald, hij kon het steeds grotere aantal aanwijzingen voor dopinggebruik door Armstrong niet negeren. Telkens wanneer er een renner op doping werd betrapt die eerder voor Postal Service had gereden, deed Tygart zijn uiterste best om de renner in kwestie over te halen om over de dopingcultuur in de professionele wielersport te praten. Hij wilde dat hij de sport en zijn ex-ploeggenoten verklikte, in het belang van de jonge renners die op een dag voor dezelfde beslissing zouden komen te staan: al dan niet doping gebruiken.

Hij probeerde Hamilton over te halen om te praten over de doping die mogelijk in zijn ploegen was gebruikt, met de woorden: 'We begrijpen dat je hierin niet alleen staat.'[3] Hoewel Hamilton vermoedde dat Tygart wilde dat hij zich tegen Armstrong keerde, noemde Tygart nooit Armstrongs naam. Hij viste naar een aanwijzing, maar renners zoals Hamilton – die de zwijgplicht in hun sport trouw naleefden – beten niet.

Chris Carmichael, Armstrongs coach (althans op papier), gaf Tygart nog meer reden om aan de wielerheld bij uitstek te gaan twijfelen. Tygart en Carmichael waren in Colorado Springs bevriend geraakt omdat hun kinderen er op dezelfde school hadden gezeten. Volgens Tygart bracht Carmichael op een verjaarsfeestje van een van die kinderen Betsy Andreus bewering ter sprake dat Armstrong zijn dopinggebruik had opgebiecht. Tygart beweert ook dat Carmichael haar vervolgens uitvoerig had belasterd. De beledigingen zouden 'zo overdreven en gemeen' zijn dat het volgens Tygart zonneklaar was dat Carmichael overcompenseerde. 'Je wist gewoon dat er meer aan de hand was, want anders zou hij niet zo hebben gereageerd. Ik ging naar huis en zei tegen mijn vrouw: "Waar probeert hij me van weg te houden?"'

Geen van deze voorvallen bewees iets, maar tezamen wekten ze Tygarts belangstelling. Hij geloofde niet in de populaire theorie bij de fans van Armstrong dat iemand die kanker had overleefd niet het risico zou nemen om middelen te gebruiken, alleen om harder te kunnen fietsen.

'Als ik persoonlijk aan het randje van de dood had gestaan, een vreselijke episode zou doormaken en daar als atheïst uit zou komen,' zei hij, 'dan zou ik alles in het leven doen waarbij ik baat heb, want morgen ben ik er misschien niet meer. Mensen behoorlijk behandelen, fatsoenlijk zijn of zelf een stap terug doen voor anderen, de elementaire morele waarden die de meeste mensen onder ons ongeacht onze godsdienst in praktijk brengen, zouden er niet toe doen. Ik zou geen morele beperkingen kennen. Een logische stap verder zou je uitkomen op: het kan me allemaal niks verdommen. Ik pak wat ik krijgen kan.'

Naarmate de jaren verstreken en de bewijzen tegen Armstrong zich opstapelden, dacht Tygart daar geregeld aan terug.

# 16

Tyler Hamilton had het in het leven goed voor elkaar. Met zijn vrouw Haven bewoonde hij een groot huis aan de rand van een canyon in Boulder, in de staat Colorado. De ramen aan de achterkant van het huis boden zicht op een adembenemend landschap van glooiende, met naaldbomen begroeide heuvels die tot de besneeuwde bergtoppen van de Continentale Waterscheiding reikten.

In de woonkamer hing Hamiltons olympische gouden medaille om de hals van een grijnzende houten eland. Dicht bij de eland stond een kistje met de as van Hamiltons hond Tugboat. Aan het deksel was een haarlok van de lichtgekleurde staart van de retriever bevestigd. Twee maanden nadat Hamilton positief was bevonden voor bloeddoping met bloed van iemand anders, zei hij: 'Dit is het dieptepunt van mijn leven. Ik kan dit allemaal verliezen.'

Terwijl de Postal Service-ploeg zich opmaakte voor Armstrongs poging om, voordat hij met wielrennen zou stoppen, een zevende Tourzege te behalen en daarmee een record te vestigen, leverde Hamilton strijd om zijn reputatie te zuiveren. Hij hield vol dat hij nooit een transfusie met bloed van een ander zou hebben genomen. Hij zei tegen mij dat dat een lachwekkend idee was, aangezien hij bang was om aids op te lopen en die ziekte aan zijn vrouw over te brengen.

Haven Hamilton schreef in een blog dat kort na de positieve uitslag van haar man op de website www.believetyler.org was verschenen, dat de uitkomst op een fout berustte. Ze vertelde dat Tyler en zij allebei een afkeer van transfusies hadden gekregen na een ervaring met hun hond Tugboat vóór de Olympische Spelen van die zomer. Door een inwendige bloeding had de hond meer dan de helft van zijn bloed verloren, en nadat hij twee bloedtransfusies had ondergaan was zijn kop eenzijdig verlamd gebleven en was hij vervolgens gestorven.

'Omdat de gevaren van bloedtransfusies ons nog zo vers in het geheugen lagen, is het een belachelijke gedachte dat Tyler zou overwegen bloed van iemand anders te nemen,' schreef ze.

Hamiltons woorden waren gedeeltelijk waar. Hij had geen bloed van een ander genomen, hij had zijn eigen bloed gebruikt, maar dokter Fuentes of iemand anders had in de werkkamer van de arts de bloedzakken door elkaar gehaald. Vergeleken met het programma van Postal Service leek de organisatie bij Fuentes rechtstreeks afkomstig te zijn uit een oude slapstickfilm.

Armstrong verlangde het allerbeste en met de hoeveelheid geld die Postal Service in de equipe stak, kon hij alles regelen om zijn doelstellingen te bereiken. De renners stonden onder toezicht van artsen die experts in doping waren, te beginnen met Del Moral en Ferrari. De wielrenners uit de ploeg schijnen jaren achtereen[1] naar België te zijn gevlogen, naar een ervaren dopingcontroleur, zodat deze arts hun bloed kon verwijderen en opslaan.

De ploeg had lucratieve contracten met sponsors afgesloten en betrok volgens Landis het geld voor de dopingbehandelingen uit de verkoop van fietsen.

In 2004 hoorde hij van de deal om geld te verdienen aan de verkoop van fietsen.[2] In maart van dat jaar brak zijn frame net toen hij op het punt stond een etappe in de achtdaagse koers Parijs-Nice te winnen. Toen hij Bruyneel om een nieuwe fiets vroeg, kreeg hij van hem te horen dat de ploeg niet genoeg geld had om renners van nieuw materiaal te voorzien. Landis vroeg zich af waarom de renners niet op vaste basis nieuw materiaal kregen.

In zijn ongeloof belde Landis verschillende sponsors met de vraag hoeveel materiaal ze leverden, omdat het door hen gebruikte materiaal niet in voldoende mate voor alle renners aanwezig, dan wel zwaar versleten was. Toen hij de rijwielfabriek Trek belde,[3] werd hem verteld dat de ploeg jaarlijks voldoende fietsen en onderdelen kreeg: genoeg voor 120 nieuwe fietsen.[4] Landis schatte dat er alleen al in 2004 zestig fietsen waren kwijtgeraakt. Met een prijs van 3.000 dollar per stuk, zou dat 180.000 dollar in contant geld opleveren. De schellen vielen hem van de ogen. Zó betaalde de ploeg zijn doping. Hij ontdekte dat de sponsors zonder het te beseffen op een zeer omslachtige manier de stimulerende middelen van de ploeg betaalden.

Toen Bruyneel van Landis' telefoontjes hoorde, schijnt hij razend te zijn geweest.[5] Landis had buiten de ploegleider om gehandeld. Hij had te veel vragen gesteld. Doordat hij de sponsors zich had laten afvragen waar hun materiaal terechtkwam als het niet naar de ploeg ging, had Landis bijna de ongeschreven zwijgplicht verbroken waarmee de dopingprogramma's in de wielersport van de buitenwereld werden afgeschermd.

Bij wijze van straf omdat Landis geen goede, zwijgzame huurling was geweest, hebben Bruyneel en Armstrong in de Tour van dat jaar mogelijk een van zijn bloedzakken door de wc gespoeld.[6] Desondanks hielp Landis Armstrong bij het behalen van zijn zesde Tourzege. Hij reed echter nooit meer voor Postal Service.

Terwijl Hamilton een twee jaar durende juridische strijd met het USADA leverde, nam Landis zijn plaats bij de Phonak-ploeg over. Eindelijk was hij kopman geworden, de positie die hij zijns inziens verdiende.

Phonak had echter geen veilig dopingprogramma dat door het hele team werd gevolgd. Dat bleek wel uit het feit dat Hamilton persoonlijk de Spaanse dopingarts Fuentes had benaderd. Het kon Landis echter niet schelen. Volgens hem kon hij de uitzondering zijn onder de vele voormalige Postal-renners die bij Armstrong waren opgestapt om vervolgens weg te zakken in middelmatigheid of, erger nog, bij een dopingcontrole positief werden bevonden. Landis geloofde dat hij schoon de Tour kon winnen.

Een van de eerste sponsors was de Saris Cycling Group, de fabrikant van het elektronische apparaat waarmee veel renners op de fiets hun trapvermogen maten. Om Landis te helpen in de wielerwereld overeind te blijven zonder het budget en de gewiekstheid van de Postal Service-ploeg, nam Saris Allen Lim aan, een postdoc-student Bewegingswetenschappen aan de University of Colorado in Boulder. Hij moest als fysioloog met Landis samenwerken.

Lim, die vroeger een competitief wielrenner was geweest, had bij het onderzoek voor zijn doctoraat Saris' vermogensmeter gebruikt en wilde zijn academische werk dolgraag in de praktijk op de weg toepassen. Hij kon nu de vermogensprofielen en het energiever-bruik van een van de beste wielrenners ter wereld analyseren tijdens de drie weken die de Tour de France duurde. Voor zover hij het wist, had nooit iemand eerder dat gedaan.

Lim, in zijn eigen worden 'een nerdy, schriel Chinees joch van de Filippijnen', was vlak voor zijn tweede verjaardag met zijn ou-ders naar Los Angeles geëmigreerd. Toen hij de opleiding kreeg die de vs boden, werd hij door twee tragedies getroffen. Zijn vader overleed doordat hij zich tijdens een maaltijd verslikte, terwijl een naaste vriendin tijdens een bezoek aan Brazilië werd verkracht en verslaafd aan cocaïne naar Boulder terugkeerde.

In januari 2005 voerde Lim voor het eerst een diepgaand gesprek met Landis over de wielrennerij, ten huize van Landis in Temecula in de staat Californië.

Landis stelde Lim de volgende vraag:

'Hoe liggen mijn kansen in de Tour van dit jaar, denk jij?'

'Eh, tja, weet je, op grond van wat je vorig jaar hebt gedaan en op grond van je prestaties, en nu je kopman bent...' Overrompeld door de vraag viel Lim even stil om zijn gedachten te ordenen. Hij had het gevoel dat Landis dwars door hem heen keek. 'Het zou ver-bazingwekkend zijn als je bij de top vijf in de Tour kunt komen. Dat zou een goed streefdoel zijn.'

Landis reageerde bits. 'Verdomme man, als jij verdomme niet ge-looft dat ik de Tour de France ga winnen, lazer dan maar op. Want ik ga de Tour verdomme winnen.'[7]

Lim zweeg verbijsterd. Landis kalmeerde echter even snel als hij was ontploft: het was een van de spectaculaire, plotselinge stem-mingswisselingen die Lim nog vaak te zien zou krijgen. Een stuk kalmer zei Landis: 'Want kijk, als we niet trainen en werken alsof we de Tour gaan winnen, zullen we er nooit achterkomen hoe je de Tour moet winnen.'

'Oké dan,' zei Lim. 'Ik denk dat je de Tour kunt winnen.'

'Goed, man, dat wilde ik nou horen.'[8]

De mennonitische kerk had de jonge Landis gevraagd om alleen de kerkelijke leer over het geloof te accepteren, maar hij had dat geweigerd. Zonder het te beseffen deed Landis nu wat zijn kerk zo lang geleden van hem had gevraagd. Hij vroeg Allen Lim hem gewoon te geloven.

In de eerste meiweek van 2005 – twee maanden voor de start van de Tour de France – reisde Lim naar Girona om met Landis te gaan werken. Ze woonden bij elkaar en werden een hecht team. In het begin vroeg Landis echter aan Lim: 'Denk jij dat hoogtestages even goed kunnen werken als bloeddoping?'

Lim was in de veronderstelling dat Landis altijd schoon had gereden. De vraag maakte hem echter nieuwsgierig. Waarom zou Landis het belangrijk vinden een methode te ontdekken die even goed zou zijn als bloeddoping? Had hij soms eerder bloeddoping toegepast?

Na verloop van tijd gaf Landis tegenover Lim toe dat hij aan het dopingprogramma van Postal Service had meegedaan. Landis vertelde hem hoe Armstrong hem had overtuigd. Tijdens een trainingsrit kon Landis Armstrong nauwelijks bijhouden, waarop Armstrong zei: 'Je hoeft niet zo af te zien als nu. Ik kan je helpen om van de pijn af te komen.'[9]

Nadat hij dit verhaal had verteld, keerde Landis zich tot Lim.

'Lance heeft een hele hoop kerels die voor zijn programma zorgen,' zei hij. 'Ik heb alleen jou.'

Tot dat moment had Lim niet echt een voorstelling van de aanwezigheid van doping in de wielrennerij. Nu hoorde hij van Landis dat iedereen die successen behaalde waarschijnlijk 'vuil' was.

'Er bestaat een bepaald systeem, maar ik heb er niets van nodig,' zei Landis. 'Ik ben beter, ik heb dat spul niet nodig. Ik kan schoon winnen.'[10]

Landis vertelde hoe een woedende Bruyneel tijdens de Tour van 2004 zijn bloed door een toilet had gespoeld om Landis terug te pakken vanwege zijn onophoudelijke insubordinatie. Landis had toch nog een respectabele drieëntwintigste plaats behaald. Lim putte moed uit het feit dat Landis het zonder doping zo goed had gedaan.

Landis vertelde Lim ook over de tijd dat de ploegarts hem een speciale pil gaf. Nadat hij die had geslikt, reed hij geweldig. Toen de arts hem de volgende dag weer een van die pillen gaf, slikte Landis hem niet, maar bewaarde hij hem. Hij had een briljant idee. Hij zou de pil mee naar huis nemen en laten uitzoeken wat de ingrediënten waren. Vervolgens zou hij de pillen zelf aanmaken. Hij zou het krachtige spul gaan verkopen. Hij zou miljoenen dollars verdienen en waarschijnlijk zolang hij leefde elk jaar de Tour winnen.

Bij de analyse werd echter slechts één ingrediënt gevonden. Suiker. De pil was een placebo.

Landis vertelde Lim dat hij niet zeker wist wat hem het meest van zijn stuk had gebracht – dat hij een suikerpil had gekregen terwijl hij met behulp van een echt dopingproduct meer geld had kunnen krijgen – of dat hij de pil niet kon reproduceren om nog rijker te worden.

Lim probeerde een positief aspect in Landis' krankzinnige verhalen te ontdekken. Hij werd aangemoedigd door het feit dat Landis eerlijk was geweest over zijn ervaring met Armstrongs ploeg. Ook hoorde hij tot zijn genoegen dat Landis vragen stelde over legale, natuurlijke methoden die zijn prestaties konden verbeteren, al greep hij kennelijk steeds op doping terug.

Op 26 mei vroeg Landis aan 'de Chinees' – zijn grove bijnaam voor de fysioloog – om hem voor een afspraak van Girona naar Valencia te brengen, een autorit van zo'n 450 kilometer. Lim, die vóór die maand nog nooit in Europa was geweest, was dolenthousiast. 'Geweldig, we gaan naar Valencia!' zei hij. 'Valencia, ik ben nog nooit in Valencia geweest. Hebben ze daar echt sinaasappels? Haha!'

In Valencia kreeg Lim alleen een kleine kliniek voor sporters te zien. Landis liet hem parkeren op een belendend terrein, waar hij op Landis moest wachten. Na een klein uur kwam Landis terug met een pleister op de binnenkant van een van zijn ellebogen. Het bezorgde Lim geen prettig gevoel.

'Wat is dat, wat gebeurt er hier in jezusnaam?' vroeg Lim.

De nerveuze en angstige Landis zweeg. Het was Lim duidelijk dat hij zich ergens schuldig over voelde.

Even later gaf Landis toe dat hij Del Moral had bezocht, de voormalige ploegarts van Postal Service, en dat hij bloed had laten afnemen dat nu in Del Morals kliniek werd bewaard voor toekomstig gebruik in de Tour.[11]

Het plan behelsde dat Landis het bloed vlak voor de Tour zou ophalen, en het vervolgens naar Grenoble zou brengen. Daar zou David Witt, zijn schoonvader, het bewaren totdat de Tour Grenoble aandeed.[12] Op de dag voordat de renners aan de Alpenetappes begonnen, zou Landis in die stad een transfusie met het bloed krijgen. Het extra bloed zou hem een enorme opkikker bezorgen.

Landis vertelde Lim dat hij te elfder ure aan de bloeddoping had gedacht. Hij was van plan geweest die Tour zonder stimulerende middelen of extra bloed te rijden, maar er stond te veel op het spel om zonder doping te kunnen koersen. Hij gaf Armstrong daarvan de schuld.

Vervolgens legde hij drie uur lang uit waarom hij doping moest gebruiken om Armstrong te kunnen verslaan.

Volgens Landis was er door Armstrongs doping een wapenwedloop onder de toprenners in Europa ontstaan. Alle ploegen wisten dat Armstrong een overvloed aan middelen gebruikte om zijn uithoudingsvermogen te vergroten en de pijn te verminderen. Ze wisten ook dat hij bloeddoping toepaste. Volgens Landis was hij het aan zichzelf en zijn ploeg verschuldigd om voor alle deelnemers een gelijkwaardige situatie te scheppen en Armstrongs medische voorsprong ongedaan te maken.

Desondanks discussieerden Lim en Landis over de vraag of doping noodzakelijk was. Volgens Lim was Landis fysiologisch zo superieur dat hij met zijn talent dopingvrij kon winnen. Hij moest niet valsspelen en naar het niveau van Postal Service terugzakken.

Problematisch aan Lims argument was het woord 'valsspelen'. Beroepsrenners vonden dat doping gebruiken geen valsspelen was zolang iedereen het deed. En iedereen deed het, deels omdat Armstrong zo goed reed.

Om zijn argument te versterken vertelde Landis Lim de geschiedenis van Armstrongs dopinggebruik voor Postal Service zoals hij die kende. Armstrong had in 1999 doping gebruikt om zijn eerste Tourzege te behalen en er was sindsdien niet meer mee gestopt. Volgens Landis was dat onrechtvaardig voor renners die net als hij uitzonderlijke natuurtalenten waren.

Misschien kwam het door alle preken die Landis vroeger in de kerk had gehoord – twee op zondag en een op een doordeweekse dag – maar vaak kwam hij over als een charismatische prediker. Hij plaatste zijn behoefte aan doping in het kader van een religieuze strijd tegen Armstrong. Hij was een christelijke heilige, en Armstrong en Bruyneel leken duivels te zijn die de renners verleidden om te zondigen.

'Om de duivel te verslaan, moet je soms zijn bloed drinken,' zei Landis.[13]

Met tranen in zijn ogen vertelde Landis aan Lim dat zijn vader hem urenlang op gympies in de derrie van hun septische tank liet werken om de vuiligheid eruit te scheppen. Hij vertelde dat hij in het holst van de nacht op de fiets had getraind, zodat zijn ouders er niet achter zouden komen. Als hij later overdag trainde of aan een koers meedeed, droeg hij een wijde joggingbroek, want voor mennonieten is het zondig als een man zijn benen laat zien.

Landis vond dat zo'n renner, die in eenvoud en met zo weinig bezit was opgegroeid, een kans verdiende om de grote valsspeler Armstrong te verslaan. Volgens hem kon de dopingpandemie in de wielersport worden herleid tot de hele maffia van de Postal Service-ploeg: tot ploeggenoten, officials en sponsors die stommetje speelden terwijl er onder hun neus doping werd gebruikt.

'Luister Al, jij kunt dat niet veranderen, en ik kan het niet,' zei Landis op de terugreis van Valencia naar Girona.[14] Hij vond het zijn morele plicht om immoreel te handelen en vals te spelen als je wel moest valsspelen om de door Armstrong aangevoerde échte immorele renners te kunnen verslaan.

Toen Lim later wegliep, duizelde het hem. Hij wilde meteen naar huis vliegen, maar was bezorgd over wat er zou gebeuren als hij Landis alleen liet. Hij vond dat Landis zo irrationeel over doping had gesproken dat hij misschien iets gevaarlijks zou uithalen om in het voordeel te komen.

Om advies te vragen over wat hij moest doen, stuurde Lim een e-mail naar Prentice Steffen, een voormalige ploegarts van Postal Service die van 1998 tot 2001 bij de Mercury-ploeg met Landis had samengewerkt. Hij wist dat Steffen had beweerd dat Postal Service hem door een Spaanse arts had vervangen omdat de ploeg een dopingprogramma wilde starten. Lim hoopte dat Landis en Steffen konden samenwerken om Armstrong als dopinggebruiker aan de kaak te stellen. Hij zocht ook hulp bij de arts over de vraag hoe hij met Landis' wispelturige gedrag moest omgaan.

Steffen liet Lim weten dat Landis geen doping hoefde te gebruiken om een gelijkwaardige situatie voor alle renners te scheppen. Volgens hem was er nog een andere optie: klaag Armstrong aan bij een federale rechtbank. De arts had gepoogd andere renners die met de ploeg verbonden waren – zoals Hamilton en O'Reilly – te laten optreden als medeaanklagers in een federale klokkenluiderszaak. Hij had contact opgenomen met een advocaat uit San Francisco die zich in zulke zaken gespecialiseerd had – ze vallen onder de wet op valse claims, wat burgers het recht en een financiële aansporing geeft om ten behoeve van de overheid rechtszaken aan te spannen.

Volgens Steffen zou de eis moeten inhouden dat Armstrong en Tailwind Sports, het bedrijf dat de ploeg bestuurde, weet hadden van het dopinggebruik toen ze een sponsorcontract met de Postal Service (de Amerikaanse posterijen) afsloten. Die kennis van het dopinggebruik was volgens de aanklacht een vorm van fraude. Steffen had als medeaanklager echter iemand nodig die over kennis uit de eerste hand beschikte.

Toen Lim met Landis over het klokkenluidersproces sprak, zei Landis: 'Zoiets stompzinnigs heb ik nog nooit gehoord.'[15]

Lim deed bij Steffen ook navraag over Landis' emotionele welzijn. Landis was nog even depressief als in 2002, toen hij zich bij de Postal Service-ploeg aansloot en een woning met David Zabriskie deelde. Zijn instabiliteit maakte Lim nerveus.

Hij maakte zich zorgen dat Landis, die met een onverklaarbaar verdriet leek te worstelen, zichzelf zou bezeren. 'Ik denk dat Floyd krankzinnig is,' zei Lim. 'Ik denk dat hij echt professionele hulp nodig heeft.' Voor Steffen was dat oud nieuws. Hij vertelde Lim dat andere medewerkers van Mercury ooit weddenschappen afsloten over de vraag wanneer Landis zelfmoord zou plegen.

Na de dopingtocht van Girona naar Valencia en terug werd Landis om vier uur in de middag wakker, nog doezelig van een dutje dat een hele dag had geduurd. Op Lims aandringen praatte Landis over zijn depressie. Hij liet Lim een leerboek over neurofysiologie zien en vertelde dat lectuur over de hersenen hem hielp zijn extreme emotionele hoogte- en dieptepunten te begrijpen.

'In feite ben jij hier om mij in leven te houden,' zei Landis. Het was een grapje, maar Lim was doodsbang.

De volgende dag trainde Landis op de fiets, terwijl Lim zijn vermogen controleerde. Nog geen vierentwintig uur nadat bij hem een zak bloed was afgenomen, had Landis behoorlijk verzwakt moeten zijn. In plaats daarvan behaalde hij fantastische resultaten, die naar Lims inschatting lieten zien dat hij als renner sterk genoeg was en de extra rode bloedlichaampjes eigenlijk helemaal niet nodig had.

Enkele dagen later echter betrad Lim hun appartement, opende de keukendeur en zag dat Landis zichzelf injecties met epo gaf. Lim had dat nooit eerder gezien.

'Het spijt me,' zei hij. 'Hier kan ik niet aan meedoen. Ik vertrek.'

'Nee, blijf,' zei Landis. 'Kijk, als ik besluit doping te gebruiken, is jouw werk voor mij nog steeds het allerbelangrijkst. Ik kan dit nog steeds niet zonder jou.'[16]

Hij wilde Lim laten geloven dat de training van een renner meer betekende dan zijn doping, dat de doping maar een klein deel van de voorbereiding behelsde. Het verschil zat hem daarin, zei Landis, dat Armstrong tien keer zoveel mensen had die hem hielpen om zich klaar te stomen voor de Tour.

'Als jij vertrekt, zou dat betekenen dat ik niets meer heb,' zei hij.[17]

Ondanks Landis' smeekbede vloog Lim de volgende dag naar huis. Het was hem allemaal te bizar en te griezelig. Hij wilde het USA-DA het hele verhaal vertellen: over Landis, Armstrong en de sport als geheel. Maar Landis joeg hem angst aan, en hij vermoedde dat bij het Anti-Doping Agentschap niemand moedig genoeg zou zijn om aantijgingen van dopinggebruik te onderzoeken waarbij een van de meest gerespecteerde sporters van het land was betrokken. Hij had gezien hoe Armstrong publiekelijk mensen – Bassons, Simeoni, O'Reilly en Walsh – afbrandde die zich over zijn dopinggebruik durfden uit te spreken.

En dus vertelde Lim aan niemand wat hij te weten was gekomen.

Na zijn terugkeer in Boulder was Lim kwaad op Landis, verslagen vanwege de dood van zijn vader en de daaruit voortkomende depressie van zijn moeder, en diep ontdaan door de cocaïneverslaving van zijn naaste vriendin. Hoewel Lim een doctorstitel had behaald, moest hij noodgedwongen geld van familie en vrienden lenen – niet bepaald een passend einde van zijn droombaan.

Vervolgens kwam er met de post een cheque ter waarde van 7.000 dollar. Hij was afkomstig van Amber Landis, de vrouw van de wielrenner. Lim voelde zich verscheurd. Het was niet veel geld, alleen een welwillend gebaar van Landis. Maar het zette Lim aan het denken.

Een zoon van immigranten zoals Lim kreeg niet vaak de kans om een wielrenner van wereldklasse te trainen. Hij voelde zich ook schuldig omdat hij bij Landis was vertrokken. *Stel je voor dat hem iets was overkomen doordat ik hem niet in het oog hield?* Lim voelde zich toch al vreselijk omdat zijn naaste vriendin in zijn afwezigheid was verkracht en aan de drugs geraakt.

En dus verzilverde hij de cheque, betaalde een aantal rekeningen en kocht een ticket voor een vlucht naar Europa. Nog geen twee weken na zijn vertrek uit Girona keerde hij er alweer terug. Het was halverwege de maand juni, slechts enkele weken voor de start van de Tour van 2005. Landis gedroeg zich vreemder dan ooit. Het ene moment was hij prikkelbaar, nerveus en ontdaan, een moment later was hij charismatisch en eerlijk, en maakte hij grapjes.

'Hij vertoonde nu duidelijk de symptomen van een bipolaire stoornis,' vertelde Lim mij. 'Mijn zorgen hielden opeens weinig verband meer met doping.' Het was alsof Landis' leven ervan afhing of hij de Tour zou winnen.

In plaats van op te stappen verdiepte Lim zich ditmaal in Landis. Hij wilde alles over Landis' plannen weten. Terwijl Lim in Colorado verbleef, had Landis besloten expert in bloeddoping te worden. Hij grapte dat 'dr. Landis' bij zichzelf bloed zou afnemen en het beter zou doen dan welke arts ook.

Volgens Landis moest hij wel expert worden, want had twijfels over het gebruik van het bloed dat hij aan Del Moral in bewaring had gegeven.

'Ik kan niet geloven dat ik ooit zaken heb gedaan met die kerel, die waarschijnlijk nog steeds voor Lance werkt,' vertelde hij Lim. 'Dom, dom.'

Hij was bang dat Del Moral Armstrong over zijn plan zou vertellen, en dat Armstrong iets zou doen om dat te ondermijnen. Dus besloot hij opnieuw naar Del Morals kliniek te gaan en zich direct door de arts zijn bloedtransfusie te laten geven. Nadat Landis had vernomen dat Levi Leipheimer, ook een Amerikaan die voor de Postal Service-ploeg had gereden, eveneens een zak bloed aan Del Moral in bewaring had gegeven, overreedde hij Leipheimer om zíjn zak ook weg te halen.

Voordat hij naar Del Moral reisde, onttrok Landis zonder iemands hulp een hele zak bloed aan zijn eigen lichaam. Hij had het nodig ter vervanging van het bloed dat hij Del Moral in bewaring had gegeven.

Terwijl Landis de transfusie afrondde, kwam Lim binnen. Hij zag dat Landis in paniek raakte toen hij probeerde te bedenken waar hij het bloed zou opslaan dat hij zichzelf zojuist had afgenomen. Hij kon zijn bloedzak niet in de koelkast bewaren. De volgende dag zouden Landis' vrouw en zijn stiefdochter aankomen vanuit de Verenigde Staten. En dus kocht Landis een koeler, een digitale thermometer, ijs en een pak jus d'orange. Hij knipte de bovenkant van het pak open, schoof de zak met bloed erin en legde het pak vervolgens in de met ijs gevulde koeler. Ook legde hij de thermometer eerst in een met een rits afsluitbare Ziploc-tas, en daarna in de koeler. De zak die de bloedzak bij Del Moral moest vervangen, was nu helemaal klaar.

Door de aanwezigheid van Landis' gezin nam de spanning in huis alleen maar toe. Landis en zijn vrouw schreeuwden dag en nacht tegen elkaar. Op die momenten maakte Lim stadswandelingen met hun dochter, de kleine Ryan Landis, die op de basisschool zat. Lims mantra was: 'Mond houden, Floyd niet kwaad maken, door de Tour heen komen en er klaar mee zijn.'

Landis begon algauw aan een nieuw project: hij zou Leipheimer, die voor de Duitse Gerolsteiner-ploeg reed, helpen met zijn bloeddoping voor de Tour.[18] Als de Tour Montpellier bereikte, zouden ze samen hun bloedtransfusie ondergaan. In plaats van in Grenoble bloeddoping te gebruiken en zich met het bloed van Del Moral een oppepper voor de Alpen te geven, koos Landis nu voor Montpellier en een oppepper in de Pyreneeën met behulp van het bloed dat hij zichzelf had afgenomen.

Aldus werden Landis en Leipheimer partners in het gebruik van bloeddoping, maar ze gingen bij lange na niet zo verfijnd te werk als Armstrong.

Een dag of tien voor de start van de Tour, reed Lim met Landis naar Montpellier. Ze werden er begroet door Landis' schoonouders, Dave en Rose Witt. David hoorde bij het het team dat het plan zou uitvoeren. Terwijl Lim met Landis' schoonmoeder een ommetje maakte, gingen de andere mannen aan de slag. 'Dr. Landis' nam bij Leipheimer 500 cc bloed – de inhoud van één zak – af. Toen Lim terugkwam, legde Landis Leipheimers bloedzak in een jus d'orange-flacon. Vervolgens legde hij de flacon in een met ijs gevulde koeler, en daarna werden de bloedzakken van Leipheimer en Landis in de minibar van de hotelkamer gelegd. David Witt zou naar Girona rijden om het bloed op te halen dat Landis bij zichzelf had afgenomen en dat ook in Montpellier zou worden bewaard, bij Leipheimers bloed. Landis' grootse plan om in de Tour doping te gebruiken kwam eindelijk van de grond.

Landis was echter één belangrijk object vergeten: een Ziploc-tas voor een thermometer. Ze hadden die nodig omdat de thermometer digitaal en niet waterbestendig was, en dus droog moest blijven. Lim reed met zijn twee vrienden van de ene winkel naar de andere. In beroerd Frans vroegen ze om Ziploc-tassen, met een accent dat leek op dat van inspecteur Clouseau in de *Pink Panther*-films.

'*Est-que vous avez un sachet du Ziploc? Ziploc sac? Sac du Ziploc? Avez-vous?*' Ze werden zo wanhopig dat Leipheimer, terwijl ze in een verkeersopstopping stonden, een autoraampje opendraaide en een voorbijganger aansprak. '*Excusez-moi, où est une supermarché? Je cherche pour un sachet Ziploc.*' Terwijl Lim zat te grinniken, besefte hij dat hij net als zijn metgezellen stapelgek aan het worden was. Ze vonden een Ziploc en reden 's avonds naar Girona terug.

Drie dagen later vloog Landis naar Valencia om het bloed terug te vorderen dat hij bij Del Moral in bewaring had gegeven. Zijn plan mislukte. Lim zag hem daarna en merkte meteen op dat hij er bleek en ziek uitzag. Landis' lichaamstemperatuur steeg. Hij werd misselijk. Lim en hij vermoedden dat de bloedtransfusie de boosdoener was en dat het bloed bedorven was. Allebei kenden ze het nachtmerriescenario: Landis kon sterven.

'We moeten je naar een eerstehulppost brengen,' zei Lim. 'Er moet een dokter naar je kijken – en wel nu meteen!'

Landis weigerde. Hij wilde niet dat zijn kans op de Tourzege gevaar liep. Hij wilde vooral niet dat het nieuws naar buiten kwam dat hij mogelijk door bloeddoping ziek was geworden. De koers zou over een week van start gaan.

Er verstreken twee lange dagen, maar Landis herstelde. Hij besefte echter dat hij in de problemen zat. Met het slechte bloed in zijn lijf was zijn hematocrietwaarde sterk gedaald, wat betekende dat hij aan het begin van de Tour in het nadeel zou zijn. Hij had nog één keus: zijn waarde weer naar een normaal niveau laten stijgen met behulp van het bloed dat als doping voor de Tour moest fungeren. Zijn schoonvader David Witt had dat bloed nog niet naar Montpellier gebracht.

Landis pakte de bloedzak en trok zich alleen op zijn kamer terug. Hij liet de deur op een kier staan. Toen Lim langs de kamer liep, zag hij Landis gehurkt in een hoek zitten. De bloedzak was met tape aan de muur gehangen en er zat een naald in zijn arm. Zijn bloed ging terug naar het lichaam waar het vandaan kwam.

Hij had nu echter geen bloedzakken meer die hij in de Tour kon gebruiken. Dr. Landis had het zwaar – allebei zijn plannen om in de Tour bloeddoping te gebruiken waren mislukt.

De eerste afgebroken poging had hij bij Del Moral gedaan: hij had zich toen teruggetrokken vanwege de relatie die de arts met Armstrong had. Hij had dat bloed via een infuus weer aan zichzelf toegediend en was er ziek van geworden. De tweede poging liep mis omdat Landis nieuw bloed nodig had nadat hij door de bij Del Moral bewaarde bloedzak zo was verzwakt. Landis gebruikte die tweede zak bloed om het aantal rode bloedlichaampjes in zijn aderen nog voor het begin van de Tour te vergroten.

Landis maakte vreemd genoeg echter een opgewektere indruk. Later die ochtend, na zijn transfusie, werkte hij in de regen en de modder zijn training af en hield stil naast een diepe canyon met uitzicht op boerderijen en wijngaarden. Voor Lims ogen trok Landis een voor een zijn kleren uit en rolde ze tot een bal die hij de canyon in gooide.

Daar stond hij, naakt, en hij slaakte een aantal kreten die zo dierlijk klonken dat de haartjes op Lims armen er recht van overeind gingen staan.

'Hoe is het je in Grenoble vergaan?' vroeg Armstrong.

Tijdens de eerste bergetappe van de Tour van 2005 – nadat de renners door Grenoble waren gekomen – kwam Armstrong naast Landis rijden en liet merken dat hij inderdaad op de hoogte was geweest van Landis' oorspronkelijke plan om in Grenoble bloeddoping toe te passen.[19] Landis vermoedde dat Del Moral hem dat had verteld.

Alles viel nu op zijn plaats. Landis was zo paranoïde dat hij geloofde dat Armstrong Del Moral had overgehaald om zijn bloed verkeerd te behandelen.[20] 'Jezus Christus, weet je nog dat ik zo beroerd was?' zei hij bij de finish van de etappe tegen Lim. 'Stel je voor dat ik beroerd ben geworden omdat Lance met mijn bloed heeft gerotzooid?'[21]

Zou Armstrong hebben geprobeerd Landis fysiek te schaden? Lim wist het niet, maar wist wel dat Landis het geloofde. Eind 2013 vertelde Landis aan mij dat hij na ontvangst van bloed van Del Moral slechts één keer een verkeerde reactie had gehad, maar dat hij niet wist waarom. Voor Lim bevestigde de mogelijkheid dat Armstrong de hand in het incident had gehad zijn mening over hem: Lim beschouwde Armstrong als de grote vijand.

Een paar dagen later liep Lim Vaughters tegen het lijf, die als gids werkte voor een reisbureau dat fietstochten organiseerde. Landis had met Vaughters besproken of hij zou kunnen meewerken aan een ontwikkelingsteam, TIAA-CREF geheten, dat door Vaughters was opgezet. Lim was opgelucht dat hij een vertrouwd gezicht was tegengekomen, iemand met wie hij kon praten.

'Jonathan, het is een zootje in deze sport,' zei hij. 'Ik zal je vertellen wat me de afgelopen twee weken is overkomen.'

Vaughters wilde weten of de sport er sinds 2002, toen hij met koersen in Europa was gestopt, schoner op was geworden. Lim zei tegen hem: 'Geen spat – het is nu zelfs nog erger.'

'Het is verschrikkelijk, het is net een nucleaire bewapeningswedloop, maar de twee supermachten hebben het niet meer in de hand. Doping is zo algemeen verbreid dat individuele renners lijken op kinderen die hun eigen atoombommen maken. Het zijn net kleine terroristen die geen scholing hebben gehad, maar wel plutonium kunnen bemachtigen.'

Lim vertelde Vaughters veel verhalen over het dopinggebruik bij de Postal-ploeg, die hij van Landis had gehoord – hoe complex het dopinggebruik in Landis' periode bij de ploeg was geworden.

Hij zei dat Armstrongs ploeg een motorkoerier inzette om bloed naar de renners te brengen. Het bloed werd door de gekoelde koffers van de motor op de juiste temperatuur gehouden. Landis had daar foto's van.

Volgens Lim was de concurrentiestrijd in de dopingcultuur zo fel dat Landis geloofde dat Armstrongs woorden 'hoe is het je in Grenoble vergaan?' betekende dat Armstrong wist dat Landis geïnfecteerd bloed had gekregen.

Vaughters dacht: 'Dit is krankzinnig.'

Twee dagen na afloop van de Tour stuurde Vaughters ('Cyclevaughters') een urgente boodschap naar Frankie Andreu ('Fdreu'). Vaughters gaf Andreu door wat Lim hem had verteld.

Daarmee begon een reeks van 83 boodschappen, voornamelijk over Armstrong en de Postal Service-ploeg. Sommige gingen specifiek over doping.[22]

Cyclevaughters: Ik krijg hoe dan ook nooit helemaal op een rijtje waarom ik het spelletje niet gewoon meespeel met de mensen rond Lance – ik bedoel verdomme, mijn leven zou er een stuk makkelijker op worden, nietwaar? Het is niet zo dat ik nooit met vuur heb gespeeld, toch?

Fdreu: Ik speel het spelletje mee, mijn vrouw doet dat niet, en Lance heeft de pest aan ons allebei.

Fdreu: Het is een situatie waarin je niet kunt winnen, je weet hoe hij is. Als je uit de ploeg stapt of iets verkeerd doet, lig je er voorgoed uit.

Vaughters schreef dat hij, toen hij naar de Crédit Agricole-ploeg vertrok, zag dat niet 'alle ploegen dagelijks 25 injecties kregen'. Hij 'voelde zich schuldig' over wat hij bij Postal Service had gedaan. Bij Crédit Agricole kregen de renners naar zijn zeggen geen injecties. Hij schreef: 'En dus besefte ik dat Lance de kluit belazerde toen hij zei dat iedereen gebruikte.'

Vaughters en Andreu becommentarieerden Hincapies onverwachte succes in de bergen tijdens de Tour van 2005. Hij had zich gespecialiseerd in eendaagse klassiekers. Toch had hij de zwaarste etappe in de Tour gewonnen. Het was een tocht die zes bergen telde en die alleen de beste klimmers met hoge snelheid konden rijden. Hincapies overwinning was een perfect voorbeeld van de manier waarop bloeddoping de sport had veranderd. De zege was even onwaarschijnlijk als een overwinning in de marathon door een sprinter die in de honderd meter was gespecialiseerd.

Fdreu: Leg dat maar eens uit, van klassiekers tot klimmen.

Cyclevaughters: Ik weet het niet – ik wil George vertrouwen.

Cyclevaughters: Maar het punt is: bij die ploeg denk je dat het normaal is.

Vaughters vertelde Andreu over de beschuldiging dat Armstrong en Bruyneel 'in de Tour van vorig jaar het bloed dat Floyd op een rustdag toegediend zou krijgen voor zijn ogen door het toilet hadden gespoeld, om ervoor te zorgen dat hij slecht zou rijden.' Ook zei hij dat Landis foto's had van de gekoelde koffers op de motoren waarmee het bloed van de renners naar de Tour werd vervoerd.

Fdreu: Krankzinnig! Het gaat steeds weer verder, naar nieuwe hoogtes.

Cyclevaughters: Ja, het is gecompliceerd, maar als je genoeg geld hebt kun je het doen.

Vaughters vertelde Andreu dat hij 'de manier kon verklaren waarop Lance iedereen bedondert, dat ze nu op een heel complexe manier alle controles mijden. Het gaat echter niet om een nieuw middel of zo, alleen om de financiën en de planning om een goed doordacht plan uit te voeren'. Hij herhaalde wat hem door Lim was verteld: dat de renners in Armstrongs ploeg in 2004 bloed hadden laten afnemen vóór de Dauphiné, die in juni wordt verreden. Een motorrijder bracht hun het bloed op de rustdag in de Tour. Gezamenlijk tankten ze bij en begonnen ze aan de volgende bergetappe.

Fdreu: Ik weet het, ik krijg er schoon genoeg van om te moeten horen hoe groot Lance is, en wat een supermens hij is, enzovoort. Het is krankzinnig, en het is moeilijk om de mensen niet gewoon te vertellen wat een bedrieger en wat een klootzak hij is.

Landis werd in de Tour van 2005 negende zonder bloeddoping – een verbazingwekkende prestatie. Leipheimer, die tijdens de koers met Landis' hulp een bloedtransfusie had gekregen,[23] werd zesde. In geen jaren hadden Amerikaanse rijders het zo goed gedaan.

Zoals altijd was Armstrong echter de voornaamste attractie. Hij had zijn zevende Tour de France gewonnen – een record – met de hoogste gemiddelde snelheid in de geschiedenis: 43 kilometer per uur. In Sheryl Crow had hij een rockster als vriendin gevonden. In het telefoonboek van zijn mobieltje waren onder meer Bill Clinton en Bono van U2 te vinden.

Zijn stichting, die bekend zou worden onder de naam Livestrong, nam een hoge vlucht. Wat aanvankelijk alleen een fietstocht in Austin met drieduizend deelnemers was geweest, was uitgegroeid tot een schitterend filantropisch evenement. In de jaren 2002 tot 2005 groeiden de inkomsten van de stichting met bijna het achtvoudige en bedroegen ze ruim 63 miljoen dollar. Toen Armstrong die laatste Tour won, had de stichting bijna 53 miljoen gele Livestrong-polsbandjes verkocht, die per stuk een dollar kostten. In het jaar na de introductie van de bandjes steeg het bedrag van de schenkingen met ongeveer 10 miljoen dollar.

Veel mensen zeiden dat het bandje meer betekende dan een connectie met Armstrong. Buddy Boren, een eenenzestigjarige fietser en ex-kankerpatiënt uit Dallas, droeg zijn polsbandje toen hij in 2005 langs de grenzen van Texas fietste om geld voor de kankerbestrijding in te zamelen. 'De mensen zeggen: ik zie dat je je polsbandje van Lance Armstrong draagt,' vertelde hij *The Dallas Morning News*.[24] 'Ik zeg dan: het is niet alleen een polsbandje van Lance Armstrong. Ik vertel dat het een Livestrong-polsbandje is – en dat ik sterk in het leven zal staan.'

Nike schonk de stichting jaarlijks 7,5 miljoen dollar inclusief 2,5 miljoen die specifiek voor Armstrong was bestemd omdat hij producten van Nike promootte. In 2005 bracht Nike niet meer alleen de Livestrong-armbandjes op de markt, maar kwam het met een hele reeks Livestrong-producten – truien, shorts, vesten en andere producten waarop de datum vermeld stond toen bij Armstrong kanker was vastgesteld: 10/2. Nike noemde het zijn 'zijn carpe diemdag, een dag om tegenslagen te overwinnen en je opnieuw op het leven te richten'.

De winkels bestelden bij Nike zoveel Livestrong-artikelen dat de firma bang werd dat andere onderdelen van het bedrijf – zoals Nike basketbal en Nike hardlopen – eronder te lijden zouden hebben, omdat de winkels liever Armstrong-artikelen wilden verkopen dan Nikes andere producten.[25]

In de eerste acht jaar van het bestaan van Livestrong zamelde de stichting 85 miljoen dollar in voor kankeronderzoek, de bewustmaking van kanker en programma's om kankerpatiënten te helpen om hun weg te vinden in de bureaucratie van de kankerbestrijding.

Livestrong had meer dan 15 miljoen dollar aan toelagen verstrekt.

In de Ride for the Roses van 2004 zamelden 6500 fietsers op één dag 6 miljoen dollar voor de stichting in. Overal in de Verenigde Staten werden voor Livestrong andere sportevenementen, nog meer wielerwedstrijden, hardloop- en wandelwedstrijden en triatlons georganiseerd. Toezichthouder Charity Navigator kende de organisatie vier sterren toe, de hoogste rating.

In de ogen van veel mensen was het ingezamelde geld nog het minste wat Armstrong voor kankerpatiënten had betekend. Vroeger bracht kanker een stigma met zich mee. De ziekte werd aangeduid als 'k', want de mensen durfden het hele woord niet hardop uit te spreken. Armstrong en Livestrong droegen ertoe bij dat daar verandering in kwam. Dankzij Armstrong raakte het in zwang om een geel polsbandje te dragen, dat aangaf dat je deel uitmaakte van een club mensen die hun kanker hadden overleefd of die van nabij hadden meegemaakt hoe een dierbare tegen de ziekte streed. John Kerry, die zich kandidaat had gesteld voor het presidentschap, droeg zelfs tijdens zijn campagne een bandje en er kwamen foto's in omloop van het kleine gele ding aan zijn pols. Armstrong was de leider van het 'Livestrong-leger', dat mensen van overal ter wereld nader tot elkaar bracht.

Hij was lid van het presidentiële kankerpanel. Hoewel hij aanvankelijk een hekel had aan spreken in het openbaar en daar onervaren in was, stemde hij ermee in om onderricht van experts te krijgen – onder meer van Mark McKinnon, een machtige politieke adviseur die bestuurslid van Armstrongs stichting was. Armstrong werd een soepele spreker. Wanneer hij sprak, werd er zelfs door machtige mensen geluisterd. En, zoals McKinnon het uitdrukte, 'wanneer hij mensen wilde enthousiasmeren, kon hij erg goed zijn'. Armstrong speelde met de gedachte zich kandidaat te stellen voor het gouverneurschap van Texas.

De senatoren John Kerry en John McCain, die allebei kanker hadden gehad en in Washington veel invloed hadden op de wetgeving, beluisterden Armstrongs bezielde toespraken. In de zomer van Armstrongs zevende Tourzege zetten de senatoren hun ziektegeschiedenissen op de website van Livestrong.

'Lance Armstrong heeft ertoe bijgedragen om mensen die kanker hebben gehad te demonstreren dat het van het grootste belang is om niet alleen de ziekte, maar ook de angst en het isolement te bestrijden,' verklaarde McCain. 'Als mensen beseffen dat ze er niet alleen voor staan, krijgen ze de kracht om om te gaan met de obstakels waarmee ze worden geconfronteerd wanneer hun leven in de greep van de kanker verkeert. Dat gevoel van solidariteit is een krachtig hulpmiddel.'

Kankerpatiënten lazen Armstrongs autobiografie, *It's Not About the Bike*, en voor sommigen werd het hun Bijbel, een handboek van hoop en volharding.

'Ik denk niet dat ook maar één betrokkene zal zeggen dat de stichting zonder Lance Armstrong zou zijn geworden wat ze vandaag de dag is,' zei McKinnon. 'Echter niet omdat Lance Armstrong ons daartoe het vermogen en de interesse heeft verschaft. Hij heeft ervoor gezweet. Hij heeft er veel tijd, energie en denkwerk in gestoken. Lance is er goed in de drijvende kracht van een organisatie te zijn. Hij is voor de organisatie net zo'n drijvende kracht geweest als voor de wielerploeg.'

Armstrong liet betrokkenheid ook op een persoonlijke manier blijken. Hij bezocht kankerafdelingen en kinderziekenhuizen om de verhalen van de patiënten aan te horen. Vaak reageerde hij enthousiast als iemand hem vroeg een kankerpatiënt te bellen of te mailen. 'Er zijn niet veel dingen sterker dan het leven,' zei McKinnon. 'Hij vertelde de mensen dat ze konden leven.'

Een briefje dat de stichting in 2005 kreeg toegestuurd, was afkomstig van een meisje van tien dat kanker had gehad. Ze schreef: 'Dank je wel, Lance, omdat je sterk bent geweest. Ik ben ook sterk geweest.'

Zijn invloed op de wielersport was ongeëvenaard. In de jaren 2001 tot 2005 nam in de vs het aantal sporters met een officiële wielerlicentie met 21 procent toe.[26] De verkoop van de Trek Bicycling

Corporation was verdubbeld sinds 1998, toen het bedrijf Armstrong aan zich verbond. 'Zonder Lance zouden we onze fabriek niet hebben kunnen uitbreiden en zouden we geen nieuwe kantoren met vloerbedekking, ramen en een fitnessruime hebben,' verklaarde Zap Espinosa, een woordvoerder van het bedrijf.[27] Alles wat in de sport door Armstrong was aangeraakt, leek te floreren. Men sprak van het Lance-effect.

Ten tijde van zijn zevende Tourzege was hij een mondiale megaster. Om die status te bereiken had hij niet alleen de kanker doorstaan, maar ook een jarenlang onderzoek naar de legitimiteit van zijn sportieve prestaties.

De Franse overheid had niet kunnen bewijzen dat hij prestatiebevorderende middelen gebruikte. Hij wees de beschuldigingen van zijn voormalige soigneur Emma O'Reilly van de hand. Zijn reputatie bleef relatief intact in een boek van de onderzoeksjournalisten David Walsh en Pierre Ballester. Herhaaldelijk was hem door journalisten de vraag gesteld of hij doping gebruikte, maar hij wist dat altijd met zo veel overtuiging te ontkennen dat het onmogelijk leek dat hij loog.

Hoe meer successen Armstrong behaalde, hoe uitdagender hij werd. Op een julidag in 2005 stond hij op het podium nadat hij de Tour de France voor de zevende keer op rij had gewonnen – een onvoorstelbare prestatie. Hij hoorde daar de toejuichingen aan van de tienduizenden die aan weerskanten van de Champs Élysées, de grote Parijse boulevard, stonden. Naast hem stonden zijn glimlachende kinderen: Luke van vijf en de tweelingzusjes Grace en Isabelle van drie. De meisjes hadden zonnebloemgele jurkjes aan die goed pasten bij de iriserende gele leiderstrui die hun vader droeg.

Terwijl hij over de menigte uitkeek, zei Armstrong: 'Tot besluit zal ik voor de laatste keer het volgende zeggen tegen de mensen die niet geloven in de wielersport, tegen de cynici en de sceptici: ik heb met jullie te doen, ik vind het jammer dat jullie geen grote dromen hebben. Ik vind het jammer dat jullie niet in wonderen geloven.

Dit is echter een geweldige koers. Dit is een groots sportevenement, waar je bij moet zijn en waar je in moet geloven. Je moet geloven in deze sporters en in deze mensen. Zolang ik leef, zal ik fan van de Tour de France zijn. Er zijn ook geen geheimen: dit is een keihard sportevenement en je wint het door keihard te werken. Vive le Tour.'

Voor Armstrong was het voorbij. Hij zou zich uit de wielersport terugtrekken. Er viel niets meer te doen. Hij had de Europeanen, de gendarmes, de trollen, de Alpen en de Pyreneeën geklopt. Hij had ze allemaal geklopt.

Dat dacht hij tenminste.

# 17

Oppervlakkig beschouwd wees niets aan Bob Hamman erop dat hij een van Armstrongs grootste vijanden zou worden. Hij was geen fantastische, wispelturige sporter – zoals Floyd Landis – die door wraaklust en nijd werd gedreven. Evenmin was hij een monomane driftkop – zoals Betsy Andreu – die eropuit was om wat zij als morele verdorvenheid beschouwde aan de kaak te stellen.

Toen Armstrong zijn zevende en laatste Tour de France won, was Hamman 66 jaar oud: een gezette bridgekampioen met wit haar. Eén ding had hij echter met Landis en Andreu gemeen. Hij wilde niet bedrogen worden. In dit geval wilde hij niet dat Armstrong hem door middel van bedrog miljoenen dollars afhandig maakte.

Hamman en zijn in Dallas gevestigde verzekeringsmaatschappij SCA Promotions hadden in 2001 een contract afgesloten met Armstrong en Tailwind Sports, het bedrijf dat over de wielerploegen van Postal Service en Discovery Channel ging. SCA zou Armstrong een bonus uitkeren omdat hij zijn vierde, vijfde en zesde Tour had gewonnen. Het bedrijf betaalde hem voor zijn vierde zege 1,5 miljoen dollar en voor zijn vijfde zege 3 miljoen. Ze weigerden echter hem 5 miljoen voor zijn zesde zege uit te betalen.

De weigering van SCA kwam nadat Hamman David Walsh' boek *L.A. Confidential* had gelezen.[1] Hij besloot dat SCA Armstrong geen cent zou betalen zolang hij de beweringen van Walsh niet persoonlijk had onderzocht. Hamman vond dat als Armstrong echt doping gebruikte, hij hem niet hoefde te betalen. In het najaar van 2004 kwam het bericht dat Hamman de bonus niet zou uitkeren. Armstrong sloeg terug op een manier die voor hem een gewoonte was geworden: hij spande een proces aan.

Armstrong was razend omdat iemand hem uitdaagde ten aanschouwen van het Amerikaanse publiek. Dergelijke aanvallen kwamen meestal van de Fransen of misschien van Britten zoals Walsh, maar zeker niet van een Texaan zoals hijzelf. Hammans kantoor bevond zich in Dallas, vlak bij het huis waar Armstrong zijn jongensjaren had doorgebracht.

Stapleton, Armstrongs zaakwaarnemer, ging meteen aan de slag. Om te beginnen probeerde hij Hammans geloofwaardigheid te ondermijnen met een paginagrote advertentie in *Sports Business Journal*.[2] Daarin werden Armstrongs Tourzeges geprezen als prestaties die 'er tezamen met zijn inspirerende verhaal over het overleven van kanker voor hebben gezorgd dat zijn verhaal de sport en de cultuur ontstijgt'. Volgens de advertentie hield sca zich niet aan het contract en 'probeerde het de regels te veranderen op een tijdstip dat het zijn verplichtingen moest nakomen'.

sca maakte uit Stapletons advertentie op dat de strijd met laagbij-de-grondse middelen zou worden gestreden. Hammans zoon Chris adviseerde zijn vader om het op te geven, met de woorden: 'Hun pr-machine is te groot.' Bob Hamman gaf echter niet op. Hij wilde niet alleen de 5 miljoen dollar van zijn bedrijf behouden, maar ook opkomen voor de integriteit van zijn bedrijf. Armstrong en Stapleton hadden moeten weten dat Hamman een gevaarlijke tegenstander was – hij was waarschijnlijk de beste bridger uit de geschiedenis, twaalfvoudig wereldkampioen, de Michael Jordan van een complex, uitdagend spel, dat alleen werd beheerst door spelers die, in Hammans woorden, 'hun tegenstanders haten en willen winnen, winnen, winnen'.

sca Promotions nam het risico op zich dat bedrijven liepen wanneer ze speciale promoties of evenementen organiseerden, bijvoorbeeld een prijs ter waarde van 1 miljoen dollar voor een basketbaldoelpunt vanaf de middellijn, of een nieuwe auto voor een hole-in-one. sca had allerlei soorten voorstellen geaccepteerd. Kon een kikker een wereldrecord verspringen vestigen? (De uitkomst was nee.) Kon een boer een pompoen kweken die meer dan 450 kilo woog? (De uitkomst was ja. De vrucht was even groot als een Volkswagen.) Kon iemand een kakkerlak vinden die voorzien van een genummerd labeltje in Houston was losgelaten? (Het beest verdween voorgoed.)

SCA nam ook sportieve risico's op zich. Kon Ernie Els de British Open winnen als die kans door de bookmakers op 470 tegen 1 werd geschat? (In deze zaak verloor SCA.) Kon Armstrong een vierde, vijfde en zesde Tourzege op rij behalen? (Hamman dacht van niet en zat er weer naast.)

Hoewel Hamman al had gehoord van de beschuldigingen van dopinggebruik die Armstrong achtervolgden, verkocht hij Tailwind Sports een verzekeringscontract ter waarde van 420.000 dollar – feitelijk ging het om legaal gokken – omdat hij geloofde dat geen enkele ex-kankerpatiënt na bijna te zijn overleden nog stimulerende middelen zou nemen. Het was een onderbouwde gissing van een man die een groot deel van zijn leven zetten van anderen had berekend.

Hamman was opgehouden met zijn studie om beroepsbridger te worden – hij speelde al bridge vanaf zes- of zevenjarige leeftijd. Hij werd meer dan vijftig keer kampioen van Noord-Amerika en was twintig jaar op rij de hoogstgeplaatste speler van de wereld, tot 2004.

Hij vertelde mij dat het hem kwaad maakte dat hij de overeenkomst met Armstrong had gesloten op basis van de fundamentele premisse dat in de wielersport de regels werden gehandhaafd. Hij zou het aanbod hebben afgeslagen, zei hij, als hij had geweten van wat hij omschreef als Armstrongs intieme relatie met de UCI, de wielerbond.

Tijdens Armstrongs heerschappij reisde Stapleton geregeld naar het in Zwitserland gevestigde hoofdkwartier van de UCI.[3] Hij bezocht daar Hein Verbruggen, die van 1991 tot 2005 voorzitter van de UCI was. Een deel van Stapletons contacten met Verbruggen ging over geld. In 2006 vertelde Stapleton mij dat Armstrong 100.000 dollar aan het antidopingprogramma van de UCI had gedoneerd. Later zei hij dat hij enkele cijfers door elkaar had gehaald en dat de donatie slechts 25.000 dollar bedroeg. Verbruggens opvolger, Pat

McQuaid, verklaarde in 2006 dat hij zich geen donatie van Armstrong kon herinneren.

Dat alles stelde Sylvia Schenk voor een raadsel. Schenk, oud-voorzitter van de Duitse wielerfederatie en voormalig lid van het managementscomité van de UCI, vertelde mij in 2006 dat Armstrongs donatie meer dan 500.000 dollar bedroeg en dat er een luchtje aan zat. Volgens haar heeft noch Verbruggen noch McQuaid ooit tegenover Schenk en de overige leden van het managementscomité verklaard wat het doel van die donatie was of hoe de UCI het geld gebruikte. 'Het werd geheimgehouden,' vertelde ze mij, en voegde daaraan toe dat ze veronderstelde dat Armstrong een voorkeursbehandeling kreeg van de UCI, maar daar geen hard bewijs van had. 'Hoeveel het was, zullen we nooit weten, omdat Hein Verbruggen en Pat McQuaid het nooit aan de orde wilden stellen.'

Jaren later verklaarde McQuaid dat Armstrong en zijn vrouw in 2002 een persoonlijke cheque van 25.000 dollar voor de UCI hadden uitgeschreven en dat Stapletons bedrijf in 2005 100.000 dollar aan de wielerunie had gegeven.[4] Hij zei dat van dat geld het bloedanalyse-apparaat van de UCI was aangeschaft als hulpmiddel in de strijd tegen de doping.

Die donaties betroffen – ongeacht wanneer ze werden gedaan en ongeacht hoeveel ze bedroegen – slechts een deel van de financiële banden die Armstrong en USA Cycling hadden met Verbruggen, die langdurig voorzitter van de UCI was. Zo werd een deel van Verbruggens financiële portefeuille beheerd door een investeringsbank die eigendom was van Weisel, die tevens eigenaar was van Armstrongs wielerploeg.[5] Tussenpersoon was Jim Ochowicz, Armstrongs voormalige ploegleider en een naaste vriend van hem, en van 2002 tot 2006 voorzitter van de directieraad van USA Cycling. Volgens Tygart van het USADA zat er 'een erg vies luchtje' aan die banden, vanwege de belangenconflicten en het grote gevaar van misbruik dat die banden opleverden.[6]

Hamman op zijn beurt hoorde pas tijdens de arbitrage van Armstrongs proces van de donaties.

Het eerste probleem waarmee Hamman werd geconfronteerd, was het vinden van een advocaat. Dallas is dol op zijn sporthelden, zijn footballteam (de Dallas Cowboys) en zijn highschool-football. En ja, het was ook dol op Lance Armstrong, een Texaan die vroeger door zijn klasgenoten als outsider was beschouwd en die door hen voor 'een mietje met een panty aan' werd uitgemaakt. Volgens Hamman wilden verschillende advocatenkantoren niet met hem in zee gaan, omdat ze niet de indruk wilden wekken dat ze de lokale held Armstrong aanvielen.

Zo kwam Hamman uiteindelijk bij Jeff Tillotson terecht. Tillotson, vennoot bij Lynn Tillotson Pinker & Cox, was aanvankelijk afwachtend maar voelde zich verplicht de zaak aan te nemen omdat niemand anders dat wilde. Zijn moeder was van lymfklierkanker genezen en was een van Armstrongs vele supporters. Toen ze hoorde dat haar zoon Hamman bijstond, zei ze: 'Ik voel me zo gegeneerd.[7] Ik heb zijn boek gelezen, en het heeft me gemotiveerd om in leven te blijven.' Vervolgens kreeg Tillotson het nog zwaarder te verduren.

'Zodra het publiek wist dat we de zaak hadden aangenomen,' vertelde de advocaat mij, 'kreeg ik binnen enkele dagen ongeveer honderdvijftig e-mails met ongeveer dezelfde boodschap: je bent een klootzak, je bent een leugenaar, ik hoop dat je bureau te gronde gaat'.

In het kader van zijn strategie wilde Tillotson dat het publiek op de hoogte was van de beschuldigingen van dopinggebruik in het boek van Walsh en Ballester. Hij stuurde het boek aan Amerikaanse uitgevers toe en bood kosteloos zijn diensten als jurist aan voor het geval dat Armstrong een proces wegens smaad zou beginnen nadat het boek in de vs was gepubliceerd. Er hapte echter niemand toe.

Toen gebeurde er iets zeer ingrijpends. Op 23 augustus 2005 – drie dagen nadat Armstrong een dag met president George W. Bush op diens Texaanse ranch had gefietst – opende de Franse sportkrant L'Équipe met een grote kop op de voorpagina: 'LE MENSONGE ARMSTRONG' ('De leugen Armstrong').

Volgens het artikel waren Armstrongs resterende reserve-urinemonsters uit de Tour van 1999 met terugwerkende kracht op epo onderzocht. Zes monsters bevatten het verboden middel, waarmee het uithoudingsvermogen kon worden vergroot. 'De buitengewone kampioen en zijn genezing van kanker zijn door middel van een leugen legendarisch geworden,' schreef Damien Ressiot, verslaggever van *L'Équipe*.

Ressiot kwam met zijn primeur na te hebben uitgezocht welke onderzochte urinemonsters van Armstrong waren. (De monsters hebben alleen een nummer.) Volgens de antidopingregels werden de zes monsters die positief op epo waren bevonden echter niet officieel erkend, aangezien de tests alleen voor onderzoeksdoeleinden waren uitgevoerd.

Armstrong beweerde vrijwel meteen dat de onderzoekers niet de juiste testprocedures hadden gevolgd en dat de uitkomsten niet betrouwbaar waren. Nee, verklaarde hij, hij was niet zes keer positief bevonden, ook al hielden *L'Équipe* en het laboratorium vol dat dat wel het geval was. Volgens Armstrong was hij onschuldig.

Verschillende vertegenwoordigers van de wielerbonden en het Olympisch Comité verdedigden de uitspraken van Armstrong. Gerard Bisceglia, de hoogste bestuurder van USA Cycling, noemde de beschuldigingen van *L'Équipe* 'absurd', omdat alleen Armstrongs reservemonsters waren onderzocht.[8] Wilde een test officieel positief zijn, dan moest zowel het eerste monster van een sporter als zijn reservemonster een positieve uitslag te zien geven. Sergej Boebka, de voorzitter van de atletencommissie van het IOC, riep op tot schorsing van het Franse laboratorium omdat het de antidopingregels had overtreden.

Overtreding of niet, Armstrong was al beschadigd. Dick Pound, het hoofd van het Wereld Anti-Doping Agentschap, verklaarde publiekelijk dat de zaak uiteindelijk 'geen welles-nietes-scenario' was, maar dat wetenschappelijk onderzoek had aangetoond dat er met Armstrongs urinemonsters iets niet in de haak was. 'Tenzij de documenten vals zijn of ermee is gemanipuleerd, is het een zaak waarop dieper moet worden ingegaan.'

Pound verklaarde dat hij voor het eerst in een reeks e-mails van Armstrong had gehoord. Op een ervan stond drie keer het woord 'Livestrong', in hoofdletters en onderstreept, op de plaats die voor de ondertekening dient. Vervolgens kreeg Pound een naar zijn zeggen 'kafkaësk'[9] telefoontje van Armstrong, waarin deze steeds opnieuw tegenover hem verklaarde: 'Ik houd van mijn sport.' Het hoofd van het WADA maakte daaruit op dat Armstrong tot het laatst toe zou volhouden onschuldig te zijn, ongeacht de kosten. Pound kon hem dus maar het best zijn gang laten gaan. Na het telefoontje stuurde Armstrong, zonder voorafgaande waarschuwing, een brief naar de voorzitter van het IOC met het verzoek Pound uit de organisatie te zetten omdat hij 'herhaaldelijk ethische normen had geschonden'.

Enkele andere officials zagen in de positief bevonden controles op epo het bewijs dat Armstrong bedrog had gepleegd. Tourdirecteur Jean-Marie Leblanc, dezelfde man die eerder had verklaard dat Armstrong de sport had gered door de Tour van 1999 te winnen, zei dat de aantijgingen van *L'Équipe* de eerste 'wetenschappelijk bewezen feiten' waren die aantoonden dat Armstrong doping had gebruikt.[10]

'Hij is verklaringen schuldig aan ons, aan iedereen die de Tour heeft gevolgd,' zei Leblanc.[11] 'Wat *L'Équipe* vandaag heeft aangetoond laat zien dat ik ben misleid en dat we allemaal zijn misleid.'

Leblanc wilde een verklaring van Armstrong en die kreeg hij ook. Op de dag dat het artikel in *L'Équipe* verscheen, belde Armstrong Bob Costas, de sportverslaggever die als medepresentator voor de tv-talkshow 'Larry King Live' werkte. Armstrong vroeg of hij een heel uur in het programma aanwezig mocht zijn om de aantijgingen te weerleggen. Natuurlijk, zei Costas.

Armstrong probeerde de beschuldigingen van *L'Équipe* toe te schrijven aan de gespannen verhouding tussen Frankrijk en de vs. (Frankrijk had in 2003 niet aan de Amerikaanse inval in Irak willen meedoen.) Ook verklaarde hij dat de Franse minister van Sport een dag voor de start van de Tour van 2005 twee urinemonsters en twee bloedmonsters bij hem had afgenomen, echter niet bij andere renners.

'Ik kan het woord heksenjacht niet hard genoeg uitspreken,' zei Armstrong. 'Er zit een luchtje aan deze zaak. Meer dan zeven jaar lang heb ik gezegd: ik heb nooit doping gebruikt. Ik kan het nog eens zeggen. Maar ik zeg het al zeven jaar. Het helpt niet. Maar de kern van de zaak is dat ik geen doping heb gebruikt.'

Hij vertelde Costas: 'Kijk eens naar mijn situatie, de situatie van iemand die terugkomt na wat aantoonbaar een doodvonnis was – waarom zou ik vervolgens aan een sport gaan doen, mezelf vol doping pompen en mijn leven nog eens riskeren? Dat is krankzinnig. Ik zou dat nooit doen. Nee. Absoluut niet.'

Costas vroeg: 'Ze kunnen absoluut geen epo in je urine hebben gevonden omdat jij vlakaf zegt dat je het nooit hebt gebruikt?'

'Toen ik in dat flesje plaste, zat er geen epo in. Absoluut niet.'

Costas vroeg Armstrong of hij van plan was processen aan te spannen vanwege de beschuldigingen. Armstrong zei dat dat mogelijk was, maar dat hij niet wist waar hij moest beginnen. Bij het Franse laboratorium? Bij *L'Équipe*? Bij de Franse minister van Sport? Bij het Wereld Anti-Doping Agentschap? 'Allemaal hebben ze een belangrijke ethische code geschonden,' zei Armstrong.

Vervolgens sprak Costas tegen Armstrong uit wat miljoenen fans van de renner waarschijnlijk al dachten. 'Hier in de Verenigde Staten ben je een van de meest bewonderde sporters aller tijden. De mensen willen niet geloven dat Lance Armstrong dit heeft gedaan.'

'Inderdaad,' zei Armstrong.

Tot besluit van het interview herinnerde Armstrong de kijkers eraan waarom de mensen wilden geloven dat hij schoon was: omdat hij een beroemdheid en een held was. Hij sprak over zijn werkzaamheden voor de kankerbestrijding met Livestrong. Larry King vroeg of hij met Sheryl Crow ging trouwen, waarop Costas begon: 'Weet je, Lance, daarom is Larry hier. Ik zou dat niet hebben gevraagd.' Hij was kennelijk geïrriteerd omdat King niet doorging op het zeer serieuze onderwerp van Armstrongs vermeende dopinggebruik.

Armstrong gaf ook niet echt antwoord op de vraag over zijn liefdesleven, waardoor de uitzending een ongemakkelijk slot kreeg met veel gemaakte glimlachjes.

Nog geen twee weken na de publicatie van het artikel in *L'Équipe* en vlak nadat Armstrong met de hulp van Costas en King de schade had weten te beperken, maakte de renner zijn goede nieuws aan het Amerikaanse publiek bekend. Tweeënhalf jaar nadat hij Kristin Armstrong had meegedeeld dat hij genoeg had van hun ogenschijnlijk volmaakte huwelijk, had hij Crow een huwelijksaanzoek gedaan. De sensatiepers smulde ervan.

Hamman en zijn advocaten wisten dat ze niets aan het toeval mochten overlaten als ze deze Houdini wilden verslaan, die uit alle gevaarlijke situaties in zijn carrière was ontsnapt. Voor de nationale televisie, bij Costas en King, had Armstrong onder de beschuldiging uit weten te komen dat hij liefst zes keer epo had gebruikt.

'Je speelt mooi weer met die gasten omdat ze graag beroemdheden ontvangen,' zei Tillotson.[12] 'Lance hoefde maar naar de telefoon te grijpen en meteen zat hij ons in een talkshow zwart te maken en op de tv de aantijgingen te ontkennen.'

Hamman, de meesterbridger, besefte dat hij geen gunstige kaarten had. Daarom kwam hij met een plan B dat demonisch van opzet was.

Als SCA de rechtszaak verloor – wat zo goed als zeker was, een contract is een contract – dan zou naar Hammans overtuiging het onder ede verkregen bewijs onbevooroordeelde mensen doen geloven dat Armstrong wel degelijk doping had gebruikt. Hij hoopte op zijn beurt dat sportorganisaties die voldoende macht hadden om iets aan Armstrongs bedrog te doen, een officieel onderzoek zouden beginnen naar de aantijgingen die uit de SCA-zaak waren voortgekomen. Hamman meende dat een officieel onderzoek de waarheid kon onthullen en ertoe zou kunnen leiden dat Armstrong zijn Tourzeges kwijtraakte. Via die omweg zou SCA wellicht zijn 5 miljoen dollar terug kunnen krijgen.

'Bob stond erop dat alle feiten boven tafel zouden komen,' zei Tillotson. 'Hij dacht op de lange termijn. Zelfs al kreeg hij nooit zijn geld terug, op een dag zou de waarheid over Lance bekend worden en zou het voor hem met de lieve vrede gedaan zijn.'

Walsh, Ballester en de Nieuw-Zeelandse wielrenner Stephen Swart waren bereid in het sca-proces te getuigen, evenals Betsy Andreu, die achtergrondinformatie had verstrekt en bijna voortdurend met Hamman sms'te, e-mailde en belde. Tillotson moest Hamman op het hart drukken: 'Neem afstand van Betsy. In juridische zin hoort ze niet bij ons team. Ze is getuige.' Tillotson vertelde mij dat Armstrongs advocaten om kopieën van haar boodschappen hadden gevraagd, om aan te tonen dat ze een bevooroordeelde getuige was. 'Het kwam Lance goed uit dat ze een geschift kreng was,' zei Tillotson.

Tillotson en de andere advocaten van sca schilderden met behulp van onder ede afgelegde getuigenissen een levendig beeld van Armstrong als dopinggebruiker. Swart getuigde dat Armstrong in 1995 de Motorola-ploeg ertoe had aangezet om epo te gebruiken. Michael Ashenden, een expert op het gebied van bloeddoping, verklaarde dat Armstrongs urinemonsters uit de Tour van 1999 'buiten redelijke twijfel' aantoonden dat Armstrong epo had gebruikt. Hij wees erop dat Armstrongs hematocrietwaarden stegen op die momenten in de Tour waar epo-injecties zijn prestaties ten goede zouden zijn gekomen. Emma O'Reilly, de voormalige soigneur, verklaarde dat ze had geholpen Armstrongs gebruik van stimulerende middelen te verhullen.

Het interessantste getuigenis kwam van Betsy en Frankie Andreu. Zij werden gedagvaard om in Detroit te getuigen en legden beurtelings verklaringen af. Terwijl Betsy voor haar getuigenis naar een hotel reed, bleef Frankie in Dearborn om op de kinderen te passen.

Toen ze het hotel betrad, zag ze Armstrong in de hal met Bart Knaggs, Armstrongs fietsmaatje uit Austin en de compagnon van Stapleton. Ze liep weer naar buiten en belde haar man.

'Hij is hier! Lance is hier, Frankie, wat moet ik doen?'

'Je houdt me voor de gek.'

'Nee. En weet je wat? Als hij denkt dat hij mij bang kan maken, is hij heel dom.'

Ze vatte Armstrongs aanwezigheid op als een compliment, dat bewees dat haar getuigenis volgens hem heel belangrijk was. Het moedigde haar aan om de waarheid te vertellen, nog duidelijker dan toch al het geval was. Ze was nog altijd verontwaardigd dat hij Frankie slechts drie dagen geleden nog had gebeld om hem eraan te herinneren dat Craig Nichols, de arts die Armstrongs kanker had behandeld, ermee had ingestemd een verklaring onder ede te overleggen. In dat getuigenis zou Nichols verklaren dat hij niets af wist van Armstrongs biecht in zijn ziekenhuiskamer.

Armstrong zei tegen Frankie: 'Wat zal het voor indruk maken als jij zegt dat dat is gebeurd en de dokter zegt van niet? Ik maak me zorgen om je.'[13] De Andreus lieten zich door deze valse zorgzaamheid niet misleiden. Hij had hen een jaar lang niet gebeld, nu maakte hij zich zorgen over de manier waarop ze bij de mensen zouden overkomen?

Betsy was gehard, maar toch was ze nerveus toen ze in de vergaderzaal waar de verklaring onder ede zou worden afgelegd recht tegenover Armstrong kwam te staan. Wat er vervolgens gebeurde, verbijsterde haar: hij begroette haar met een brede lach en was, toen ze elkaar een hand gaven, een en al vriendelijkheid. Ze herinnerde zich hoe ze elkaar vroeger met een zoen op de wang begroetten.

Armstrong haalde een stapel foto's tevoorschijn en liet haar kiekjes van hemzelf met Crow en van zijn kinderen zien. Haar oudste zoon, Frankie junior, en Armstrongs zoon Luke waren even oud. Kijk eens hoe groot Luke al is geworden! Betsy had het gevoel dat dit Armstrongs manier was om te zeggen: 'Kom op, oude vriendin, maatje van me. Jij en ik zijn bevriend. Je wilt dit een vriend toch niet aandoen?'

Ook Tillotson was verbaasd toen hij vernam dat Armstrong en Knaggs waren ingevlogen. Armstrong was van Texas op weg naar

New York, waar hij te gast was in *Saturday Night Live*, en waar Crow als muzikale gast zou optreden. Volgens Tillotson gaf dat aan dat SCA een gevoelige snaar had geraakt. Tillotsons gedachtegang was als volgt: 'Goed, dit is de beroemdste sporter ter wereld, en kennelijk denkt hij dat wij allemaal krankzinnige leugenaars zijn, dus waarom zou hij de moeite nemen om te verschijnen?'

Armstrong, de man die de Andreus een e-mail had gestuurd met één woord op de onderwerpregel, en wel 'Cuidado' – Spaans voor 'pas op je tellen' – zat nu aan een tafel in een vergaderzaal te luisteren naar het getuigenis dat Betsy Andreu onder ede aflegde.

Tillotson vroeg of ze van Armstrongs dopinggebruik op de hoogte was. Ze antwoordde bevestigend en beschreef de dag, 28 oktober 1996, waarop Frankie en zij Armstrong in het ziekenhuis in Indiana hadden bezocht. Ze noemde de aanwezigen op: Frankie, Chris Carmichael, Carmichaels toenmalige vriendin Paige, Armstrongs ex-vriendin Lisa Shiels en Stephanie McIlvain, zijn vertegenwoordigster bij Oakley. Andreu beschreef de arts: jong, mager, een bril, zwart haar.

Ze herhaalde de vraag die de arts aan Armstrong had gesteld: 'Hebt u ooit prestatieverbeterende middelen gebruikt?'

Armstrongs antwoord luidde: 'Groeihormonen, cortisonen, epo, steroïden en testosteron.'

Betsy Andreu vertelde Tillotson alles wat ze over Armstrong wist. Ze somde op hoeveel mensen ze over Armstrongs bekentenis had verteld: vrienden en vriendinnen, neven en nichten, verslaggevers, en echtgenotes van vrienden – in totaal 23 mensen. 'Het spijt me,' zei ze daarna, 'nog twee namen.' En even later noemde ze nog drie mensen, onder meer een buur en Ethel Richard, de moeder van Kristin Armstrong.

Ze vertelde over het mysterieuze pakketje, 'het vloeibare goud' dat trainer Pepe Martí op een avond in Frankrijk na de maaltijd aan Armstrong zou hebben bezorgd. Ze wist nog dat Armstrong Ferrari op weg naar de koers Milaan-San Remo bij een tankstation had ontmoet. Ze getuigde dat Kristin Armstrong van Lance' dopinggebruik had geweten en dat ze sprak van 'een noodzakelijk kwaad'. Ze beschreef hoe Stapleton aan Frankie – die het gesprek in het geheim opnam – vroeg Betsy te laten zwijgen over Armstrongs bekentenis op zijn kamer in het ziekenhuis, omdat 'de hele sport eraan kapot zou gaan'.

Jarenlang kon ze in het openbaar niets zeggen. Ze dacht dat het verbreken van de zwijgplicht de wielerloopbaan van haar man kapot zou maken. Nu echter bevrijdde ze zich drie uur lang van een last.

Toen ze klaar was, was Armstrong allang weg. Hij was tijdens de lunchpauze naar Manhattan vertrokken, een hele opluchting voor Frankie. Hij moest het zonder het zelfvertrouwen van zijn vrouw stellen.

Frankie, op zijn beurt onder ede, nam Betsy's plaats aan de tafel in de vergaderzaal over en bevestigde haar lezing van wat zich in Armstrongs ziekenhuiskamer had afgespeeld. Toen hem werd gevraagd of hij had geweten dat Armstrong peds gebruikte, antwoordde hij ontkennend. Op de vraag of hij ooit met Armstrong over het gebruik van epo had gesproken of op de hoogte was van Armstrongs gebruik van stimulerende middelen, antwoordde hij opnieuw ontkennend.

In tegenstelling tot zijn vrouw was Frankie Andreu nog steeds zo bang van Armstrong dat hij volgens verschillende ex-ploeggenoten zelf meineed pleegde.[14]

Stephen Swart, een voormalig ploeggenoot bij Motorola, kon niet verklaren waarom Frankie onder ede had ontkend dat hij van Armstrongs dopinggebruik op de hoogte was – en dat hij ooit met Armstrong over doping had gesproken – want naar zijn zeggen had de hele Motorola-ploeg het in 1995 over het gebruik van epo. Volgens hem was Frankie een van de vele deelnemers aan de dopingcultuur van de wielersport en de Motorola-ploeg, evenals Armstrong – en evenals veel andere toprenners uit die dagen. Swart herinnerde zich dat Frankies hematocrietwaarde in de Tour van 1995 bijna vijftig bedroeg.

Armstrong zei dat de ploeg toentertijd 'geen geheimen' kende en dat veel renners van Motorola – met inbegrip van Andreu – open waren over hun dopinggebruik, dat onder meer bestond uit het nemen van cortison of daarmee vergelijkbare substanties, en later uit het nemen van epo, dat volgens hem door ploegarts Max Testa werd gecoördineerd. Andreu ontkende dat hij en zijn ploeggenoten onder elkaar zo nonchalant over hun dopinggebruik spraken.

Nadat hij zijn getuigenis had uitgesproken, heeft Andreu volgens Tillotson zijn schriftelijke verklaring gecorrigeerd, waarmee hij op zijn schreden leek terug te keren. Nu getuigde Andreu dat hij 'niet zeker wist' of Armstrong prestatiebevorderende middelen had gebruikt en dat hij er ook niet zeker van was of hij ooit onder vier ogen met Armstrong over epo had gesproken. Ook zei hij: 'Ik kan me niet herinneren dat toen hij [Armstrong] na zijn kanker weer koerste, hij uit de eerste hand doping gebruikte.'

In plaats van vast te houden aan zijn oorspronkelijke commentaar dat hij Armstrong nooit had horen zeggen dat hij prestatiebevorderende middelen had gebruikt, veranderde Andreu zijn getuigenis in iets wat bijna komisch aandeed. 'Dat was de eerste keer dat ik hem hoorde toegeven dat hij alle middelen had genomen waarvan hij het gebruik toegaf.'

Ongeacht wat Andreu onder ede verklaarde – of eigenlijk niet verklaarde – Armstrong voelde zich door Andreus getuigenis bedreigd. Hij was zo bang, dat zijn beste PR-mensen aan de slag gingen om in de pers een positief beeld van hem te creëren.[15] Allereerst maakten ze bekend dat de Lance Armstrong Foundation een bedrag van 1,5 miljoen dollar aan de medische faculteit van de universiteit van Indiana had geschonken. De schenking moest een bijdrage leveren aan de instelling van een leerstoel oncologie voor Lawrence Einhorn, Armstrongs voornaamste oncoloog.

Later legde Nichols, een van Armstrongs artsen en bestuurslid van Livestrong, de arbiters een beëdigde verklaring voor – Armstrong had eerder de Andreus gewaarschuwd dat hij hetzelfde zou doen. Nichols verklaarde dat hij van januari 1997 tot oktober 2001 met een vaste regelmaat Armstrongs bloedwaarden had bijgehouden en niets had gezien wat op het gebruik van stimulerende middelen wees.[16] Hij verklaarde: 'Als Armstrong epo had gebruikt om zijn prestaties als wielrenner te verbeteren, zou ik waarschijnlijk verschillen in zijn bloedwaarden hebben vastgesteld.' In 2013 vertelde hij mij dat Armstrong hem had bedrogen, maar toen ik hem vroeg daarop door te gaan, hing hij op.

Vier dagen nadat de Andreus in Michigan hun getuigenis hadden afgelegd, was Armstrong te gast in *Saturday Night Live*. In zijn monoloog verklaarde hij: 'Ik heb heel hard voor deze show gewerkt en geprobeerd het goed te doen, maar ook weer niet te goed. Want na de laatste keer dat ik iets te goed deed, begonnen de Fransen om het kwartier mijn urine te controleren.'

Vervolgens stond in het publiek iemand op, die met een zwaar aangedikt Frans accent vroeg of hij een urinemonster mocht hebben. 'Nee,' antwoordde Armstrong. De zogenaamde Fransman wees op hem en riep met zijn overdreven accent dat Armstrong de Fransen hun wielerkoers had afgenomen.

Na maandenlang getuigenverklaringen te hebben aangehoord en drie weken lang de hoorzittingen met de arbiters te hebben bijgewoond, dacht Tillotson dat hij de wielerwereld van binnen en van buiten had leren kennen en dat hij wist hoe ver men wilde gaan om de geheimen van de wielersport te beschermen. Armstrong had Emma O'Reilly uitgemaakt voor 'een hoer' en gezegd dat Betsy Andreu over hem loog omdat ze hem haatte. Frankie Andreu loog over hem omdat 'hij probeert zijn vrouw te steunen'. Hij verklaarde dat hij nooit doping had gebruikt omdat hij zodoende 'het vertrouwen zou verliezen van iedereen op de wereld die de kanker heeft overleefd, honderden miljoenen mensen'.

Tillotson zag hoe Stapleton ontkende dat er een mogelijkheid bestond dat Armstrong doping had gebruikt zonder dat hij daarvan op de hoogte was. 'Dat is ondenkbaar,' zei Stapleton in zijn getuigenis. Hij zei dat hij in 2000 zelfs geheime ontmoetingen had gehad met hooggeplaatste vertegenwoordigers van Coca-Cola, een van Armstrongs bezorgde sponsors, 'hen in de ogen had gekeken' en hun zijn woord had gegeven dat Armstrong schoon was.

Hij zag hoe Stephanie McIlvain, de vertegenwoordigster van Oakley – in directe tegenspraak met het getuigenis van Betsy Andreu – getuigde dat ze niets wist van Armstrongs dopingbekentenis in zijn ziekenhuiskamer in Indiana. (Later werd een telefoongesprek van McIlvain en Tourwinnaar Greg LeMond bij de arbitrageraad overlegd. In dat gesprek zei McIlvain dat ze de bekentenis had gehoord. 'Ik was in die kamer. Ik heb het gehoord,' zei ze.)[17]

Toch besefte Tillotson in februari 2006 dat Hammans strategie tot niets leidde.

De arbitrageraad had verklaard dat SCA Armstrong waarschijnlijk de 5 miljoen dollar moest betalen, want zoals in het oorspronkelijke contract werd vermeld, kwam het geld hem toe om de eenvoudige reden dat hij officieel de Tour de France had gewonnen. En dus schreef SCA een cheque uit van 7,5 miljoen dollar (voor de 5 miljoen plus de honoraria) om een einde te maken aan de optocht van getuigen die al dan niet de waarheid hadden verteld.

Armstrong voegde deze zege toe aan zijn reeks overwinningen in de rechtbank. Hij had tevens het proces wegens smaad tegen Walsh en de *The Sunday Times of London* gewonnen, waarna de krant hem ongeveer 500.000 dollar betaalde. (Hij gaf echter al zijn smaadprocessen in Frankrijk op, met de woorden dat ze een verspilling van tijd en geld vormden.)

Toen de SCA-zaak was afgelopen, deelde Armstrong mee dat hij weer een overwinning had behaald. 'Ik heb onlangs een grote arbitragezaak gewonnen en na drie weken procederen alle aantijgingen van het gebruik van prestatiebevorderende middelen de kop ingedrukt,' zei hij in een verklaring.

'Het is voorbij,' zei Armstrong. 'We hebben gewonnen. Zij hebben verloren. Ik ben opnieuw van alle blaam gezuiverd.'

Dat was niet de hele waarheid. De beide partijen waren tot een schikking gekomen, maar de arbiters hadden niet bepaald of Armstrong al dan niet doping had gebruikt. Toen ik hem sprak, kon ik hem echter niet zo ver krijgen dat hij toegaf de zaak niet onvoorwaardelijk te hebben gewonnen.

'Ik ben volledig van alle blaam gezuiverd,' vertelde hij me in 2006.

'Maar er is geen uitspraak gedaan over de vraag of je al dan niet doping hebt gebruikt, dus technisch gesproken heb je je naam helemaal niet gezuiverd,' zei ik.

'Nee, ik heb die zaak gewonnen, onbetwist.'

Diezelfde week was Armstrong weer in het nieuws toen hij zijn verloving met Crow verbrak, die vijf maanden had geduurd. Hij verklaarde later dat zij een kind wilde en hij niet. Crow kwam vervolgens echter met somberder nieuws: ze streed tegen borstkanker.

Het nieuws over Armstrong werd verspreid zoals Hamman had gehoopt. Overal in het land publiceerden nieuwsdiensten informatie
die uit het SCA-getuigenis waren gelekt. Nog voordat de pers deze informatie in handen kreeg, belde het USADA al met Tillotson.[1]
*Zouden hun advocaten langs kunnen komen om het bewijsmateriaal
opnieuw te bestuderen?*

Nog geen week na de schikking vlogen Tygart en zijn compagnon
Bill Bock naar Dallas om de advocaat van SCA te ondervragen.

In het bijzonder waren Tygart en Bock geïnteresseerd in Frankie
Andreus getuigenis. Naar hun overtuiging moesten ze, wanneer
een renner die zo dicht bij Armstrong stond informatie over zijn
dopinggebruik verstrekte, daarop een sterke zaak kunnen funde-
ren. Ze keerden naar Colorado Springs terug met alle mogelijke kopieën: van getuigenissen, van afschriften van hoorzittingen en van
officiële bewijsstukken van beide partijen.

Hamman had één keer verloren, maar nu had de meesterbridger
zichzelf nieuwe kaarten toebedeeld. En ditmaal speelde het USADA
mee.

In de steeds diepere liefdesverhouding van het Amerikaanse publiek
en Lance Armstrong betekende de schikking met SCA maar weinig.
Niemand gaf iets om een obscuur bedrijfje dat SCA heette – de mensen gaven alleen om Armstrong, een internationale beroemdheid
die aan de sport was ontstegen door honderden miljoenen dollars
voor de Livestrong Foundation bijeen te brengen. Verder waren er
alleen geestdodende advocatenpraatjes en zich voortslepende processen.

Wat ertoe bijdroeg dat het publiek Armstrongs uitspraken dat hij nooit doping had gebruikt geloofde, was een in het voorjaar van 2006 uitgebracht rapport dat inging op de beschuldiging van *L'Équipe* dat zes van Armstrongs urinemonsters uit 1999 positief op epo waren bevonden.

Nog geen twee maanden nadat *L'Équipe* met dit verhaal was gekomen, had de UCI een zogenoemd 'onafhankelijk rapport' laten opstellen om te onderzoeken hoe het Franse laboratorium zijn analyse van de urinemonsters had uitgevoerd en hoe het nieuws van de uitkomsten naar de pers was gelekt.

De Nederlandse advocaat Emile Vrijman, het voormalige hoofd van het Nederlandse Anti-Doping Agentschap, die later sporters in dopingzaken zou verdedigen, werd door de UCI betaald om het rapport op te stellen. Hij verklaarde dat zijn onderzoek onpartijdig zou zijn en dat de UCI noch Armstrong er een rol in zou spelen.

'Zij zullen op geen enkele wijze het rapport eerder kunnen inzien of de uitkomsten kunnen beïnvloeden,' verklaarde Vrijman.[2]

Achter de coulissen ging het er, volgens twee mensen die directe kennis van het opmaken van het rapport bezaten, echter totaal anders toe. Het plan zou aanvankelijk moeten voorzien in een middel waarmee de UCI Armstrong – de ster van de wielersport – en de hele sport een schone indruk kon laten maken terwijl het dopingprobleem dat de wielersport al een eeuw kende, nog altijd bestond. Armstrong, zijn agent en zijn advocaten zouden geschokt zijn doordat *L'Équipe* had kunnen achterhalen welke urinemonsters uit de Tour van 1999 van Armstrong waren – en ze verweten dat de UCI. Volgens hen moest de wielerunie meehelpen om het puin dat *L'Équipe* had veroorzaakt op te ruimen.

UCI-voorzitter Pat McQuaid stelde Vrijman aan op aandringen van Verbruggen, die erevoorzitter van de UCI was nadat hij in 2005 als voorzitter was afgetreden. De Nederlander Verbruggen was een machtige figuur in de olympische beweging, erelid van het IOC, en hij zou bevriend zijn met zowel Armstrong als Vrijman.

In plaats van onafhankelijk te werk te gaan, zoals hij had aangekondigd, kreeg Vrijman naar verluidt al tijdens het opstellen van het rapport respons van de UCI – volgens de twee mensen die wisten hoe het rapport was opgesteld. Vrijman lijkt ook inbreng van Armstrong gekregen te hebben, via diens vertegenwoordigers, en de formulering van het rapport wijst daar inderdaad op. Het taalgebruik in het uiteindelijke document lijkt zeer sterk op de argumenten waarmee Armstrong zichzelf in het verleden placht te verdedigen. Het 132 pagina's tellende rapport van Vrijman kwam in het voorjaar van 2006 uit. Het beschuldigde het Franse laboratorium ervan het vertrouwen van sporters te hebben geschonden, en beweerde dat het lab zich, toen Armstrongs monsters daar werden onderzocht, niet aan de internationale onderzoeksnormen had gehouden. Ook verweet het rapport van Vrijman het Wereld Anti-Doping Agentschap zijn gedrag ten aanzien van de zogenoemde positieven. Het ging echter nergens in op twee zeer belangrijke punten: op de vraag of er in die monsters daadwerkelijk epo was gevonden, en evenmin op de vraag of het mogelijk was dat Armstrong epo had gebruikt om zijn eerste Tourzege te behalen.

Volgens Vrijman 'zuivert [het rapport] Lance Armstrong volledig van de blaam van vermeend dopinggebruik in de Tour de France van 1999.'

De Amerikaanse media sprongen hier meteen op in. Volgens Associated Press had Armstrong het verhaal van *L'Équipe* over de zes positieve monsters steeds 'een heksenjacht' genoemd.[3] 'En hij zou weleens gelijk kunnen hebben gehad,' verklaarde AP. *The Fort Worth-Star Telegram* uit Texas publiceerde een hoofdartikel getiteld 'Zoet is de rehabilitatie', dat op het rapport inging.[4] 'Beschouw het rapport maar als Armstrongs achtste zege in de Tour de France,' betoogde de auteur van het hoofdartikel.

Dick Pound, het hoofd van het World Anti-Doping Agency, was een van de weinigen die uitgesproken ongelukkig met het rapport was. Volgens hem ontbrak het daarin zo totaal aan 'professionalisme en objectiviteit dat het grenst aan het absurde'.[5] Armstrong en de UCI hadden deze cruciale ronde echter gewonnen.

In het voorjaar en de zomer van 2006, waarin Armstrong normaal gesproken in training voor de Tour zou zijn, genoot de in ruste levende renner van zijn status als Amerikaanse icoon.

Hij werd niet meer door dopingcontroles verrast. Hij kreeg geen clandestiene injecties meer vóór een koers. Hij had geen reden meer om zelfs maar in de buurt van Frankrijk te komen. In de tijd tussen zijn reisjes om functies voor Livestrong te vervullen, of in andere situaties te pleiten voor een bewustere omgang met kanker, betrok hij zijn droomhuis in Austin.

Op de Indianapolis 500 reed hij in de *pace car*, een 505 pk sterke Corvette. Op Tufts University in Boston verklaarde hij na ontvangst van een eredoctoraat tegenover de afgestudeerden: 'Iemand moet de foto's maar aan de directeur van Plano East Senior High toesturen en ze daar laten weten dat ik, heus waar, een academische graad aan Tufts heb behaald en dat hij me voortaan als dr. Armstrong moet aanspreken.'[6] In Washington D.C. lobbyde hij bij het Congres om meer geld aan kankeronderzoek te besteden, en enkele wetgevers drongen aan op een ontmoeting met hem. Bij ten minste één machtige politicus – Jim Oberstar, een zeer ervaren Democratisch congreslid uit Minnesota – hing een ingelijste gele trui van Armstrong aan de muur van zijn werkkamer. Op een bijeenkomst van Livestrong-aanhangers voor het Capitool sprak Armstrong de menigte toe en werd hij onthaald met de kreet: '*Lance for President!*' ('Lance moet president worden!'). Arby's fastfoodketen riep hem uit tot 'grootste sporter aller tijden', voor Jim Thorpe en Muhammad Ali.

Armstrong baadde in de weelde van zijn roem, terwijl sommige oud-ploeggenoten van hem nog steeds hun fiets bestegen en roem najoegen. Na zeven jaar op rij de Tour te hebben gewonnen, zag Armstrong hoe zijn voormalige ploeggenoot en latere aartsvijand Landis in 2006 de ronde op zijn naam schreef.

Landis' overwinning kwam in de eerste plaats tot stand door een adembenemende prestatie die zelfs Armstrongs beste momenten overtrof. Deze zege vond plaats in de zeventiende etappe. Een dag nadat Landis acht minuten op de leider had verloren, reed hij solo over drie passen in de Alpen en won de etappe. Hij finishte in Parijs als de derde Amerikaanse winnaar van de beroemdste wielerwedstrijd ter wereld.

Aan het begin van die Tour van 2006 werd aan zo'n tien renners – onder meer diegenen die het voorgaande jaar achter Armstrong derde, vierde en vijfde waren geworden – de deelname ontzegd omdat zijzelf of hun ploegen in verband werden gebracht met een bloeddopingzaak in Spanje. Na afloop van de Tour werd Landis geprezen als een schone renner die voor de wielersport in Amerika na de periode-Armstrong een nieuw tijdperk kon inluiden. Zijn oude vriend Allen Lim wist niet wat hij daarvan moest denken.

Lim had Landis de ochtend na zijn Tourzege in zijn luxueuze Parijse hotelsuite opgezocht. Hij had tijdens de koers niet rechtstreeks voor Landis gewerkt, maar behoorde nog wel tot diens entourage. In het kader van een marketingcampagne voor Saris Cycling legde hij vermogenscijfers vast en publiceerde ze. Uit waardering voor zijn steun schonk Landis de beide wielen van zijn Tourfiets aan Lim.

Toen Lim zich omdraaide om weg te gaan, vroeg Landis: 'Al, weet jij waarom mensen valsspelen?'

'Nee, Floyd, waarom doen ze dat?'

Landis trok zijn shirt uit. Alsof hij in plaats van wielrenner met een windhondenlijf en bruinverbrande armen een ijdele vleugelverdediger bij het American football was, nam hij vervolgens een stoere pose aan.

'Omdat ze watjes zijn, Al,' zei hij. 'Omdat ze allemaal watjes zijn!'

Verbouwereerd liep Lim de kamer uit. Hij wilde niets meer te maken hebben met Landis, met doping en met de relativerende morele instelling dat valsspelen in orde was zolang iedereen het deed. Toen hij die middag uit Parijs vertrok, was hij vastbesloten om met behulp van zijn unieke ervaring met Landis de wielersport ten goede te veranderen. Hij wist alleen nog niet hoe.

Slechts vier dagen nadat Landis op de Champs-Élysées op het podium stond terwijl achter hem de Amerikaanse vlag wapperde in de wind, maakte de Phonak-ploeg bekend dat hun kampioen bij een dopingcontrole positief was bevonden.

De positieve uitslag was afkomstig van urine die was afgenomen na zijn verbazingwekkende en onwaarschijnlijke solorit over de Alpen in de zeventiende etappe. De verhouding tussen testosteron en epitestosteron bedroeg bij hem 11 tegen 1, bijna het drievoudige van de limiet.

In een haastig belegde telefonische persconferentie volgde Landis dezelfde benadering als Armstrong: ontkennen, ontkennen en nog eens ontkennen, maar nog harder en bij voorkeur voor de nationale televisie. Volgens hem kon het positieve controleresultaat een gevolg zijn van de Jack Daniels en het glas bier die hij op de avond voor de etappe had gedronken. Daar kwam het van, of van zijn testosteronspiegel die van nature hoog was. Het enige excuus dat hij niet gebruikte, was Hamiltons verhaal over de verdwenen tweelingbroer.

Op een teleconferentie met tientallen verslaggevers over de hele wereld vroeg ik hem of hij ooit prestatiebevorderende middelen of speciale dopingkuren had gebruikt. Even zweeg hij, duidelijk niet op zijn gemak. 'Daarop zeg ik nee.'

In Ephrata in de staat Pennsylvania zetten Landis' ouders een groot geel bord op hun gazon met daarop een aantal spirituele spreekwoorden: 'De glorie van jongemannen is hun kracht', en 'Tot groter glorie van God'. Zelfs na het bericht van Landis' positieve controle bleef zijn familie de hoop koesteren dat hij onschuldig was. Arlene, zijn moeder, verscheen in haar ingetogen bruine jurk en met haar mennonitische hoofdbedekking op de lokale nieuwszender WGAL. Ze zei: 'Over Lance hebben ze ook een hoop herrie gemaakt. Ik denk dat we dit van God mogen doormaken, zodat Floyds glorie nog groter is.' Floyds zus Charity zei: 'Ik ben trots op mijn broer. Het stemt me nederig dat mijn broer als integer mens zijn zege kan opeisen.'

Een paar dagen later vernam ik dat zijn urine positief was bevonden op synthetisch testosteron.

Ruim een maand nadat Frankie en Betsy Andreu hadden getuigd, werd Betsy rusteloos. Ze wilde dat het publiek wist dat haar man en zij niet hadden aangeboden om tegen Armstrong te getuigen – ze waren er door dagvaardingen toe gedwongen.

'Als het moest, zou ik het allemaal precies zo overdoen, want ik heb alleen gedaan waarvan ik denk dat het juist is,' zei ze. 'Maar een volgende keer zou ik me er emotioneel op voorbereiden. De mensen omarmen iets niet omdat het de waarheid is [...] Amerika wil geloven in het sprookje van Lance, dat hij zo'n geweldige vent is en een held, maar ik weet hoe hij echt is. Hij is gewoon een oplichter.'

De Andreus waren heel ver verwijderd van het leven dat ze vroeger in Europa zo prettig hadden gevonden. Betsy zorgde voor hun drie kinderen, die alle drie nog geen acht jaar oud waren en trad wekelijks als overblijfmoeder op tijdens de lunch op hun katholieke school. Frankie had de kleine, in de vs gevestigde Toyota-United wielerploeg geleid totdat hij, kort nadat zijn sca-getuigenis het nieuws had gehaald, was ontslagen. De eigenaar van zijn ploeg had eerder een zakelijke relatie met Armstrong gehad, en naar hun idee wisten ze daarmee genoeg.

'Als je eenmaal buiten Lance' kring van vertrouwelingen bent geraakt, lig je er helemaal uit,' zei Frankie Andreu. 'Hij koestert wrok en wil je kapotmaken, precies wat hij ons probeert aan te doen.' Frankie zei dat Betsy en hij met de dagvaarding 'in een moeilijke positie waren gebracht, een positie die ons niets opleverde en mij wellicht zou schaden. Ik besloot de waarheid te vertellen'.

Ze hadden het idee dat ze door zich naar de wet te schikken hun broodwinning hadden geriskeerd. Betsy maakte zich zorgen over de veiligheid van haar gezin. Terwijl de sca-zaak vorderde, meldde ze bij de politie dat iemand zich zonder haar toestemming toegang had verschaft tot haar e-mailaccount bij aol. Ze had het vermoeden dat het ging om Armstrong of een van zijn trawanten uit, zoals zij het noemde, 'de maffiabende van Lance'.

Op een keer beklaagde Betsy's vader zich over haar obsessie: 'Waarom moet je het steeds over Lance hebben? Kun je er niet gewoon een punt achter zetten en er niet meer aan denken? Het zou zo veel makkelijker zijn.'

Ze viel hem in de rede: 'Lance Armstrong probeert dit gezin te vernietigen. Daarover ga ik me niet stil houden.'

Zelfs de postbode wist wat Betsy voortdurend bezighield. Op een dag zwaaide hij naar haar toen hij de post kwam bezorgen. Ze zat op de veranda een hapje te eten.

'Zit je daar te picknicken, Betsy?' vroeg hij.

'Ja Joe,' zei ze. 'Heb je trek in thee met koekjes?'

'Daar zou ik graag ja op zeggen,' zei hij. 'Maar ik heb geen tijd om het over Lance te hebben!'

Het lijkt misschien vreemd dat iedereen in de stad van haar pre-occupatie met Armstrong op de hoogte was. Voor haar was het ontmaskeren van Armstrong echter een serieuze roeping. Na de SCA-zaak gaf ze alle Nike-artikelen van het gezin – sweatshirts, sportschoenen en petjes – weg, want ze had zichzelf ervan overtuigd dat het bedrijf een oogje moest hebben dichtgeknepen voor Armstrongs dopinggebruik of er in elk geval een oogje voor dichtkneep. Bij alle Nike-artikelen die ze zelf hield, plakte ze een stuk donkere tape over het logo. Betsy dacht dat haar gezin werd bedreigd omdat het stelling had genomen tegen Armstrong. Ze had daar goede redenen voor.

Op een avond in 2005 sprak Stephanie McIlvain, Armstrongs voormalige vertegenwoordigster bij Oakley, de volgende boodschap voor Betsy in op het antwoordapparaat van de Andreus: 'Ik hoop dat iemand een honkbalknuppel op je hoofd kapotslaat. Ik hoop ook dat het je ooit goed tegenzit in het leven en dat je een hoop ellende beleeft die je diep zal raken.'

Haar zeven jaar oude zoontje Frankie junior vereeuwigde in een krijttekening de stemming van het gezin. Er stonden militairen met vuurwapens op die afrenden op een man die achter de tralies zat. Naast de gevangene stond een naam: 'LANCE'.

Haar vriendinnen uit de wielersport – vrouwen met wie ze aan de Rivièra had liggen luieren – spraken niet meer met haar. Angela

Julich, de eerste wielrennersvrouw met wie Betsy over Armstrongs biecht in de ziekenhuiskamer had gesproken, zei dat ze 'er niet bij betrokken wilde raken' toen ik haar vroeg een stuk over de Armstrongs waaraan ik werkte te becommentariëren. Odessa Gunn, de vrouw van Leipheimer, bleef ook onverschillig. Twee andere vrouwen waren bang dat Armstrong hun mannen zou uitstoten als zijzelf het lef hadden een telefoongesprek met Betsy – of zelfs over haar – te voeren.

Frankie Andreu vertelde mij dat het feit dat hij over Armstrongs bekentenis in de ziekenhuiskamer had gesproken, ook al was dat onder ede in de vertrouwelijke sfeer van een proces, het voor hem lastig maakte om in de wielersport werkzaam te zijn. 'Ik zou dolgraag zien dat hier een einde aan komt, maar Betsy heeft een sterk geloof in de waarheid en het bestaan van goed en kwaad,' zei hij.

Toen ik in augustus 2006 een week bij hen was, maakten Betsy en Frankie ruzie over mijn aanwezigheid. Vanuit de belendende kamer kon ik hen in de keuken horen kibbelen.

'Waarom is ze hier?' vroeg Frankie.

'We moeten met haar praten, Frankie. Alsjeblieft zeg.'

Het kwam dan ook als een verrassing dat Frankie twee uur met me sprak en een vraag beantwoordde waarvan ik had gedacht dat hij er nooit op in zou gaan: 'Heb je ooit doping gebruikt?'

Hij zuchtte, boog zijn hoofd en zei: 'Niemand heeft dat ooit aan me gevraagd. Ik wil geen antwoord geven.'

'Is dat een ja?' vroeg ik.

Hij zei: 'Ik heb mijn best gedaan om nooit prestatiebevorderende middelen te gebruiken. Ik heb een paar verkeerde keuzes gemaakt, maar dat was heel, heel lang geleden. Het is niet iets om trots op te zijn. Ik heb epo gebruikt, maar alleen voor een paar koersen.'

Ik stond perplex.

'Neem me niet kwalijk, zei je dat je epo hebt gebruikt?' vroeg ik.

'Ja, ik ga er niet om liegen. Dat heb ik gezegd.'

Vervolgens maakte hij een onderscheid waarvan ik nooit eerder had gehoord. 'Er zijn twee soorten kerels. Je hebt kerels die valsspelen [om te winnen] en kerels die alleen maar proberen te overleven [door vals te spelen].'

Hij zei dat hij zich schuldig voelde en zijn geheim niet langer kon bewaren. Als renners over doping bleven liegen, zo zei hij, zouden sponsors en fans zich voorgoed van de sport afkeren.

Later, toen Frankie de kamer uit was gegaan, zei Betsy: 'Het was allemaal voor Lance. Alles wat die ploeggenoten deden, was tot meerdere eer en glorie van Lance.'

Ik belde de zeven andere renners die in 1999 in de Postal Service-ploeg in dienst van Lance hadden gereden, met de vraag of zij ook doping hadden gebruikt en of ze in de ploeg dopingpraktijken hadden gezien. De twee Europeanen in de ploeg – Peter Meinert-Nielsen en Pascal Deramé – verklaarden dat zij nooit doping hadden gebruikt, dat ze het nooit zouden doen en dat ze in de sport nooit dopingpraktijken hadden gezien.

Slechts één renner vertelde een ander verhaal: Jonathan Vaughters. Sinds het sca-getuigenis naar journalisten was gelekt, hadden we vaak met elkaar gesproken. Ik probeerde hem in het openbaar te laten uiteenzetten wat hij van Armstrong wist. Ik vertelde hem dat één renner uit de Tourploeg van 1999 – Andreus naam noemde ik nog niet – had gezegd dat hij doping had gebruikt. Ik was op zoek naar andere renners die konden bevestigen dat er in het afgelopen jaar in Armstrongs ploeg doping was gebruikt. *Heb je voor die Tour doping gebruikt?* Volgens Vaughters stond daarop antwoorden gelijk aan je carrière om zeep helpen. Aanvankelijk waarschuwde hij me dat ik hem niet mocht citeren: 'Dat je het weet: mijn vader is advocaat.' Maar toen ik hem enkele dagen later vertelde dat niet een van zijn Amerikaanse ploeggenoten in 1999 me zelfs maar had teruggebeld, was hij bereid tot een verklaring in het openbaar, zij het anoniem.

Vervolgens vertelde ik hem dat Andreu de andere renner was.

'Ik ga Frankie niet in de steek laten als hij er helemaal alleen voor staat,' zei Vaughters. 'Iemand moet hem steunen.'

Zowel hij als Andreu herhaalde wat Betsy had gezegd. Ze verklaarden dat ze zich onder druk voelden staan om doping te gebruiken als ze voor die ploeg aan de Tour van 1999 deel wilden nemen. 'Het was in dat milieu zeker zo dat je, om geaccepteerd te worden, dopingproducten moest gebruiken,' zei Vaughters. 'De druk was erg groot om een van de snelle jongens te worden.'

Andreu noch Vaughters wilde zeggen dat ze Armstrong doping hadden zien gebruiken. Allebei verklaarden ze dat ze geen kennis uit de eerste hand hadden over enig dopinggebruik van hem.

Het verhaal stond op 12 september 2006 op de voorpagina van *The New York Times*.[7] Eindelijk hadden ploeggenoten van Armstrong – twee moedige renners – de waarheid over het dopinggebruik in de Postal Service-ploeg verteld.

Hoewel Armstrong in het stuk niet van dopinggebruik werd beschuldigd, beschouwde zijn 'maffia' het als een aanval. Stapleton, zijn agent, noemde mij 'de slechtste journalist uit de geschiedenis' en dreigde met een rechtszaak. 'Je moet godverdomme zijn gezakt voor de school voor journalistiek.'

Armstrong vertelde aan Associated Press dat het stuk 'een lasterlijke aanval was [...] waarbij ik door een bekentenis van een ander met doping in verband werd gebracht'.[8] Hij vertelde aan USA *Today* dat *The New York Times* blijk had gegeven van 'een ernstig tekort aan journalistieke ethiek door een bekentenis van Frankie Andreu met mij in verband te brengen'.[9] Even kwaad was hij op de Andreus. Ploegleider Johan Bruyneel en hij riepen de Postal Service/Discovery Channel-ploeg en de wielerbonden op om na te gaan of Frankies klasseringen hem konden worden ontnomen. Ook moest hem worden verzocht zijn prijzengeld terug te betalen. (Dat voorstel had een ironische kant, zoals de tijd zou leren.)

Armstrong verstuurde ook een e-mail waarin hij verklaarde dat het artikel 'categorisch onjuist was [en blijk gaf van] verwrongen sensatiezucht [...] Mijn wielerzeges zijn onbezoedeld. Ik heb geen prestatiebevorderende middelen gebruikt, ik heb niemand anders gevraagd ze te gebruiken en ik heb bij niemand anders dopinggebruik vergoelijkt of gestimuleerd. Ik heb mijn zeges schoon behaald'.

Hij besloot zijn verklaring met een verzoek aan zijn aanhang (dit was intussen oude koek): 'Ik wil dat de miljoenen kankerpatiënten en overlevers met wie ik tegen kanker strijd, weten dat deze aantijgingen nog steeds onjuist zijn. Ze kunnen er gerust op zijn dat mijn overwinningen onbezoedeld zijn en dat ook zij reden hebben om hoop te koesteren op een volwaardige, gezonde en productieve toekomst.'

Nadat Travis Tygart mijn stuk over Frankie Andreu in *The New York Times* had gelezen, belde hij de Andreus thuis in Michigan op.

Hij vroeg aan Betsy: 'Zou ik Frankie kunnen spreken?'

Betsy meende zich er tegenover Tygart met een grapje vanaf te kunnen maken. 'Wat gaat u doen? Frankie sancties opleggen of zoiets?'

Hij vertelde haar dat Frankie uiteindelijk het gebruik van epo in de Tour van 1999 had toegegeven en dat een bekentenis een bekentenis was. En zeven jaar en twee maanden later was het een bekentenis die binnen de acht jaar viel die in het statuut van beperkingen van het Wereld Anti-Doping Agentschap werden genoemd.

En dus beantwoordde Tygart Betsy's vraag over sancties als volgt: 'Nou, dat hebben we in overweging moeten nemen.'[10]

'Houd je me verdomme voor de gek?' vroeg Betsy aan Tygart. 'Lance, de grootste oplichter, de grootste valsspeler in de sportgeschiedenis, loopt nog vrij rond, en dan komen jullie achter ons aan? Frankie is ontslagen. Jij vertelt mij dat jullie achter een kleine renner zoals hij aangaan omdat hij weigerde een dopingprogramma met Lance te volgen? Krijg de kolere en val dood!'

Vervolgens hoorde Tygart de aanhoudende bromtoon van de dode lijn aan de andere kant. Het was het begin van een mooie vriendschap.

David Zabriskie, Landis' naaste vriend, vertelde dat hij na het bericht dat Landis positief was bevonden urenlang had gehuild en niet in staat was geweest zijn ligbad uit te komen. Hij had hem voor het laatst gezien in een suite van een grandioos hotel in Parijs, want de Tourwinnaar leefde op grote voet.

Zabriskie wist wat Landis te wachten stond: samen met hem had hij buiten het seizoen doping gebruikt.[11] Ook had Landis Zabriskie de groeihormonen, testosteronpleisters en epo geleverd, die in zijn trainingsschema waren geïntegreerd. Volgens Zabriskie zou hij die middelen nooit hebben kunnen bemachtigen als Landis niet aan die stimulerende middelen had kunnen komen.[12] Beide mannen voelden de druk om goed te presteren tijdens de Tour, de enige koers waaraan de meeste Amerikanen aandacht schonken – voor zover dat al het geval was.

Voor fanatieke wielerliefhebbers die op de hoogte waren van de dopinggeschiedenis van de sport, was Landis gewoon de laatste valsspeler in een sport van valsspelers geworden. Was Zabriskie eerst opgetogen geweest over het succes van zijn vriend, nu leefde hij met diens val. Hij kende de pijn die Landis had verdragen – die meer inhield dan de rituele schande van de positief uitgevallen controle.

Op 5 augustus 2006, een maand na de Tour, pleegde Landis' schoonvader – en beste vriend – zelfmoord. David Witt werd dood aangetroffen in een parkeergarage in San Diego. Hij had zich door het hoofd geschoten.

Landis had Zabriskie verteld dat hij zijn testosteronpleisters van Witt had gekregen[13] – ze waren afkomstig van een door Witt bezochte verjongingskliniek in Zuid-Californië – en dat Witt tijdens de Tour soms over zijn bloed had gewaakt.

Zabriskie was door dat alles danig in de war geraakt. Kort na de bekentenissen van Andreu en Vaughters heeft hij naar eigen zeggen nogmaals tegenover Steve Johnson, die kort daarvoor tot hoofd van USA Cycling was benoemd, uiteengezet hoe hij over de doping van de Postal Service-ploeg dacht. Hij wilde hulp van een van de machtigste mensen in de Amerikaanse wielersport – een man die vroeger zijn mentor was geweest. In plaats daarvan zou Johnson hebben gezegd dat Andreu de zaak nooit aan de grote klok had mogen hangen. Vervolgens zou hij tegen Zabriskie hebben gezegd: 'Als jij ooit stimulerende middelen gebruikt, vermoord ik je.'[14]

Zabriskie, die al gedeprimeerd was vanwege Landis' positieve controle-uitslag, was verbijsterd over Johnsons kritiek op Andreu. Evenmin begreep hij Johnsons waarschuwing.

'Steve,' zei hij, 'ik heb je al verteld dat ik stimulerende middelen heb gebruikt, dat de jongens bij Postal me injecties met allerlei spul hebben gegeven. Herinner je je het wereldkampioenschap van twee jaar geleden nog? Ik heb je toen toch verteld dat ze bij die ploeg stimulerende middelen gebruikten?'

Zabriskie kon niets beters bedenken dan dat Johnson er simpelweg niets over wilde horen. Net als bij de wereldkampioenschappen van twee jaar geleden keek de voorzitter van de Amerikaanse wielerbond Zabriskie aan alsof hij Chinees sprak. Johnson zat daar maar en zei pas iets toen zijn vrouw de kamer in kwam lopen en hem de kans gaf om een ander onderwerp aan te kaarten.

Zabriskie dacht: ik heb hem al twee keer verteld dat de Postal-ploeg doping gebruikte. Hij heeft er toen nooit wat aan gedaan, en hij gaat er nu ook niets aan doen […] Hij moet van alles op de hoogte zijn.

Zabriskie was een man die confrontaties uit de weg ging. Hij had nooit de moed gehad om het tegen zijn aan alcohol verslaafde vader op te nemen. Nu zette hij zijn wielerloopbaan niet op het spel en sloot hij zich niet aan bij de openbare biecht van Andreu en Vaughters. Hij geneerde zich voor zijn zwakheid.

De woorden waarmee Allen Lim in 2006 in Parijs afscheid nam van Floyd Landis, waren een van de vele afscheidsgroeten die ze tegen elkaar hadden uitgesproken.

Een jaar geleden waren hun eerste afscheidswoorden gevallen.

Na de Tour de France van 2005 beloofde Lim dat hij tijdens de Ronde van Spanje in Landis' appartement op een zak met bloed zou passen en de zak op een rustdag zou komen afgeven.

Lim overwoog destijds of hij zou gaan werken met jonge renners die dopingvrij voor Vaughters reden – Vaughters had zijn ontwikkelingsploeg voor jongens tot drieëntwintig jaar in 2003 opgezet. 'Die jonge jongens zijn niet zoals Floyd, ze zijn niet zoals Lance, het zijn goede jongens,' vertelde Lim me later. 'Ik wil niet dat ze dit ooit moeten doormaken.'

Hij bracht met de jongens een middag in Girona door. Vervolgens haalde hij de bloedzak uit de koelkast, en in plaats van hem bij Landis te bezorgen legde hij de zak in de gootsteen en bewerkte hem geruime tijd met een mes.

Een paar dagen later belde Landis. 'Hoe staan de zaken?'

'Niet al te best,' zei Lim. 'Je hebt geen zak met bloed meer. Het bloed is door de gootsteen gespoeld.'

Lim verwachtte dat Landis razend zou worden.

In plaats daarvan zei de renner: 'Verdomme. Nou ja, ik denk dat het dan tijd is om naar huis te gaan, toch?'[15]

Lim dacht in Landis' woorden een toon van spijt te horen omdat hij zijn vriend weer de dopingwereld in had gesleurd.

'Ja, Floyd, het is tijd om naar huis te gaan,' zei Lim. 'Het is voorbij.'

## 19

De macht van Lance Armstrong strekte al lange tijd veel verder dan die van zomaar een beroemde wielrenner. In 2007 was hij het gezicht van een politiek streven om in Texas een bedrag van 3 miljoen dollar voor kankeronderzoek te verwerven. Hij reed met een soort campagnebus door de staat om met kiezers te spreken. Nadat hij een uur met verschillende leden van het Texaanse Huis van Afgevaardigden had gesproken,[1] had hij 65 stemmen van de 100 veroverd die nodig waren om een voorstel voor een constitutioneel amendement in stemming te kunnen brengen. In afwachting van de definitieve uitslag zei Armstrong: 'Het is alleen maar leuk als je wint.'[2] Het voorstel werd aangenomen.

In een door de historicus en journalist Douglas Brinkley geschreven karakterschets in *Vanity Fair* die zowel inging op het vooruitzicht van Armstrongs politieke loopbaan als op zijn werk voor de kankerbestrijding, noemde Brinkley hem 'een reguliere, 365 dagen per jaar actieve, op Jerry Lewis lijkende sprekende looppop'.[3] Op de vraag of hij de politiek in wilde gaan, antwoordde Armstrong: 'Waarschijnlijk.' Vervolgens kwam hij met een grote verrassing: hij wilde zijn achtste Touroverwinning behalen.

In de daaropvolgende maanden raadden veel van zijn vrienden hem dat af. Ze waren blij dat hij de jarenlange aantijgingen van dopinggebruik heelhuids had doorstaan.

'Man, ik weet hier niets van,' zei Korioth, zijn beste vriend. 'Harde werkers krijgen wat ze verdienen, maar wie iets voor niks probeert te krijgen komt niet ver.'

Armstrong had geen boodschap aan zulke stichtelijke woorden. Zijn nachtleven trok al de aandacht van de sensatiepers. Hij ging zo vaak met de acteur Matthew McConaughey op stap dat ze de

Siamese tweeling werden genoemd. Nadat hij Sheryl Crow de bons had gegeven, trok hij aan beide kusten met andere blondjes op: met de modeontwerpster Tory Burch, met de jonge, elfachtige actrice Ashley Olsen en met filmster Kate Hudson.

Korioth waarschuwde de zesendertigjarige vader van drie kinderen dat zijn romance met Olsen, die van mei tot december had geduurd, zijn werk voor de kankerbestrijding kon schaden. 'Geen goed idee, jongen,' zei Korioth. 'Je moet hier nu meteen mee stoppen.'

'Ze is eenentwintig,' antwoordde Armstrong. 'Je kunt de pot op.'

Armstrong had de Tour van 2008 in een toestand van jaloezie en woede gevolgd. Tot zijn ontzetting had de kleine, rustige Spaanse klimmer Carlos Sastre de ronde gewonnen. Sastre, echt waar? Zijn vroegere knecht Vande Velde, de jongen die ooit bidons met water en cortison-pillen voor hem had gehaald, finishte als vijfde.

'Je kon de Tour dit jaar niet helemaal serieus nemen,' zei Armstrong tegen de Britse verslaggever John Wilcockson.[4] 'Ik heb niets tegen Sastre [...] of Christian Vande Velde. Christian is een aardige vent, maar vijfde worden in de Tour de France? Kom nou toch!'

Hij was ook ontstemd omdat de Tour van 2008 de schoonste aller tijden was genoemd. Als dat waar was, waren alle andere Tours – met inbegrip van de zeven rondes die door hem waren gewonnen – vuil geweest. Zelfs nu Armstrong was gestopt, was hij gevoelig voor de angel van de beschuldigingen van dopinggebruik. Zoals altijd was zijn antwoord: fietsen.

Intussen werkten Vaughters en Lim samen. Als leiders van Vaughters' TIAA-CREF-ploeg voor renners onder de 23 waren ze een kruistocht tegen de doping begonnen. Lim wilde nooit meer een renner zichzelf zo zien kwellen en kastijden als Floyd Landis. Op zoek naar een methode om renners af te schrikken vond Lim in het tijdschrift *Outside* een remedie.

Don Catlin had een voorstel gedaan voor een nieuw antidopingsysteem. Hij had als wetenschapper onderzoek gedaan naar de aan epo gerelateerde sterfgevallen aan het einde van de jaren tachtig en had meegeholpen bij het aan de kaak stellen van het BAL-CO-schandaal, dat betrekking had op het gebruik van steroïden. 'Sporters komen nog steeds weg met bepaalde middelen,' vertelde Catlin aan *Outside*, 'en ik blij dat je met bepaalde middelen nog kunt wegkomen terwijl iedereen naar je staat te kijken.'[5]

Zijn voorstel hield in dat sporters urine- en bloedmonsters zouden voorleggen om een biologisch profiel aan te laten maken. Biomarkers, waaronder de hematocriet- en hemoglobinewaarden van alle renners, alsmede hun testosteronspiegel, zouden worden gecontroleerd. Variaties daarin zouden wijzen op dopinggebruik.

Lim besprak Catlins idee met Vaughters. 'We moeten met die jonge jongens iets dergelijks doen,' zei hij. Catlin zei tegen Lim dat deze poging zou getuigen van 'moed'.

Met hulp van Catlin werkten Lim en Vaughters de bijzonderheden voor hun jeugdige ploeg uit, en vervolgens voor de profs die zich in 2008 bij de ploeg zouden aansluiten. De nieuwe ploeg werd aanvankelijk de Slipstream Sports-ploeg genoemd. Vaughters' 'Clean Team' mocht, deels vanwege het dopingvrije imago, met een wildcard in de Tour van 2008 uitkomen.

Armstrong moest niets hebben van zowel het idee achter de ploeg als van de oprichter, Vaughters. Hij vertelde dat aan Vande Velde, die het beschouwde als een waarschuwing aan Vaughters, en vroeg tevens aan Vaughters' compagnon Doug Ellis zoete broodjes voor Armstrong te bakken. Vande Velde was bang voor wat Armstrong de ploeg kon aandoen als hij die bleef verfoeien.

Ellis was een particuliere belegger uit New York. Hij ging naar Armstrongs penthouse bij Central Park South. Innemend en opgewekt als hij kon zijn, maakte Armstrong indruk op Ellis met zijn kennis van de wijze waarop het bij de Slipstream-ploeg toeging. Hij was op de hoogte van het feit dat Ellis miljoenen in Vaughters' jongerenploeg had geïnvesteerd. Voor het seizoen 2008 had Slipstream enkele toprenners aangenomen: de voormalige dopinggebruikers

Vande Velde en Zabriskie (die naar eigen zeggen in 2006, nadat Landis positief was bevonden, met hun dopinggebruik waren gestopt) alsmede de Brit David Millar – ook een bekeerling. Millar had een schorsing van twee jaar wegens epo-gebruik uitgezeten. De ploeg werd een toevluchtsoord voor bekeerde valsspelers en voormalige Postal Service-renners.

Armstrong kwam tot de kern van de zaak.

'Jullie hebben niet de juiste jongens in de ploeg,' zei hij tegen Ellis.[6]

'Wat bedoel je?'

'Je steekt al dat geld in de ploeg, maar het pakt niet bepaald goed uit, toch? JV is niet het soort man op wie je je geld wilt inzetten.'[7]

Hij suggereerde dat Slipstream een ploeg van verliezers was, met inbegrip van ploegleider Johnny Weltz, die Armstrong lang geleden door Bruyneel had vervangen. Ellis bekommerde zich echter niet zo om winst en verlies als Thomas Weisel, hij was geen man die trainingsritten met de profs maakte alsof hij er zelf een was. Ellis financierde Slipstream omdat hij net als Vaughters de wielersport van zichzelf wilde redden. Hij had niet verwacht dat Armstrong het met hem eens zou zijn. Zo wist hij dat hij goed bezig was.

Armstrong heeft eens gezegd dat hij was teruggekeerd 'om het besef van de mondiale kankerlast te vergroten', woorden waarbij Korioth met zijn ogen gaat rollen. 'Alsjeblieft,' zei hij tegen mij, 'hij is teruggekeerd omdat hij dacht dat hij iedereen nog steeds de baas was.'

Armstrong sloot een overeenkomst om met Bruyneel als ploegbaas voor de Kazachse Astana-ploeg te gaan rijden. Hij zou in een andere wereld belanden. Hoewel Armstrong maar drieënhalf jaar uit de sport weg was geweest, waren de dopingcontroles geavanceerder geworden en vonden ze vaker plaats. Het Franse nationale antidopinglaboratorium dat zes van zijn urinemonsters positief op epo had bevonden, wilde hem dolgraag nog eens testen. Pierre Bordry, het hoofd van het lab, zei tegen zijn collega's dat hij Armstrong zo snel mogelijk weer op Franse bodem wilde controleren.[8]

Tygart en andere officials van het USADA wilden heel graag weten of Armstrong het nieuwe antidopingsysteem kon weerstaan. Het bijkomende bewijs tegen Armstrong was alsmaar toegenomen, maar onder een positieve uitslag die zwart op wit stond, zou hij veel moeilijker uit kunnen komen.

Armstrong deed wat hij moest doen om de indruk te wekken dat hij schoon was: hij stelde Don Catlin aan om zich als PR-man te gedragen, zodat hij een reputatie als strijder tegen de doping kon opbouwen. De wetenschapper die eens had gezegd dat je 'om de Tour te kunnen rijden doping moest gebruiken' zou nu met een programma werken dat alleen voor Armstrong was bedoeld. Zo vaak als hij wilde zou hij Armstrong controleren. Hij zou urine- en bloedmonsters bij hem afnemen om een biologische basislijn vast te leggen en de bloedwaarden te analyseren om na te gaan of Armstrong de regels overtrad. Over de voorwaarden van de overeenkomst werd nog gesproken, maar Catlin wilde goedkeuring krijgen om de resultaten te publiceren.

In september 2008 hield Armstrong de eerste persconferentie over zijn comeback. Tegelijkertijd vond het Clinton Global Initiative plaats, een bijeenkomst waar wereldleiders, filantropen, ondernemers en vooraanstaande figuren uit het bedrijfsleven wereldproblemen bespraken. Armstrong was een van de voornaamste sprekers op dit evenement, dat werd gehouden in het Sheraton New York Hotel, dicht bij Times Square in Manhattan.

Vlak nadat Armstrong samen met ex-president Clinton en de New Yorkse burgemeester Michael Bloomberg – hij noemde hen 'twee van de machtigste mannen ter wereld' – op een groot podium had gestaan, besteeg hij een klein, geïmproviseerd toneel in een van de belendende balzalen. Catlin, die een Livestrong-polsbandje om had, zat rechts van Armstrong. Links van Armstrong stond Taylor Phinney, een toekomstige ster die door Armstrong uit Jonathan Vaughters' ploeg voor jonge renners was weggehaald. Hij had ook een Livestrong-polsbandje om.

Vaughters had dit wonderkind jarenlang begeleid, en Phinney

had beloofd in het volgend seizoen naar Vaughters' ploeg te zullen terugkeren. Enkele weken nadat Armstrong zijn comeback bekend had gemaakt, belden Phinney's ouders Connie Carpenter en Davis Phinney – die allebei een olympisch sportverleden hadden – Vaughters niet meer terug. Algauw vernam Vaughters dat Phinney in Aspen, in de staat Colorado, met Armstrong trainde. Vervolgens hoorde hij dat Armstrong een ploeg voor renners van onder de drie-entwintig had opgericht om Phinney onder de aandacht te brengen. Vaughters wilde hem zeggen: 'Je hebt hem ingepikt, alleen om ons dwars te zitten.'

Landis, die van Armstrongs nieuwe jongerenploeg op de hoogte was, had nog meer moeite om het bericht te geloven. Nadat hij de lange, bittere en zeer publieke strijd met het USADA had verloren, was Landis twee jaar geschorst geweest omdat hij in de Tour van 2006 positief was bevonden. Die schorsing zou tot 30 januari 2009 duren. Armstrong en hij hadden besproken dat Landis misschien de ploegleider van Armstrongs nieuwe ploeg voor jonge rijders kon worden – een aanbod dat nooit werd verwezenlijkt.[9] In plaats van Landis nam Armstrong de Belgische ex-Motorola-renner Axel Merckx aan voor de nog op te richten ploeg. Tegen Landis zei hij dat zijn ploeg niet kon worden verbonden met iemand die een doping-verleden had.

Als hij Landis had aangenomen, zou die zich koest hebben gehouden. Armstrong had Livingston, zijn voormalige luitenant bij Postal Service, tot bedaren gebracht door hem zijn trainingsbedrijf-je vanuit zijn in Austin gevestigde fietszaak Mellow Johnny's te laten runnen. Toen Armstrong echter weigerde Landis een baan als ploegleider te geven en hem vervolgens niet als renner in zijn prof-ploegen toeliet, beging hij de grootste blunder van zijn leven.

Nike hoorde er helemaal bij. Toen Scott MacEachern, sinds jaar en dag Armstrongs vertegenwoordiger bij Nike, het nieuws van de comeback hoorde, duizelde het hem. Met Armstrong had zijn carrière een hoge vlucht genomen. Zijn vrouw Ashley had in 2008 zelfs een kinderboek over Armstrong geschreven.

De directieleden van Nike waren opgewonden, want het zou voor hun marketing een zegen zijn wanneer Armstrong terugkeerde in het bewustzijn van het publiek als fietsende superheld die tegen kanker streed. Ze hadden het eerder meegemaakt: zijn naam alleen al kon de consumenten naar de Nike-afdeling van een sportzaak lokken en tot levenslange loyaliteit aan het bedrijf inspireren.

En dus kwam Armstrongs team bij Nike bijeen om ideeën te genereren die het merk Livestrong – en het Nike-embleem – naar huiskamers op de hele wereld konden brengen, in grotere aantallen dan ooit. Voorafgaand aan de Tour maakte Nike bekend dat het onder het motto 'Hope Rides Again' een Livestrong kleding- en schoenenlijn zou lanceren om Armstrongs terugkeer naar de sport te vieren. (De complete opbrengst ging, met aftrek van gemaakte kosten naar de Lance Armstrong Foundation, evenals de opbrengst van de Livestrong-collectie.) Ook kwam er een door Nike gesponsorde, rondreizende expositie van kunstwerken, met als topattractie werk van grote namen als Shepard Fairey en Damien Hirst, die ook geld voor Livestrong bijeenbrachten. De Tour kwam zelf met een exclusieve collectie Nike- en Livestrong-artikelen.

Zoals eerder het geval was geweest, sloeg Nike munt uit Armstrongs negatieve bekendheid. In een tv-spot was Armstrong te zien tijdens een eenzame trainingsrit op de fiets, afgewisseld met beelden van herstellende kankerpatiënten. Tegen een achtergrond van dramatische muziek zegt Armstrong: 'Volgens de critici ben ik arrogant. Een dopinggebruiker. Verslagen. Een bedrieger. Kon ik het niet loslaten. Ze kunnen zeggen wat ze willen. Ik ben niet voor hen weer op de fiets gestapt.'

Toen Armstrong in oktober 2008 met zijn nieuwste vriendin Anna Hansen, een mountainbikester, in een café in West-Texas zat, las hij daar een artikel van het Franse persbureau France Press dat aan zijn comeback was gewijd. Het stuk refereerde aan een hoofdartikel van Jean-Marie Leblanc, voormalig directeur van de Société du Tour de France. Waarom, vroeg Leblanc zich af, zou Armstrong de wielersport willen onderwerpen aan de vragen die bij zijn terugkeer zeker zouden worden gesteld?

'Wij ex-renners hebben over het algemeen respect voor winnaars, maar dat geldt niet altijd voor het publiek en vooral niet voor de media, die zware verdenkingen tegen je koesteren [...] De honden zullen worden losgelaten, er zullen columns worden volgeschreven, er zullen beelden worden herhaald en er zal een debat losbranden over dat ene woord dat onze passie de afgelopen tien jaar in zijn greep heeft gehad: doping.'[10]

De moed zonk Armstrong in de schoenen. Leblanc vertelde hem in feite dat een comeback een rampzalige zet zou zijn. Armstrong dacht: wil ik weer met al die onderzoeken worden geconfronteerd? Wil ik het noodlot op de proef stellen? Natuurlijk had hij eerder ook wel over deze nadelen nagedacht, maar om de een of andere reden hadden Leblancs woorden hem diep geraakt. Sinds hij zijn comeback bekend had gemaakt was hij pas één keer door het USADA gecontroleerd, maar zijn instinct zei hem dat hij voorzichtig moest zijn, dat hij misschien te veel risico nam, precies waarvoor Korioth hem had gewaarschuwd. Het begon tot hem door te dringen: Sommige mensen zullen niet rusten totdat ik afgeserveerd ben.

Hij wendde zich tot Hansen: 'Ik moet hier onderuit komen.'

Ze gingen pas heel kort met elkaar om. Zij had er geen benul van waarover hij het had.

'Waar moet je onderuit?'

Armstrong legde haar uit wat er aan de hand was en sprak er op zorgelijke toon over. Hij begon excuses te bedenken om zich terug te trekken, zoals 'Ik heb mijn knie geforceerd' of: 'Ik heb een pijnlijke knie' of: 'Toen ik vanmorgen wakker werd, zeiden mijn kinderen: "Begin er niet aan".'

Maar de exclusieve Livestrong-kleding en -schoenen van Nike waren al in productie en zijn liefdadigheidsorganisatie was opgetogen omdat er waarschijnlijk miljoenen dollars meer dan anders zouden binnenkomen. Fans van overal ter wereld stuurden hem berichtjes waarin hij werd geprezen vanwege zijn comeback en zijn publiekelijk uitgesproken doel om zijn boodschap over kanker voor een mondiaal publiek uit te dragen. Hij zou alleen niet in Frankrijk koersen. Hij zou koersen in Australië, Zuid-Afrika en Ierland.

Later vertelde hij me dat dit nieuwe hoofdstuk in zijn leven flink op gang begon te komen en dat hij er niet zomaar de brui aan kon geven, en wel omdat iedereen toekeek.

'Daar had ik de moed niet voor,' zei hij.

Op een door honderden journalisten bijgewoonde persconferentie die voorafging aan de Ronde van Californië – de eerste Amerikaanse wedstrijd na Armstrongs comeback – gedroeg hij zich even uitdagend als in 2005 op de Champs-Élysées, waar hij zei dat hij te doen had met iedereen die niet in de wielersport geloofde.

Hij was door journalisten fel bekritiseerd omdat hij niet had deelgenomen aan het zes maanden durende UCI-controleprogramma buiten het wedstrijdseizoen. Toen hij in januari had deelgenomen aan de Tour Down Under, had hij iets minder dan een maand achterstand. De UCI liet hem echter toch meedoen.

Hij werd bekritiseerd omdat hij lovend had gesproken over de verdiensten van zijn onafhankelijke testprogramma, dat zou worden geleid door de tegen doping gekante wetenschapper Catlin, maar dat nog helemaal niet van de grond was gekomen. Catlin vertelde mij dat Armstrong bezwaar had gemaakt tegen de logistiek en de kosten van het programma.

Op de persconferentie die aan de Ronde van Californië voorafging, bracht één vraag hem van zijn à propos. Paul Kimmage, een voormalig profwielrenner die als verslaggever van *The Sunday Times* recentelijk een journalistieke prijs had gewonnen, vroeg Armstrong waarom hij vond dat Landis en de Italiaan Ivan Basso na hun straf wegens dopinggebruik te hebben uitgezeten weer in de sport moesten worden verwelkomd.

'Wat hebben die dopinggebruikers toch dat u hen zo lijkt te bewonderen?' vroeg Kimmage.

Armstrong herkende Kimmage, een uitgesproken tegenstander

van dopinggebruik en de auteur van het boek *Rough Rider*, dat was gewijd aan de dopingcultuur in de sport. Stapleton en Mark Higgins, Armstrongs persoonlijke PR-adviseur, hadden gezien dat Kimmage bij de persconferentie op de voorste rij was gaan zitten en hadden Armstrong gewaarschuwd dat hij op zijn tellen moest passen.

Armstrong antwoordde Kimmage alsof hij zijn reactie had ingestudeerd.

'Toen ik besloot mijn comeback te maken om wat naar mijn idee een hele nobele reden is, zei u: "De kanker is nu vier jaar weggebleven, maar onze kanker is nu teruggekeerd", waarmee u mij bedoelde. Ik ben hier om deze ziekte te bestrijden. Ik ben hier zodat ik er niet meer mee te maken krijg, u er niet mee te maken krijgt en mijn kinderen er niet mee te maken krijgen.'

Vervolgens zei hij tegen Kimmage: 'Met zo'n uitspraak bent u de stoel waarop u zit niet waard.'

Het seizoen was pas net begonnen.

Toen Landis' schorsing was afgelopen, kon hij geen werk vinden. Zelfs Vaughters die met hem bevriend gebleven was, zei nee tegen hem. 'Ik zou Floyd vertrouwen als oppas voor mijn zoontje, en dat kan ik maar van heel weinig wielrenners zeggen,' verklaarde Vaughters. 'Als hij geld nodig heeft zal ik het hem lenen, maar ik kan hem niet aannemen als wielrenner.'

Uiteindelijk tekende Landis bij een minder vooraanstaande ploeg, het uit de VS afkomstige OUCH-team. Terwijl hij aan onbelangrijke wedstrijden meedeed, keerde Armstrong terug in de Tour, waar hij door duizenden mensen hartelijk welkom werd geheten. Een boer plaatste zelfs een bord voor zijn korenveld met de woorden: '*Armstrong: Pourquoi pas?*' ('Armstrong: Waarom niet?')

Ook al was Armstrong bijna vier jaar uit de sport geweest, hij reed briljant. Met zijn Spaanse ploeggenoot Alberto Contador streed hij om het kopmanschap van de Astanaploeg. De elf jaar jongere Contador won die strijd, maar Armstrong toonde zijn kracht door tientallen jongere renners te kloppen. In een etappe met de finish op de legendarische Mont Ventoux eindigde hij als vijfde.

Hoewel Contador beter bleek te zijn, was Armstrong een serieuze tegenstander, die op een gegeven moment slechts twee tienden van een seconde op de drager van de gele trui achterlag. Aan het einde van de ruim 3.450 kilometer lange wedstrijd finishte hij als derde achter de zegevierende Contador. In de lange geschiedenis van de Tour was Armstrong de op een na oudste renner die in de top drie finishte.

*L'Équipe*, de krant die zo veel dopingverhalen over hem had gepubliceerd, plaatste de kop: '*Chapeau, Le Texan*', (hoed af voor de Texaan). De Franse president Nicolas Sarkozy was enthousiast over hem en zei dat hij 'in vijf minuten (in de Tour) meer had gedaan dan zijn PR-team in tien jaar'.[11] Aan het einde van de Tour maakte Armstrong bekend dat hij een eigen ploeg begon, die door RadioShack zou worden gesponsord. In het seizoen 2010 zou hij zelf kopman zijn.

Landis was jaloers op Armstrong. Nadat zijn dopingstraf was beëindigd, had Landis Armstrong bedreigd met chantage als hij hem geen baan in de wielersport zou bezorgen.[12] Toen die baan er niet kwam, was hij zo verbitterd dat hij andere voormalige renners van Postal Service begon te bedreigen, met de woorden dat hij hen als dopinggebruikers aan de schandpaal zou nagelen.[13] Als hij moest lijden omdat hij doping had gebruikt, zouden anderen ook moeten lijden.

In 2008 vertelde hij Zabriskie dat hij van plan was de alom bewonderde Hincapie te ontmaskeren. Aan de vooravond van de legendarische wedstrijd Parijs-Roubaix belde Zabriskie Hincapie op.

'Floyd zegt dat hij vanwege jou de politie gaat bellen en dat de politie je bij de finish zal opwachten,' zei Zabriskie. 'Ik zou dit liever niet hebben verteld, maar ik denk dat het hem ditmaal menens is…'

Hincapie was zo van zijn stuk gebracht dat hij als negende over de eindstreep kwam, met meer dan vijf minuten achterstand in een wedstrijd waarbij hij als favoriet was gestart.

Landis had het er ook over dat hij over het dopinggebruik in de Postal Service-ploeg een videofilm zou maken die hij op YouTube wilde zetten. Dat dreigement trok de aandacht van Tiger Williams, een van de financiers op Wall Street die de Postal Service-ploeg al vroeg had ondersteund.

Williams was aanvoerder geweest van de ijshockeyploeg van de Yale-universiteit, had als wielrenner aan wedstrijden meegedaan en had geïnvesteerd in Tailwind Sports, de managementfirma die eigenaar van de Postal Service-ploeg was. Hij schonk ook grote bedragen aan de Lance Armstrong Foundation en aan het Floyd Fairness Fund, een fonds dat Landis bijstond bij de betaling van de 2 miljoen dollar aan advocatenkosten die hij in de juridische strijd rond zijn eigen dopingzaak had moeten maken.

Williams vond aanvankelijk geen bevestiging dat Armstrong doping had gebruikt. Hij had Vaughters telkens weer gevraagd of er in de ploeg doping werd gebruikt, maar Vaughters gaf hem nooit een direct antwoord.

Williams zat er in 2009 erg mee dat Landis geen werk had. Hij had de geruchten gehoord dat Landis het dopinggebruik in de sport aan de kaak zou stellen als hij werkloos bleef.[14] Dat was de reden waarom e-Soles, een bedrijf waarvan Williams mede-eigenaar was en dat inlegzolen voor sportschoenen verkocht, 200.000 dollar aan sponsorgeld voor Landis' OUCH-ploeg op tafel legde.[15] Landis vertelde hem spoedig daarna over het dopinggebruik bij de Postal Service-ploeg.

'We kunnen niet tolereren dat Floyd een ongeleid projectiel blijft,' schijnt Williams begin 2009 aan een vriend verteld te hebben.[16] 'We betalen hem om hem onder controle te houden.' Williams was dik geweest met Armstrong, in elk geval op het zakelijke vlak. Hij had eens 1 miljoen dollar aan Armstrongs stichting beloofd voor het gebruik van het Livestrong-logo op de binnenzolen die door zijn bedrijf werden gemaakt. Maar in april 2009 hoorde Williams dat die deal van de baan was. Hij vernam dat Nike, de hoofdsponsor van de stichting, eruit was gestapt.

Toen Williams vroeg wat er was gebeurd, reageerde Armstrong met een e-mail: 'Eerlijk gezegd, en ik zeg je dat als goede vriend, heb ik geen zin om dit nu op te lossen. Ik ben bang dat jullie het zullen moeten uitzoeken. Het is misschien een goede oplossing – voor wat het waard is – dat ik jullie al jullie geld terugstort en dat we allemaal gewoon verder gaan.'[17]

Williams had slechts een deel van het beloofde geld uitbetaald. Toch weigerde de stichting volgens Armstrong dat bedrag terug te geven en deelde ze Williams mee dat aan schenkingen geen voorwaarden mochten zijn verbonden.[18] Williams was blijkbaar hels en zwoer dat hij Armstrong aan zou pakken nu hij zich uit de deal met e-Soles terugtrok.[19] George Hincapie, die Williams al jaren kende, voorzag dat het nu helemaal misging. 'Nooit van mijn leven zou ik Tiger Williams tegen me willen hebben.'

Kort daarop zei Williams naar verluidt tegen een vriend: 'Maak je borst maar nat, Big Texas gaat voor de bijl.'[20]

Armstrong had geen idee van wat hem te wachten stond. Hij had het druk en genoot van alle ophef rond zijn comeback-jaar. In oktober 2009, bij de jaarlijkse Ride for the Roses in Austin, kwamen talloze fans om met hem mee te fietsen, Livestrong te steunen en Armstrongs terugkeer in de wielersport te vieren.

Tot hen behoorde ook Terry Armstrong, Lance' adoptievader. In de jaren na zijn scheiding van Lance' moeder was hij christen geworden, vast in de leer. Omdat het hem diep speet hoe de relatie met zijn zoon in rook was opgegaan, reed hij van zijn woning in een voorstad van Dallas naar Austin om zijn zoon om vergiffenis te vragen voor de pijn die hij hem en zijn moeder lang geleden had bezorgd.

Bij de Ride for the Roses kwam hij op de eindstreep vlak bij zijn zoon, zo dichtbij dat hij zijn arm kon aanraken en riep: 'Lance Edward!'

Armstrong vroeg Stapleton om hem door de politie te laten afvoeren.

In het najaar van 2009 nam Landis voorafgaand aan de Ronde van Missouri Zabriskie in vertrouwen. Hij was geëmotioneerd. Hij zei dat hij een vreselijke man was geworden en zich geen raad met het leven wist. Zijn huwelijk was kapotgegaan. Hij was uit zijn grote huis in Temecula in de staat Californië getrokken en woonde nu in een kleine, primitieve hut in Idyllwild, een afgelegen stadje in het San Jacinto-gebergte. Hij was dol op de wielersport, maar hij was erin vastgelopen. Hij wilde weer in Europa gaan koersen. Die kans verdiende hij toch? Hij had die klote-Tour de France gewonnen, toch? Hij had zich jarenlang gehouden aan de zwijgplicht die in de wielersport bestond, of niet soms?

'Weet je nog waar we het toen in ons appartement in Girona over hebben gehad?' vroeg Zabriskie. 'Als we ooit gepakt zouden worden, dan zouden we er niet omheen lullen, maar dan zouden we er eerlijk over zijn. Dus man, misschien moest je het maar toegeven?'

Zabriskie was dan ook niet verrast toen hij in het voorjaar van 2010 een sms van Landis kreeg. Landis verontschuldigde zich daarin voor wat hij op korte termijn ging doen. Hij zou over alles en iedereen de waarheid vertellen. Hij zei dat hij tegen het USADA zou vertellen dat hij, Armstrong en andere Amerikaanse toprenners stimulerende middelen hadden gebruikt en bloedtransfusies hadden gekregen.

'Man, kun je mij er niet buiten laten?' vroeg Zabriskie. 'Speelt dit niet alleen tussen jou en Lance?'[21]

'Nee, het spijt me, man, het spijt me.'[22]

Landis voelde zich veilig genoeg om zich zo te manifesteren, want hij had de steun van Tiger Williams. Landis hoefde zich geen zorgen te maken over geld of huisvesting. Willams had in Manhattan een woning bij Central Park South en bezat in Connecticut een pension.

Voor Williams betekende hulp verschaffen aan Landis een win-winsituatie.[23] Zo zou hij zich op Armstrong kunnen wreken omdat die zich niet had gehouden aan de overeenkomst die Williams samen met e-Soles met de Lance Armstrong Foundation dacht te hebben gesloten. Eerder had Williams ontkend dat hij door wraak gemotiveerd was geweest.[24]

Op dat tijdstip had Landis een onbegrijpelijke reeks teksten van Led Zeppelin naar Vaughters gemaild: regels waar de ellende en de verwarring vanaf dropen. Hij zei dat hij op het punt stond om alles wat hij zo lang binnen had gehouden eruit te gooien. 'Ik kan hier niet mee leven,' deelde hij Vaughters mee. 'Ik kan niet met dit geheim leven.'

Vaugthers hoorde hoe somber Landis' stem klonk.

'Ik kreeg het gevoel dat hij zelfmoord ging plegen,' zei hij. 'Of dat hij alles ging vertellen.'

In het voorjaar van 2010 verstuurde Landis elke nacht e-mails naar Armstrong, waarin hij hem tergde met de plannen die hij spoedig wilde uitvoeren en hem probeerde te prikkelen iets te doen om dat te verhinderen. Landis verstuurde ze na middernacht tijdens de Ronde van de Gila, een etappekoers door Nieuw-Mexico waaraan ze allebei deelnamen. Tijdens de wedstrijd sprak Landis geen woord tegen Armstrong. Armstrong kreeg er koude rillingen van.

Een week eerder had Armstrong een telefoongesprek afgeluisterd tussen Zabriskie en Johan Bruyneel, de voormalige ploegleider van de Postal Service-ploeg.[1] Zabriskie had Bruyneel gebeld om hem te waarschuwen vanwege Landis' plannen om alles op te biechten.

Nog nooit was Armstrong zo gespannen geweest. Landis zei weliswaar al heel lang dat hij zijn dopingverhalen in de openbaarheid zou brengen, maar deze keer leek het hem menens te zijn. Terwijl hij Armstrong pestte, daagde hij Steve Johnson, de voorzitter van usa Cycling, uit om op te treden.[2] Op vrijdag 30 april 2010, om negentien minuten over vijf en na afloop van de derde etappe van de vijfdaagse Ronde van de Gila, stuurde Landis Johnson een mailtje met als onderwerpregel: 'in deze [mail] wordt niemand gespaard, en dus zul jij kleur moeten bekennen [...]'

In dat ene mailtje, waarin de extremen werden opgesomd van het vermeende dopinggebruik bij Postal Service en andere profploegen, noemde Landis bijna alle Amerikaanse toprenners en verschillende wieler-officials. Het las als een beschrijving van een drugsbende.

Landis beweerde dat Bruyneel hem in 2002 had geleerd hoe hij de testosteronpleisters moest gebruiken. Hij schreef dat Armstrong hem voor de ogen van Armstrongs vrouw een doos pleisters had gegeven, dat Ferrari bloed bij hem had afgenomen dat tijdens de Tour via een infuus weer moest worden ingebracht. Hij beweerde ook dat Armstrong hem had verteld dat hij een financiële overeenkomst met de voormalige UCI-voorzitter Hein Verbruggen had gesloten om te verbergen dat hij positief was bevonden op epo.

Er waren nog meer beschuldigingen: in 2003 had Armstrong Landis gevraagd om een oogje op Armstrongs bloed te houden terwijl hij de stad uit was. Landis moest ervoor zorgen dat de temperatuur in Armstrongs koelkast niet fluctueerde, zodat het daar opgeborgen bloed goed zou blijven.

Tijdens de Tour van 2003 kreeg Landis net als renners als Hincapie en Armstrong een bloedtransfusie. De ploegarts gaf Hincapie en hem testosteronolie. Landis heeft ook beweerd dat Bruyneel hem later tijdens dat seizoen opdracht heeft gegeven om epo bij Armstrong te halen, die gehoor gaf aan het verzoek. Hij heeft eveneens gezegd dat Bruyneel aan Landis heeft uitgelegd hoe je groeihormoon moest gebruiken, en dat Landis dit bij de trainer Pepe Martí heeft gekocht. Twee van Landis' ploeggenoten bij Postal Service, de Australiër Matthew White en de Canadees Michael Berry, deelden hun testosteron en hun epo met anderen.

In de e-mail schreef Landis ook dat hij en enkele ploeggenoten in de Tour van 2004 tijdens een busrit naar het hotel van de ploeg op een bergweg een bloedtransfusie hadden gekregen. In 2005 nam Landis Lim in dienst om transfusies te prepareren en het bloed koel te houden. Landis diende de transfusies bij zichzelf en Leipheimer persoonlijk toe.

Landis heeft beweerd dat hij Andy Rihs, de eigenaar van de Phonak-ploeg, in 2006 heeft verteld dat hij geld voor doping nodig had en dat Rihs dit gegeven heeft. (Rihs ontkent dit.)[3]

Daarna vertelde Landis aan Johnson dat hij in agenda's over 'nog heel veel details' beschikte. Hij sloot af met een onheilspellende regel: 'Je kunt nog veel andere details verwachten, zodra je laat zien dat je te vertrouwen bent en juist zult handelen.'

Landis waarschuwde de anderen dat hij een bom ging afwerpen – en gauw ook. Hij schreef aan Andrew Messick, de wedstrijdleider van de Ronde van Californië; aan Stapleton, de agent die de uitspraak had gedaan dat de Postal Service-ploeg 'hem kon helpen met meer doping';[4] aan UCI-president Pat McQuaid en verder aan een handjevol sponsors van wielerploegen. Vervolgens schreef hij weer aan Armstrong: 'Ik kom alleen uit de kast en zeg rechtstreeks dat ik jou en onze ex-ploeggenoten ga beschuldigen van het gebruik van bloeddoping en prestatiebevorderende middelen die jou moesten helpen de drie Tours de France te winnen die wij samen hebben gereden. Vergis je daarover niet.'

Hij noemde het dopinggebruik van deze ploegen 'bedrog gepleegd tegen het publiek' en zei dat Armstrong hem niet kon intimideren.

'Mijn enige doel bij het inlichten van het publiek en de pers over deze kwesties is dat ik een zuiver geweten wil hebben en daarna 's nachts weer wil kunnen slapen,' schreef Landis. 'Ik ben me zeker bewust van het feit dat de gedachte aan dit alles jou en vele anderen een aanzienlijke angst zal inboezemen en kan me inleven in jullie reactie, maar ik moet jullie eraan herinneren dat ik niet goed reageer op dreigementen en intimidaties. Ik zie deze zaak niet goed aflopen zolang dat door blijft gaan.'

In april 2010 maakte Floyd Landis met wedstrijdleider Messick een lunchafspraak in het chique restaurant The Farm of Beverly Hills, dat in het centrum van Los Angeles lag. Er was sinds het einde van Landis' schorsing ruim een jaar verstreken.

Hij mocht Messick en wilde hem waarschuwen dat de wielersport op het punt stond te imploderen, misschien al binnen een maand, misschien zelfs al in mei, tijdens Messicks Ronde van Californië. Hij zette een bandrecorder op de lunchtafel neer en drukte de opnameknop in. Hij wilde bewijs hebben dat hij aan een autoriteit in de wielersport de waarheid over zijn dopinggebruik had verteld.

'Ik heb in grote lijnen gedurende mijn hele carrière als prof prestatiebevorderende middelen gebruikt,' zei hij. 'Ik kan de waarheid niet meer voor me houden. Ze komt naar buiten, en gauw ook.'[5]

Messick was met stomheid geslagen. De man die een boek had geschreven met de titel *Positively False: The Real Story of How I Won the Tour de France* – een verhaal over de schone zege van Landis, ook al was hij bij de dopingcontrole positief bevonden –, gaf nu toe dat hij vier jaar lang publiekelijk had gelogen? De man die had uitgeschreeuwd dat hij onschuldig was en om geld voor zijn verdediging had gebedeld, kwam nu vertellen dat zijn versie van zijn verhaal feitelijk onjuist was?

'Waarom verwacht je dat de mensen je zullen geloven als je zo lang hebt gelogen?' vroeg Messick. 'Heb je het aan je moeder verteld? Heb je het aan Travis Tygart verteld?'

Dat had hij niet gedaan. Om het verhaal aan zijn moeder te vertellen had Landis meer moed nodig dan hij kon opbrengen. En Tygart, die hem in 2007 een wedstrijdverbod van twee jaar had opgelegd, was geen man van wie Landis hulp kon verdragen. (Landis zei dat hij in twee jaar tijd 2 miljoen dollar aan zijn verdediging had uitgegeven,[6] inclusief ten minste 478.354 aan giften,[7] afkomstig van 1765 donateurs.)

Hoewel Landis niets over Armstrong kwijt wilde, vertelde hij aan Messick dat alle veteranen in de sport hun zwijgplicht 'de omerta' noemden.

'Als je lid van de maffia bent en in de gevangenis belandt, houd je je mond en ontfermt de organisatie zich over je familie,' zei Landis.[8] Maar in de wielersport bestond er volgens hem niet zo'n erecode. 'Er wordt van je verwacht dat je na een positieve controle je mond houdt, maar je wordt wel een verschoppeling. Iedereen keert je de rug toe.'

In het verleden hadden wielrenners de omerta weleens geschonden, maar niemand van hen was zo'n vooraanstaande figuur als Landis. Zelfs Frankie Andreu, die vier jaar eerder over de sport uit de school had geklapt, was niet meer dan een knecht.

In het voorjaar van 2010 had de Oostenrijker Bernhard Kohl toegegeven dat hij gedurende zijn hele carrière doping had gebruikt, en verklaard dat 'het zonder doping onmogelijk is om te winnen'.

Hij was in de Tour van 2008 derde geworden, maar dat resultaat was hem afgenomen omdat hij tijdens de ronde bij een controle positief was bevonden. Volgens hem was het gemakkelijk om de controles te ontwijken: 'Ik ben tijdens mijn carrière tweehonderd keer gecontroleerd, en daarbij had ik honderd keer stimulerende middelen in mijn lijf,' vertelde hij mij in 2010. 'Ik liep tegen de lamp, maar 99 keer was dat niet het geval.'

In 2004 had de Spaanse renner Jesús Manzano het systematische dopinggebruik in de Kelme-ploeg aan de kaak gesteld. Later gaf hij toe dat een ploegarts hem in de Tour van 2003 het veterinaire middel Oxyglobin had gegeven[9]: hemoglobine van runderen die wordt voorgeschreven aan honden die lijden aan bloedarmoede. Nadat Manzano dit middel had genomen, zakte hij tijdens een etappe in elkaar en moest hij per helikopter naar een ziekenhuis worden gebracht.

De onthullingen over de schaduwzijde van de wielersport waren niet zomaar spaken in het dubieuze wiel van Lance Armstrong. Maar de Amerikaanse wielersport stond op het punt een krachtige dosis waarheid toegediend te krijgen, misschien pas voor de allereerste keer. En Landis was de punt van de injectienaald. Hij was aan zijn lot overgelaten door alles en iedereen die voor hem wat had betekend: zijn sport, zijn vrouw, zijn schoonvader en het merendeel van zijn ex-ploeggenoten. De waarheid, vertelde hij Messick, was alles wat hem nog restte.

Ongeveer een week voor de start van de Ronde van Californië werd Tygart door Landis gebeld. Ze spraken af elkaar enkele dagen later in het Marriott Hotel bij de luchthaven van Los Angeles te zullen ontmoeten. Tygart wist wat hij kon verwachten. Hij was van de voornaamste aspecten van Landis' dopinggebruik op de hoogte dankzij Daniel Eichner, een aan het USADA verbonden wetenschapper die twee weken daarvoor van de bijzonderheden van Landis' dopinggebruik op de hoogte was gebracht door een dopingbestrijder die door Landis als bemiddelaar in de arm was genomen.

Na de lunchafspraak met Messick in Los Angeles had Landis graag met het USADA willen praten – hij wilde echter niet meteen tegenover Tygart bekennen omdat ze tijdens Landis' dopingzaak zo'n moeizame verhouding hadden gehad. Toen hij Eichner zijn wandaden uit de doeken had gedaan, was dat de eerste stap geweest op weg naar volledige openheid.

Terwijl Landis en Tygart in een vergaderruimte van het Marriott Hotel tegenover elkaar zaten, waren ze allebei op hun hoede. Voor de opbouw van wederzijds vertrouwen was tijd nodig.

'Als ik bereid ben de waarheid op tafel te leggen, doen jullie dan wat ieder ander zou doen, of doen jullie je werk?' vroeg Landis.[10]

Tygart was verbaasd over zo veel scepsis. Nadrukkelijk keek hij Landis recht in de ogen. 'We doen ons werk en gaan verder met het bewijsmateriaal dat ons wordt voorgelegd. Dat wil zeggen: als jij ons de waarheid vertelt.'

En dus vertelde Landis de waarheid. Met Tygart en Novitzky zat hij die dag zes uur lang om de tafel en de volgende dag nog eens twee uur. Landis gaf bijzonderheden over zijn eigen dopinggebruik, Armstrongs dopinggebruik en het dopinggebruik van andere renners. Tygart probeerde zijn mond niet te laten openvallen van verbazing.

'We deden het allemaal, Lance, ik, alle andere jongens uit de ploeg, iedereen gebruikte doping,' beweert Landis. 'Het was gewoon een onderdeel van de sport.'[11]

'Nou, we gaan proberen daarin verandering te brengen,' zei Tygart. 'Het is erg moedig van je dat je hiermee naar buiten komt. Ik weet hoe moeilijk het voor één persoon is om de waarheid te vertellen. In de pers word je genadeloos onderuitgehaald.'

Landis gaf geen namen van de andere renners die doping hadden gebruikt – alleen Armstrong werd met name genoemd. Zabriskie ging vooralsnog vrijuit. Landis deed zijn best om Tygart ervan te overtuigen dat zijn vrienden – 'de mannen die een zuiver geweten willen hebben'[12] – niet voor hun bekentenissen moesten worden gestraft. Armstrong kende hij geen plaats in die categorie toe.

Na de ontmoeting nam Tygart contact op met zijn oude vriend Jeff Novitzky, een kaalhoofdige, ruim twee meter lange opsporingsambtenaar van de keuringsdienst van voedsel en medicijnen die naam had gemaakt als de beste dopingbestrijder van het land. Tygart vertelde hem dat Landis gevoelige informatie bezat over het dopinggebruik van Armstrong en zijn Postal Service-ploeg en stelde voor Landis gezamenlijk aan een verhoor te onderwerpen.

Novitzky had een hoofdrol gespeeld in de zaak rond de BALCO-steroïden, waarbij topsporters als honkballer Barry Bonds en sprintster Marion Jones waren betrokken. (Allebei werden ze veroordeeld voor misdrijven die voortkwamen uit hun dopinggebruik.) Tygart en hij hadden in die zaak nauw samengewerkt en tevens met elkaar in contact gestaan over het dopingprobleem in de wielersport en andere takken van sport.

Toen Tygart hem over Landis op de hoogte stelde, deed Novitzky al onderzoek naar het gebruik van prestatiebevorderende middelen in de wielersport. Zijn onderzoek was op gang gekomen door de dopingzaak van een zekere Kayle Leogrande, een middelmatige wielrenner die wat epo had achtergelaten toen hij zijn appartement in Zuid-Californië verliet. De verhuurster had daarom de keuringsdienst gebeld. Novitzky hield zich met deze zaak bezig en greep daarom de kans om te horen wat Landis te vertellen had met beide handen aan.

Begin mei kwamen de drie mannen bijeen in het Marriott Hotel in Marina del Rey, niet ver van de luchthaven van Los Angeles. Landis was tevens in gezelschap van Brent Kay, zijn arts, omdat die zich door Armstrong bedreigd voelde als gevolg van de e-mails die ze met elkaar hadden gewisseld.

Landis herinnerde zich het ene detail na het andere[13] en gaf Tygart en Novitzky zijn agenda, waarin hij zijn dopingschema's in code had genoteerd. Hij wilde grondig te werk gaan. En hij wilde niet meer liegen.

Naarmate de Ronde van Californië, de meest prestigieuze wieler-koers van de vs, naderbij kwam, werd Armstrong steeds nerveuzer. Hij vroeg Kay Landis over te halen om op zijn vendetta terug te ko-men. Landis was echter koppig, zelfs toen hij hoorde dat Stapleton zich opmaakte om hem kapot te procederen. De machtsverhoudin-gen waren veranderd. Landis was nu de bullebak.

'Zien jullie al die beveiligers?' vroeg Armstrong aan zijn voorma-lige ploeggenoten Hincapie, Leipheimer en Zabriskie toen ze zich verzamelden voor een persconferentie die aan de Ronde van Cali-fornië voorafging.[14] 'Ik heb die lui laten komen. Ik ben bang. Ik ben bang voor Floyd. Hij stuurt me bijvoorbeeld foto's toe waar hij zelf met een vuurwapen op staat. Die klootzak gaat mij neerschieten.' Eind 2013 vertelde Landis mij dat hij zich niet kon herinneren Arm-strong een dergelijke tekst te hebben toegestuurd.

Vier dagen na de persconferentie werden Landis' dopingbe-kentenis en zijn beschuldigingen dat anderen eveneens doping hadden gebruikt, openbaar gemaakt. Dankzij Tiger Williams, de mentor van Landis die een wrok tegen Armstrong koesterde,[15] verscheen de inhoud van verschillende e-mails die Landis aan Armstrong en hooggeplaatste wielerofficials had gestuurd – ook het berichtje aan Johnson over het noemen van alle namen – op 19 mei enkele uren voor middernacht op de website van *The Wall Street Journal*. De volgende dag zou de vijfde etappe van de ronde worden verreden.

Armstrong stuurde Hincapie een sms'je. 'Bekijk *The Wall Street Journal* eens. Het zal er morgen stevig aan toegaan.' Vaughters zag het stuk en belde meteen Zabriskie.

Zabriskie belde op zijn beurt Bruyneel, die tegen hem schijnt te hebben gezegd: 'We zijn ingedekt.' Vervolgens rende hij naar Hin-capies hotelkamer toe.

Zabriskie was helemaal van de kaart. 'De FDA heeft me gebeld, die Novitzky die Marion Jones heeft afgehandeld,' zei hij. 'Hij heeft me een boodschap gestuurd, of ik hem alsjeblieft wil bellen.'

Vaughters had een gerucht gehoord dat Novitzky onderzoek deed naar het gebruik van stimulerende middelen in de wielersport. Hij wist dat het nog maar een kwestie van tijd was voordat hij zich op zijn door Garmin en Chipotle gesponsorde ploeg zou richten. Veel renners van deze ploeg hadden in het verleden doping gebruikt. Vaughters had hen met opzet aangenomen en hun taken gegeven waarin ze niet onder druk zouden staan om bedrog te plegen.

Hij nam Zabriskie mee naar zijn hotelkamer en vertelde dat hij hem zou steunen. Als Novitzky kwam, hoefde Zabriskie niet bang te zijn om over zijn ervaring met prestatiebevorderende middelen de waarheid te vertellen. *Je hebt een baan bij ons, ongeacht wat je zegt.*

Vaughters sprak ook met Tom Danielson, een andere Amerikaanse renner die in dezelfde ploeg als Armstrong had gereden, en herhaalde wat hij tegen Zabriskie had gezegd. *Als Novitzky langskomt, wees dan niet bang om hem te vertellen wat je weet. Wij zullen je steunen.*

Vervolgens riep hij zijn ploeg bijeen en instrueerde alle renners om, hoe kwaad ze ook op Landis waren, geen commentaar op de situatie te geven.

'Zeg niet dat Floyd te veel zuipt. Veroorzaak geen media-explosie bij de koers,' zei hij. 'Laten we gewoon de koers uitrijden en bedenken wat we gaan zeggen.'

Die nacht had Armstrong de tegenaanval al ingezet. Om te beginnen nam hij een korte video op die op YouTube werd gezet.

'Ik heb een tamelijk rustige dag gehad,' zei hij, en hij legde uit dat het 'een eer' was om te rijden voor MCA, voor rapper Adam Yauch van de Beastie Boys die tegen kanker streed. Hij zei dat hij in de volgende etappe zou rijden voor LaTrice Haney, een verpleegster van het kankercentrum van de universiteit van Indiana die hem had geholpen zijn kankerbehandeling te doorstaan. Hij noemde haar en haar collega's miskende heldinnen.

'LaTrice was een heel bijzondere vrouw,' zei hij. 'Ze was iemand die voor mij echt de sprong vanuit de verpleegster-patiëntrelatie maakte, ze overschreed die grens en we raakten bevriend.'

De volgende ochtend, amper twaalf uur nadat Landis' mailtjes voor het eerst op het internet waren verschenen, stapte Armstrong uit de bus van de RadioShack-ploeg die bij de startplaats in het Californische plaatsje Visalia stond. Onbewogen bekeek hij de kolkende zee van journalisten.

'Kennelijk heeft iedereen een vraag over Floyd Landis en zijn aantijgingen,' zei hij. 'Ik zou kunnen zeggen dat ik een beetje verrast ben, maar dat ben ik niet. De pesterijen en dreigementen van Floyd zijn een paar jaar geleden begonnen, en in die tijd negeerden we hem meestal. Uiteindelijk heb ik ongeveer een jaar geleden tegen hem gezegd dat hij maar moet doen wat hij niet laten kan.'

Verslaggevers richtten recorders op hem. Boven zijn hoofd hingen de microfoons van televisieploegen. Binnen anderhalve meter van Armstrong stonden maar liefst drie PR-mensen (van Armstrong, van de ploeg en van de Ronde van Californië). Alle drie hadden ze een Livestrong-polsbandje om.

Armstrong zag er zelfverzekerd uit. In agressieve situaties was hij op zijn best. Alsof hij het al duizend keer eerder had gezegd, verklaarde hij dat Landis 'geen bewijzen had. Het is ons woord tegen het zijne. We zijn blij met ons woord. We zijn blij met ons standpunt. We zijn blij met onze geloofwaardigheid'.

Hij zei dat Landis' beschuldigingen bespottelijk waren en vervolgde dat Landis simpelweg uit was op aandacht omdat zijn wielerploeg niet aan de koers deel mocht nemen. Landis is niet te vertrouwen, zei hij. Bedenk dat Landis een boek heeft geschreven waarin niet een van zijn laatste beschuldigingen wordt genoemd. En realiseer je goed, voegde hij daaraan toe, dat Landis 'volgens sommigen een bedrag van bijna een miljoen dollar heeft afgenomen van onschuldige mensen', die een bijdrage hebben gegeven aan het fonds voor zijn verdediging nadat hij in de Tour van 2006 positief was bevonden.

Een journalist vroeg of hij gerechtelijke stappen tegen Landis wilde ondernemen. 'Dat hoef ik niet meer te doen,' zei Armstrong. 'Ik moet mijn energie wijden aan Livestrong, mijn ploeg en mijn kinderen.'

Een andere journalist vroeg: 'Dus Lance, jij hebt nooit geld aan de UCI gegeven?' 'Absoluut niet,' antwoordde hij. Hij grinnikte, maar had zichzelf klemgezet.

'Als je zou zeggen: geef me één woord waarin alles wordt samengevat, dan zou ik geloofwaardigheid noemen,' zei Armstrong. 'Floyd heeft zijn geloofwaardigheid lang geleden al verspeeld. Daarmee vertel ik jullie niets nieuws.' Armstrong rakelde het oude gerucht op dat Landis een foto bezat van de naar verluidt gekoelde motorkoffers waarmee Armstrongs ploeg bloedzakken van de ene Touretappe naar de andere vervoerde. 'Hoe dat zit? Hoe dat zit? Het is allemaal gelul. Het heeft nooit bestaan,' zei Armstrong.

Terwijl de geïmproviseerde persconferentie doorging, werd Armstrong steeds nerveuzer. 'Vanuit ons perspectief hebben we van wat zich bij U.S. Postal en Discovery heeft afgespeeld, in al die Tours, niets te verbergen. We hebben niets waarvoor we op de vlucht moeten,' zei hij. Vervolgens kruiste hij zijn gebruinde, gespierde armen voor zijn borst, zodat de aderen opzwollen.

'Ga je de waarheid vertellen aan federale aanklagers die dit onderzoeken?' vroeg een journalist.

'Absoluut,' zei hij. Hij probeerde te glimlachen, maar het lukte niet.

Toen Armstrong vragen over Novitzky werden gesteld, werd het hem bijna te veel. Hoewel hij als hij sprak meestal gezag uitstraalde, leek het hem zwaar te vallen zijn gedachten te ordenen.

'Als... wat... waarom zou Jeff Novitzky er iets mee te maken hebben, wat prima is... als dat het geval is, zitten we goed, want we zullen dan maar al te graag meedoen,' zei hij. 'Maar waarom zou Novitzky iets te maken hebben met wat een sporter in Europa doet?'

Bruyneel viel Landis die ochtend in de ploegbus, en later in het bijzijn van journalisten, zonder voorbehoud aan.

'Wat een idioot! Floyd, wat een zak is hij toch,' zei Bruyneel.[16]

Vervolgens vertelde hij aan journalisten dat Landis hem, sinds hij positief was bevonden, had 'bedreigd en gechanteerd'. Hij verklaarde dat Landis hem om 'een hoop geld' en een baan had gevraagd. In ruil daarvoor zou hij zwijgen over het dopinggebruik bij Postal Service – die beschuldiging raakte volgens Bruyneel kant noch wal. Hij verklaarde ook dat Landis volgens hem geestesziek was. 'Floyd zou professionele hulp moeten zoeken, en daarmee doel ik niet op advocaten.'

Op de website van de RadioShack-ploeg werd een reeks e-mails geplaatst die zouden aantonen dat Landis' beschuldigingen 'een verontrustende, agressieve en misplaatste poging waren om vermeende kleineringen te vergelden' – onder meer dat RadioShack hem niet wilde aannemen. Volgens een verklaring van de advocaat van de ploeg had Landis Armstrong twee jaar lang bedreigd.

'Omdat Landis geen genoegdoening kreeg en geen positie in de RadioShack-ploeg verwierf, bracht hij zijn dreigement ten uitvoer en verstrekte hij de pers valse beschuldigingen,' luidde de verklaring.

De afzonderlijke renners sloegen een nuchterder toon aan.

'Ik weet niet wat Floyd in zijn hoofd heeft, wat zijn beweegredenen zijn,' verklaarde Vaughters.

Hincapie gaf via zijn ploeg, BMC Racing, een verklaring af dat hij 'erg teleurgesteld' was door Landis' beschuldigingen.

Leipheimer zei dat hij geen idee had waarom Landis hem ergens van zou beschuldigen: 'Ik kan het niet geloven. Hij zei dat we ploeggenoten waren en dingen samen deden. We zijn nooit ploeggenoten geweest. Ik zeg alleen dat het absoluut onwaar is en ik hoop maar dat Floyd hulp krijgt. Volgens mij heeft hij dat nodig.'[17]

Tijdens de eerste opwarmkilometers van de volgende etappe van de Ronde van Californië bespraken de renners de affaire-Landis.

Zabriskie reed naast Armstrong. 'En nu?' vroeg hij, maar hij kreeg geen antwoord. 'Nou?'

'Ze zullen mij van alles vragen, dus daar hoef jij je geen zorgen over te maken,' zei Armstrong. 'Alles zal op mij neerkomen.'[18]

Armstrong gaf Hincapie ervan langs omdat hij zich niet krachtiger tegen Landis had uitgesproken.

'Waarom ontken je niet gewoon?' vroeg Armstrong.[19]

'Volgens mij is dat niet de juiste weg,' zei Hincapie. 'Waarom geef je het niet gewoon toe? Je kunt het vertellen, je bent er dan vanaf, de mensen zullen het je na een poosje vergeven, en dat is het dan.'

Armstrong staarde hem aan. 'Wat moet ik toegeven?'[20]

In die etappe van de Ronde van Californië bereikte het peloton na acht kilometer het stadje Farmersville. Op een weg die door geurige sinaasappelboomgaarden liep, slipte een renner over grind en ging onderuit. Verschillende andere renners, die in zijn kielzog reden, konden hem niet ontwijken. Ook zij kwamen ten val. Een van hen was Armstrong.

Een ogenblik later riep een official over de koersradio: 'Armstrong is gevallen! Armstrong is gevallen!' De grootste ster van de sport lag met gespreide benen op straat. In zijn rood met grijze RadioShack-trui zaten scheuren ter grootte van een twee-euromunt. Vanuit een snijwond onder zijn linkeroog stroomde het bloed langs zijn gezicht.

Samen met een andere medewerker van de ploeg hielp Bruyneel Armstrong overeind. Ze begeleidden hem naar zijn fiets, en de eerstvolgende twaalf kilometer reed Armstrong naast de door Bruyneel bestuurde ploegleidersauto.

'Hoe voel je je?' vroeg de ploegleider. 'Heb je hoofdpijn, of alleen last van je oog?'[21]

'Ik heb godvergeten veel pijn aan mijn gezicht,' zei Armstrong. Hij deed zijn uiterste best om op adem te komen.

Bruyneel zei dat de ploegarts het bloeden kon stelpen. Hij stelde Armstrong voor een middel tegen infecties of een pijnstiller te nemen. Armstrong zei dat hij dacht dat hij een gebroken elleboog had. Doorgaan zou niet meevallen.

'Ik denk niet dat hij gebroken is,' zei Bruyneel.

'Ik kan niet op de trappers staan,' zei Armstrong. 'Ik wil niet…

we moeten een besluit nemen. Ik wil er niet kleinzerig over doen, maar ik kan niet overeind komen. Bij de minste druk wordt het erger, ik word er bijna misselijk van.'

'Laten we het eerst nog even proberen, Lance, om te zien of we moeten stoppen of niet,' zei Bruyneel. 'Laten we kijken hoe het gaat.' Bruyneel stelde Armstrong opnieuw voor om medicijnen te gebruiken. Volgens Armstrong zou dat niet veel uithalen.

Gewond als Armstrong was en terwijl Landis' beschuldigingen nog in zijn hoofd nagalmden, richtte hij bijna een smeekbede tot Bruyneel.

'Ik weet niet wat ik moet doen.'

'Oké, laten we stoppen,' zei Bruyneel.

'Waar ben ik mee bezig? Wat ben ik aan het doen en hoe? Ik denk niet, ik weet niet, ik weet niet meer wanneer ik voor het laatst tijdens een koers ben afgestapt. Waar ben ik mee bezig?'

Ga maar gewoon de berm in, zei Bruyneel. Korte tijd later zat Armstrong in de ploegbus, waar een arts zijn wonden verzorgde voordat hij naar het ziekenhuis zou worden gebracht. Allen Lim, die door Armstrong bij Vaughters was weggehaald en in het seizoen 2010 bijna zes keer zoveel verdiende als voorheen, zat naast Armstrong en zag in zijn ogen tranen schitteren.

'Waarom doe ik dit?' vroeg Armstrong zich af.

Lim had tientallen rijders gezien die net waren gevallen. Hun emoties waren altijd spontaan. Voor het eerst zag hij bij Armstrong verdriet opkomen.

'Waarom doe ik dit in jezusnaam?' vroeg Armstrong zich nogmaals af. 'Ik heb godverdomme zo veel geld dat ik er geen idee van heb wat ik ermee moet doen. Ik heb kinderen die dol op me zijn, die me voortdurend vragen waarom ik dit doe. En ik heb er geen verklaring voor. Waarom doe ik dit?'

'Ik weet het echt niet,' zei Lim. 'Maar, Lance, bekijk het eens zo, maatje. Ik heb je op je gelukkigst gezien – en zo gelukkig heb ik werkelijk nooit iemand anders gezien – toen we eerder dit jaar trainden in Hawaï. Jij had je gezin meegenomen, en je was alleen maar aan het fietsen. Dus als je me vraagt waarom je dit doet en advies van me wil over wat je moet doen, zou ik zeggen: "Haal je gezin op, vlieg met zijn allen naar Hawaï en ga gewoon een eind fietsen. Ga gewoon een eind fietsen en hou je met dit alles niet meer bezig." Dit alles? Dit is belachelijk.'

# DEEL VI

## De waarheid

## 21

De eeuwige fluisterpraatjes over de Tour de France groeiden uit tot een publiek protest. Lange tijd kon het Amerikanen niet schelen wat wielrenners zichzelf of hun sport aandeden. Het was een merkwaardige onderneming: mannen in felgekleurde, strakke kleding die op de fiets langs ongeïnteresseerde koeien snelden en door smalle dorpsstraten in, nota bene, Frankrijk raasden. Met elke nieuwe Tourzege die hij behaalde, wist Lance Armstrong daarin verandering aan te brengen. Texas viel voor de Tour de France, en dus deed de Amerikaanse sportjournalistiek hetzelfde. Voordat Landis' beschuldigingen in de openbaarheid kwamen, was Armstrong uitgegroeid tot een symbool van overleving en overwicht. Hij zou maar een paar uur nodig hebben om te transformeren in het beruchtste voorbeeld van bedrog in de Tour.

Frankie Andreus bekentenis dat hij epo had gebruikt om in Armstrongs ploeg te kunnen rijden verscheen op de voorpagina van *The New York Times*, en stond niet op zichzelf: Vaughters, die ook voor Armstrong had gereden (maar die in het artikel anoniem bleef), verklaarde dat hij ook doping had gebruikt. Volgens Stephen Swart, een voormalig Motorola-renner, had Armstrong zijn ploeggenoten ertoe overgehaald om epo te gebruiken. De hardste klap die Armstrong ooit door een oud-ploeggenoot was toegebracht, was afkomstig van Floyd Landis. Hij was een trouwe knecht van Armstrong geweest, die de eerste Tour na Armstrongs terugtrekking had gewonnen en die zijn zege alweer kwijt was voordat hij ieders aandacht op zich wist te vestigen met de simpele boodschap dat de hele sport een schertsvertoning was.

Volgens Armstrong was hij een leugenaar. Johan Bruyneel, Armstrongs ploegleider, sloot zich daarbij aan. Hetzelfde gold voor andere ex-ploeggenoten van Armstrong: Levi Leipheimer en Michael Barry, de Canadees die samen met Zabriskie in 2003 voor het eerst epo gebruikte. Pat McQuaid, het hoofd van de internationale wielerorganisatie, sprak de beladen woorden 'schandalig', 'schadelijk' en 'verrader' en vertelde me vervolgens dat hij met Landis te doen had. Hij noemde de onthullingen 'de laatste actie van een wanhopige man' en zei: 'Het is betreurenswaardig. Hij heeft zich tegen ons gekeerd.' Wielerliefhebbers in shirts van Armstrongs RadioShack-ploeg confronteerden Landis met posters waarop zijn naam stond naast een afbeelding van een dreigende zwarte rat.

Jonathan Vaughters was iemand die de waarheid kende. Toen hij zag hoe Floyd Landis werd belasterd, besefte hij dat het tijd was om uit de kast te komen – definitief en officieel. Hij wist echter ook dat andere renners samen met hem moesten bekennen dat ze doping hadden gebruikt, en dat ze wisten dat Armstrong en andere renners van de Postal Service-ploeg dat ook hadden gedaan. Hij bracht de kwestie niet zozeer als een aanval op Armstrong, als wel als een pleidooi voor zijn goede vriend Landis.

Vaughters verklaarde: 'Het is bijna alsof je zegt: "Sorry Lance, maar Floyd vertelt de waarheid, net als Betsy en net als Simeoni, en jij maakt die mensen kapot. De federale regering en het USADA zijn dit aan het onderzoeken. Wij kunnen niet voor jou liegen. We kunnen niet liegen. Dat is verkeerd." Zo eenvoudig is het.'

De wielersport kon de wereld niet langer op een afstand houden. De geheimen van de sport waren vroeger onaantastbaar geweest vanwege het obscure karakter van het wielrennen, en later, toen de Tour een winstgevend evenement was geworden, vanwege de omerta. Maar hoe moest het nu? De Amerikaanse overheid, in de persoon van de boomlange en intimiderende Jeff Novitzky, respecteerde geen enkele zwijgplicht. En dus kreeg Vaughters Novitzky's nummer van Tygart, en in een telefoongesprek met Novitzky vernam hij dat de geruchten juist waren, dat de federale regering een onderzoek naar de wielersport en aan doping gerelateerde criminaliteit was begonnen. 'Als het juiste moment is aangebroken,' deelde

Vaughters hem mee, 'en als u besluit om met mensen (uit zijn Garmin-ploeg) te spreken, zal ik hun vragen om mee te werken. Ik kan hen niet dwingen, maar ik kan het hun wel vragen.'

Zabriskie wilde niet als enige getuige à charge optreden. Uiteindelijk wist hij dat Vaughters, Danielson en Vande Velde (die tijdens de Ronde van Californië in Italië koersten) ook zouden getuigen. Het idee alleen al dat het ging om hem en drie anderen riep bij hem twijfel op wanneer hij overwoog hoe groot Armstrongs leger in zijn geheel was. Om Zabriskie te overreden hoefde Vaughters echter maar één woord te zeggen: 'Bruyneel.' Zabriskie herinnerde zich de pijn die de ploegleider hem zou hebben bezorgd, zijn gevoel dat Bruyneel hem had overgehaald om doping te gebruiken. Daardoor was hij net zo geworden als zijn vader, die drugs gebruikte en zich had doodgedronken.

Zabriskie had Bruyneel vertrouwd en was verraden, zei hij. Hij geloofde dat Bruyneel zich op hem had gericht omdat hij zo kort na zijn vaders dood nog kwetsbaar was geweest. Vervolgens had Bruyneel hem geïntroduceerd in de dopingcultuur.

Nee, dacht Zabriskie, wat mij is overkomen mag niemand anders overkomen.

Nee, Landis was geen alcoholistische leugenaar, en evenmin een wraakzuchtige gek.

Nee, er waren zo veel mensen die de waarheid kenden dat in de rechtszaal niet alleen zijn stem te horen zou zijn.

'Oké, krijg maar wat,' zei hij. 'Daar gaan we dan.'

Nadat Vaughters met Danielson en Vande Velde had overlegd, zei hij in een verklaring dat leden van de Garmin-ploeg desgevraagd met opsporingsambtenaren zouden spreken. Het was een op Armstrong gerichte waarschuwing, en gesproken werd er. Hoewel alleen Vaughters aan opsporingsambtenaren vertelde dat hij Armstrong daadwerkelijk doping had zien gebruiken, gaven de mannen alle vier een beschrijving van het systematische dopinggebruik bij de Postal Service-ploeg.

Danielson, die vanwege zijn talent ooit de nieuwe Lance Armstrong was genoemd, sprak over een paniekaanval die hij na een bloedtransfusie had gehad.[1] Het was zo erg dat Bruyneel en de ploegarts dachten dat hij door een hartstilstand was getroffen.

Vande Velde vertelde dat Armstrong hem in zijn appartement had ontboden en het subtiele dreigement had geuit dat hij zou worden ontslagen als hij Ferrari's dopingprogramma niet volgde. 'Lance had het in de ploeg voor het zeggen,' zei Vande Velde. 'Lance' wil was wet.'[2]

Hincapie beantwoordde Novitzky's telefoontjes niet. Hij wilde eerst juridisch advies inwinnen. Hij was bang dat zijn getuigenis schadelijk zou zijn voor zijn sportkledingzaak Hincapie Sports, waarin veel familieleden van hem werkzaam waren. Hij was bang dat de aantijgingen van dopinggebruik zijn reputatie als een van de beste wielrenners van de vs zouden aantasten en hem misschien zijn carrière zouden kosten.

Het was niet eerlijk, vond hij. Hij had gewoon meegedaan met wat iedereen deed: doping gebruiken.

Op de laatste persconferentie na de Ronde van Californië van 2010 schoten Hincapies ogen vol tranen toen hem vragen werden gesteld over Landis' biecht, waarin hijzelf werd genoemd als een van de Postal Service-renners die bloedtransfusies hadden gekregen en middelen als testosteron hadden gebruikt.

'Ik zou willen zeggen dat er hier niemand is – van de pers, van de fans, van het USADA – die liever een schone wielersport heeft dan ik,' zei hij. 'Wíj trappen ons het leplazarus op de weg. Ik zie elke dag weer af. Zelfs wanneer ik thuis ben zie ik mijn kinderen nauwelijks, want ik train elke dag vijf, zes of zeven uur.'

Zijn toon had iets weg van Armstrongs uitdagende tv-spot voor Nike. Hoewel Hincapie zijn ware gevoelens verborg, was hij er niet blij mee dat Landis hem in een dopinggebruiker had veranderd en hem, nadat hij jarenlang schoon had gereden, weer met Postal Service in verband had gebracht. Hij vertelde mij dat hij in 2006 met het gebruik van doping was gestopt – de Tour van dat jaar was de eerste waarin hij geen bevelen van Armstrong hoefde uit te voeren. Volgens hem was het ook de eerste Tour in vijf jaar waarin hij geen bloedtransfusie had gekregen.

Hij was de doping spuugzat. De naalden, de drankjes, de angst om betrapt te worden, het heimelijke gedoe en de leugens: hij was ze spuugzat. Hij had een vrouw en kinderen die hij moest onderhouden, in plaats van hen in verlegenheid te brengen. In 2005, nadat hij de zwaarste bergetappe van de Tour had gewonnen, had hij het gefluister gehoord: Hincapie, een sprinter, moest wel doping hebben gebruikt om die dag als eerste over de eindstreep te gaan.

Genoeg, dacht Hincapie, het is genoeg geweest. Aan de dagen waarin de sport en Armstrong moesten worden beschermd, zou spoedig een eind komen.

Landis verscheen op de laatste dag van de Ronde van Californië. Hij droeg een T-shirt, een spijkerbroek en een donkere zonnebril. Geflankeerd door privébeveiligers die kogelwerende vesten droegen en met vuurwapens en wapenstokken waren uitgerust, werd hij naar een particuliere *hospitality*-zone gebracht waar hij de renners kon zien finishen. Eerder in die week was Landis geïnterviewd door Bonnie Ford van ESPN.com. 'Ik wil een zuiver geweten hebben,' zei hij. 'Ik wil geen onderdeel meer zijn van het probleem.'[3]

Landis vertelde dat hij in juni 2002, toen hij bij Postal Service reed, voor het eerst stimulerende middelen had gebruikt. Dat betekende dat de acht jaar durende beperkingen van het Wereld Anti-Doping Agentschap voor enkele leden van de Postal Service-ploeg bijna waren verlopen, en hij wilde bekennen voordat het zo ver was. 'Als ik nu niets zeg, heeft het geen zin om alsnog te praten,' zei hij.[4]

Ook had Landis andere beperkingen in gedachten. Die hadden niets te maken met regels tegen dopinggebruik. Ze hoorden bij de Amerikaanse wetgeving over klokkenluiders.

Op 10 juni 2010, nog geen drie weken nadat Landis zijn beschuldigingen tegen Armstrong en in feite tegen de sport als geheel had uitgesproken, spande hij een federaal proces aan op grond van de

False Claims Act (de wet op valse aanspraken). Deze processen gaven burgers het recht en een financiële toeslag om namens de overheid een rechtszaak aan te spannen.

In Landis' aanklacht werden Armstrong, Bruyneel en Thomas Weisel, de eigenaar van de Postal Service-ploeg, voor de rechter gedaagd, evenals Bill Stapleton – de agent van Armstrong – en Stapletons compagnon Bart Knaggs. Volgens de aanklacht wisten alle aangeklaagden – net als iedereen die bij de wielersport betrokken was – dat bij de Postal Service-ploeg doping werd gebruikt. Volgens de aanklacht had de ploeg door het dopinggebruik de Amerikaanse posterijen bedrogen.

De sponsorcontracten die de ploeg met de U.S. Postal Service had gesloten, waren ongeveer 40 miljoen dollar waard. Volgens de wet konden gedaagden in een zaak die onder de False Claims Act viel, worden verplicht om een boete ter grootte van drie keer dat bedrag te betalen – in dit geval mogelijk 120 miljoen dollar. Aan de klokkenluider kon in een dergelijke zaak een beloning van maar liefst dertig procent van de boete worden toegekend – in dit geval 36 miljoen dollar.

Terwijl Landis in de hospitality-tent zat, naderden zijn voormalige ploeggenoten bij Postal Service de finish. De commentator noemde schreeuwend hun namen:

George Hincapie, Amerikaans kampioen wielrennen op de weg!

Drievoudig winnaar van de Ronde van Californië Levi Leipheimer: 'Mister California!'

David Zabriskie, vijfvoudig nationaal kampioen tijdrijden op de weg!

Van deze mogelijke getuigen in de zaak tegen Armstrong was Landis de enige die er miljonair met dubbele cijfers van werd.

Twee dagen na afloop van de Ronde van Californië liep Zabriskie het Marriott Hotel in Marina del Rey binnen en begaf zich naar dezelfde vergaderruimte als Landis enkele weken eerder. Hij schoof aan bij Novitzky en aanklagers van het Openbaar Ministerie in Los

Angeles. Vijf uur lang vertelde Zabriskie zijn verhaal. Hij beschreef zijn eerste ervaringen met epo. Hij bevestigde veel van Landis' beweringen, onder meer zijn uitspraken over de wijze waarop Armstrong en Bruyneel in de Tour van 2004 sabotage tegen Landis zouden hebben gepleegd door zijn zak met bloed weg te gooien. Hij verklaarde dat Landis hem stimulerende middelen had gegeven en hem had laten zien hoe je menselijke groeihormonen moet inspuiten. Hij bevestigde ook Landis' bewering dat het groeihormoon hem 'verdomd sterk' zou maken. Zabriskie gebruikte het middel, al had hij Landis wel de vraag gesteld: 'Is die kanker van Lance daardoor niet uit de hand gelopen?'

Zabriskie vertelde de aanklagers over het leven met zijn vader, die drugsdealer was geweest: hoe op zijn veertiende een arrestatieteam hun huis was binnengevallen, hoe zijn vader zich had doodgedronken, hoe hij met zichzelf had afgesproken dat hij nooit drugs zou gebruiken en dat hij nooit zo wilde worden als zijn vader. Hij moest twee keer een pauze inlassen om zichzelf weer in de hand te krijgen.

De federale opsporingsambtenaren beseften voor het eerst dat ze een echte zaak hadden. Zabriskie was inderdaad een vriend van Landis, maar hij was Landis niet. Hij was niet uit op wraak. Hij schreeuwde niet om gehoor te vinden. Hij was geloofwaardig.

Tygart was bij het verhoor van Zabriskie aanwezig. Terwijl hij het getuigenis aanhoorde, werd voor hem glashelder wat hem te doen stond. Hij begreep dat er tussen dopinggebruikers verschillen bestonden. Sommigen, zoals Zabriskie, hadden er spijt van en wensten dat ze hun slechte besluit om prestatiebevorderende middelen te gebruiken konden terugdraaien. Anderen, zoals Armstrong en Landis, zouden indien mogelijk alles het liefst nog eens overdoen.[5]

Zelfs ondanks alles wat Landis had doorgemaakt, waarbij hij veel geld had verloren en zijn familie in verlegenheid had gebracht, verklaarde hij dat hij 'zich helemaal niet schuldig voelde over zijn dopinggebruik. Ik zou alles weer net zo doen, en ik zou het achteraf gewoon toegeven'.[6] Maar hij was er in ieder geval nog van overtuigd dat hij bedrog had gepleegd. Armstrong vond alleen dat hij een wedstrijdsport beoefende.

In de kern van de zaak leverde Tygart strijd voor de schone sporters – zoals Scott Mercier en Darren Baker van de Postal Service-ploeg – die nooit doping hadden willen gebruiken en nooit de kans hadden gekregen zichzelf tegenover een schone Armstrong op de proef te stellen. Ook streed Tygart voor jongens als Zabriskie, de jongens die zich gedwongen hadden gevoeld om doping te gebruiken en die het slachtoffer waren geworden van de druk die door andere deelnemers aan de sport op hen werd uitgeoefend.

Terwijl Tygart over dat alles nadacht, vertelde hij de federale opsporingsambtenaren en aanklagers dat ze tegen Armstrong moesten doorzetten en dat ze hem moesten betrappen. 'Jullie moeten winnen voor jongens als Zabriskie,' zei hij. 'We moeten hier een einde aan maken.'

Op zijn terugreis naar Europa was Zabriskie er tevreden over dat hij eindelijk de waarheid had verteld aan iemand die misschien het verschil kon maken. Ook werd hij in beslag genomen door de hoopvolle gedachte dat anderen zich bij hem zouden aansluiten voordat het nieuws was uitgelekt dat hij had geklikt. Op een vlucht naar Barcelona zat hij één stoel bij Hincapie vandaan, die vroeg: 'Alles kits?'

'Geweldig,' zei Zabriskie.

'Echt waar? Want je kijkt me een beetje raar aan.'

'Nee hoor. Alles is goed.'

Toentertijd, in mei 2010, was in Los Angeles al een *grand jury* bijeen geweest om Armstrong en zijn vermeende misdrijven te onderzoeken: misdrijven als fraude, het witwassen van geld en het handelen in drugs. Opsporingsambtenaren onderzochten ook beschuldigingen die onder de *Racketeer Influenced and Corrupt Organizations Act* vielen, een wet die in het verleden tegen maffia-organisaties in stelling was gebracht.

Als getuige voor de aanklager had Zabriskie te horen gekregen dat hij niets over zijn sessie met Novitzky en de aanklagers mocht zeggen. Tegen Hincapie biechtte hij echter op dat hij alles aan de federale opsporingsambtenaren had verteld. 'Ik denk dat jij dat ook zou moeten doen. Ik wist niets over jou, en dus heb ik niets over je gezegd. Maar volgens mij is dit het aangewezen moment om te praten.'

Hincapie zei niets.

'O man, ik mocht niets zeggen,' zei Zabriskie. 'Nu heb ik een probleem.'

In Girona ontmoetten Zabriskie en Hincapie Leipheimer, die klaagde dat Landis er een zootje van had gemaakt. 'Weet je, vertel dit aan niemand, maar je hoeft niet met die lui te praten,' zei Leipheimer, doelend op de federale agenten.[7]

Zabriskie wierp een blik op Hincapie en zei vervolgens: 'Eh, ja, dat weet ik.'

Vanaf dat moment hield hij zijn mond. Zelfs toen Danielson erop zinspeelde dat hij met Novitzky, 'die kale kerel', had gesproken, deed Zabriskie alsof hij niet wist wie 'die kale kerel' was. Hij gaf geen enkel commentaar toen Vande Velde hem belde en zei: 'Ik ben in L.A. en ik moest hetzelfde doen als jij, man.' Niemand wist wat Armstrong zou doen als hij hier ooit achter kwam.

## 22

Novitzky en de federale aanklagers werkten naar de centrale figuur in de hele kwestie toe: naar Armstrong. Ze hadden officiële verklaringen van Zabriskie, Danielson en Vande Velde, en wilden nu ooggetuigenverslagen van andere renners hebben. Ze wilden George Hincapie, Tyler Hamilton en Kevin Livingston.[1]

Naast Landis waren zij de Amerikanen die het dichtst bij Armstrong hadden gestaan. Ze maakten samen trainingsritten in de bergen en hadden meegereden in de door Armstrong gewonnen Tours de France. Hamilton in de eerste drie, Livingston in twee en Hincapie in alle zeven. Net als Armstrong waren ze klanten geweest van dr. Ferrari. Ze kenden Armstrongs geheimen.

Livingston wilde niet vrijwillig getuigen. Hamilton negeerde de eerste gemiste oproep van Novitzky op zijn mobiele telefoon. Hij wilde ook niet praten. Daarom belde Novitzky Hamiltons advocaat Chris Manderson en probeerde hem over te halen om een ontmoeting te regelen. De advocaat weigerde dat. Uiteindelijk liet Novitzky Hamilton geen keus. Hij dagvaardde hem om op 21 juli 2010 in Los Angeles voor een *grand jury*, een kamer van inbeschuldigingstelling, te verschijnen.[2] Hamilton móést nu wel praten, daar kwam hij niet meer onderuit.

Hamilton overwoog wat zijn opties waren. Als hij getuigde, zou hij in het kantoor van de openbare aanklager alleen voor een grand jury staan. Zonder advocaat. Zonder dat een pr-man van Armstrong hem toefluisterde wat hij moest zeggen. Hij kon zich houden aan de omerta van de wielerwereld en verklaren dat hij nergens van wist of dat hij zich simpelweg niets herinnerde van wat er jaren geleden was gebeurd. Tenslotte was dat alleen maar meineed.

Ondertussen loog Armstrong.

In Rotterdam stond hij voor de proloog van de Tour de France van 2010 tegenover journalisten en reageerde hij opnieuw op de aantijgingen van Landis.

'Kom nou toch,' zei hij, 'dat is tien jaar geleden. Tien jaar, het is niets nieuws.'

Nee, hij had nooit doping gebruikt. Hij betwistte Landis' beweringen dat Postal Service fietsen van sponsor Trek had verkocht om een dopingprogramma te bekostigen.[3] In een verklaring die Armstrong die ochtend naar de vertegenwoordigers van de media had gestuurd, vergeleek hij Landis' geloofwaardigheid met een pak zure melk. 'Als je een eerste slokje hebt genomen, hoef je de rest niet op te drinken om te weten dat alles bedorven is.'

Armstrong was als een gehavend en geteisterd man uit de Ronde van Californië gestapt. Hij had Lims raad opgevolgd, had op zijn Beach-cruiser-fiets tochtjes door de omgeving van Austin gemaakt en had geprobeerd zich te ontspannen met zijn vriendin Anna Hansen. Hij was er echter niet toe in staat.

'Niemand kan me dit afpakken,' zei hij tegen Lim, die zich bij Armstrongs ploeg voor de Tour de France had aangesloten. 'Al, ik geef alles, maatje, we rijden de Tour. Dat ga ik doen. Ik ga die vervloekte, verdomde klotekoers winnen.'

Lim hield Armstrong nauwlettend in de gaten. In tegenstelling tot zijn tolerante houding tegenover Landis' dopinggebruik, wilde hij voor zichzelf bewijzen dat hij Lance een 'schop voor zijn kloten' kon geven als hij hem op dopinggebruik zou betrappen. Nu Lim lering had getrokken uit zijn fouten met Landis, wilde hij bewijzen dat Armstrong de boel niet kon belazeren als hij toekeek. Maar tot zijn verbazing ontstond bij hem het idee dat Armstrong voor de eerste keer schoon wilde rijden en oprecht hulp van Lim had willen krijgen.

'Hij was ontzettend in zijn trots en zelfbewustzijn gekrenkt omdat de andere jongens schoon reden en hij niet,' zei Lim. 'Hij wilde zijn carrière eervol afsluiten en iets van zijn resultaten intact laten.'

Het onderstreepte Lims beslissing om zich bij de ploeg aan te sluiten. 'Als ik Lance kon veranderen, kon de hele sport veranderen omdat hij zo veel macht had,' vertelde hij mij.

Toen Lim Armstrong voor de Tour trainde, constateerde hij dat Floyd Landis veruit de meerdere van Armstrong was, in die zin dat hij op de fiets veel meer kracht kon genereren. 'Ik heb ze allebei bezig gezien, en Floyd is veel beter. Hij is per saldo een veel betere sporter.' Als de wielersport geen doping had gekend, stelt Lim, zou Landis wellicht tien keer de Tour de France hebben gewonnen, en misschien nog wel vaker.

Lim vond het vreemd dat in stukken over Armstrong altijd de lof werd gezongen van zijn superieure fysieke eigenschappen. Ik noemde een stuk in *The New Yorker* waarin Armstrongs uitzonderlijke lichamelijke eigenschappen werden beschreven,[4] zoals zijn ongewoon lange dijbenen. Lim lachte.

'Alle toprenners hebben ongewoon lange dijbenen,' zei hij.

Waren zijn longen niet ongewoon groot, dertig procent groter dan gemiddeld?

'Net als die van Christian Vande Velde, en net als die van Bradley Wiggins,' zei hij en noemde twee toprenners uit de Tour met wie hij had samengewerkt.

Had hij in rust niet een hartslag van 32?

'Net als Christian Vande Velde, en net als Floyd Landis.'

Maar niemand van hen probeerde op de gevorderde leeftijd van achtendertig zijn achtste Tour de France te winnen. En het stond vast dat niemand van hen zich daarop concentreerde terwijl er een federaal onderzoek naar hem liep en hem mogelijk een gevangenisstraf boven het hoofd hing.

Tijdens de Ronde van Zwitserland, een opwarmertje voor de Tour, ijsbeerde een slapeloze Armstrong door zijn hotelkamer. Voorafgaand aan een tijdrit trok hij steeds weer zijn nauwsluitende, gestroomlijnde pak aan en uit. Onder zijn ogen had hij diepe wallen. Op een gegeven moment begon hij luid te schreeuwen.

'Ik ben niet bang voor het usada,' zei Armstrong. 'Het usada:

voor die lui ben ik niet bang, ja, ik ben godverdomme niet bang voor hen. Maar de FBI? De FBI? Jongensjongens toch, voor de FBI ben ik wel bang.'

Lim was verbijsterd.

'Ze mogen me alles afpakken wat ik heb,' zei Armstrong. 'Maar aan Livestrong moeten ze niet komen. Godverdomme, jongen, godverdomme! Livestrong: dat is het enige wat ik heb gedaan dat zuiver is.'

Wat zou Tyler Hamilton aan de grand jury vertellen?

Manderson, Hamiltons advocaat, leerde pas aan de vooravond van zijn getuigenis hoe ver de kennis van zijn cliënt strekte. Op 20 juli 2010, de dag waarop Armstrong over vier bergpassen in de Pyreneeën reed, vertelde Hamilton zijn advocaat over de transfusies die hij samen met Armstrong had gekregen – hij vertelde hem alles over de epo en de bloedzakken die in een vrieskast, Siberia geheten, werden bewaard. Hij vertelde het verhaal van Armstrongs positieve controle in 2001: hoe Armstrong had gepocht dat de UCI het resultaat had weggemoffeld en dat hij had verteld hoe bloed aanvoelt wanneer het vanuit een gekoelde infuuszak je bloedvaten in stroomt.

Op Manderson maakte Hamiltons verhaal niet de indruk dat het nog over sport ging. Het deed hem denken aan een goed georganiseerde criminele operatie. De advocaat wist dat de federale opsporingsambtenaren zich waarschijnlijk op Armstrong zouden richten omdat hij verboden middelen had verspreid. Hij liet Hamilton nogmaals vertellen hoe Armstrong testosteron op zijn tong had gedruppeld en hoe Armstrong over de post epo vanuit Texas naar Hamilton in Massachusetts had gestuurd.

Zo nu en dan nam Hamilton een pauze, waarin hij met Mandersons kinderen speelde. Hij trok zachtjes aan de krullen van Mandersons dochtertje van vier en zei daarbij op dwaze toon: 'Boing!' Daarna ging hij terug naar de patio en vertelde over zijn clandestiene reizen door Europa met geheime mobieltjes die niet met de ploeg van Armstrong in verband konden worden gebracht.

Wie was Tyler Hamilton nu precies? De goede Tyler overtuigde anderen ervan dat hij nooit een van Armstrongs voornaamste trawanten kon zijn geweest in een ploeg die zich obsessief bezig had gehouden met het verleggen van de grenzen van het dopinggebruik. Maar als Armstrong de absolute kampioen van het dubbelleven was, die moeiteloos van een dopingkoning in een heldhaftige kankerpatiënt veranderde, dan was Hamilton een goede tweede.

'Afgezien van mijn vrouw ben jij de eerste aan wie ik dit allemaal heb verteld,' zei Hamilton tegen Manderson.[5] 'Je moet wel een heel lage dunk van mij hebben, Chris. Je moet wel denken dat ik een slechterik ben.'

'Nee,' zei Manderson. 'Ik denk dat jij hetzelfde hebt gedaan als een hoop anderen.'


Armstrong finishte in de Tourproloog in Rotterdam als vierde, een prima prestatie voor een renner van zijn leeftijd. Onder de dreiging van strafvervolging was Armstrong echter niet de levendige, geharde Texaan die in de loop der jaren zo veel roem had geoogst.

Na de derde etappe had Armstrong, die een dun laagje stof over zijn hele lichaam had en wiens blik op oneindig stond, wel een zombie kunnen zijn. Hij had vertraging opgelopen doordat voor hem een grote valpartij had plaatsgevonden, en vervolgens had hij lekgereden op een kasseienweg. Door deze pech was hij van de vijfde plaats naar de achttiende teruggevallen.

Met de dag zakte hij verder terug. Van winnen kon geen sprake zijn. Hij moest al zijn krachten aanspreken om overeind te blijven. In de achtste etappe was de renner die in zijn Tourcarrière de reputatie had verworven dat hij valpartijen kon mijden, bij maar liefst drie valpartijen betrokken. Hij kwam met een pedaal tegen de stoeprand van een rotonde, waardoor zijn voorband wegleed en Armstrong met een snelheid van zo'n 65 kilometer per uur tegen het plaveisel sloeg. Om een tweede valpartij te vermijden, moest hij in een met gras begroeide berm een noodstop maken. De laatste tegenslag van de dag kwam op vijftien kilometer van de finish van de 188 kilometer lange etappe. Vóór Armstrong kwam een Spaanse renner ten val, en opnieuw kwam Armstrong volledig tot stilstand. Alleen raakte ditmaal zijn been beklemd in een wiel en viel hij om. Hij stond op, legde zijn handen op zijn heupen en bromde tegen zijn fiets, alsof hij wilde zeggen: Hoe kon je dit laten gebeuren? Hij finishte in die etappe als eenenzestigste, bijna twaalf minuten achter de winnaar.

De journalisten vroegen zich af of het federale onderzoek zijn aandacht van de koers afleidde. Nee, verklaarde hij tegenover Neal Rogers van *VeloNews*: 'Misschien is mijn aandacht afgeleid,[6] maar ik word niet afgeleid door de dingen die mij volgens allerlei speculaties zouden afleiden. Over die dingen maak ik me helemaal niet druk. Ik weet wat er in mijn leven is voorgevallen. Ik slaap 's nachts uitstekend. Als ik me door die andere dingen zou laten afleiden, zou ik 's nachts geen oog meer dichtdoen. En ik slaap als een roos.'

Armstrongs PR-team smeekte hem om niet met journalisten te spreken over het justitieel onderzoek dat in Californië werd uitgevoerd, maar hij kon niet anders. Vóór de tiende etappe kwam hij het trapje van de ploegbus af en posteerde zich voor het groepje dat daar stond – ik was er ook bij.

Mijn collega Michael Schmidt en ik hadden de vorige dag een stuk gepubliceerd waarin stond dat de grand jury in de zaak-Armstrong getuigen had gedagvaard en dat deze dagvaardingen een belangrijke stap in het onderzoek betekenden. De kamer was vooral geïnteresseerd in diegenen – met inbegrip van Armstrong – die de Postal Service-ploeg hadden gefinancierd.

'Jullie moeten zulke dingen niet meer schrijven,' zei hij. Hij beweerde dat hij niets te maken had met het reilen en zeilen van Tailwind Sports, het managementbedrijf van de Postal Service-ploeg. Hij was niet de eigenaar van dat bedrijf en had er geen idee van hoe het eigenaarschap was gestructureerd. Hij was wielrenner, hij was werknemer, zoals iedereen in de ploeg.

'Het was mijn bedrijf niet,' verklaarde hij. 'Dat kan ik jullie niet duidelijk genoeg maken. Ik kende het bedrijf niet. Ik heb er geen positie bekleed. Ik heb er geen aandelen van gehad. Ik heb geen aandeel in de winst gehad. Ik heb geen zitting in de raad van bestuur gehad. Ik ben wielrenner bij de wielerploeg geweest. Duidelijker kan ik het niet zeggen.'

Deze verklaringen contrasteerden met Armstrongs getuigenis in de zaak rond SCA Promotions, waarin hij verklaarde dat hij in 2004 een financieel belang in Tailwind had verworven. Stapleton, zijn agent, getuigde ook dat Armstrong in dat jaar een belang van 11,5 procent in de ploeg was verleend. Toen Armstrong tijdens die Tour werd gevraagd waarom hij de misverstanden over zijn rol niet had opgehelderd, zei hij: 'Dat ben ik nu aan het corrigeren.'

Armstrong verklaarde dat hij noch Stapletons bedrijf Capital Sports & Entertainment vóór 2007 aandelen in Tailwind Sports had verworven. De wielerploeg van Tailwind was een jaar later opgeheven, toen Discovery Channel als sponsor opstapte. Armstrong had derhalve aandelen gekregen die in feite waardeloos waren.

Raar was het wel: Armstrong die eenendertigste in het algemeen klassement stond, en midden in de Tour discussieerde over het eigendom van een ploeg die niet meer bestond. Hij zei dat hij niet eens wist wie er voor zijn betalingen tekende, dus waarom zou hij enige kennis hebben van de frauduleuze sponsorcontracten van Tailwind – des te meer wanneer geen van de renners die kennis bezat? Hij wilde dat de mensen wisten dat hij, als het om de zakelijke kant van zijn ploeg ging, een onbeduidende figuur was, niet meer dan een knecht.

Op beschuldigingen dat hij doping had gebruikt, hield hij tegenover mij consequent vol: 'Zolang ik leef, zal ik dat ontkennen. Er is absoluut geen sprake van dat ik mensen heb gedwongen, mensen heb aangemoedigd, mensen dingen heb opgedragen, mensen heb geholpen en dopinggebruik heb gefaciliteerd. Absoluut niet. Voor de volle honderd procent niet.'

Hij zei dat hij als kopman van een ploeg in de Tour de tegenhanger was van een quarterback in het American Football. Hij had geen idee of ploeggenoten – bijvoorbeeld Landis of Andreu – doping gebruikten. 'Ik kan niet praten over wat zij met zichzelf hebben gedaan,' zei hij. 'Het zou zijn alsof ik aan jou zou vragen: "Luister eens: denk jij dat er prestatiebevorderende middelen worden gebruikt door aanvallende spelers in de National Football League?" De meeste mensen zouden daar waarschijnlijk ja op zeggen. Betekent dat dus dat Peyton Manning schuldig is? Ik bedoel, ik kan niet controleren wat andere renners doen.'

Hij stelde de vraag of het Amerikaanse volk een strafrechtelijk onderzoek naar hem als een goed gebruik van belastinggeld zou beschouwen. Hij zei dat het 'in de ogen van veel mensen een schande' zou zijn als Livestrong ten onder zou gaan omdat de overheid hem vervolgde. 'Ik ga niet meedoen aan de een of andere heksenjacht. Ik heb te veel goed gedaan voor te veel mensen,' zei hij.

Drie dagen later viel Armstrong opnieuw van zijn fiets. Het gebeurde nog voor de start van de dertiende etappe. In de opwarmzone kwam hij in botsing met een ploeggenoot en ging onderuit, waarbij hij schaafwonden aan zijn linkerelleboog opliep. De volgende ochtend had ik maar één vraag voor hem. Hij negeerde me, sprong op zijn fiets, duwde me van zich af en reed weg. Ik ging in een sukkeldrafje achter hem aan en vroeg: 'Waarom val je steeds weer?'

Armstrong wierp me alleen een woedende blik toe.

Op achtduizend kilometer afstand van Frankrijk betrad Hamilton op 21 juli een federaal gebouw in Los Angeles. In de hoop dat niemand hem zou zien nam hij de lift naar de verdieping boven de zaal waar de grand jury vergaderde en de trap naar beneden.

Hamiltons aarzelende en omslachtige getuigenis voor de grand jury duurde enkele uren. Doug Miller, de voornaamste aanklager, was gefrustreerd.[7] Het leek of hij Hamilton niet zo ver kon krijgen dat hij duidelijke antwoorden gaf met behulp waarvan de zaak van de overheid tegen Armstrong kon worden opgebouwd. Toen Miller de zaal van de grand jury uit kwam, vroeg hij Hamiltons advocaat om hulp. Kon hij Hamilton ertoe overhalen om de grand jury te laten voor wat hij was en rechtstreeks met de opsporingsambtenaren te praten? Dat zou het voor beide partijen zoveel makkelijker maken, zei hij. Op die manier kon het hele team van de overheid – en niet alleen Miller – Hamilton ondervragen. Hamilton zou er dan ook niet toe gedwongen worden om de zeer formele ondervragingen van de grand jury te moeten ondergaan.

Hamiltons advocaat reageerde positief, maar wilde dat zijn cliënt eerst vrijstelling van strafvervolging zou krijgen – die hem werd toegekend. Toen deze vrijstelling was geregeld, sprak Hamilton met de opsporingsambtenaren die in een aangrenzende vergaderruimte om de tafel zaten. Zij vroegen of Hamilton iets wist over het feit dat Armstrong eigenaar van de Tailwind-ploeg zou zijn geweest. 'Nee,' zei Hamilton.

Waar kwamen de stimulerende middelen vandaan? 'Ze waren van verschillende herkomst, onder meer van Bruyneel en Armstrong.'

Heeft Armstrong u ooit stimulerende middelen gegeven? 'Op een keer heeft hij vanuit Texas epo naar mij in Massachusetts gestuurd. Een andere keer heeft hij testosteron-olie op mijn tong gedruppeld.'

Hamilton sprak drie uur lang met de opsporingsambtenaren. Soms pakte hij een van zijn benen met beide handen vast. Hij hield dat been zo stevig en langdurig vast dat vanuit een grote wond op zijn been – Hamilton had de wond opgelopen toen hij bij het joggen was gevallen – bloed door zijn broek heen sijpelde.

Op de dag waarop Hamilton met de federale opsporingsambtenaren sprak, probeerde Armstrong voor het laatst zijn stempel op de Tour de France te drukken. Zijn hoop om de ronde voor de achtste keer te winnen was allang vervlogen. Maar hij kon nog altijd een etappe winnen – hij had voorheen 25 etappezeges behaald – en de zestiende etappe bood hem de laatste en beste kans om in de Tour een overwinning te beleven.

Hij begon aan de etappe terwijl hij in het algemeen klassement achtendertigste stond. Hij had het de voorafgaande dagen kalm aan gedaan en ging met de finish van een etappe in zicht langzamer rijden om zijn fans te bedanken voor hun komst. *L'Équipe* stak de draak met dit gebrek aan inzet en merkte op dat hij als profrenner aan de Tour was begonnen, vervolgens toerist op de fiets was geworden en ten slotte simpelweg toerist.

Maar terwijl Hamilton getuigde, ontsnapte Armstrong al vroeg in de tweehonderd kilometer lange etappe, waarin vier slopende beklimmingen waren opgenomen. Hij bleef vooraan rijden totdat de zeven jaar jongere Fransman Pierrick Fedrigo hem in de eindsprint naar de finish te snel af was.

Het maakte hem razend. Nog steeds op zijn fiets gezeten reed Armstrong hard door de menigte heen. Zonder duidelijke reden bracht hij zijn schouder omlaag en gaf een man met grijs haar een forse duw, zodat die bijna tegen de grond ging. Bij de ploegbus gaf Armstrong twee keer een fan een duw die een foto wilde maken en beet hem uiteindelijk toe: 'Wegwezen hier, opdonderen!'

Armstrong besefte dat hij hulp nodig had. Niet op de fiets. Daarvoor was het te laat. Hij moest ervoor zorgen dat hij de controle behield over het verhaal achter zijn geschiedenis. En dus besloten hij en Tim Herman, zijn persoonlijke advocaat, midden in de Tour te proberen Novitzky in een kwaad daglicht te stellen. Herman betaalde de Ben Barnes Group, een pressiegroep, 50.000 dollar om in het Congres 'uiting aan hun zorgen over Novitzky te geven'.[8]

Armstrong besteedde ook een deel van zijn vrije tijd in de Tour aan ontmoetingen met Mark Fabiani, die door hem werd aangenomen. Fabiani was de politieke *spin doctor* die president Bill Clinton had vertegenwoordigd tijdens het Whitewater-schandaal.

Fabiani zou helpen met het PR-aspect van Armstrongs federale zaak. Om te beginnen zei hij tegen Armstrong dat hij niet meer met journalisten moest praten zolang er nog geen eigen versie van het verhaal was bedacht.[9] Dat verhaal zou als volgt luiden: Armstrong zou verklaren dat de overheid geen belastinggeld moest verspillen aan onderzoek naar een wielrenner die naar verluidt tien jaar geleden in Europa doping had gebruikt. Hij zou de geloofwaardigheid van de aanklagers aanvechten. Ook zou Armstrongs imago als heroïsche overlevende van kanker worden benadrukt.

Het toeval wilde dat Armstrong al een soort PR-team aan het werk had gezet. Tientallen vrijwilligers en medewerkers van Livestrong waren bij de Tour aanwezig en droegen daar de pro-Armstrong en de pro-Livingston boodschap uit. Langs het parcours van de Tour en in de steden waar de etappes startten en finishten, verkochten ze Livestrong-polsbandjes voor een euro per stuk om geld in te zamelen voor Fransen die hun kanker hadden doorstaan. Ze deelden ook krijt uit, zodat de fans boodschappen op het wegdek konden schrijven.

Nike stuurde daarnaast de zogenaamde Chalkbot, een reusachtige machine die met felgeel krijt boodschappen op de wegen schreef. Die boodschappen herinnerden Armstrongs fans aan zijn kanker en aan zijn filantropische activiteiten. Ook attendeerden ze iedereen erop dat Armstrong de populairste renner in de Tour was en een van de populairste sporters ter wereld.

De teksten van de Chalkbot waren meestal boodschappen van mensen die door kanker waren getroffen. Veel andere teksten waren aan Armstrong persoonlijk gericht: 'Love, Laugh & Livestrong. Go Lance!' 'Jouw passie is mijn inspiratie.' 'Je bent niet kapot te krijgen.' In sommige stadjes waren de boodschappen tientallen meters lang. In één geval waren ze bijna achttien kilometer lang. Op een website over de Chalkbot schreef Armstrong: 'Jullie boodschappen laten zien dat we samen sterker zijn.' Betsy Andreu, die de Tour vanuit haar woning in de buurt van Detroit volgde, zei spottend: 'Kankerschermen omhoog!'

Armstrong en zijn ploeggenoten van RadioShack arriveerden in zwart tenue met op de rug een geel nummer 28 aan de start van de laatste etappe van die Tour. Volgens de mensen van Livestrong stond het cijfer voor de 28 miljoen mensen op aarde die met kanker leefden. Officials van de Tour bepaalden echter dat de truien met het cijfer

28 niet geoorloofd waren en droegen Armstrong en zijn renners op zich in hun rood met grijze RadioShack-tenue te hullen, waardoor de laatste etappe met twintig minuten vertraging van start ging.

Het kon niemand veel schelen. Het was de laatste Tour de France van Lance Armstrong, en wat zou een Tour de France zijn zonder heisa rond Lance Armstrong? Hij finishte als drieëntwintigste in de ronde, met 39 minuten en 20 seconden achterstand op Alberto Contador, de winnaar. Het was zijn slechtste klassering sinds 1995.

Toen Hincapie na die Tour met de opsporingsambtenaren om de tafel zat, citeerde hij Armstrongs woorden uit 1995. 'Dit is klote,' had Armstrong tegen hem gezegd. 'Hier wordt spul gebruikt.'

Hincapie verklaarde dat hij daaruit had opgemaakt dat Armstrong wilde dat de Motorola-ploeg epo ging gebruiken. Daarom ging Armstrong naar Ferrari, uiteindelijk gevolgd door Hincapie. Die vertelde dat Frankie Andreu hem had gezegd waar je epo kon aanschaffen en hoe je het moest gebruiken. Hij herinnerde zich dat Hamilton en Kevin Livingston het ook gebruikten.

Met tegenzin sprak Hincapie ook over Pedro Celaya, de ploegarts, die volgens hem betrokken was, maar ook een zorgzame en zachtaardige man was. Hij zei dat het hem gevoelsmatig gemakkelijker viel andere employés van de Postal Service-ploeg te noemen – Bruyneel bijvoorbeeld – die hem testosteron en het groeihormoon zouden hebben geleverd. De doping werd volgens hem systematisch en verrassend nonchalant gebruikt. Tijdens de Tour van 2001 nam hij bloeddoping, en zag hij anderen – onder meer Landis – ten aanschouwen van ploeggenoten hetzelfde doen. Hij verklaarde dat Armstrong hem twee keer epo had geleverd nadat zijn voorraadje was opgeraakt.

Hij kon zich niet alles herinneren, en dat viel te begrijpen. 'Ze stelden me vragen over het dopinggebruik van Lance, maar doping gebruiken was toentertijd net zoiets als naar het toilet gaan,' vertelde hij mij. 'Ik kan je niet zeggen hoeveel keren ik Lance naar het toilet heb zien gaan.'

Hij was bij alle zeven Tourzeges Armstrongs rechterhand geweest, zijn meesterknecht. Ze waren bevriend geraakt, en nu was Hincapie gedwongen om tegen Armstrong te getuigen. Hij hoopte maar dat Armstrong dat nooit te weten zou komen.

Waar Armstrong ook kwam, overal zag hij hoe zijn wereld werd vernietigd. Het opsporingsteam van Novitzky was op zoek naar getuigen die konden bewijzen dat hij stimulerende middelen gebruikte, zulke middelen aan zijn ploeggenoten verstrekte en hen dwong doping te gebruiken. Sheryl Crow werd verhoord, die hun schijnt te hebben verteld dat ze van zijn dopinggebruik wist, maar gaf verder weinig bijzonderheden. Armstrongs oude soigneur John Hendershot, die in Colorado met succes een bedrijf voor het africhten van honden was begonnen, werd opgespoord. Hij zei dat hij niet zou praten voordat hij daartoe werd gedwongen, want in de jaren negentig, toen hij met Armstrong had samengewerkt, gebruikte bijna iedereen doping. Hij vond het niet eerlijk dat Armstrong eruit werd gepikt en zei daarover: 'De wielersport is een dopingsport. Dat is een feit. Het zal altijd een dopingsport blijven.'

Na Landis' optreden als klokkenluider werden opsporingsambtenaren van het kantoor van de inspecteur-generaal van de Amerikaanse posterijen ingezet. Zij gingen op zoek naar bewijs dat Armstrong en het management van Tailwind Sports de overheid hadden bedrogen door een sponsorcontract af te sluiten in de wetenschap dat de renners van de ploeg doping gebruikten.

En dan was er nog het USADA. Tygart had uiteindelijk pas op de plaats gemaakt om de federale opsporingsambtenaren het onderzoek naar Armstrongs dopinggebruik te laten leiden, maar deed zelf zijn best om bewijs voor de zaak van USADA te verzamelen.

Armstrong reageerde fel. Hij eiste dat Fabiani, die voor een maandsalaris van 15.000 tot 20.000 dollar op de loonlijst stond, de hulp inriep van Democratische senatoren, van president Clinton en van de naaste medewerkers van de ex-president – in feite van iedereen die zijn invloed kon laten gelden. Hij vroeg Mark McCinnon, politiek strateeg en lid van de raad van bestuur van Livestrong, een beroep te doen op senator John McCain, die in 2008 kandidaat voor het presidentschap was geweest en voor wie McKinnon als adviseur had opgetreden.

McKinnon herinnerde zich wat Armstrong hem had opgedragen: 'Het ging van: "McKinnon, zit niet op je luie reet maar ga met McCain praten, watje dat je bent. Als je een kerel bent, ga je met McCain praten."' McKinnon zei dat hij nooit met McCain had gesproken, omdat hij de reputatie van de senator niet op het spel wilde zetten als bleek dat Armstrong wel degelijk doping gebruikte.

Haastig probeerden Armstrongs advocaten met renners als Hamilton en Vande Velde een overeenkomst voor een gezamenlijke verdediging te sluiten. Zijn advocatenteam schijnt te hebben gezocht naar ex-ploeggenoten die konden zeggen dat ze nooit enige doping bij de Postal Service-ploeg hadden gezien.

Terwijl Armstrong en zijn ploeg in de aanval gingen, verhoorden zijn vervolgers officials van het Franse Nationale Anti-Doping Agentschap, dat had ontdekt dat Armstrong in de Tour van 1999 zes keer positief op epo was bevonden, en dat de bezwarende documentatie bijeen had gebracht. Italiaanse officials gaven de Amerikanen eveneens documenten over hun eigen dopingonderzoeken.

Armstrong beschimpte Novitzky tijdens een van diens reizen naar Europa. Onder zijn bijnaam Juan Pelota had hij een twitter-account geopend (de kanker had Armstrong een van zijn testikels gekost, en *pelota* betekent in het Spaans bal). Vervolgens had hij de volgende tekst op Twitter gezet: '*Jeff, como estan los hoteles de quatro estrellas y el classe de business in el aeroplano? Que mas necesitan?*' Het Spaans was elementair en niet helemaal correct, maar scherp. De vertaling luidt: 'Jeff, hoe zijn de viersterrenhotels en de businessclass in het vliegtuig? Wat kun je je verder nog wensen?'

Zoals bleek uit de mislukte rechtszaak van de overheid tegen Roger Clemens en uit de onbevredigende uitkomst van de zaak tegen Barry Bonds, was er bij het Amerikaanse publiek weinig animo om sporthelden op te jagen, hoe diep ze ook waren gezonken.

Armstrong kon daar zijn voordeel mee doen. Aanklagers in San Francisco hadden Bonds bijna zeven jaar vervolgd omdat hij tegenover een grand jury over zijn dopinggebruik had gelogen. Vijf aanklachten leverden één veroordeling op, en die veroordeling kreeg Bonds vanwege een zwakke aanklacht dat hij eromheen had gedraaid tijdens zijn getuigenis voor de grand jury.

In de zomer van 2010 spanden aanklagers in Washington wegens een vergelijkbaar geval van meineed een proces aan tegen Clemens. Ze stelden dat hij tegen het Congres had gelogen over zijn gebruik van steroïden. In 2011 werd de zaak door de rechter geseponeerd. Na een nieuw proces werd Clemens vrijgesproken.

Terwijl het onderzoek naar Armstrong zich voortsleepte zonder dat er een dagvaarding volgde, ging het gerucht dat Hamilton zijn verhaal aan *60 Minutes* had verteld. 'Iemand die in de regering zat wilde dat *60 Minutes* daar iets mee deed,' zei advocaat Manderson. 'De FBI onderzocht de zaak en was bijna zo ver gekomen dat Lance kon worden vervolgd. Je kunt je wel voorstellen wat er was gebeurd als ze Lance hadden aangeklaagd op grond van wat destijds bij het publiek bekend was. Hij zou zeggen: "Ik ben de heilige Lance, dit is een vendetta." Maar ik denk dat *60 Minutes* dat beeld heeft bijgesteld. Ze wilden het publiek laten zien dat de engel in werkelijkheid een dopinggebruiker kon zijn, en dat hebben ze bereikt.'

Tijdens de opnamen van het betreffende segment verklaarde Hamilton dat Lance dezelfde middelen gebruikte als de meerderheid van het peloton: onder meer bloedtransfusies, epo en testosteron. Hamilton leek verschillende keren op het punt van instorten te staan, maar werd dan bemoedigd door Michael Radutzky, de producer van het programma, met de woorden: 'Je bent geen rat. Je vertelt de waarheid. Wat jij doet is heldhaftig. Je vertelt de waarheid.'[10]

Meteen nadat Armstrong in mei 2011 de uitzending had gezien, verstuurden zijn advocaten een brief aan Jeffrey Fager, de voorzitter van CBS News, waarin ze eisten dat de zender zich voor de tv-camera zou verontschuldigen voor de bewering dat Armstrong epo had gebruikt. Ze noemden het rapport 'een boosaardige verrassingsaanval'. CBS verontschuldigde zich niet.

Drie weken later, 's middags om twee uur, stuurde Hamilton vanuit Aspen in de staat Colorado een sms'je aan Manderson waarin hij beweerde dat hij Armstrong tegen het lijf was gelopen en dat dat niet prettig was geweest. Later vertelde Hamilton aan Anderson dat Armstrong hem had bedreigd na een ongelukkige ontmoeting in restaurant Cache Cache in de binnenstad van de wintersportplaats.

Op de terugweg van het toilet naar zijn tafel, moest Hamilton volgens zijn zeggen langs Armstrong, die aan de bar zat. Om hem tegen te houden zou Armstrong zijn arm hebben opgestoken en vervolgens zijn uitgevallen: 'Hoeveel betalen ze je, verdomme? Als je in het getuigenbankje staat, maken we je kapot. Je zult overkomen als een verdomde idioot. Ik zal je leven in een hel veranderen.'[11]

De FBI onderzocht het incident razendsnel, als mogelijk bewijs van beïnvloeding van een getuige. Niet voor het eerst onderzochten federale opsporingsambtenaren beweringen dat Armstrong een getuige in zijn federale zaak had geïntimideerd.

Nadat Levi Leipheimer had getuigd voor de grand jury, schijnt Armstrong Odessa Gunn, Leipheimers vrouw, vanuit een onbekende locatie een sms'je te hebben gestuurd met de boodschap, 'Loop niet, maar ren' ('*Run, don't walk*').[12]

Armstrong, die zich altijd onoverwinnelijk waande, stelde zijn geluk op de proef. Hij nam John Keker en Elliot Peters in de arm, twee machtige advocaten die onder meer een overwinning op Novitzky op hun naam hadden staan.

Keker & Van Nest, het in San Francisco gevestigde kantoor van Keker en Peters, had een aantal honkballers uit de Major League bijgestaan in een zaak over de vraag of federale opsporingsambtenaren, Novitzky inbegrepen, gerechtigd waren om beslag te leggen op dopingtestmonsters en testresultaten van de bedrijven die ze bijeen hadden gebracht. Die zaak hadden ze gewonnen.

Nog geen week nadat Keker Armstrong als cliënt had aangenomen, regelde hij een ontmoeting met André Birotte jr., de procureur van het centrale district van Californië, de instantie die zich met Armstrong bezighield.[13] Kekers redenering behelsde dat Armstrong niet mocht worden vervolgd, omdat zijn stichting zo veel goeds voor de kankerbestrijding had gedaan. De advocaat herinnerde Birotte ook aan het feit dat veel getuigen van de aanklagers weinig geloofwaardig waren omdat ze zelf doping hadden gebruikt en/of over doping hadden gelogen.

'Het zal je niet meevallen om deze man te vervolgen,' zei Keker.[14] Hij vond dat de opsporingsambtenaren geen tijd meer moesten verdoen en moesten besluiten of ze zouden aandringen op een aanklacht. Sinds de grand jury bijeen was geweest, was er zo veel tijd verstreken, betoogde Keker, dat de reputatie en de stichting van Armstrong ten onrechte waren beschadigd.

'Jullie kunnen je maar beter realiseren dat jullie dit fel zullen moeten aanvechten, want hierin zullen wij ons echt krachtig weren,' zei Keker.[15]

Als Birotte van Kekers woorden onder de indruk was geweest, zou hij het onderzoek waarschijnlijk meteen hebben afgesloten. In plaats daarvan verstreek er bijna een jaar. Daarna stelden de assistent-procureurs die zich met de zaak bezighielden een memo voor het proces samen waarin gedetailleerd werd ingegaan op juridische theorieën en de sterke en zwakke punten van de zaak, alsmede op het bewijs dat ze gedurende hun bijna twee jaar durende onderzoek over Armstrong hadden vergaard. Deze procureurs deden de aanbeveling om Armstrong aan te klagen. Ze waren er voor 99 procent zeker van dat ze Armstrong konden veroordelen wegens handel in stimulerende middelen, fraude met poststukken en elektronische berichten, en intimidatie van getuigen.[16]

Ze legden het memo voor aan Birotte.

En wachtten af. En verloren.

Op 3 februari 2012, de vrijdag voor de Super Bowl, verscheen op de website van het kantoor van de procureur van het centrale district van Californië persbericht nr. 12-024. Het was getiteld: 'Procureur sluit onderzoek naar profwielerploeg af.'

Birotte verklaarde dat het onderzoek naar crimineel gedrag van leden en compagnons van een profwielerploeg die deels eigendom was van Lance Armstrong, was beëindigd. Er volgde geen uitleg. Birotte vertelde aan een opsporingsambtenaar dat het besluit om het onderzoek te staken door hem alleen was genomen en dat er niet over de kwestie zou worden gedebatteerd.[17]

Novitzky was ontroostbaar. De aanklagers Doug Miller en Mark Williams, de voornaamste juristen die zich aan de zaak hadden gewijd, waren sprakeloos. Verschillende opsporingsambtenaren geloofden dat Birotte de zaak had laten vallen omdat Armstrongs machtige politieke vriendjes hem onder druk hadden gezet. Het ministerie van Justitie had van congresleden drie brieven van in totaal meer dan twintig pagina's over het onderzoek ontvangen. Geen van deze brieven werd voor het publiek vrijgegeven.[18]

Zodra Armstrong het goede nieuws had vernomen, slaakte hij een diepe zucht. *Pfff, dat scheelde niet veel.* Opnieuw was hij uit een benarde situatie ontsnapt. Zijn advocaten belden hem op om hem te feliciteren. Zijn vrienden belden om hem te vertellen hoe blij ze voor hem waren. Met Anna, zijn vriendin, trok hij een fles wijn open, waarna ze een toost uitbrachten op hun geluk. Maar ze vierden te vroeg feest.

Enkele minuten later verscheen er een persbericht op de website van het USADA.

Het was een verklaring van Tygart: 'In tegenstelling tot de procureur heeft het USADA de taak om de schone sport te beschermen, en niet zozeer om toe te zien op de naleving van bepaalde wetten. Ons onderzoek naar doping in de wielersport gaat door, en we zien de komst van de informatie die tijdens het federale onderzoek werd vergaard met genoegen tegemoet'.

Het federale onderzoek was voorbij, maar het onderzoek van het USADA was amper begonnen.

# 23

Vergeleken met de federale rechtszaak tegen Armstrong, maakte de zaak van het USADA een nietige indruk. Het agentschap, dat op zijn hoofdkwartier nog geen vijftig medewerkers met een volledige baan telt, beschikte over slechts een fractie van het aantal mensen en financiële middelen die voor de federale zaak waren ingezet. Was de één David, dan was de ander Goliath.

Armstrong had zichzelf bewapend met een juridisch team dat bestond uit meer dan vijf machtige advocaten, van wie velen aan Yale, Princeton en Harvard hadden gestudeerd. Zelfs Fabiani, Armstrongs woordvoerder, had aan Harvard rechten gestudeerd.

Bij het USADA werkte Tygart met slechts twee andere hoofdjuristen en een jurist die pas vrij kort op het agentschap werkte. De eerste was Bill Bock, de algemeen raadsman van het agentschap. Hij was vader van vijf kinderen en had zijn eerste graad aan de Oral Roberts University behaald en zijn graad als jurist aan de universiteit van Michigan. De tweede was Rich Young, een externe raadsman die aan Stanford had gestudeerd en de voornaamste auteur van de Wereld Anti-Doping Code was. De chef van de afdeling juridische zaken van het USADA was nieuwkomer Onye Ikwuakor. Op de juridische faculteit van Stanford University was hij co-president van de doctoraalstudenten van zijn jaar geweest. Hun uurvergoeding lag onder de 1.000 dollar, het tarief van sommige advocaten van Armstrong, maar ze waren vindingrijk, moedig en bevlogen.

Begin 2012 gaf de raad van bestuur van het USADA, die werd voorgezeten door Edwin Moses, de olympisch kampioen hordelopen, goedkeuring aan de stap die het USADA tegen Armstrong zette. Tygart zou voortbouwen op de federale zaak, maar de federale ambtenaren wilden hun dossiers niet afstaan. De civiele afdeling van het ministerie van Justitie overwoog nog zich bij Landis aan te sluiten als aanklagers in een klokkenluidersprocedure. Men wilde niet het risico lopen dat de getuigenissen die voor de strafzaak waren vergaard openbaar zouden worden en een civiele zaak zouden corrumperen die de overheid meer dan honderd miljoen dollar kon opleveren.

Eind april 2012 – bijna drie maanden nadat het USADA het onderzoek naar Armstrong had hervat – had het pas twee nieuwe betrokkenen verhoord, en wel Betsy en Frankie Andreu. Tygart had Landis al achter de hand, maar het getuigenis van Landis was zowel door zijn eigen leugens als door zijn publiekelijk geuite haat jegens Armstrong gecorrumpeerd.

Tygart moest allereerst getuigen bijeenbrengen die geloofwaardiger waren dan Landis – niet echt een zware opgave – en die bewijzen uit de eerste hand van Armstrongs dopinggebruik hadden. Het was voor Tygart dan ook een enorme opsteker toen Tyler Hamilton besloot aan het onderzoek van het USADA mee te werken.

Enkele weken voor het interview in *60 Minutes*, in het voorjaar van 2011, hadden Tygart en Hamilton elkaar in Denver in het geheim ontmoet. Voor het eerst sinds zijn contact met Landis hoorde Tygart een gedetailleerd en gestructureerd verhaal van Armstrongs dopingprogramma uit de mond van iemand die zeer nauw met Armstrong was omgegaan.

Tygart hoorde dat er dubbellevens werden geleid die waren gefundeerd op prestatiebevorderende middelen en kleine rode capsules met testosteronolie. Hamilton vertelde dat ploegartsen de renners witte papieren lunchzakjes overhandigden die geen sandwiches en pakjes met sap bevatten, maar epo, groeihormoon en testosteron. Wanneer de renners bang waren dat ze werden afgeluisterd, vroegen ze niet om epo maar om 'Edgar' of 'Poe', als een soort woordspeling met de naam van de dichter Edgar Allan Poe.

Manderson, Hamiltons advocaat, zei dat Tygarts uitdrukking gedurende de ontmoeting zelden veranderde, maar dat hij nu bleek wegtrok. Hij zag eruit als iemand die jarenlang had geprobeerd de

Verschrikkelijke Sneeuwman op te sporen en het monster nu voor zijn voordeur zag verschijnen.

Evengoed had Tygart meer nodig dan Landis en Hamilton. En dus deed hij wat hij moest doen om anderen tot praten te bewegen: hij sloot akkoorden.

Vaughters had al de garantie gegeven dat zijn renners hun medewerking zouden verlenen, al was het met tegenzin. Ze wilden niet voor dopinggebruikers worden versleten of bekendstaan als renners die Armstrong hadden vernederd.

Tygart kwam met een extra stimulans. Omdat de betreffende renners hun dopinggebruik vrijwillig aan de federale opsporingsambtenaren hadden opgebiecht, zou het USADA het hun niet moeilijk maken. Hij was zelfs bereid om de regels aan te passen. Volgens de Wereld Anti-Doping Code kon van een sporter die bij een dopingonderzoek 'substantiële hulp' bood, de straf met maximaal 75 procent worden verlaagd. In dit geval zou dat neerkomen op een schorsing van een halfjaar. Tygart ging nog verder: helemaal geen schorsing.

Vaughters, Zabriskie, Danielson en Vande Velde besloten daarop te getuigen. Allemaal kregen ze te horen dat ze niet zouden worden gestraft – op voorwaarde dat ze hun kandidatuur voor de Olympische Spelen van 2012 zouden intrekken. Als de zaak-Armstrong in de openbaarheid kwam, zou de Amerikaanse ploeg door hun dopingverleden in verlegenheid kunnen worden gebracht.

Toen Tygart Hincapie en Leipheimer moeilijk kon overreden om over de brug te komen, sprak hij met hun advocaten. Tegen hen zei hij: 'Kijk, het systeem van dopinggebruik in de sport staat op instorten, en alle wielrenners, Lance Armstrong inbegrepen, krijgen de kans om zich te redden. Doen jullie mee?'

Leipheimer had een schorsing van minimaal twee jaar in het vooruitzicht. Dat zou het einde van zijn carrière betekenen en hem voorgoed tot dopinggebruiker bestempelen. Onder 'de kans om je te redden' verstond Tygart dat de sancties zouden worden verlicht. Leipheimer deed mee.

Voor Hincapie was de beslissing moeilijker. Hij beschouwde zich nog steeds als een van Armstrongs beste vrienden en had zijn reputatie gevestigd als loyale knecht van Armstrong.

In zijn tweede boek, *Every Second Counts*, schreef Armstrong: 'Er zijn perioden geweest waarin ik bijna alles deelde met George Hincapie. In de wielersport zitten we wekenlang bij een berghelling in kleine hotelkamers, waar we al onze pijnen, pijntjes en maaltijden delen. Je komt alles van elkaar te weten, ook dingen die je liever niet zou weten.' Het gaf Hincapie geen prettig gevoel dat hij zijn goede kameraad had verraden, en hij vond het niet bepaald een goed idee om alles tegenover een andere verhoorder nog eens over te moeten doen.

Het USADA had Hincapie nodig. Hij was geloofwaardig. Hij was nooit positief bevonden. Afgezien van Landis' beschuldiging was hij nooit met doping in verband gebracht. Het publiek was dol op hem en vertrouwde hem als de bescheiden 'Big George' die zichzelf in de ene Tour na de andere voor Armstrong had opgeofferd, als de trouwe luitenant die zijn generaal nooit zou laten vallen. Hij wist waarschijnlijk beter dan welke andere renner ook wat zich in de ploegen van Armstrong achter de schermen afspeelde. (En dat zou weleens het geval kunnen zijn: zo vertelde hij bijvoorbeeld aan mij dat Armstrong en een paar van zijn ploeggenoten eens schaamteloos een bloedtransfusie hadden gekregen terwijl de ploegbus nog bij de eindstreep geparkeerd stond.)

Hij zou de spil in de zaak van het USADA worden.

Als Hincapie zich tegen Armstrong uitsprak, zou er naar hem worden geluisterd. 'Je hebt het over de meest geliefde en gerespecteerde Amerikaanse wielrenner die er waarschijnlijk ooit is geweest,' zei Bob Stapleton, de eigenaar van HTC-Highroad, Hincapies vroegere ploeg. 'We noemden hem Captain America, volkomen terecht.'

Met het getuigenis van Big George kon het USADA het publiek ervan overtuigen dat Armstrong geen held was, maar een bedrieger en een leugenaar, de grootste bedrieger en leugenaar van de Postal

Service-ploeg. Maar het USADA had Big George wel nodig om dat te zeggen.

Big George wilde dat echter niet zeggen. Het USADA belde zijn advocaat, David Anders – Hincapie had zich voor bijna niets van zijn diensten verzekerd,[1] opnieuw dankzij Tiger Williams, de grootheid van Wall Street die ook Landis adviseerde.

Het USADA vroeg Anders of Hincapie tegen Armstrong wilde getuigen. Hincapie zei: 'Alsjeblieft niet.'

Tygart reageerde met een ultimatum: je praat, of je wordt levenslang geschorst. Volgens Tygart was het USADA klaar om Armstrong, Bruyneel, coach Pepe Martí en de artsen Pedro Celaya en Michele Ferrari ernstige schendingen van het dopingreglement ten laste te leggen, vanwege hun betrokkenheid bij het dopingprogramma van de Postal Service-ploeg. Wilde Hincapie zich bij hen aansluiten?

'Je moet ons alles vertellen wat er gebeurd is,' zei Tygart.

In ruil voor zijn getuigenis zou Hincapie voor een halfjaar worden geschorst.

'Ze zeiden dat ze genoeg bewijs over Lance hadden en dat ze hem hoe dan ook ten val zouden brengen,' vertelde Hincapie aan mij. 'Het was een kwestie van "je sluit je bij ons aan, of je wordt ook ten val gebracht". Dat waren mijn opties. Ze hebben absoluut geprofiteerd van mijn verhouding met Lance, zeker weten. Ze wisten dat dat het hem zou doen.'

Hij was ziedend. Het was niet eerlijk. Hij vertelde dat hij in 2006 met het gebruik van doping was gestopt en zich bij de 'schone ploeg' HTC-Highroad had aangesloten. Hij zei dat hij daar jongere renners ervan probeerde te overtuigen dat doping gebruiken niet de juiste weg was, dat het bezoedelde verleden moest worden vergeten. Een levenslange schorsing zou dat werk teniet hebben gedaan en tevens zijn reputatie, zijn carrière en wellicht ook zijn bedrijf, Hincapie Sports, kapot hebben gemaakt.

Hij was zo kwaad dat hij overwoog in het openbaar een bekentenis af te leggen. Aan zijn advocaat vertelde hij: 'Rot maar op, ik heb doping gebruikt en ik ga niet met ze samenwerken. Ik zal uit de kast komen en zeggen: "Kijk, ik heb die fouten gemaakt, en moet je nu zien wat ik sindsdien heb gedaan".'

Hij wist echter dat het USADA hem ogenblikkelijk zou laten schorsen als hij dat zou doen. Het zou een einde aan zijn carrière hebben gemaakt, en hij wilde niet dat het zover kwam. Hij wilde weer aan de Tour meedoen en zijn record scherper stellen door voor de zeventiende keer van start te gaan. Hij zou praten, maar nog niet meteen. Als blijk van zijn goede bedoelingen stuurde Hincapies advocaat Tygart zijn aantekeningen van Hincapies verhoor door de federale aanklagers in 2010 toe. Met die informatie als uitgangspunt stond het USADA toe dat Hincapie aan de Tour van 2012 deelnam, waar hij meeleefde met de leden van Vaughters' ploeg die ook tegen Armstrong hadden getuigd.

Op de dag van de vijfde etappe van de Tour van 2012 bracht de Nederlandse krant *De Telegraaf* het bericht dat Hincapie, Zabriskie, Vande Velde en Leipheimer de komende herfst met vertraging voor een halfjaar zouden worden geschorst omdat ze in de zaak van het USADA tegen Armstrong hadden getuigd. Dat nieuws was die dag in de Tour hét onderwerp van gesprek, terwijl de journalisten elkaar verdrongen om bevestigd te krijgen dat het bericht juist was.

Op de vele kilometers lange golvende wegen in Noord-Frankrijk, tussen de steden Rouen en Saint Quentin, hadden de renners het er ook over. Op een gegeven moment reed Hincapie naast Danielson en Vande Velde tijdens de tweehonderd kilometer lange rit over wegen die dwars door groene velden en vlak langs kanalen liepen.

'Kun jij al die flauwekul geloven? Het is niet eens waar,' zei Danielson tegen Hincapie. 'We worden niet geschorst.'[2]

'Echt waar?' zei Hincapie. 'Dat is behoorlijk klote. Ik word wel geschorst.'

Na afloop van de etappe belde Hincapie meteen zijn advocaat. Hij zei tegen Anders dat hij het niet eerlijk vond dat hij een halfjaar werd geschorst terwijl Vaughters en zijn renners er volkomen ongestraft vanaf kwamen. Hij beklaagde zich erover dat Vaughters van het USADA een speciale behandeling kreeg, omdat hij een hielenlikker was en klaarblijkelijk al jarenlang met het USADA had gesproken, waarbij hij zichzelf als brave jongen afschilderde. Na een groot aantal telefoontjes over en weer tussen Hincapies advocaat en de juristen van het USADA, besloot het USADA in te binden en gelijke straffen op te leggen.

Toen de Tour voorbij was, had Tygart slecht nieuws voor Vaughters: het akkoord over de vrijstelling van strafrechtelijke vervolging was van de baan. Zijn renners zouden voor een halfjaar worden geschorst aan het eind van dat seizoen. Tygart zei dat hij er met zijn collega's over had gediscussieerd en dat ze te veel risico namen wanneer ze sommige renners wel immuniteit verleenden en andere niet. Om de Wereld Anti-Doping Code aldus aan te passen was het fiat van het Wereld Anti-Doping Agentschap vereist, en ook dat van de UCI, een institutie die een bondgenootschap met Armstrong leek te hebben gesloten. En als de UCI tegen de sancties voor de renners in beroep ging, konden ze uiteindelijk allemaal zelfs voor twee jaar worden geschorst.

Zabriskie, Danielson en Vande Velde hadden geen keus en moesten zich bij de schorsing van een halfjaar neerleggen. Naar hun gevoel waren ze in de steek gelaten en gedupeerd. Maar met zeuren schoten de renners nu niets op. Het USADA en Tygart hadden de wind in de zeilen.

Tim Herman, Armstrongs advocaat, ontving op 4 juni 2012 een brief van het USADA. Daarin werd Armstrong verzocht alles wat hij over doping in de wielersport wist te onthullen. Zo niet, dan waren de consequenties voor hem. Armstrong had geen hoge dunk van het USADA. Hoe kon dat hem betrappen als zelfs Novitzky en de federale overheid daar niet in waren geslaagd?

Herman wist niet veel over de werkwijze van het USADA en was niet op de hoogte van de nuances van het reglement van het Wereld Anti-Doping Agentschap. Hij gaf het verzoek door aan een andere advocaat van Armstrongs ploeg.

Armstrongs reactie kwam van Robert Luskin, een in Washington DC gevestigde advocaat die in 2006 in een zaak over bij de CIA gelekte informatie Karl Rove had bijgestaan. Volgens hem was het verzoek van het USADA om met Armstrong te spreken 'een vendetta die niet gericht is op het achterhalen van de waarheid, maar des te meer op het vereffenen van een oude rekening en het oogsten van publiciteit ten koste van Lance'.

'Wij zullen niet deelnemen aan deze schertsvertoning,' schreef hij aan het USADA. Volgens hem was het Anti-Doping Agentschap Armstrong aan het belasteren en probeerde het hem te lynchen. Als het daarmee doorging, waarschuwde hij, 'zullen wij niet aarzelen uw beweegredenen en methoden aan de kaak te stellen'. Hij beweerde dat het USADA in de zaak tegen zijn cliënt voor geld getuigenverklaringen had verkregen.

Toen Armstrong weigerde te bekennen, verklaarde het USADA dat het zou trachten hem een overtreding van het dopingreglement ten laste te leggen. De uit drie personen bestaande herzieningscommissie die moest bepalen of het USADA over voldoende bewijs beschikte om door te gaan op een geval van dopingmisbruik, begon met het opstellen van een rapport.

Op 28 juni ontving Armstrong, die de door het USADA aangespannen zaak tegen hem 'ongrondwettelijk' en 'een heksenjacht' had genoemd, een vijftien pagina's tellend schrijven van het Anti-Doping Genootschap. Hij was op dat moment in Frankrijk, waar hij zich voorbereidde op een Ironman Triatlon, de sport waarin hij aan een nieuwe carrière was begonnen. Hij had al een aantal halve Ironmans gewonnen, en het was zijn doel om zich te kwalificeren voor het Ironman Wereldkampioenschap in Kona op Hawaï. NBC had de rechten verworven om een speciaal programma van twee uur over die wedstrijd uit te zenden, alleen omdat Armstrong eraan zou deelnemen.

Als Armstrongs advocaten hadden gedacht dat ze het USADA door middel van intimidatie een toontje lager konden laten zingen, hadden ze het bij het verkeerde eind. De herzieningscommissie van het USADA had genoeg bewijs gevonden om Armstrong een overtreding van het dopingreglement ten laste te leggen. Daarna spande de organisatie een proces aan tegen Armstrong, Bruyneel, Martí en de artsen Ferrari en Del Moral en Celaya.

Ernstiger was de bewering van de herzieningscommissie dat Armstrong de spil was in een kring van dopinggebruikers in zijn ploegen en dat hij de dopingregels had overtreden door het gebruik van epo, bloedtransfusies, testosteron, cortisonen en infusen met zoutoplossingen. De tenlasteleggingen spitsten zich ook niet toe op uitsluitend de jaren van zijn Tourzeges; ze betroffen de jaren 1996 tot 2010, wat betekende dat ook de twee jaar van zijn comeback waren inbegrepen. Het USADA stelde dat Armstrongs bloedmonsters uit die seizoenen 'volledig strookten met manipulatie van het bloed'.

Armstrong hoefde alleen de tweede alinea maar te lezen om te weten dat hij in grote moeilijkheden verkeerde: 'Tot de getuigen van het in deze brief beschreven gedrag behoren meer dan tien (10) wielrenners, alsmede verschillende employés van een wielerploeg.' Op de voorlaatste pagina van het schrijven ontwaarde Armstrong een nog angstaanjagender regel: 'Levenslange schorsing voor olympische sporten.'

Dat betekende dat hij, als hij de zaak verloor, aan niet één sport meer kon deelnemen waarin de Wereld Anti-Doping Code van kracht was – in feite elke wedstrijdsport waaraan hij had willen meedoen. Wielrennen. Triatlons. Marathons. Zwemwedstrijden. En ook niet alleen op olympisch niveau. Kleinere evenementen, zoals een tienkilometerloop om geld voor de kankerbestrijding te vergaren, worden meestal door de betreffende nationale sportfederatie gesanctioneerd. En nationale federaties van olympische sporten houden zich aan de code van het WADA.

Armstrongs oude vriend Dan Empfield, die de jonge Armstrong had leren kennen in zijn beginperiode als triatlondeelnemer, vertelde mij dat een levenslange schorsing voor Armstrong 'erg pijnlijk zou zijn, heel erg pijnlijk, geweldig pijnlijk', want Armstrong was een 'atletische machine die kon eten, ademen en slapen [...] het zou een rib uit zijn lijf zijn'.

De juniweek die aan de tenlasteleggingen van het USADA voorafging, zou voor Armstrong nog pijnlijker zijn geweest als hij iets had gegeven om Eddie Gunderson, zijn biologische vader.

De uiterst koppige Gunderson had op de afgeschermde veranda van het huis van zijn moeder in het Texaanse stadje Tool een nat tapijt van de grond getrokken.[3] Daarop leefde een vioolspin, een giftige spinnensoort waarvoor een nat tapijt een ideale omgeving is. Gunderson had een lange broek aan moeten trekken en wist dat ook. Terwijl hij bezig was, voelde hij een stekende pijn in zijn scheenbeen en zag hij een spin wegrennen. Dat verdomde kreng had hem gebeten.

Pas twee dagen later ging hij naar een ziekenhuis. Hij vond het altijd vervelend om naar de dokter te gaan. Enkele maanden eerder waren Gundersons benen zo opgezwollen dat ze eruitzagen als te hard opgeblazen ballonnen – een symptoom dat vaak bij leverfalen voorkomt. Een arts had Gunderson toegezegd dat hij hem zou behandelen, maar alleen op voorwaarde dat hij ten minste een halfjaar met drinken zou stoppen.

'Ik kan u dat niet beloven en daarom wil ik geen beslag leggen op uw tijd,' zei hij tegen de arts.[4] Zijn gebrek aan flexibiliteit werd hem noodlottig. Hij had meteen nadat hij door de spin was gebeten naar het ziekenhuis moeten gaan. In plaats daarvan verstreek er kostbare tijd voordat hij zich naar het Methodist Hospital in Dallas begaf, het ziekenhuis waar Lance was geboren. Zijn lever en zijn nieren begaven het. Zijn hart werkte zo hard om het wegvallen van de andere organen te compenseren dat het stil bleef staan.

Op 25 juni 2012 stierf Eddie Charles Gunderson, de man die door zijn familie 'Sonny' werd genoemd. Drie dagen later werd hij begraven – op de dag waarop Armstrong door het USADA officieel ten laste werd gelegd dat hij in de wielerploegen waarmee hij zijn Tourzeges had behaald de spil in een geavanceerd dopingprogramma was geweest. Armstrong gebruikte epo. Hij kreeg bloedtransfusies. Hij dwong ploeggenoten om doping te gebruiken en gaf hun zelfs stimulerende middelen teneinde zichzelf een grotere kans op roemrijke overwinningen te geven. Hij was kortom een bullebak die loog en bedroog. Een heel ander mens dan de Lance die de familie Gunderson zich herinnerde.

Micki Rawlings sprak de grafrede voor haar broer uit. Terwijl ze uitkeek over het gezelschap dat zich in het ten zuiden van Dallas gelegen Eubank Cedar Creek Funeral Home had verzameld, zei ze dat haar broer een luidruchtige, trotse, koppige, bevooroordeelde, onaangename, sarcastische en bombastische man was geweest.

'Sonny was een vaderskind,' zei ze. 'Hij hield van snelle auto's, snelle motoren en een snelle levensstijl. Hij hield van zijn familie en van muziek, sport, van een flinke knokpartij op zijn tijd en van een koud biertje. Hij was een moederskind. Hij had een groot, liefdevol hart. Er was heel veel zorgzaamheid en goedheid in hem.'

Ze zei dat haar broer een prachtig leven had geleid, vol familieleden die van hem hielden. Hij had een pracht van een vrouw en twee prachtige kinderen die hem aanbaden en 'een zoon, Lance, die nooit zal weten wat hij allemaal heeft gemist en hoezeer hij wérd gemist'.

Armstrong woonde de begrafenis niet bij.

De volgende maand had Doug Ulman, algemeen directeur van de Lance Armstrong Foundation, op Capitol Hill een ontmoeting met wetgevers. Hij zou daar samen met een lobbyist van het machtige advocatenkantoor Patton Boggs spreken over de stichting, de zorg voor kankerpatiënten en kankerbestrijding.

Op de ongeschreven agenda stond het volgende punt: dat het onderzoek van het USADA het doel van de stichting negatief zou beïnvloeden.

Volgens een lobbyist die daarbij betrokken was, liepen Armstrongs pogingen om met wetgevers in contact te raken en uiting te geven aan zijn bezorgdheid over Jeff Novitzky's onderzoek, op niets uit. Dat weerhield Armstrong en zijn aanhangers echter niet van een nieuwe poging om de hulp van het Congres in te roepen.

Ulman besprak met Kay Bailey Hutchinson, een Republikeinse senator uit Texas, welke consequenties de stichting onder ogen moest zien in het licht van het onderzoek van het USADA.[5] Een van de vele daaropvolgende gesprekken werd gevoerd met Jose Serrano, de hoogstgeplaatste Democraat die zitting had in de subcommissie van het Huis van Afgevaardigden die was belast met financiële diensten en algemene bestuurlijke kwesties.[6] Deze subcommissie beslist elk jaar hoeveel de overheid USADA geeft. Het gesprek ging 'voor een substantieel gedeelte, zo niet in zijn geheel, over de zorgen die men zich bij het USADA en bij Livestrong maakte over wat Lance Armstrong moest verduren', zei Philip Schmidt, de woordvoerder van het Congreslid.[7]

Toen de vertegenwoordigers van Livestrong Serrano's werkkamer verlieten, bespraken Serrano's stafleden hoe vrijpostig en ongepast het er bij de ontmoeting aan toe was gegaan. 'Livestrong moest de kankerbestrijding bevorderen – nietwaar? – en geen geld en tijd steken in pogingen om Lance Armstrong te beschermen,' zei een staflid. 'Dat was volkomen ongepast.'[8]

In juli stuurde F. James Sensenbrenner, senator voor de staat Wisconsin in wiens district de thuishaven van Armstrongs trouwe sponsor Trek Bicycle Corporation is gevestigd, een brief naar een in het Witte Huis zetelend departement dat gaat over het nationale drugsbeleid en dat elk jaar 9 miljoen dollar aan het USADA geeft. Dat is het grootste deel van het jaarlijks budget van het USADA, dat 13,7 miljoen dollar bedraagt. Bij het in twijfel trekken van het onderzoek dat het USADA naar Armstrong uitvoerde, vertrouwde de senator op precies dezelfde argumenten als het juridische team van Armstrong.

Hij betoogde dat het USADA Armstrong het proces dat hem toekwam onthield en dat 'de macht die het USADA over Armstrong heeft, in het gunstigste geval onnatuurlijk is'. Hij noemde de zaak van het USADA 'een nieuwe complottheorie' en zei dat Armstrong 'meer dan vijfhonderd' dopingcontroles had ondergaan en daarin nooit positief was bevonden. (Armstrong had zich daar jarenlang op kunnen beroepen, maar volgens de UCI was hij nog geen driehonderd keer gecontroleerd.)

Verschillende keren werd een beroep op Tygart gedaan om met Sensenbrenner en zijn staf te spreken. De gesprekken verliepen als volgt:

Sensenbrenner: Wat ben je in jezusnaam met een nationaal monument aan het doen?
Tygart: Ik doe mijn werk.

In de tussentijd deden Armstrong en zijn team een poging om het USADA in diskrediet te brengen, de regering te overreden om de geldkraan voor het agentschap dicht te draaien en het agentschap te ontmoedigen om met de zaak door te gaan. Armstrong berichtte op Twitter dat Clark Griffith, een lid van de herzieningscommissie van het USADA, er eerder dat jaar van was beschuldigd dat hij zich exhibitionistisch had gedragen tegenover een jonge rechtenstudente en haar had gezegd dat ze hem moest liefkozen.

'Wauw, @usantidoping heeft ze voor het uitkiezen,' schreef Armstrong. Hij markeerde de tweet met #protectingcleanathletesandpervs (#beschermtschoneatletenengestoorden).'

Stapleton schijnt officials van het Amerikaans Olympisch Comité te hebben gevraagd of het wilde helpen om het USADA zover te krijgen dat het de zaak opgaf.[9] Zijn argument leidde tot verbaasde reacties, want Stapleton had deel uitgemaakt van de groep die oorspronkelijk de regels van het USADA had opgesteld.

Vervolgens spande Armstrong bij het federale gerechtshof een proces tegen het USADA en Tygart aan. Hij verzocht het hof het onderzoek van het USADA te stoppen omdat het strijdig was met de grondwet. De aanklacht telde tachtig pagina's en behelsde dat het USADA Armstrongs recht op een regulier proces had geschonden en een 'grote vis' vervolgde om het eigen bestaan te rechtvaardigen.

In een voor een federaal gerechtshof zeldzaam snelle reactie veegde rechter Sam Sparks het verzoek enkele uren later al van tafel. Hij verklaarde dat Armstrongs onnodig lange aantijgingen 'alleen waren opgenomen om de media-aandacht voor deze zaak te doen toenemen en de publieke opinie op te hitsen' tegen Tygart en het USADA.

Armstrongs advocaten deden een nieuwe poging. Ditmaal dienden ze een kortere aanklacht in en verzochten ze het hof om de vervolging van Armstrong door het USADA te beëindigen. Ze betoogden dat het USADA hem het recht op een regulier proces ontnam en bovendien geen jurisdictie over hem had – die lag bij de UCI. Hoewel Pat McQuaid aanvankelijk namens de UCI had verklaard dat de zaak door het USADA moest worden behandeld, maakte hij – zonder nadere verklaring – een draai van 180 graden en zei dat alleen de UCI met Armstrong zaken mocht doen.

De beslissing van rechter Sparks was opnieuw ongunstig voor Armstrong en liet toe dat de zaak van het USADA werd voortgezet. De rechter verklaarde dat de arbitrageregels van het USADA voor deze kwestie robuust genoeg waren en dat de federale gerechtshoven zich niet in de discussie moesten mengen. 'Bij een andere beslissing zouden federale rechters veranderen in scheidsrechters bij een spel waarin ze niet thuishoren en waarvan ze weinig verstand hebben.'

Tygart had in het federale gerechtshof gewonnen.

De strijd ging door.

Hij was snel voorbij.

Drie dagen later deed Armstrong iets wat hij nooit eerder had gedaan. Hij staakte de strijd.

'In ieders leven komt een punt waarop je moet zeggen "genoeg is genoeg". Voor mij is dat moment nu aangebroken,' zei hij in een verklaring.

Op advies van Mark Levinstein, advocaat in Washington – die hem ontraadde zijn geschil met het USADA aan arbitrage te onderwerpen omdat er nooit een sporter wint – accepteerde hij de beschuldigingen van het USADA en ging hij akkoord met een levenslange schorsing voor olympische sporten.[10] Zijn zeven Tourzeges zouden hem worden ontnomen. Dat gold ook voor de bronzen medaille die hij op de Olympische Spelen van 2000 had gewonnen, alsmede voor alle andere titels, prijzen en geldbedragen die hij vanaf augustus 1998 had gewonnen. Het viel Armstrong echter zwaar om de implicaties daarvan te accepteren.

'Ongeacht wat Travis Tygart zegt, is er geen enkel fysiek bewijs dat zijn bizarre en afschuwelijke beweringen ondersteunt,' zei hij. 'Het enige fysieke bewijs wordt gevormd door de honderden controles waarvoor ik met vlag en wimpel ben geslaagd.'

## 24

Lance Armstrong had geweten wat hij mocht verwachten: niets meer dan het gebruikelijke schrijven van het Amerikaanse Anti-Doping Agentschap waarin een sporter werd geïnformeerd over de sancties die hem waren opgelegd. Misschien nog een pagina of twee met hoofdpunten, waarin het bewijs werd geschetst dat het USADA tegen hem had vergaard. Dit rapport van het Anti-Doping Agentschap was echter op een belangrijke, ongekende manier anders. Ditmaal kwam het USADA met veel meer dan een persoonlijk schrijven met uitleg aan de sporter. Het was een open brief aan de wereld. Het bevatte alle stukjes bewijs, alle documenten en alle gedeelten van getuigenissen van Armstrongs ploeggenoten die hun medewerking aan het USADA hadden verleend.

Op 10 oktober 2012 vroeg Philippe Verbiest, de belangrijkste advocaat van de UCI, in een onderhoud met Bill Bock van het USADA wanneer de UCI het rapport te zien zou krijgen. De wielerunie had het USADA publiekelijk berispt omdat het zo lang duurde om het document te produceren.

De officials van de UCI wilden graag het bewijs doornemen dat het USADA bij het onderzoek naar Armstrong bijeen had gebracht, om te bepalen of de wielerunie over de kwestie in beroep zou gaan – maar meer nog of ze bij wandaden betrokken waren geraakt. Ze verwachtten dat er tussen de agentschappen van enig professioneel en vertrouwelijk decorum sprake zou zijn.

Toen Verbiest voor de naar zijn gevoel honderdste keer naar het rapport had gevraagd, onthulde Bock met alle genoegen de plannen van het USADA.

'Welnu, we kunnen het aan u toesturen,' zei Bock, 'of u kunt het krijgen wanneer het over een uur op internet wordt gezet.'

Verbiest viel stil.

'Bent u er nog?' vroeg Bock.

Stilte.

Ten slotte zei een ongelovige Verbiest: 'Wat? Dat kunt u toch niet doen?'

Toen Armstrongs advocaten het nieuws van Verbiest vernamen, waren ze ontsteld. Ze dachten dat de vrijgave van het rapport vergelijkbaar was met het door een openbare aanklager publiek maken van het bewijs dat de overheid voorafgaand aan een proces tegen de beklaagde had vergaard. Herman, Armstrongs in Austin gevestigde advocaat, vond dat het besluit tot openbaarmaking van het USADA alle juryleden – in dit geval het grote publiek – op unfaire wijze bevooroordeeld zou maken.

Armstrongs team was in verwarring. *Werd het bewijs op internet gezet? Over een uur al?*

Fabiani, de woordvoerder, verweet Herman dat hij deze zet van het USADA niet had voorzien.[1] Op zijn beurt vond Herman dat het ontstaan van de ellende op rekening van Levinstein kon worden bijgeschreven. Hij had Armstrong er immers toe overgehaald om het USADA uit te dagen. Nu was het USADA op de uitdaging ingegaan, en hoe.

Armstrong had het systeem altijd verslagen. Hij was al zijn critici te slim af geweest en had het langer volgehouden dan zij, behendiger gemanoeuvreerd dan zij en/of meer geld uitgegeven dan zij. Zelfs de Amerikaanse overheid was er niet in geslaagd hem aan te klagen. Hij meende alle aantijgingen van het USADA te kunnen bestrijden. Zoals altijd zou hij zijn buitengewone levensverhaal – zijn herstel van kanker, zijn zeven Tourzeges – als schild én wapen inzetten.

'Meen je dat, verdomme?' vroeg Armstrong nadat Herman hem had verteld over het plan van het USADA om alles publiek te maken. 'Hoe hebben we het verdomme ooit zo ver kunnen laten komen?'

Tygart besefte dat hun streven onherstelbare schade zou oplopen als ze er niet in slaagden Armstrong ten val te brengen. De financiering van het USADA kon worden beëindigd: hij had dat opgemaakt uit de besprekingen over de zaak-Armstrong op Capitol Hill. Topsporters die over veel geld beschikten zouden zich geïnspireerd voelen om het systeem op de proef te stellen, want Armstrongs geval zou bewijzen dat zulke sporters konden winnen. Een nederlaag in de zaak-Armstrong zou voor het USADA dodelijk kunnen zijn.

Een of twee getuigen van het dopinggebruik van Armstrong en de Postal Service-ploeg volstonden niet – het moesten er een stuk of tien zijn. Een paar documenten die bevestigden dat Armstrong de beruchte Italiaanse dopingarts had geraadpleegd – ook in de jaren waarin hij niet aan de Tour deelnam, maar wel in marathons en triatlons uitkwam – volstonden niet; ze wilden er stapels van hebben.

En stapels hadden ze, naast onder meer e-mails, foto's, video-opnamen en zelfs het webdagboek van Armstrongs eerste vrouw Kristin.

Rich Young, de externe advocaat van het USADA, formuleerde het fraai: 'Het is zo'n situatie als die van een olifantenjager die tegenover een geweldig grote olifant komt te staan: dat beest kun je maar beter omleggen, anders word je zelf vertrapt.'

Tygart realiseerde zich dat het USADA niet alleen tegenover Armstrong stond, maar ook tegenover zijn miljoenen fans. Wilde het agentschap Armstrong ten val brengen, dan moest het het publiek ervan overtuigen – en al die juryleden die zich een oordeel vormden – dat Armstrong jarenlang heel iemand anders was geweest dan zijn imago suggereerde.

Om dat te bereiken verrichtten de drie voornaamste advocaten die zich met het rapport bezighielden – Tygart bij het USADA, Young in zijn kantoor in Colorado Springs en Bock in Indianapolis – nachtwerk en mailden ze elkaar om de twaalf uur teksten toe. Ze schreven en herschreven totdat het rapport een karakter kreeg dat ze niet hadden verwacht. Aanvankelijk was het een rapport over de wandaden van een sportheld geweest, maar steeds meer ging het lijken op het scenario van een film over de maffia.

In de kleine uurtjes suggereerde Tygart bij wijze van scherts dat het erop leek dat de jongens van de maffia uit Las Vegas waren weg-gevlucht en uiteindelijk voor Armstrongs ploeg waren gaan werken. Young feliciteerde Bock, de hoofdauteur, omdat hij van een gangbaar droog juridisch document een spannende misdaadroman had gemaakt.

Ze wilden dat het rapport eenvoudig en toch spectaculair werd, zodat het publiek het in zijn geheel zou lezen en voor eens en altijd zou begrijpen wat voor iemand Lance Armstrong in werkelijkheid was: een pathologische leugenaar die niet alleen in zijn eigen ploeg, maar voor de sport in het algemeen een negatief voorbeeld van dopinggebruik had gegeven. Hij was de tiran van de wielersport, die er geen been in zag om mensen te vermorzelen die het waagden om hun twijfel over hem uit te spreken. Hij was de grote baas van een corrupte organisatie, de onbetwiste kampioen van een op leugens gefundeerde sport.

Het kon Tygart niet meer schelen wat Armstrong vond. Zijn team en hij waren de kampioen, die vroeger op de poster boven Tygarts bureau bij het USADA zelfgenoegzaam had gevraagd 'Waar ben jij mee bezig?' te slim af geweest. Armstrong kon bedreigen zoveel hij wilde. Hij kon het USADA verdacht maken. Beter dan ooit kon hij zijn slachtofferschap als troefkaart uitspelen. Maar deze keer zou alle bewijs tegen hem op internet staan, waar iedereen het overal kon bekijken.

Aan het begin van het onderzoek van het USADA vertelde Armstrong mij dat hij zich zorgen maakte over Tygarts beweegredenen. 'Ik ken zijn agenda niet, ik weet niet of hij nog andere ambities heeft, maar die lui zijn niet eerlijk en niet rechtuit. Het gaat hun niet om de integriteit van de wielersport of de sport als geheel; ze zijn er alleen maar op uit om één man te pakken en hem aan de schandpaal te nagelen.'

Armstrong geloofde dat het USADA hem ter meerdere eer en glorie van zichzelf ten val wilde brengen. 'Kom nou zeg, wordt dit met de dollars van de belastingbetaler gefinancierd, deze heksenjacht?' vroeg Armstrong aan mij. Ze willen mij gewoon pakken, want ze hebben een beroemdheid nodig zodat ze hun bestaan kunnen rechtvaardigen. Luister, het is gelul. Absolute leugenpraat. Absolute leugenpraat.'

Te midden van zijn slinkende kring vrienden en collega's was hij minder zelfverzekerd. Hij wist dat Floyd Landis en Tyler Hamilton tot de renners behoorden die hem hadden bedrogen. Allebei hadden ze zich in het openbaar uitgesproken. Zij baarden hem geen zorgen. Hij kon hun geloofwaardigheid in twijfel trekken omdat ze zo lang over hun eigen dopinggebruik hadden gezwegen.

Enkele andere getuigen waren echter renners met een onbesmet blazoen, goede kerels, zoals zijn Amerikaanse collega's David Zabriskie en Christian Vande Velde. De meeste zorgen maakte Armstrong zich over George Hincapie, Big George, zijn betrouwbaarste compagnon op twee wielen. In de weken die voorafgingen aan de ochtend van 10 oktober 2012, waren Armstrong en zijn advocaten te weten gekomen dat Hincapie met het USADA had gesproken. En hoewel ze er geen idee van hadden wat hij had gezegd, wilden ze dat ook niemand anders daar achter zou komen.

Enkele maanden daarvoor hadden ze een plan uitgedacht om te verhinderen dat bekentenissen in de openbaarheid zouden komen. De sleutelfactor in die strategie was een acceptatie van de sancties van het USADA.

Door de sancties te accepteren deed Armstrong afstand van zijn recht op een hoorzitting met arbitrage – maar dat was onderdeel van het plan. Op een dergelijke hoorzitting zou misschien alle bewijsmateriaal van het USADA – met inbegrip van de getuigenissen van Armstrongs ploeggenoten – worden uitgezonden. Armstrong en zijn advocaten geloofden dat als er geen hoorzitting kwam het bewijsmateriaal van het USADA vertrouwelijk zou blijven en dat het tikken van de tijdbom op dat moment zou ophouden.

Armstrong en zijn team rekenden erop dat de UCI niet tegen de sanctie van het USADA in beroep zou gaan.[2] Dat zou Armstrong genoeg plausibiliteit verlenen om zijn talloze fans ervan te overuigen dat hij opnieuw het slachtoffer was, en niet de dader.

Armstrong en zijn advocaten onderschatten echter Travis Tygarts vastbeslotenheid om de wereld te laten weten wat hij over Lance Armstrong te weten was gekomen.

Tygart had een particulier beveiligingsbedrijf in de arm genomen nadat hij drie keer met de dood was bedreigd, onder meer door iemand die 'een kogel door zijn hoofd' wilde jagen, en tevens door een ander die zei: 'Ik hoop dat je een lijfwacht en een kogelvrij vest hebt. Je bent dood, klootzak! Je hebt er geen benul van wat je hebt aangericht.' Tygart had overwogen al zijn bezittingen op naam van zijn vrouw te laten zetten. Het kantoor van het USADA werd overspoeld door duizenden e-mails van fans van Armstrong. Annie Skinner, een woordvoerster van het agentschap, werd per e-mail toegewenst dat ze 'kanker aan haar reet' zou krijgen.

Vooruitlopend op het rapport kwamen Armstrongs advocaten Tim Herman en Sean Breen snel met een reactie.

'We hebben gezien dat het USADA in zijn persbericht alle lof toezwaait aan het vandaag te verschijnen bericht, vanwege de "weloverwogen beslissing", zei Breen. Hij noemde het rapport 'een eenzijdige lasterlijke aanval – een door de belastingbetaler bekostigd tabloidstuk waarin oude, weerlegde en onbetrouwbare aantijgingen worden opgerakeld die grotendeels zijn gebaseerd op lieden die hun gram willen halen, seriële meineedplegers, afgedwongen getuigenverklaringen, dubieuze akkoordjes en door dreigementen ingegeven verhalen'.

'Het USADA heeft zijn met overheidsgeld bekostigde heksenjacht voortgezet op de heer Armstrong, een oud-wielrenner, en schendt daarbij zijn eigen regels en vaste procedures, het ontbreken van jurisdictie bij het USADA ten spijt, en schendt tevens op flagrante wijze het statuut van beperkingen.'

Om tien uur 's ochtends zette Armstrong vanaf zijn computer de volgende boodschap op Twitter: 'Helden in de strijd en daarbuiten, #SemperFi.' Hij plaatste er een link bij naar een verhaal over een marinier die in Pensacola, in de staat Florida, een jongen van elf over de eindstreep van een triatlon had gedragen. De jongen was als gevolg van botkanker zijn rechterbeen kwijtgeraakt.

Een van Armstrongs ruim drie miljoen volgers op Twitter gaf op die boodschap een onheilspellende reactie. Hij verwees naar de scène in de film *Jaws* waarin de hoofdfiguren beseffen dat de grote witte haai die ze proberen te vangen, veel groter is dan ze hadden verwacht.

In de tweet stond: 'Ken je die regel in *Jaws*: "We zullen een grotere boot nodig hebben?" Nou, vandaag heb jíj een grotere boot nodig.'

In een plomp, rozenrood kantoorgebouw in Colorado Springs, dat tegenover de Pro Rodeo Hall of Fame stond, werd Tygart op hetzelfde moment duizelig en nerveus. Hij was van zijn kantoor naar een lokale televisiezender gereden. Hij zou daar rechtstreeks in het programma *Outside the Lines* van ESPN verschijnen. Het was de bedoeling dat hij, enkele ogenblikken nadat het rapport van het USADA voor het eerst op internet te zien was, op de nationale televisie zou komen. Zijn staf was dagenlang bezig geweest om het dossier van de zaak voor publicatie klaar te maken. Voor de definitieve publicatie van het rapport hadden de stafleden alleen nog de zegen van de baas nodig.

Even voor tweeën, oostelijk-Amerikaanse tijd, belde hij met zijn mobieltje naar zijn kantoor en gaf zijn fiat.[3]

'We doen het,' zei hij.

Ongeveer 1.400 kilometer ten zuidoosten van Colorado Springs opende het rapport zich op Armstrongs laptop. Aan de rechterkant van de homepage van de website van het USADA verscheen een hemelsblauw venstertje van vijf bij vijf centimeter, met daarin de woorden: 'Onderzoek naar de profwielersport, overwogen besluit en ondersteunend materiaal.' Een pijltje dat naar het venstertje wees, nodigde alle gebruikers uit, met de woorden: 'Klik hier om informatie te bekijken.'

Armstrong klikte.[4]

Het rapport zette Armstrong neer als een verfoeilijke bedrieger, een uitdagende leugenaar en een bullebak die anderen ertoe bracht om samen met hem bedrog te plegen. Je mocht met hem meedoen, anders was je gezien. Het USADA omschreef het dopinggebruik bij Armstrongs Postal Service-ploeg als 'het meest geavanceerde, geprofessionaliseerde en succesvolle dopingprogramma dat ooit in de sport te zien is geweest'.

De bewijzen van Armstrongs dopinggebruik waren overweldigend. Er waren vierentwintig getuigen en elf voormalige ploeggenoten, onder wie de eerbiedwaardige Big George. Er waren resultaten van bloedonderzoek, die volgens experts bewezen dat Armstrong ten tijde van zijn comeback zijn bloed had gemanipuleerd om zijn uithoudingsvermogen te vergroten. Er waren bankafschriften die lieten zien dat er betalingen waren gedaan aan dr. Michele Ferrari, de epo-specialist, onder meer een betaling die kennelijk afkomstig was van een rekening die Armstrong met zijn moeder deelde. Het USADA had bewijzen bijgevoegd van betalingen aan Ferrari ten bedrage van 1 miljoen dollar, onder meer ten minste 210.000 dollar die na 2004 was overgemaakt, het jaar waarin Armstrong naar eigen zeggen zijn werkrelatie met de arts had beëindigd.

Het rapport telde 202 pagina's. Tezamen met het ondersteunende materiaal waren er meer dan duizend pagina's met informatie. Alles stond erin, zelfs George Hincapies vraag aan Armstrong: 'Heb je nog wat epo voor me te leen?' 'Ja,' antwoordde Armstrong.

Vrienden van Armstrong en anderen die dicht bij hem stonden, zeiden dat hij, nadat hij het rapport had aangeklikt, het hele document had gelezen en zelfs bepaalde passages uit zijn hoofd had geleerd.

Toch hield hij tegen mij vol dat hij er geen woord van had gelezen.

## 25

Een maand voordat het USADA-rapport openbaar werd gemaakt, had Armstrong onverwachts een deel van het bewijs onder ogen gekregen dat het Anti-Doping Agentschap tegen hem zou gebruiken. De pikante details in kwestie stonden in Tyler Hamiltons openhartige boek *The Secret Race*, dat in september 2012 was gepubliceerd.

Begin 2011, een jaar voordat de openbare aanklager in Los Angeles zijn strafrechtelijk onderzoek naar Armstrong zou staken, kwamen hem geruchten ter ore dat Hamilton samen met de auteur Daniel Coyle aan een boek werkte. Coyle had in 2005 een diepgaand boek over Armstrong geschreven – uiteraard kwam de doping er niet in ter sprake. Een van Armstrongs advocaten belde Hamiltons advocaat om na te gaan of Hamiltons bekentenis er ook in zou staan.

Dat werd nooit officieel bevestigd, maar Armstrong zette zich maandenlang schrap in afwachting van Hamiltons verhaal. Hij was woedend dat Hamilton, Armstrongs voormalige ploeggenoot die door hem 'de smerigste klootzak van een renner' werd genoemd, de omerta zou schenden – en daar ook nog geld voor zou opstrijken.

Het interview dat Hamilton in mei 2011 in *60 Minutes* had gegeven, bood een voorproefje van de inhoud van het boek. Hamilton schetste hoe het er in de wielersport achter de schermen aan toeging – het dopinggebruik en de leugens – maar concentreerde zich hoofdzakelijk op het dopingprogramma van de Postal Service-ploeg. Hij vertelde over het gebruik van testosteron, 'Poe' en bloedtransfusies door Armstrong en zijn ploeggenoten. Hij zei dat hij zich trots had gevoeld toen hij van de ploeg een witte papieren zak ontving met daarin de prestatiebevorderende middelen, want dat had zijn succes gesymboliseerd. Eindelijk had hij de kans gekregen om hetzelfde te doen als Armstrong, die er zijn vooruitgang aan dankte.

Mark McKinnon, lid van de raad van bestuur van Armstrongs stichting en politiek adviseur, vond dat Hamilton in *60 Minutes* een 'rare' en 'verdachte' indruk maakte. 'Hij was erg onzeker. Hij kwam over als iemand die niet echt in zijn eigen woorden geloofde.' Daarom was McKinnon – die jarenlang de waarheid over Armstrong had bestreden – niet bang dat zijn beschuldigingen Armstrong of de stichting zouden schaden.

Zestien maanden later, toen Hamiltons boek op zijn deurmat viel, zou McKinnon daar heel anders over denken. Hij woonde in Austin en was al heel lang getrouwd met zijn vrouw Annie, die geïnspireerd door Armstrong haar kanker had overleefd.

McKinnon las het boek in één dag uit. Al lezend kreeg hij het met de pagina benauwder. Hij dacht terug aan 2011 en herinnerde zich de berichten dat Hincapie met de grand jury had gesproken. (Hij had zelfs uit vrije wil verklaringen tegen de FBI afgelegd.) Hincapies getuigenis én de tegen Armstrong gerichte beschuldigingen in Hamiltons boek betekenden dat de stichting, die op Armstrongs goede naam leunde, in grote moeilijkheden verkeerde.

Volgens McKinnon was het bewijs van Armstrongs bedrog 'onaanvechtbaar'. Zijn eerste gedachte was: Armstrong moet opstappen. De volgende dag belde hij met andere bestuursleden van de stichting en vertelde hun: 'Je moet Tylers boek lezen. Het wordt een grote crisis.' Hij vond algauw een bondgenoot in Jeff Garvey, de voormalige bestuursvoorzitter van Livestrong die al sinds jaar en dag een grote supporter van de Amerikaanse wielersport was. Garvey vond ook dat Armstrong zich van de stichting moest losmaken, wilde die kunnen blijven groeien. Dit idee werd wekenlang door McKinnon, Garvey en de overige bestuursleden van Livestrong gekoesterd, totdat er uiteindelijk geen tijd meer was.

Toen het rapport van het USADA uitkwam, was een meerderheid van de bestuursleden, buiten medeweten van Armstrong, van mening dat de leden alles moesten doen om de stichting te beschermen. Ze belegden een speciale vergadering en besloten dat Armstrong als voorzitter van het bestuur moest terugtreden. Armstrong ging daarmee met tegenzin akkoord. Hij kon in elk geval lid van de directieraad blijven, zei hij tegen Doug Ulman, de president van de stichting, dus van een totale catastrofe was geen sprake. Hij kon altijd later weer voorzitter worden, als het gerommel over zijn dopingverleden weer voorbij was.

En dus maakte Armstrong een week na de verschijning van het USADA-rapport bekend dat hij het voorzitterschap van Livestrong had opgegeven om het liefdadigheidswerk tegen negatieve publiciteit te beschermen. Het betekende echter veel meer. Met zijn terugtreden begon de meest overhaaste, crue val van een profsporter in de moderne tijd.

Binnen enkele uren verlieten Armstrongs sponsors het zinkende schip. Nike vertrok, gevolgd door Trek Bicycling Corporation, Oakley, Giro, RadioShack, Anheuser-Busch, FRS (een fabrikant van sportdrankjes) en Honey Stinger (een fabrikant van energierepen).

Nike gaf een verklaring uit, waarin Armstrong er nog net niet van werd beschuldigd dat hij informatie voor het bedrijf had achtergehouden: 'Als gevolg van het schijnbaar onoverkomelijke bewijs dat Lance Armstrong deel heeft genomen aan dopinggebruik en Nike meer dan tien jaar lang heeft misleid, hebben wij tot ons grote verdriet ons contract met hem opgezegd.'

Natuurlijk had Nike net als iedereen de aanwijzingen voor Armstrongs dopinggebruik opgevangen: dat hij in de Tour van 1999 positief was bevonden op cortisonen, dat hij in diezelfde Tour zes keer positief was bevonden op epo, en dat zijn ploeggenoten Stephen Swart en Frankie Andreu een getuigenis over doping hadden afgelegd. Al dat bewijs lijkt echter te zijn weggemoffeld onder de briljante marketingstrategieën die hem tot een van de meest herkenbare sporters ter wereld hadden laten uitgroeien.

Nu was Nike geschokt – geschokt! – omdat Armstrong het bedrijf had misleid. Het was alsof een van de meest geavanceerde, op sport gerichte bedrijven ter wereld niets van de geschiedenis van het dopinggebruik in de Tour af wist, ook al had de ene Tourwinnaar na de andere toegegeven stimulerende middelen te hebben gebruikt.

(Nog maar kort daarvoor, in 2007, had Bjarne Riis, die de Tour van 1996 had gewonnen, bekend dat hij doping had gebruikt.)

Het was alsof grote kampioenen uit het verleden, zoals de Belg Eddy Merckx, de Fransman Jacques Anquetil, de Italiaan Fausto Coppi en wellicht wel alle winnaars van de ruim honderd jaar verreden wielerwedstrijd, niet positief waren bevonden en/of hadden toegegeven dat doping diepe wortels in de wielersport had. Merckx verklaarde in het openbaar dat Armstrong hem teleurgesteld had, ofschoon – volgens Armstrong – uitgerekend hij Armstrong bij de Italiaanse arts Michele Ferrari had geïntroduceerd.[1]

Nog geen twee weken na het uitkomen van het USADA-rapport werd Armstrong zelfs door zijn bondgenoten in de steek gelaten. De UCI, de wielerfederatie die hem lange tijd had gesteund, keerde zich tegen hem. Pat McQuaid zei dat hij 'beroerd' was geworden van het USADA-rapport: 'Lance Armstrong hoort niet thuis in de wielersport. Hij verdient het om als wielrenner in de vergetelheid te raken. Zoiets als dit mag nooit meer gebeuren.' De UCI zou niet tegen de dopingsancties van het USADA in beroep gaan.

McQuaid was niet zuiver op de graat. Hij was voor de Olympische Spelen van 1976 geschorst nadat hij onder een valse naam aan wedstrijden in Zuid-Afrika had meegedaan en zodoende een internationale, tegen de apartheid gerichte sportboycot had geschonden. Zijn voorganger Hein Verbruggen en hij hadden in de donkerste dagen van het dopinggebruik toezicht op de wielersport gehouden. Maar alle ogen waren nu op Armstrong gericht, en voor alle zonden van de wielersport mocht hij nu de klappen opvangen.

Enkele weken later, op 10 november 2012, zette Armstrong, in een poging om te laten zien dat hij niet kapot te krijgen was, een foto op zijn Twitter-pagina. Op deze foto lag hij op een sofa onder zijn ingelijste zeven gele truien. Het bijschrift luidde: 'Terug in Austin en lekker liggen.' Wat het USADA hem ook kon aandoen, hij zou zich niet laten vernederen. Niet dat anderen daar geen pogingen toe deden.

Begin november 2012 bespraken de bestuursleden van de stichting die een complot tegen Armstrong hadden gesmeed met Ulman hoe Armstrong volledig van zijn eigen organisatie kon worden losgemaakt.[2] Hem afzetten als voorzitter van de raad van bestuur had niet volstaan. De raad besefte dat Armstrong alle banden moest verbreken.

Het was geen gemakkelijke beslissing. Armstrong had met de Livestrong Foundation veel bereikt. Dankzij hem werd het stoer om kanker te overleven, en het bevrijdde mensen die maanden- of jarenlang pijn hadden geleden en in het ziekenhuis hadden gelegen van een stigma. Zelf had hij 7 miljoen dollar gedoneerd, en in totaal bracht de stichting 500 miljoen dollar bijeen om door kanker getroffen gezinnen te helpen. Zonder Armstrong had Nike nooit de gele polsbandjes en de Livestrong-sportkledinglijn (die onder meer schoenen, shirts en hoofddeksels omvatte) op de markt kunnen brengen.

Nu lag het lot van de stichting echter niet meer in zijn handen. Feitelijk was het hem uit handen genomen.

De bestuursleden stelden Ulman een ultimatum: 'Als Lance niet opstapt, stappen wij wel op.'[3]

Ongeveer een maand na de publicatie van het USADA-rapport deelde Ulman Armstrong mee dat de meeste bestuursleden wilden dat hij als voorzitter zou aftreden. Armstrong ontplofte. Eerst betichtte hij Ulman van verraad. Vervolgens begaf de man die zo snel kwaad werd en zijn impulsen niet kon beheersen zich naar zijn laptop. Daarop schreef hij de bestuursleden een vernietigende e-mail. Hij herinnerde hen eraan dat hij de stichting van de grond af had opgebouwd, en dat er zonder hem van het liefdadigheidswerk niets terecht zou zijn gekomen. Hij maakte de bestuursleden uit voor 'lafaards' omdat ze hem niet terzijde stonden. Volgens McKinnon gaf Armstrongs e-mail blijk van 'de afwezigheid van berouw en andere noties dat hij een zaak moet dienen die groter is dan hijzelf'.

Hoewel Armstrong zich de volgende dag voor zijn taalgebruik in de e-mail verontschuldigde, stonden de bestuursleden niet op het punt om van gedachten te veranderen. Daarop verbrak Armstrong alle banden met de organisatie.

Twee dagen later kreeg de Lance Armstrong Foundation de naam 'Livestrong' en begon de organisatie zich van zijn stichter te zuiveren. Niet langer hingen er zeven kopieën van Armstrongs gele truien in de lobby van het stichtingskantoor.

Armstrong praatte niet meer tegen de bestuursleden, met inbegrip van diegenen die, zoals Garvey, een nauwe persoonlijke band met hem hadden gehad. Hij verwijderde meer dan tien stukken van zijn kunstcollectie uit het hoofdkwartier van de stichting, zodat er grote rechthoekige lege vlakken op de muren achterbleven.

Hij was gekwetst omdat zijn eigen liefdadigheidsorganisatie hem had laten vallen. Maar als Livestrong hem niet meer wilde, wilde hij Livestrong ook niet meer.

Betsy Andreu zat thuis in Michigan op het USADA-rapport te wachten. Toen het op internet verscheen, pakte ze haar laptop en klikte de pagina aan waarop stond welke renners en andere getuigen beëdigde verklaringen aan de aanklagers hadden voorgelegd.

Toen ze op beëdigde verklaringen de namen van elf voormalige ploeggenoten van Armstrong zag, zei ze: 'O, mijn God. O, mijn God.' Ze riep Frankie, die aan de andere kant van de kamer zat, en zei: 'Al ons werk heeft wat opgeleverd!'

Meer dan tien jaar had Betsy journalisten, tegen doping gekante officials als Tygart en federale opsporingsambtenaren als Noritzky gebeld om hun tips te geven. Bekijk deze documenten eens, zei ze dan. Bel deze renner eens, bel die advocaat. Ik schat dat wij elkaar in die periode algauw meer dan tweehonderd keer hebben gebeld, meestal nadat Betsy mij een link naar een verhaal over Armstrong, doping of allebei deze onderwerpen had gestuurd. Altijd zei ze tegen mij: 'Zeg tegen niemand dat ik je dit heb verteld.' Ze wilde dat ik daarna al haar suggesties natrok die, naar ze hoopte, zouden bewijzen dat Armstrong doping had gebruikt. Het was duidelijk dat ze op sommige dagen praktisch aan één stuk door journalisten aan de lijn had, want als ze met mij over haar vaste telefoon sprak, rinkelde haar mobieltje constant – alsof ze in een telefooncentrale werkte.

Geweldig, bevestigde Frankie. Maar in feite was hij bepaald niet blij. En wat dan nog, als nu eens tien andere renners hun dopinggebruik hadden toegegeven en tegen Armstrong hadden getuigd? vroeg hij aan zijn vrouw. Terwijl hij op een dood spoor was gezet, konden andere jongens nog altijd koersen. 'Alles goed en wel, maar al die kerels hebben hun geld nog, en hoe staan wij ervoor?'

De Andreus waren geen miljonairs, zoals sommige andere renners. Zij hadden geen Maserati van meer dan 100.000 dollar op de oprit staan en bezaten geen boetiekhotel, zoals Hincapie. Evenmin had Frankie ooit een Corvette en ruim drie hectare grond buiten Chicago bezeten, zoals Vande Velde. Hij verdiende nooit meer dan een half miljoen dollar per jaar, hetzelfde bedrag dat de meeste renners van Postal Service uiteindelijk kregen.

Na het USADA-rapport werd Betsy Andreu echter met immateriële zaken beloond. Ze had haar waardigheid teruggekregen. Ze was niet meer 'het krankzinnige kreng', zoals Armstrong haar tegenover veel journalisten had genoemd. In tranen zei ze tegen haar kinderen: 'Mama heeft de bullebak getrotseerd. Je moet bullebakken altijd trotseren.'

De weken na zijn val bracht Armstrong in afzondering door op het grootste eiland van Hawaï. Hij liet zijn kortgeknipte haar uitgroeien tot een wilde ragebol. Hij schoor zich niet meer. Hij zag er eenzaam uit en, het leek wel alsof het hem allemaal niets meer kon schelen.

Terwijl de federale klokkenluiderszaak heel langzaam vorderde, maakte Armstrong zich zorgen over wat die zaak hem zou gaan kosten. Als hij schuldig werd bevonden, kon dat betekenen dat hij Postal Service uit eigen zak 120 miljoen dollar moest betalen.

Dat geld was al erg genoeg. Maar erger was dat hij een levenslange schorsing voor alle sporten kreeg. Hij had verwacht in de triatlon aan een tweede carrière te kunnen beginnen, maar het USADA maakte hem dat onmogelijk. Hij wilde dat de schorsing werd opgeheven of op zijn minst werd afgezwakt. Tegen iedereen die het wilde horen deed hij zijn beklag: '*Waarom moeten mijn ploeggenoten, zoals Vande Velde en Hincapie een halfjaar krijgen, terwijl ik ter dood word veroordeeld?*'

Tygart zei dat het USADA de schorsing kon afzwakken in ruil voor informatie over mensen uit de wielerwereld die zijn dopinggebruik hadden gefaciliteerd of vergoelijkt. Armstrong zou moeten komen met wat in de optiek van het USADA grote namen waren, van wie het agentschap vermoedde dat ze bij zijn dopingplan waren betrokken. Terwijl Armstrong aarzelde, gaf ten minste één adviseur hem de raad om eerlijk te bekennen, en dat om een heel simpele reden: Amerikanen waren heel vergevingsgezind.

De adviseur in kwestie was Steven Ungerleider, gastdocent aan de Universiteit van Texas en antidoping-expert. Hij had een boek over de Oost-Duitse dopingmachinerie in de jaren tachtig geschreven, getiteld *Faust's Gold*. Ungerleider had Armstrong leren kennen via een vriend van hem, Armstrongs advocaat Tim Herman.

Herman had Ungerleider, die een enorme ervaring met olympische sporters had, aangesteld als vrijwillig adviseur die Armstrong moest helpen met zijn bekentenissen. Ungerleider besprak met Armstrong hoe een bekentenis hem van een last kon bevrijden en hoe dat op de lange duur aan zijn kinderen ten goede zou komen. Hij suggereerde dat Armstrong het publiek in de ogen zou kijken met de woorden: 'Kijk, ik heb het goed verknald. Maar wilt u alstublieft voorzichtig zijn met mijn stichting?'

Armstrong wilde twee dingen weten: hoe hij zijn reputatie kon herstellen en hoe hij zijn levenslange schorsing voor olympische sporten kon verlichten. Ungerleider zei dat hij, als hij eerlijk bekende, zijn reputatie in een oogwenk zou omslaan. Alles aan het USADA vertellen hoorde er volgens Ungerleider ook bij.

Als Armstrong bij het antidopingagentschap bekende, kon dat de wielersport ten goede komen en zou het USADA Armstrongs schorsing misschien verlichten. Volgens Ungerleider zou het beide par tijen voordeel opleveren. Armstrong kon als voorbeeld voor andere renners fungeren, die vervolgens met hun eigen dopingverhalen voor de draad zouden komen. De hele sport zou met een schone lei een nieuwe start kunnen maken.

Dagenlang gingen de argumenten over en weer. Armstrong: 'O nee, die klootzakken zijn erop uit mij te vernietigen. Het zijn zakkenwassers die mij, mijn huis en mijn kinderen willen vernietigen.'

Ungerleider: 'Je moet op het systeem vertrouwen.'

Armstrong: 'Waarom hebben ze dat rapport over mij uitgebracht? Het heeft me gewoon kapotgemaakt.'

Ungerleider: 'Je hebt ze geen keus gelaten. Als je er in juni mee naar buiten was gekomen, was het een ander verhaal geweest.

Armstrong: 'Ze kunnen doodvallen.'

Ungerleider: 'Je moet je olympische bronzen medaille teruggeven. Dat gebaar zou een blijk van vertrouwen zijn.'

Armstrong: 'Krijg de kolere. Die medaille houd ik.'

Uiteindelijk werd er met hulp en bemiddeling van Ungerleider een ontmoeting tussen Armstrong en Tygart geregeld.[4] Ze spraken af op 14 december 2012 om twaalf uur in het centraal in Denver gelegen kantoor van Bill Ritter, ex-gouverneur van Colorado. Ritter was bereid om als gastheer op te treden omdat hij wielerliefhebber was en enkele jaren geleden met Armstrong bevriend was geraakt.

De mannen kwamen bijeen in een vergaderruimte op een rustige etage van het gebouw. Armstrong kwam te laat, waardoor iedereen bezorgd was of hij überhaupt wel zou komen opdagen. Toen hij eindelijk verscheen, zag hij er onverzorgd en ongewassen uit. Iemand merkte op dat hij eruitzag als Robinson Crusoe. Geen wonder dat zijn naaste vrienden zich zorgen hadden gemaakt over de manier waarop hij de nasleep van het USADA-rapport verwerkte. Die vrienden zagen dat Armstrong gedeprimeerd was en troost zocht in de alcohol. Zelfs het USADA vreesde dat hij zichzelf iets zou aandoen, op grond van het feit dat zijn koninkrijk razendsnel was ingestort en het publiek zich net zo snel tegen hem had gekeerd.[5]

Herman, Armstrongs advocaat, was aanwezig om Armstrong in

de lastige situatie bij te staan. Tygart was aanwezig met zijn collega Bill Bock. Verder waren ook Ungerleider en Ritter bij de bijeenkomst, om op te treden als neutrale partijen.

Enkele minuten lang werden er vriendelijke woorden gewisseld. *Heb je een goede vlucht gehad? Kon je het gebouw makkelijk vinden? Wil er iemand koffie?* Armstrong kon echter niet beleefd blijven. Voor het eerst zat hij recht tegenover zijn aartsvijand Tygart.

'Je bent een klootzak, Travis,' zei hij.[6] 'Ik heb de pest aan je. Het is ongelofelijk wat een gelul je in dat rapport hebt gezet. Je weet best dat het allemaal bullshit is. Heb je mij uitgemaakt voor de Bernie Madoff van de sport? (Wat hij in werkelijkheid niet had gedaan.) Je plaatst mij in dezelfde categorie als die klootzak! Hij heeft mensenlevens kapotgemaakt en vernietigd! Hij is net Adolf Hitler!'

Hij haalde passages uit het USADA-rapport aan waarmee hij het oneens was en sprak erover alsof hij ze uit zijn hoofd had geleerd. Hij wees erop dat het rapport zijn dopinggebruik had betiteld als 'het meest geavanceerde en geprofessionaliseerde' dopingprogramma dat ooit in de geschiedenis van de sport was vertoond. 'Het meest geavanceerde dopingprogramma ooit? Kom op zeg, denk eens aan de Oost-Duitsers.' Hij wees naar Ungerleiders boek over de Oost-Duitse dopingmachine dat Ungerleider voor zich op tafel had gelegd. ' Die gaven verdomme doping aan kínderen! Het waren echte criminelen die mensen echte schade berokkenden! Dat heeft niets van doen met wat wij hebben uitgehaald!'

Voor Herman, die nauw bevriend was geraakt met de gekwelde ster, was Armstrong zowel een cliënt als een zoon. Hij pakte Armstrong bij de arm en zei, op een toon alsof hij het tegen een peuter had: 'Lance, weet je nog dat we het daarover hebben gehad? Je moet aardig blijven.' Herman glimlachte. 'Goed Lance, voel je je nu beter? Alles in orde met je, jongen?'

Bock viel hem in de rede. 'Lance, we willen je alleen maar zeggen hoezeer we het waarderen dat je hier naartoe bent gekomen. Er was heel wat moed voor nodig om hier te komen. Wij zijn hier om je te helpen en je je plaats in de gemeenschap terug te geven. Wij weten niet wat we aan je levenslange schorsing kunnen doen, maar we zijn hier om een gesprek op gang te brengen.'

'Wat kunnen jullie me beloven?' vroeg Armstrong.

Tygart antwoordde: 'Op dit moment niets, maar we moeten hele kleine pasjes zetten'

Armstrong ontstak opnieuw in woede: 'Waarom ben ik eigenlijk hier, verdomme? Dit is toch je reinste gelul! Ik wist wel dat Travis zoiets zou uithalen!'

Herman legde een hand op Armstrongs schouder en zei hem dat hij, als hij dat zo graag wilde, alles eruit moest gooien. Armstrong viel gegeneerd stil.

In de daaropvolgende uren bespraken ze hoe Armstrong van zijn levenslange schorsing af kon komen. Hij wilde weer aan triatlons en wielerkoersen deelnemen, alsmede aan evenementen als de marathon van Chicago – dat had hij nodig. (Drie maanden geleden was hem vanwege zijn schorsing de deelname aan die marathon ontzegd.)

Tygart zei dat hij de duur van Armstrongs schorsing mogelijk tot acht jaar kon terugbrengen als Armstrong het USADA voldoende informatie gaf over de mensen die hem hulp verschaften bij zijn dopinggebruik en bij het ontlopen van detectie.[7] Tygart zei dat de schorsing mogelijk nog verder kon worden ingekort, misschien wel tot vier jaar, als de UCI en het Wereld Anti-Doping Agentschap bij het bepalen van Armstrongs schorsing medewerking van hem kregen. Hij moedigde Armstrong aan iedereen aan te wijzen die zijn dopinggebruik had gefaciliteerd. Voor hem was dat een perfecte gelegenheid om iets terug te geven aan de sport die hij liefhad, iets positiefs na te laten en de perceptie die het publiek van hem had te veranderen, zei Tygart. Volgens Tygart werkte het USADA nauw samen met het ministerie van Justitie en kon het in de klokkenluiderszaak een goed woordje voor hem doen. Ex-gouverneur Ritter wees erop hoeveel macht de gezamenlijke aanwezigen, met inbegrip van hemzelf, vertegenwoordigden en zei dat ze Armstrong zouden helpen – echter alleen als hij meewerkte.

Vervolgens dacht Armstrong diep na. Hij zei dat hij ten onrechte schuldig werd verklaard aan het bestaan van een heel tijdperk van bedrog in de wielersport. Hij erkende dat hij onderdeel was van een vergiftigd systeem en gaf toe dat die cultuur ontmanteld moest worden. 'Als puntje bij paaltje komt, kan ik jullie skeletten en lijken geven. Ik weet waar ze allemaal begraven liggen.'[8]

Maar voor Armstrong zou gaan praten, wilde hij de garantie dat hij precies dezelfde schorsing zou krijgen als zijn ploeggenoten die hadden gepraat: een halfjaar. En in het ergste geval: twee jaar.

Toen Tygart zei dat dat niet tot de mogelijkheden behoorde – dat sancties die van de Wereld Anti-Doping Code afweken door het WADA en de UCI moesten worden goedgekeurd – zei Armstrong met stemverheffing: 'Jullie hebben de sleutel tot mijn verlossing niet in handen. *Er is er maar één die de sleutel tot mijn verlossing bezit, en dat ben ik.*'

'Ik hoef niet met jullie samen te werken, ik denk dat ik dit wel alleen kan,' zei hij. 'Ik zal het publiek vertellen wat ik weet, en daardoor zullen jullie onder druk komen te staan om mij minder zwaar te schorsen. Ik ben de enige die de sport kan zuiveren!'

Hij wees erop dat de UCI een zogenoemde 'Waarheids- en verzoeningscommissie' ging vormen, met een programma om renners te laten praten over hun dopinggebruik en over de mensen die hen daarbij hadden geholpen. In ruil daarvoor zouden ze worden gevrijwaard van vervolging door instellingen die het dopinggebruik bestreden. Als hij hun informatie gaf, zou zijn schorsing worden opgeheven, toch? (Nee: de UCI trok zich terug uit een commissie, maar eind 2013 was er sprake van dat er een nieuwe commissie zou worden opgericht.) Hij had het USADA niet nodig – hij was verdorie Lance Armstrong en hij kon alles zelf wel regelen.

Pas toen er al meer dan vier uur was verstreken, leek Armstrong te beseffen dat zijn agressieve houding hem niet verder bracht. Hij sloeg een zachtere toon aan en zei dat de schorsing hem kapot zou maken. Hij mocht zelfs niet samen met zijn kinderen aan een door de Amerikaanse atletiekbond gesanctioneerde hardloopwedstrijd meedoen. Het deed hem goed om bij een sportief evenement zijn krachten met anderen te delen. In feite, zei hij tegen het USADA, betekende de schorsing dat hij niet langer Lance Armstrong kon zijn.

'Ik kom 's morgens mijn bed niet uit als ik niet weet dat ik iets heb om voor te leven,' zei hij. 'Voor mij zijn dat trainingen en wedstrijden. Ik train niet omdat ik er genoegen aan beleef. Ik train omdat ik dat moet. Ik train meer dan nodig is om in vorm te blijven. Ik moet weten dat ik aan wedstrijden mee ga doen. Dat heeft mijn hele leven bepaald. Ik ben mijn hele leven lang wedstrijdsporter geweest. Ik moet weten dat jullie me weer aan wedstrijden zullen laten meedoen.'[9]

Een ogenblik lang bracht niemand een woord uit. Armstrong had hun zojuist alles duidelijk gemaakt. Hij vroeg niet zomaar om een lichtere schorsing. Hij smeekte of hij zijn gevoel van eigenwaarde, zijn identiteit en zijn leven terug mocht krijgen.

Ungerleider, de psycholoog, zei later tegen Tygart: 'Ik hoop dat jullie die boodschap goed hebben begrepen. Hij probeert te zeggen dat jullie hem zijn mechanismen afnemen om het leven aan te kunnen. Zo'n mens is hij. Elke manier waarop hij terug kan komen, met een tien-kilometer of een zwemwedstrijd, zou gezond voor hem zijn en hem de vaardigheden aanreiken om het leven beter aan te kunnen. Ik vraag jullie niet om daar iets aan te doen. Ik wil alleen dat jullie je daarvan bewust zijn.'

Nu Armstrong geneigd leek om alles tegen het USADA op te biechten, spraken de aanwezigen af over een week in Austin opnieuw bijeen te komen. Armstrong ging terug naar Texas, om daar de nieuwe ontmoeting af te wachten. Toen hij geen schriftelijke garantie kreeg dat zijn schorsing zou worden verlicht, weigerde hij naar de nieuwe ontmoeting te komen.

Een kleine drie maanden na de verschijning van het USADA-rapport belde Armstrong zijn oude vriendin Oprah Winfrey. Ze verbleven allebei op Hawaï. Armstrong was daar samen met zijn gezin, tijdens zijn zelfopgelegde verbanning van het Amerikaanse continent. *Zou hij haar willen opzoeken op haar landgoed in Maui om met haar te lunchen?* Hij had een zakelijk voorstel voor haar. Ze greep de kans enthousiast aan.

Armstrong had vertrouwen in Winfrey. Ze had hem bewonderd, een Livestrong-polsbandje gedragen en de bandjes zelfs verkocht via haar website. Ze had de Armstrongs, met inbegrip van Lance' moeder, bij haar thuis een etentje aangeboden. Sinds Armstrong in 2003 van Kristin was gescheiden, was zijn band met zijn moeder sterker geworden, maar van tijd tot tijd was hun verhouding nog steeds gespannen.

Armstrong en Sheryl Crow waren in februari 2005, toen ze nog bij elkaar waren, in haar talkshow verschenen, en alles was even positief verlopen. 'Is hij erg romantisch?' vroeg Winfrey aan Crow. O ja, antwoordde die. Ook Linda, Armstrongs moeder, deed mee, en Winfrey kirde: 'Wat ik zo geweldig aan Linda vind, is het feit dat ze een alleenstaande moeder is geweest.'

Enkele weken voor hun ontmoeting in Maui had Winfrey Armstrong gevraagd of ze hem mocht interviewen op haar in zwaar weer verkerende Oprah Winfrey-zender (own). Hij had haar verzoek van de hand gewezen.

Het zette hem echter wel aan het denken.

Hij was het zat om te moeten luisteren naar advocaten die hem opdroegen om over zijn verleden te zwijgen, zat om te moeten wachten op bericht van *spin doctors* die probeerden te bepalen wat hij volgens het publiek moest gaan doen.[10] De allergrootste moeite had Armstrong er echter mee dat Tygart zoveel macht over hem kon uitoefenen: tenzij Armstrong alles wat hij wist aan het usada bekende, kon er van een verlichting van zijn levenslange schorsing geen sprake zijn.

Hij wist dat hij uiteindelijk in de klokkenluiderszaak alles over zijn dopinggebruik aan de federale aanklagers moest vertellen. Hij verafschuwde echter het feit dat een onbekende aanklager die dolgraag naam wilde maken, roem zou oogsten door hem uit te horen. Hij was nog niet zo ver dat hij die controle kon opgeven. Hij wilde onder zijn eigen voorwaarden bekennen.

Bovendien beleefde Armstrong dat najaar iets verontrustends met zijn tienerzoon Luke. Luke was op school gepest omdat hij een bedrieger en dopingslikker als vader had en was vervolgens bij de bushalte in gevecht geraakt omdat hij zijn vader verdedigde. Armstrong was geschokt toen Luke hem vroeg: 'Die en die heeft dat over jou gezegd, is dat waar?'[11] De vader Armstrong wilde het verhaal daarom rechtzetten voor de ogen van het publiek.

Dus vertelde hij zijn vriendin Oprah: *Ik wil alles opbiechten, maar dan wel in jouw programma, waarin jij de vragen stelt terwijl de hele wereld toekijkt.*

Armstrongs PR-mensen konden niet geloven dat hij had doorgezet en zonder hen te raadplegen een interview met Winfrey had geregeld. Armstrong hield echter vol dat het allemaal niet kon worden teruggedraaid. En dus begaven zijn PR-team, zijn advocaten en ook een psychiater zich naar Austin om hem voor het tv-programma klaar te stomen.

Op de dag van de opname maakte hij een speciaal uitstapje naar het hoofdkwartier van Livestrong om zich tegenover het personeel te verontschuldigen voor wat hij had gedaan en wat hij spoedig zou gaan doen. 'Het spijt me dat u vanwege mij alles hebt doorgemaakt wat u hebt moeten doormaken.'[12] Hij stuurde een sms'je naar Emma O'Reilly, zijn ex-soigneur, in de hoop dat ze hem zou terugbellen, zodat hij zich kon verontschuldigen omdat hij haar in het openbaar had belasterd en haar voor hoer had uitgemaakt. Ze belde hem niet.

Hij belde Betsy en Frankie Andreu en zei: 'Kijk eens, ik weet dat ik jullie heb uitgemaakt voor smerige leugenaars en daar heb ik spijt van.'

'Hoe kon je ons dat aandoen? We waren bevriend. Je hebt onze levens kapotgemaakt!' zei Betsy Andreu.

'Ik weet het, ik heb er spijt van.'

Armstrong sprak tien minuten met Frankie. Hij sprak ook nog veertig minuten met Betsy, maar alleen omdat ze een tirade tegen hem afstak. Ze huilde. Vervolgens lachte ze en daarna huilde ze weer. Daarna spraken ze af dat ze via e-mails contact met elkaar zouden houden. Nadat ze elkaar jaren niet hadden gesproken, jaren waarin ze elkaar op zijn minst dood hadden gewenst, had Armstrong iets verricht dat nog het meest leek op het beklimmen van de Mont Ventoux in acht pedaalbewegingen.

Hij had Betsy Andreu betoverd.


'Ja of nee: heb je ooit verboden middelen gebruikt om je prestaties op de fiets te verbeteren?'

Armstrong zat op nauwelijks een meter afstand van Oprah Winfrey tijdens een tweedelig spektakelstuk, dat was aangekondigd als een televisie-interview waarin alles zou worden gezegd. Ten aanschouwen van 4,3 miljoen mensen haalde Armstrong diep adem.

'Ja.'

'Was epo een van die verboden middelen?'

'Ja.'

'Heb je ooit bloeddoping of bloedtransfusies gebruikt om je prestaties op de fiets te verbeteren?'

'Ja.'

'Heb je ooit andere verboden middelen gebruikt, zoals testosteron, cortison of menselijk groeihormoon?'

'Ja.'

'Heb je bij al je zeven Tourzeges verboden middelen of bloeddoping gebruikt?'

'Ja.'

'Was het menselijk gesproken mogelijk om zonder doping zeven keer de Tour de France te winnen?'

'Naar mijn mening niet.'

Armstrong kwam Oprah Winfrey deels tegemoet. Hij vertelde zijn versie van de waarheid. Hij plengde geen obligate Winfrey-tranen en bood evenmin zijn excuses aan, zoals werd verwacht. Hij had er geen berouw van dat hij had valsgespeeld en had ter voorbereiding op het interview het werkwoord valsspelen (*to cheat*) zelfs in het woordenboek opgezocht, alleen om er zeker van te zijn dat hij de betekenis goed had begrepen. Valsspelen was het op oneerlijke wijze behalen van een voordeel op je concurrenten, en hij vond niet dat hij dat ooit had gedaan. Hij hield vol dat het dopingprogramma in zijn ploegen 'zeer behoudend, zeer gericht op het mijden van risico's' was geweest. En, zei hij, het was zo noodzakelijk dat je het kon vergelijken met 'lucht in je banden pompen'.

Hij bevestigde de verhalen van Emma O'Reilly over de wijze waarop zijn positieve testresultaat op cortison in de Tour van 1999 in de doofpot was gestopt. Hij verontschuldigde zich tegenover haar voor wat hij haar had aangedaan.Volgens hem was hij in de Ronde van Zwitserland van 2001 nooit positief bevonden op epo, zoals Landis en Hamilton hadden gesuggereerd. Nee, hij had de UCI niet omgekocht om die vermeende testuitslag weg te moffelen. En nee, hij had het USADA evenmin ooit steekpenningen aangeboden. Ook zei hij dat hij tijdens zijn comeback in 2009 en 2010 schoon was geweest – Tygart en de aanklagers zeiden later dat dat zijn manier was om zich tegen beschuldigingen van crimineel gedrag in te dekken. Hij verdedigde Michele Ferrari, zijn voormalige arts. Hij erkende dat het hem niet beviel wat voor iemand hij was geworden – een leugenaar en een bullebak – en dat hij het type mens was dat therapie nodig had.

Op de vraag of hij zijn dopinggebruik ooit tegenover artsen in een ziekenhuiskamer in Indianapolis had opgebiecht – wat Betsy en Frankie Andreu hadden verklaard – zei hij dat hij daarop geen antwoord kon geven. Daarna, op een ongemakkelijk moment te midden van drie uur vol frustrerende halve waarheden, richtte hij zich rechtstreeks tot Betsy. Grijnzend zei hij: 'Ik heb gezegd dat je gek was, ik heb je uitgemaakt voor een kreng, ik heb je uitgemaakt voor van alles en nog wat, maar ik heb nooit gezegd dat je dik was.' Hij probeerde geestig te zijn – want in werkelijkheid is Betsy broodmager – maar het geluid van de niet aangeslagen grap weergalmde overal in de Verenigde Staten, en wellicht zelfs door de hele wereld.

Slechts één keer gaf Armstrong blijk van emoties en wroeging, en wel toen hij vertelde hoe hij zijn drie oudste kinderen – Luke van dertien en Grace en Isabelle, de tweeling van elf – bij zich had geroepen om hun te vertellen waarom er altijd zo veel onenigheid rond hem bestond. Dat gesprek vond vlak voor de kerstdagen plaats, een paar weken nadat Luke bij de bushalte met andere kinderen slaags was geraakt.

'Ik zei: luister, er zijn veel vragen gesteld over jullie vader, mijn carrière en of ik wel of niet doping heb gebruikt. Ik heb altijd ontkend, ik heb daar altijd hard en opstandig op gereageerd. Waarschijnlijk hebben jullie me daarom vertrouwd, en dat maakt het nog ellendiger. Ik wil dat jullie weten dat dat de waarheid is.'

Vervolgens zei hij tegen Luke, die vanwege de reputatie van zijn vader slaags was geraakt: 'Je moet me niet meer verdedigen.' In zijn ogen verscheen een schijnsel van tranen.

Er kwamen echter geen tranen toen hij sprak over de uitwerking die zijn leugens op zijn stichting hadden, alsook op de miljoenen mensen die hem als een held beschouwden. Voor Winfrey vatte hij het als volgt samen: 'Mijn ultieme misdaad is dat ik de mensen heb verraden die me steunden en in me geloofden.'

Toen hij de studio verliet, voelde hij zich een beetje opgelucht, maar in de ogen van zijn vrienden was hij een schaduw van de man die hij slechts enkele maanden geleden nog was geweest. Volgens McKinnon was Armstrongs optreden 'het toppunt van gruwelijkheid […] ik weet zeker dat het zal worden gebruikt door mensen die zich met crisismanagement bezighouden, als voorbeeld van hoe het niet moet'.

Betsy Andreu bekeek de eerste aflevering van het interview in de CNN-studio in New York en gaf na afloop rechtstreeks commentaar in het programma van Anderson Cooper. 'Als hij niet kan zeggen dat dat gesprek in de ziekenhuiskamer wel degelijk heeft plaatsgevonden,' zei ze, opnieuw in tranen, 'hoe moeten we dan geloven wat hij verder allemaal heeft gezegd?'

Opnieuw had Armstrong stelling genomen tussen zijn in aantal afnemende aanhangers en het verhaal dat door journalisten, advocaten, aanklagers en het USADA werd verteld. En wellicht heeft dat hem voorgoed kapotgemaakt.

Na de biecht bij Winfrey spande SCA Promotions in Dallas een proces tegen Armstrong aan om de 12,1 miljoen dollar terug te vorderen die Armstrong van dit bedrijf had ontvangen. Hij bood SCA een schikking van 1 miljoen dollar aan, maar Hamman, de meester-bridger van SCA, nam niet langer genoegen met morele overwinningen.[13] Verschillende andere verzekeringsmaatschappijen spanden eveneens processen aan om hun geld – per geval steeds meer dan een miljoen – van Armstrong terug te krijgen. Een groep lezers eiste meer dan 5 miljoen dollar, omdat zijn autobiografieën *It's Not About the Bike* en *Every Second Counts* volgens hen op leugens waren gestoeld. Ze wilden hun geld terug. Een rechter bepaalde dat Armstrongs boeken, ongeacht hoeveel leugens ze bevatten, door de wet op de vrijheid van meningsuiting werden beschermd.

Een groep aanhangers van Livestrong maakte zich op voor een proces om hun donaties terug te krijgen, want volgens hen was de stichting op leugens gefundeerd. 'We zijn allemaal sukkels,'[14] verklaarde Michael Birdsong, een donateur die Livestrong minstens 50.000 dollar had geschonken en met het idee was gekomen om een proces aan te spannen.

David Walsh, *The Sunday Times of London* en Alan English, de toenmalige sportredacteur van die krant, vervolgden Armstrong om het bedrag van ruim 450.000 dollar terug te krijgen dat ze Armstrong na een proces wegens laster in 2006 hadden moeten betalen. Ditmaal wonnen ze en ontvingen ze 1,56 miljoen dollar.

In februari 2013 besloot de Amerikaanse overheid zich als eiser aan te sluiten bij Floyd Landis in het federale klokkenluidersproces tegen een aantal beklaagden: onder anderen Armstrong, ploegleider Johan Bruyneel en Tailwind Sports, het bedrijf dat de Postal Service-ploeg runde. De eisers voerden aan dat Armstrong, Bruyneel en Tailwind bedrog tegen de overheid hadden gepleegd omdat ze systematisch doping hadden gebruikt en verstrekt, en zodoende het contract hadden geschonden dat de ploeg met de posterijen had afgesloten. Tot misnoegen van Armstrong steeg de kans dat Landis de zaak zou winnen zeer sterk, nu de overheid aan zijn kant stond.

Een jaar geleden had Armstrong aan Mike Creed, een voormalige ploeggenoot bij Postal Service, verteld dat hij niet bang was voor het federale onderzoek naar hem omdat hij '100 milski dollar' op de bank had staan. Maar als de terug te betalen som in de klokkenluiderszaak 120 milski kon bedragen, leek 100 milski niet zo veel.

Armstrong probeerde zijn verliezen te beperken. Om te beginnen bood hij de overheid 5 miljoen dollar aan om de zaak te schikken, maar dat werd geweigerd – het bedrag was te laag.[15] Vervolgens bood hij 13,5 miljoen dollar. Ook dat had geen effect. Wilde de overheid de zaak laten varen, dan moest er 18,5 miljoen dollar op tafel komen en moest hij zijn medewerking verlenen aan het proces tegen de andere beklaagden, met inbegrip van zijn trouwe ploegleider Bruyneel.

Hoewel het hem veel verdriet en juridische kosten had kunnen besparen, wees Armstrong de deal van de hand. Uiteindelijk kon hij door de zaak failliet gaan. Maar, vertelde hij mij, hij was liever arm dan dat hij een rat was.

In de privésfeer vertelden vrienden en vriendinnen van Linda, Armstrongs moeder, dat zij het nieuws van Armstrongs bekentenis slecht had opgenomen. Ze haalde haar website, 'Force of Nurture', waarop haar inspirerende toespraken werden gepromoot, uit de lucht. Ze plaatste geen boodschappen meer op Twitter – haar account was @LindaASpeaker, en er hoorde een foto bij waarop ze een gele Tour-hemdjurk aanhad.

Terry Armstrong bekeek de biecht bij Oprah in tranen. 'Lance vraagt het land om vergiffenis,' zei hij. 'Misschien is het een goed idee als hij zijn vader vergeeft.' Terwijl zijn aangenomen zoon uitlegde hoe hij bij het meest succesvolle dopingprogramma in de wielersport betrokken was geraakt, dacht Terry: o God, dit komt door mij, ik heb hem dat bijgebracht.

Hij zei: 'Ik zag hem zijn verhaal opdissen, weet je wel: iedereen speelt toch vals, nou, dan ga ik het nog beter doen. Ik ga op zoek naar de allerbesten, en toen wilde het geld wel rollen. Ik heb hem geleerd hoe je moet winnen. Ik heb hem die drang meegegeven, maar ik hem nooit geleerd dat hij een bullebak moest worden. Ik heb hem nooit leren valsspelen.'

Zelf keek Armstrong niet naar zijn biecht. Hij ging naar een slaapkamer, waar hij sliep terwijl het programma de ether in ging en werd bekeken door onder meer zijn vriendin Anna en zijn goede kameraad John Korioth.

De volgende dag vroeg Armstrong op het golfterrein aan Korioth: 'Wat vond je ervan?'

'Lance, man, ik moet je zeggen, toen ik dat interview zag dacht ik: je kunt echt heel goed liegen.'

'Huh?'

'Ja, je kunt heel goed liegen, maar in de waarheid vertellen ben je verschrikkelijk slecht.'

# Epiloog

In het vier uur durende gesprek dat ik met Lance Armstrong voerde op de laatste dag dat hij in zijn villa in Austin verbleef, vloekte hij als een ketter.

Hieronder volgt, samengebald in één zin, een klein deel van wat hij over oude vrienden, familieleden, ploeggenoten, journalisten en officials uit de wielersport te vertellen had.

Tussen dat stelletje mietjes zonder ruggengraat zaten een snoever, een lul, een stomkop, een pisbange wezel, een stuk stront en een stel slappe lulletjes rozenwater die zichzelf indekten, die geflipt en gestoord zijn en in het gekkenhuis thuishoren, een gifkikker, een psychopaat en sowieso was haar een hoer noemen gewoon een kortere manier om te zeggen dat ze seks lekker vindt, en nee, hij heeft niet geneukt met de vrouw van zijn achterlijke ploeggenoot, maar de gedachte was wel bij hem opgekomen.

Pas toen ik mijn aantekeningen doornam, besefte ik hoe vaak Armstrong de mensen die dicht bij hem stonden ontmenselijkte. Ze werden omgevormd tot auditieve manifestaties van zijn woede. Maar als je zijn verzengende razernij onderging, begreep je ook iets anders. Hier had je een man die niet soepeltjes een plaats in de wielergeschiedenis verwierf. Hij reed die fiets van hem aan barrels.

Na mijn bezoek aan Armstrong in juni 2013 vermoedde ik dat hij heel diep in zijn hart absoluut geloofde en altijd zal blijven geloven dat hij zijn Tourzeges heeft behaald omdat hij de beste was.

Luister maar naar hoe hij het zelf samenvatte: '*De meest succesvolle mensen ter wereld, de echte killers van deze wereld, hebben niks cadeau gekregen; ze zijn opgegroeid zonder enig bezit, ze moesten het verdomme bij elkaar schrapen en ervoor vechten.'*

In Armstrongs visie kun je liters epo in een man zonder Armstrongs obsessies gieten, en die man zal desondanks een grote achterstand op de leiders oplopen en niet tegen de bergen op komen. Maar geef die epo aan een uitzonderlijke renner die bereid is om er zo hard tegenaan te gaan dat het alle begrip te boven gaat, en die man is niet te stuiten. Armstrong deed alles wat nodig was, zonder zich aan de reglementen te storen. En hij loog er zo vaak en zo heftig over dat zijn agressie alleen kon worden verklaard uit het feit dat hij herboren, als een feniks van de afdeling oncologie was gekomen en daar een bovennatuurlijke gedrevenheid had opgedaan die hem ertoe had gebracht iedereen die op zijn weg kwam te verpletteren. 'Als dat een sociopaat is, vergeet het dan maar. Ik ben een sociopaat,' zei hij tegen mij. 'Ik wilde beslist en tegen elke prijs winnen. Maar dat wilden Michael Jordan, Muhammad Ali en Wayne Gretzky ook.'

Zelfs toen hij dat zei, geloofde ik niet dat hij uit overtuiging sprak. Als hij tegemoetkomender en minder onaangenaam was geweest, als hij niet iedereen had aangevallen die durfde te suggereren dat hij langdurig en hartstochtelijk koersen had gewonnen met gebruikmaking van alle beschikbare middelen, zou hij misschien genoeg goodwill hebben opgebouwd om het onderzoek van het USADA heelhuids te doorstaan. Misschien zou hij dan kunnen bogen op blijvende resultaten die vergelijkbaar waren met die van de grootste sporters van onze natie.

Maar dat had hij niet gedaan, en hij deed het ook nu niet.

'Ik had de schurft aan die klootzakken – de Betsy's, de LeMonds. Walsh, die haat ik. Slechte vent. Heeft een paar dingen goed gedaan, heeft veel gelogen. […] Ja, ik heb doping gebruikt. Ja, ik gebruikte doping. Die mensen, die gingen heel ver […] Dat is de reden waarom ik die lui uitkoos. Ik had echt de pest aan ze. Die lui waren waardeloos. Dit is zo smerig, zo smerig dat je het gevoel krijgt dat je een douche nodig hebt. Eerlijk waar, ik haatte die lui en ik haat ze nog steeds. Omdat ze zo afschuwelijk zijn kon ik ze er niet mee laten wegkomen.'

Waarmee kwamen ze weg? Ze hadden hem er alleen maar van beschuldigd dat hij tientallen jaren de waarheid had verdoezeld. Ze 'kwamen weg' met het aan de kaak stellen van een spel dat was gebaseerd op een eeuw lang liegen. En in hun onthullingen – en daar zit hem volgens mij de clou – hadden ze zijn ego niet gestreeld door hem zijn plaats in de geschiedenis toe te kennen.

6 juni 2013: we zitten op een sofa in de mediazaal van Lance Armstrongs grootse villa in Austin. Het huis zal spoedig leegstaan, de verhuiswagens hebben Armstrongs bezittingen al ingeladen. Rond de herfst zullen zijn spullen worden overgebracht naar een kleiner huis in Old West Austin, een historische wijk met veel grote oude huizen die op loopafstand van het centrum ligt. Het nieuwe huis is mooi, – zeker voor een pand dat maar 2 miljoen dollar kost –, maar het heeft geen poort en hekwerk, geen cirkelvormige of zelfs maar verharde oprijlaan, geen gazon en zeker geen breed uitwaaierende eik, die van de ene kant van het landgoed naar de andere is getransplanteerd. Tijdens ons gesprek is Armstrong zoals altijd fel en charmant, en geeft hij blijk van zijn spectaculaire vermogen om van een klein draadje waarheid keiharde leugens te spinnen.

Mocht iemand denken dat de langdurige oorlog met het USADA hem kapot heeft gemaakt, Armstrong doet het af met een schouderophalen. Onder de zeven ingelijste gele truien die de volgende dag van de muur zullen worden gehaald, houdt Armstrong vol dat het goed met hem gaat. Kijk eens naar dit huis, zegt hij. Kijk naar de kinderen. Kijk naar het bestaan dat hij voor zijn gezin heeft opgebouwd. Wat gaat er niet goed? Hij zegt zo vaak dat het goed met hem gaat, dat duidelijk wordt dat dat niet het geval is.

Hij staart me aan met de beruchte, kille blik die 'De Blik' wordt genoemd. De mensen zijn misschien vergeten hoeveel goeds hij voor Livestrong heeft gedaan, vertelt hij, maar dat zal niet zo blijven. De mensen zullen het zich weer herinneren. Er houden nog altijd mensen van hem, zegt hij op bijna hypnotiserende toon. Kijk, vertelt hij, hier heb ik een brief van een voormalige Livestrong-donateur die me nog steeds steunt. Onder zijn vreemde adres heeft de afzender geschreven: 'Ja, dat is een gevangenis.'

Armstrong zegt: 'Miljoenen mensen zijn nu misschien nog niet mondig genoeg om het te zeggen, maar er zijn nog mensen die geloven.' Hij drukt een vinger tegen zijn borst. 'Dit is verdomme de vent die zijn ziekte heeft overwonnen. Hij heeft een comeback in zijn sport gemaakt en deed wat hij moest doen. Zijn we allemaal beter af omdat ik hier ben geweest of zijn we slechter af?'

Hij wacht even en zegt dan: 'Het moet beter zijn.'

Ik vraag hem hoe heimelijk hij met zijn dopinggebruik te werk was gegaan. Wie was ervan op de hoogte?

'Iedereen,' zegt hij.

Iedereen?

'Ze wisten genoeg om geen vragen te stellen.'

Zijn agent, Bill Stapleton?

Stilte.

Nike, zijn hoofdsponsor?

Niets.

De directieraad van Livestrong?

Geen woord.

'Ik ben godverdomme geen rat,' zegt hij, 'zoals die andere mietjes.'

Op dit moment misschien niet. Hij zegt echter dat hij in ruil voor het recht om zijn sportloopbaan te hervatten – zijn carrière wordt in zijn ogen door het USADA gegijzeld – de nodige informatie wil afstaan om zijn levenslange schorsing terug te brengen tot een wedstrijdverbod voor vier jaar, of misschien twee jaar of wellicht nog minder. Alleen praat Armstrong liever niet met Travis Tygart. 'Gewoon een praatjesmaker,' zegt Armstrong over hem. 'Hij heeft gekregen wat hij hebben wou. Hij heeft mij. Ik weet waar alle lijken begraven liggen. Ik zeg helemaal niks. Zolang ze me niet zo behandelen als ieder ander, kunnen ze de kolere krijgen.'

Armstrong vertelt me dat onze ontmoeting van deze week een hoogtepunt is geweest in het 'derde bedrijf' van onze professionele relatie. Het eerste bedrijf bestond uit de jaren waarin ik schreef over de beschuldigingen dat hij doping had gebruikt om koersen te winnen – een periode waarin hij nog dacht dat hij mij kon overreden. Dat was voordat ik hem ooit had ontmoet of de Tour de France had verslagen. Het beslissende moment uit het eerste bedrijf kwam in 2006, toen ik schreef over Frankie Andreus bekentenis dat hij epo had gebruikt om Armstrong te helpen bij het behalen van de zege in de Tour de France van 1999.

Toen ik enkele dagen na de publicatie van dat stuk – dat wil zeggen, enkele dagen nadat zijn advocaat mij met een proces had gedreigd – om zeven uur 's ochtends mijn hond uitliet, ging mijn mobieltje. Ik herkende het nummer niet.

'Goedemorgen!' zei iemand.

'Eh, goedemorgen,' zei ik. 'Met wie spreek ik?'

'Met Lance!'

In de daaropvolgende weken praatten we zowel over de wielersport als over zijn plan om aan de marathon van New York mee te doen. Ik vroeg hem hoe hij een schone renner kon zijn, terwijl veel van zijn sterkste concurrenten in de Tour op doping waren betrapt. Hij antwoordde: 'Sommigen van ons zijn met vier cilinders op de wereld gekomen, anderen met twaalf cilinders, schat.' Hij stuurde me een mailtje met de vraag wat volgens mij zijn laatste trainingstijd over een mijl (1.609 meter) was geweest. Ik raadde 10 minuten en 30 seconden, vervolgens 5 minuten en 13 seconden, en voegde daaraan toe dat hij na afloop een paar Advils moest slikken omdat hij al zo oud was.[1]

Hij antwoordde: '4 minuten en 51 seconden... geen Advils. Ha! Niks daarvan, geen stimulerende middelen. Hoe vaak moet ik je dat nog vertellen?!?!'

Dat was het begin van het tweede bedrijf: de jaren waarin ik over hem schreef en me in wezen volledig met hem bezighield. Ik beschreef zijn comeback in de sport nadat hij korte tijd was gestopt, en bracht als eerste het nieuws over de verschillende officiële onderzoeken naar zijn dopinggebruik.

In de loop van onze ontmoetingen was hij soms geprikkeld omdat ik niet meeging in het sprookje dat hij over zijn leven en zijn carrière opdiste. In de Ronde van Californië van 2009, zijn eerste koers in de Verenigde Staten na zijn terugkeer in de sport, richtte hij zich ten aanschouwen van honderden journalisten tot mij en bekritiseerde 'mijn vriendin Juliet' vanwege een artikel dat ik had geschreven over zijn persoonlijke antidopingprogramma dat volgens hem een sleutelfactor in zijn comeback was geweest, en waarvan ik mijn verslag had geschreven dat het nooit van de grond was gekomen.

We redetwistten een paar minuten, en later excuseerde hij zich via mijn voicemail. 'Het was niet mijn bedoeling om je voor de ogen van al die mensen toe te spreken, maar ik haalde gewoon even naar je uit,' zei hij. 'Ik hoop dat je beseft dat ik alleen maar een geintje maakte. We hebben het er nog weleens over!'

Dat was Armstrong op zijn best. Hij stelde journalisten op de proef, raakte met hen bevriend en belasterde hen – soms allemaal tegelijk, afhankelijk van wat hij wilde.

De twee eerste bedrijven waren kat-en-muisspelletjes, die erop uitliepen dat ik beschreef hoe bot, bruut en snel zijn val verliep. Het derde bedrijf zou anders worden, beloofde hij. Er kwamen geen leugens meer. Hij had niets meer te verliezen.

Het ontging mij niet dat zijn lege villa als decor voor het derde bedrijf fungeerde. Het was alsof ik aanwezig was om te zien hoe het superheldenembleem van zijn borst werd gescheurd. In de voorafgaande bedrijven zou hij me deze vernederende momenten nooit hebben laten gadeslaan.

'Ik heb niet valsgespeeld,' vertelt hij mij. 'Wie is er bedrogen?'

Hij verklaart dat de Duitser Jan Ulrich de sterkste renner in de wielersport is. (Ulrich zal enkele weken later toegeven dat hij gedurende zijn hele carrière doping heeft gebruikt, en zal zeggen dat

Armstrong zijn Tourzeges terug moet krijgen omdat het dopingge-bruik zo wijdverbreid was.) Toch liet Armstrong Ulrich jarenlang achter zich. Nee, niet door vals te spelen, zegt hij, maar door zijn ploeg beter te organiseren – door harder te trainen, nietsontziender te zijn en uiterst zorgvuldig op details te letten. Armstrong zei het allemaal heel nonchalant, alsof hij vertelde dat de lucht blauw is. Hij runde zijn ploeg als een machtig bedrijf. Zo won hij. Het kwam niet door de stimulerende middelen. Ulrich had die middelen vol-gens hem ook.

'Als de mensen denken dat ik heb valsgespeeld om de Tour de France te winnen,' zegt Armstrong, 'zijn het stomme hufters. Ik heb niet valsgespeeld.'

Je hebt de regels overtreden.

'Dat is zo, maar dat hebben we allemaal gedaan,' zegt hij. 'Al die tweehonderd jongens die aan de wedstrijd begonnen, hebben de re-gels overtreden.'

Is dat dan geen valsspelen??

Opnieuw fixeerde hij die blik op mij. Die blik zei zoveel als dat ik oerstom was.

Ik vraag of hij er spijt van heeft.

Er komt geen antwoord.

Ik vraag of hij zich in zijn leven ooit schuldig over iets heeft ge-voeld.

Hij lacht. 'Ik weet zeker dat er heel wat van zulke momenten zijn geweest.'

Hij heeft er spijt van dat hij, om zijn geluk op de proef te stellen, weer is gaan fietsen en in 2009 en 2010 aan de Tour heeft deelgeno-men. Hij gelooft dat hij nooit zou zijn gepakt als hij zijn comeback niet had gemaakt.

Het spijt hem dat hij niet aardiger voor Floyd Landis is geweest, en hij heeft er spijt van gehad dat hij niet heeft gezwegen nadat Ty-ler Hamilton in *60 Minutes* had verteld over het dopinggebruik in de Postal Service-ploeg. In plaats daarvan heeft hij met zijn PR-team Hamilton als een idioot en een leugenaar weggezet. 'Dat ging te ver,' zegt Armstrong. Het speet hem ook dat hij Emma O'Reilly voor hoer heeft uitgemaakt toen hij in de zaak van SCA Promotions onder ede getuigde. 'Ik wist niet dat het overal ter wereld zou worden uitgezonden,' zegt hij.

Het spijt hem niet dat hij heeft gelogen. Hij heeft geen spijt van zijn allereerste leugen en geen spijt van alle andere leugens in de daaropvolgende cyclus. 'We zouden allemaal hebben gelogen,' zegt hij. 'Jij zou ook hebben gelogen.'

In 1999 zat hij tijdens de Tour tegenover journalisten en ontkende hij voor het eerst dat hij doping had gebruikt. Daarna, zegt hij, kon hij niet meer terug. Hij moest blijven ontkennen. Maar heus, zegt hij, iedereen zou hetzelfde hebben gedaan als hij. Jij, ik, een willekeurige voorbijganger – als het betekende dat je de Tour de France zou kunnen winnen, zou jan en alleman zijn dopinggebruik hebben ontkend. In het morele universum van Lance Armstrong verkoopt iedereen zijn of haar ziel om te winnen.

'Niemand zou hebben gezegd: "Nou, weet je, aangezien je die vraag hebt gesteld, kan ik je evengoed de waarheid vertellen",' zegt hij tegen mij. 'Ik zou gewoon in alle rust hebben ontkend.'

In plaats daarvan heeft hij jarenlang op luide toon ontkend, criticasters het hoofd geboden en processen aangespannen om iedereen tot zwijgen te brengen die het lef had zijn reputatie in twijfel te trekken. Het lag niet in zijn aard als renner om in de Tour van 2003 af te stappen en met zijn fiets aan de hand de weg af te lopen, voorbij de gevallen Joseba Beloki. Evenmin is hij er de man naar om beschuldigingen stilzwijgend over zich heen te laten komen. En dus opende hij de aanval op iedereen die rapporten over zijn dopinggebruik publiek maakte en heeft hij, sinds hun ontmoeting in Denver, nog altijd niet met Tygart gesproken. Was er niemand, vraag ik, die hem kon controleren of hem had moeten controleren? Iemand die hem tegen zichzelf had kunnen beschermen?

'Waarschijnlijk had Bill daarvoor moeten zorgen,' zegt hij over zijn agent. 'Ik denk dat Bill had kunnen zeggen dat we geen ruzies hadden moeten beginnen omdat dan de doos van Pandora open zou gaan. Ik denk dat we ons allemaal onoverwinnelijk waanden. "Ja, verdomme, laten we ze gewoon verdomde leugenaars noemen, ja!"'

De meeste mensen die in de USADA-zaak tegen hem hebben getuigd zijn – met inbegrip van zijn oud-ploeggenoten – bijzonder wreed door Armstrong behandeld.

Hij noemt Hamilton 'een ondankbare, egoïstische lul', die zijn onberaden aard verborg achter de bekakte maniertjes die hij aan zijn jeugd in New England had overgehouden. Terwijl de Postal Service-ploeg tijdens het seizoen doping gebruikte, onthulden Hamiltons dopingschema's dat hij zelfs 's winters nog doping gebruikte, tot kerstavond aan toe. 'Hij is precies het tegenovergestelde van het imago dat hij uitstraalt,' zegt Armstrong.

Hij zegt dat Zabriskie een klassieke volger is die door Landis 'als een hondje' op sleeptouw werd genomen en alles deed zoals Landis.

Hij drijft de spot met Frankie Andreu, een ex-dopinggebruiker die als een van de 'goeden' werd beschouwd. Hij is nu werkzaam als ploegleider. Hoe oprecht kan Andreu tegen doping gekant zijn, vraagt Armstrong zich af, als Francisco 'Paco' Mancebo, de kopman in Andreus ploeg, een van de renners is die is betrokken bij een Spaanse dopingkliek – een sporter die volhoudt onschuldig te zijn, maar die naar men denkt meer zakken met bloed in voorraad heeft dan de overige betrokkenen in dat schandaal?

'Er zijn geen goeden en slechten,' zegt Armstrong. 'We hebben allemaal wel iets verkeerds gedaan. Ik ben op de verkeerde manier met mezelf bezig geweest en daar betaal ik nu voor.'

Hij heeft nog vrienden, zelfs vrienden zoals George Hincapie, wiens bezwarende getuigenis in het USADA-rapport te vinden is. De dag nadat het rapport werd gepubliceerd stuurde Armstrong Hincapie een sms'je: 'Hoe gaat het met je?' Het tweetal heeft samen zeven Tours gewonnen en trekt nog steeds veel met elkaar op.

Hincapie vindt het treurig dat de killer in Lance Armstrong tot zwijgen is gebracht en dat hij daarvan een van de hoofdoorzaken is. Hij vindt de manier waarop het USADA hem heeft gebruikt om Armstrong ten val te brengen niet fair. Beide mannen praten vaak en beklagen zich over het belachelijke feit dat zij er in een sport met zo'n rijk dopingverleden zijn uitgepikt. Nog belachelijker is het volgens hen dat Landis als belangrijke figuur in de strijd tegen doping wordt beschouwd.

'Dat,' zegt Hincapie, 'komt op hetzelfde neer als dat Osama bin Laden een conferentie over de bestrijding van terrorisme voorzit.'

Als ik Armstrong een vraag over zijn familie stel, vertelt hij me dat hij zijn vader al bijna veertig jaar niet meer heeft gezien. Hij houdt vol dat hij nooit, zelfs niet één keer, bij zijn moeder navraag over zijn vader en diens kant van de familie heeft gedaan. Waarom had hij naar de uitvaart moeten gaan?

'Negentig procent van wat ik van die familie weet, heb ik in haar boek gelezen,' zegt hij.

Ik stel de vraag op ruim tien verschillende manieren. Ik vraag me af of het feit dat hij zijn vader de rug heeft toegekeerd en dat hij in wezen zegt nooit een Gunderson te zijn geweest, de ontkenning is die het begin heeft gevormd van het patroon van leugens dat een symbool van zijn leven is geworden.

Ben je nooit nieuwsgierig geweest naar je vader? Heb je nooit aan hem of zijn familie gedacht? Heb je je nooit afgevraagd waar je wortels liggen?

Halverwege een zin maant hij me tot zwijgen. 'Je stelt mij een vraag,' zegt hij. '"Is het nooit bij mij opgekomen om die mensen op te zoeken?" Ik ga die vraag beantwoorden en dan ga ik verder. Het antwoord is nee. Jij vraagt het me, dus denk ik er nu aan: Nee. Ik bedoel, ik maak lange fietstochten en denk dan na, en nooit van mijn leven heb ik gedacht: ik moet naar huis gaan om die mensen te vinden. Nooit. Wat daaruit verder volgt, is dat ik misschien heel erg verknipt ben. Ik weet het niet.'

Ik vraag naar Terry Armstrong, zijn adoptievader, en opnieuw maant hij me tot zwijgen. 'Terry Armstrong was volkomen geschift, rijp voor het gekkenhuis! Heel raar, een heel raar geval. Ik praat nooit meer met hem.'

Herinnert hij zich nog dat Terry hem heeft gecoacht of hem als sporter heeft gestimuleerd?

Nee, zegt Armstrong. Hij kan zich niet herinneren dat hij ooit bij de junioren American football heeft gespeeld of dat Terry zich met zijn sport heeft bemoeid. 'Wat ik me wel herinner is dat hij hier in Austin bij het wielrennen verscheen en dat we de politie moesten bellen om hem te laten afvoeren. O ja, veel mensen voelden zich in zijn buurt totaal niet op hun gemak.'

Toen ik in Austin aankwam, was Armstrong zijn status als lokale superster al kwijt. De burgemeester had een door hem gesigneerde gele trui uit een prijzenkast in het stadhuis laten verwijderen. Er is sprake van dat de voornaamste fietsroute van de stad, de Lance Armstrong Bikeway, een nieuwe naam krijgt. Vroeger waren de mensen trots op hem. Maar toen hij in het voorjaar van 2013 tevergeefs probeerde aan een zwemwedstrijd deel te nemen, bekeek de ambtenaar zijn inschrijfformulier met de woorden: 'Deze arme kerel heeft dezelfde naam als de wielrenner Lance Armstrong. Wat betreurenswaardig.'

Dat alles kan Armstrong wel aan. Hij kan zijn leven weer opbouwen. Zonder de roes van de wedstrijdsport zal het zwaar zijn. Zoals de zaken er nu voorstaan, betekent zijn levenslange schorsing voor alle olympische sporten dat hij gediskwalificeerd is voor de meeste loopnummers, voor triatlons en voor zwemwedstrijden.

Er is Armstrong echter verteld dat een levenslange schorsing voor een bepaalde sport niet behelst dat je levenslang voor alle sporten bent geschorst – een feit dat zijn omvangrijke team van advocaten niet is ontgaan. Wat hij heeft vernomen komt erop neer dat als je levenslang bent geschorst op grond van de Wereld Anti-Doping Code, je niet voor meer dan vier jaar de deelname aan andere sporten kan worden ontzegd. Als dat waar is, zegt hij, zou hij zich weer op de triatlon toeleggen en het Ironman Wereldkampioenschap winnen. 'Dat is verdomme rock and roll, liefje,' zegt hij.

De gedachte maakt in hem de oude drang wakker om de toekomst op zijn manier te manipuleren. Op zijn bank, onder de gele truien die herinneren aan wie Lance Armstrong vroeger was en wat hij vroeger bereikt heeft, zie ik hem zijn handen tot vuisten ballen.

# Dankwoord

Dit boek bestaat omdat Tom Jolly en Kristin Huckshorn, mijn voormalige redacteuren bij *The New York Times*, me opdracht gaven om te schrijven over Tyler Hamilton, die in 2004 op bloeddoping werd betrapt. Dat artikel was de aanleiding tot jaren van verslaglegging over wielrennen, doping en Lance Armstrong. Tom en Kristin, ik ben dankbaar voor jullie begeleiding. Jullie en Jill Abramson, bedankt dat jullie me bij de krant hebben gehaald, een opwindende werkplek. Ik ben ook dank verschuldigd aan de redacteuren die mijn verlof voor dit project hebben goedgekeurd: Joe Sexton en Phil Corbett omdat ze het groene licht hebben gegeven, en Jason Stallman en Janet Elder die hun zegen gaven. Jason, ik stel je aanhoudende steun, aanmoediging en gevoel voor humor zeer op prijs. Janet, je bent een levensredder.

Ik bof maar met zulke uitmuntende collega's, onder wie Harvey Araton, Filip Bondy, John Branch, Joe Drape, Sandy Keenan, Jeré Longman, Bill Rhoden en George Vecsey. Ik moest dit boek gaan schrijven, zeiden ze, want 'dat is zo makkelijk!' Dat was gelogen, maar ik vergeef het hen. Speciale dank aan Fern Turkowitz en Terri Ann Glynn, die me altijd rugdekking hebben gegeven, en aan Patty LaDuca, een uitzonderlijke redacteur en net als ik een *Jersey girl*, die me terzijde heeft gestaan tijdens al mijn verslagen over Armstrong. Sandy Padwe, mijn voormalige docent aan de opleiding journalistiek aan Columbia, heeft me advies van onschatbare waarde verstrekt. Hij heeft me door elke belangrijke professionele beslissing heen geloodst, en ik heb zo vaak op zijn oordeel vertrouwd dat het gewoon niet leuk meer is. Bedankt, Sandy, dat je altijd gelijk hebt.

Toen ik opdracht kreeg om de Tour de France en de Giro d'Italia te verslaan, zou ik de weg zijn kwijtgeraakt zonder de hulp van gulle mensen. De getalenteerde Bonnie Ford heeft zich een geweldige vriendin en een rolmodel betoond. Davis Phinney, Connie Carpenter, Matt White, Rolf Aldag en Bob Stapleton waren geweldige vraagbaken. De geweldige club broers en zussen die over de wielersport schrijft, was zo vriendelijk hun kennis te delen en hun vriendschap aan te bieden.

Ik waardeer de mensen met banden met Lance Armstrong die toestonden dat ik hun de hemd van het lijf vroeg. Sommigen van hen wilden niet bij naam genoemd worden, maar hun inzichten hebben me wel op weg geholpen. Anderen gaven toestemming om hen uitvoerig te citeren en dagenlang te volgen. Dat zijn onder anderen Jonathan Vaughters, David Zabriskie, Allen Lim, Betsy Andreu, Micki Rawlings en J.T. Neal en zijn gezinsleden Frances, Scott en Caroline. Bedankt dat jullie je verhalen aan mij hebben toevertrouwd.

Al die verslagen zouden nooit een boek zijn geworden zonder mijn vastberaden agent, P.J. Mark bij Janklow & Nesbit, een pleitbezorger die zijn gelijke niet kent. PJ, je was een genoegen om mee samen te werken, evenals alle fenomenale medewerkers van Janklow, onder wie Dorothy Vincent, Bennett Ashley, Stefanie Lieberman en Marya Spence.

Mijn eeuwige dank gaat uit naar Jonathan Burnham en David Hirshey van HarperCollins omdat ze dit boek tot leven hebben gebracht. David, bedankt dat je in zo'n vroeg stadium je vertrouwen in mij uitsprak. Samen met Barry Harbaugh heb je geholpen om dit boek tot het best denkbare verhaal te destilleren en daarvoor ben ik jullie beiden dankbaar. Ook dank aan de anderen bij HarperCollins: Fabio Bertoni en Elissa Cohen voor hun waardevolle raad; Tom Cherwin voor zijn nauwgezette persklaar maken; Barnard-zuster Tina Andreadis, Katie O'Callaghan en Kate Blum voor hun energieke marketing en PR-werk; en Sydney Pierce voor het laten knallen van de zweep.

Hoe kan ik ooit mijn vrienden en familieleden bedanken die jarenlang mijn gezeur over wielrennen hebben aangehoord? Wendy Dalchau, Rose Greco, Cynthia Grilli, Catherine Ivey, Sylvia Curiel en Jade-Snow en David Joachim verdienen een prijs. Medailles voor uitzonderlijke morele steun zouden uitgereikt moeten worden aan Christine Macur; Rich, Debbie, David, Daniel, Meghan en Caleb Macur; Christina en Carmine Fiore; Lili Lewandowski; Fran Angiola; mijn schoonvader David Michaels; en Teresa Mendoza. Mijn moeder Leokadia en mijn schoonmoeder Angela Michaels waren een geweldige kinderoppas terwijl ik als journalist op pad ging. Dikke knuffels voor Wendy en Cynthia omdat ze hun huis voor me hebben opengesteld. Ook een dikke knuffel voor Rose, die, zoals ze me nooit laat vergeten, ervoor heeft gezorgd dat ik schrijver ben geworden en geen jurist.

Ik had het grote geluk dat twee van mijn beste vrienden, Roxanna en Andy Scott, aan dit project hebben meegeholpen. Andy, je bent een fenomenale fotograaf en de beste fotoredacteur die iemand zich kan wensen. Roxanna, je bent een verbazingwekkend mens, een betere vriendin dan ik verdien, en de meest veeleisende feitencontroleur aller tijden. Ik houd van jullie allebei.

Ik kan Dave Kindred onmogelijk genoeg bedanken voor zijn hulp als eerste lezer van dit boek, de man die me door aanvallen van een *writer's block* heen heeft gepraat en altijd een geduldige vriend was. Het lijkt als de dag van gisteren dat hij tegen me zei: 'Je hoeft niet voor eeuwig over NASCAR te schrijven.' Ik huilde van geluk. Ruim vijftien jaar later maakt Dave me nog steeds aan het huilen, maar nu van dankbaarheid omdat hij mijn mentor is gebleven. Het voelt alsof ik de jackpot heb gewonnen. Zonder hem als gids had ik dit boek nooit af kunnen krijgen, zeker niet binnen zo'n krappe planning. Hierna gaan we onze tweede berg beklimmen!

Ik ben gezegend dat ik zulke verbazingwekkende ouders heb: Polen die de dwangarbeiderskampen van de nazi's in Duitsland hebben overleefd en naar de Verenigde Staten zijn geëmigreerd met niets meer bij zich dan hun geloof in God, vastbesloten om een nieuw leven op te bouwen.

Mijn vader Zbigniew heeft me jarenlang gezegd dat ik een boek moest schrijven. Een boek over Armstrong, een serieleugenaar die vloekt als een dokwerker, is waarschijnlijk niet wat hij daarbij in gedachten had. Toch zal ik me nooit trotser voelen dan op het moment dat ik hem en mijn moeder een exemplaar met een opdracht erin kan overhandigen.

Dank je wel, Tata – de grootste voetballer ter wereld – dat je al die zaterdagen naast me hebt gezeten terwijl we olympische sporten op tv bekeken. Nog meer bedankt omdat je mij als sportvrouw hebt gesteund. Je baan als dieselmonteur was zwaar en niet helemaal wat je van plan was met je leven, maar hij maakte het wel mogelijk dat je 's middags naar mijn wedstrijden en trainingen kwam kijken. Dat gaf me het gevoel dat ik heel bijzonder was.

Ik zal altijd onthouden dat we samen sporten hebben beoefend die ertoe deden, en zelfs sommige die onbelangrijk waren: al die reisjes naar de atletiekbaan om te oefenen met hordelopen en verspringen. Het relaxte balletje gooien waarbij je me leerde om een honkbal te werpen als een raket. De talloze uren die we hebben gebasketbald. Je bent een ongelooflijke coach en vader omdat je altijd optimistisch bleef en me altijd hetzelfde behandelde, of ik nu had gewonnen of verloren, of ik nu goed of slecht had gepresteerd. Ik ben aan de sport verslingerd geraakt omdat jij die leuk maakte.

Ook dank aan mijn warmhartige en mooie moeder dat je mijn grootste fan bent. Zelfs wanneer ik een basketbal- of roeiwedstrijd had verloren, klapte je zo hard dat het leek of ik een gouden medaille had gewonnen bij de Olympische Spelen. Ik had me geen betere supporter kunnen wensen. Iedereen zou een moeder zoals jij moeten hebben, iemand die gelooft dat alles wat je schrijft – zelfs samenvattingen van honderd woorden – een Pulitzer-prijs verdient.

De grootste zegeningen in dit goede leven dat mijn ouders mogelijk hebben gemaakt, zijn mijn man Dave Michaels, van wie ik met de dag meer houd, en onze dochter Allegra, die mijn hart doet barsten van vreugde. Onze labrador Chopper is de beste schrijfmaat en voetenwarmer die ik me kan wensen.

Bedankt, Dave, dat je dagelijks superheldenwonderen hebt verricht terwijl ik aan dit boek schreef. Je werkte ruim tien uur per dag als een briljante journalist en hield daarna ons huishouden draaiende. Wat hadden Allegra, Chopper en ik zonder jou moeten beginnen? Een mindere man zou zijn ontploft als ik mijn duizendste telefoongesprek over Armstrong aannam, maar jij bleef begripvol. Je bent onze beschermengel, de beste echtgenoot, de beste papa en het anker van ons gezin.

Allegra, ooit zul je dit lezen, en ik hoop dat je dan snapt dat de waardevolste momenten van dit project de uren waren die ik met jou heb doorgebracht. Op die gelukkige momenten heb je mama geïnspireerd. Ik houd meer van je dan ik in woorden kan uitdrukken.

# Noten

Dit boek berust op informatie die ik in de loop van ruim tien jaar heb vergaard, van 2004 tot en met 2013, terwijl het grotendeels tussen januari en oktober 2013 is geschreven. De interviews met Armstrong en meer dan 130 mensen die een relatie tot hem hebben, werden afgenomen tijdens wielerkoersen, bij mensen thuis, in hotellobby's en in restaurants – en één keer op een bevroren meer in Colorado, vissend op het ijs. Sommige gesprekken verliepen via de telefoon, maar de meeste werden in levenden lijve gevoerd. Vele ervan namen vele uren in beslag, uitgesmeerd over enkele dagen. Sommigen die ik heb geïnterviewd wilden niet bij naam genoemd worden uit angst voor represailles van Armstrong, van wie ze menen dat hij nog steeds macht uitoefent binnen de wielersport en/of in de gemeenschap vanwege zijn inzet op het gebied van kankervoorlichting. Citaten in de tekst die niet in de noten worden verantwoord, zijn afkomstig uit interviews die ik zelf heb afgenomen.

### Proloog

De meeste informatie in dit gedeelte komt uit mijn eigen interview met Lance Armstrong op 6 juni 2013 en daaropvolgende interviews in 2013 met vrienden en oud-collega's van hem in Austin, Texas.

1.  Suzanne Halliburton en Shonda Novak, 'Austin home sold to oil businessman', *Austin American-Statesman*, 11 april 2013.
2.  Juliet Macur en Ian Austen, 'After the Tears, Some Questions Remain', *New York Times*, 19 januari 2013. Interview van Lance Armstrong met Oprah Winfrey, 17 en 18 januari 2013.
3.  Armstrong moet wellicht 120 miljoen dollar betalen als hij een federale rechtszaak over klokkenluiders verliest. Er is een kans dat hij nog minstens twee andere betalingen moet doen: 12,5 miljoen dollar of meer in een zaak tegen SCA Promotions, een bedrijf dat hem bonussen heeft uitgekeerd voor enkele van zijn Touroverwinningen, en 3 miljoen dollar in een zaak regen Acceptance Insurance, een andere verzekeringsmaatschappij die hem een bonus heeft uitgekeerd.
4.  Twee mensen bij dit bedrijf hebben gezegd dat de omzet in de jaren 1990 rond de 300 miljoen dollar was en in 2012 bijna 950 miljoen dollar.
5.  John Thomas 'J.T.' Neal, audio-opnamen, gemaakt van april 2000 t/m najaar 2002; foto's van Lance Armstrongs eerste flat in Austin.
6.  Interview met Adam Wilk, een van Armstrongs oudste vrienden, die vertelde dat Armstrong hem op zijn kop gaf omdat hij het zwembad een 'oneindigheidszwembad' noemde, april 2013.
7.  Nancy Collins, 'Lance Armstrong's Home in Austin', *Architectural Digest*, juli 2008.
8.  Paul Tharp, 'Third World Moguls Driving Jet Demand', *New York Post*, 7 februari 2013.
9.  Mark Prigg, 'In a Flap: Animal Rights Groups Erupt Over Bike Built for Armstrong', *The Evening Standard* (Londen), 24 juli 2009.
10. Nancy Collins, 'Lance Armstrong's Home in Austin', *Architectural Digest*, juli 2008.
11. Interview met Dave Bolch, Lance Armstrongs privésecretaris, 2013.
12. Ibid.

### Hoofdstuk 1

1.  Linda Armstrong Kelly, reclamevideo's voor haar lezingen, http://apbspeakers.com/speaker/linda-armstrong-kelly
2.  Kevin Sherrington, 'Mom's Support, Cancer Fight Energized Armstrong', *The Dallas Morning News*, 26 juli 1999.
3.  Linda Armstrong Kelly, met Joni Rodgers, *No Mountain High Enough: Raising Lance, Raising Me* (New York: Broadway Books, 2005).
4.  Ibid., 7.
5.  Ibid., Dankzegging.

6. Ibid.

7. Ibid., 72; Interviews met Willine Gunderson Harroff, Lance Armstrongs grootmoeder van vaderskant, en Micki Rawlings, Lance Armstrongs tante van vaderskant, april 2013.

8. Betty Ann Gunderson Vowell Freeman Trednick, 'Gunderson Family Genealogy', 1 januari 2006.

9. Interviews met Willine Gunderson, Micki Rawlings en vrienden en andere familieleden van Eddie Gunderson die niet bij naam genoemd wilden worden, april 2013.

10. Rechtbankverslagen van de gerechtshoven in Dallas County (Texas) en Collin County (Texas).

11. Armstrong Kelly, met Rodgers, *No Mountain High Enough*, 223.

12. Linda Armstrong Kelly, website van het Harry Walker Agency, dat reclame maakt voor haar spreekbeurten, http://www.harrywalker.com/speaker-bureau/video/Linda-Armstrong-Kelly/Armstrong-Linda.cfm

13. Armstrong Kelly, met Rodgers, *No Mountain High Enough*, 85. Interviews met Willine Gunderson Harroff en Micki Rawlings, april 2013.

14. Brad Townsend, 'Finishing a Hard Ride, Armstrong Reflects on Road from Cancer to Near-Certain Race Win', *The Dallas Morning News*, 25 juli 1999. Kevin Sherrington, 'Mom's Support, Cancer Fight Energized Armstrong', *The Dallas Morning News*, 26 juli 1999.

15. Rechtbankverslagen van de gerechtshoven in Dallas County (Texas) en Collin County (Texas).

16. Interviews met Willine Gunderson Harroff en Micki Rawlings, 2013.

17. Dit verhaal is samengesteld uit interviews met Willine Gunderson Harroff, Micki Rawlings en verschillende familieleden en vrienden van Eddie Gunderson en de voormalige Linda Mooneyham, 2013.

18. Interview met Micki Rawlings, april 2013. Rechtbankverslagen van het gerechtshof van Dallas County.

19. Uit documenten van de gemeente Dallas blijkt geenszins dat het flatgebouw waar de families Gunderson en Mooneyham hebben gewoond ooit een gemeentelijke woonvoorziening is geweest.

20. Armstrong Kelly, met Rodgers, *No Mountain High Enough*, 51.

21. Ibid., 72; J.R. Eggert, 'Lance Rentzel: The Laughter Hasn't Died', recensie van *When All the Laughter Died in Sorrow* van Lance Rentzel, *The Harvard Crimson*, 8 februari 1973.

22. Lance Armstrong, met Sally Jenkins, '*It's Not About the Bike: My Journey Back to Life* (New York: Berkley Books, 2003).

23. Interview met Micki Rawlings, 2013.

24. Ibid.

25. Rechtbankverslagen gerechtshof Dallas County.

26. Artikel in *Algemeen Dagblad* uit 2005, geciteerd in François Inizan, 'Lance's Two Fathers', *L'Equipe*, 2005.

27. 'Interview met Willine Gunderson Harroff, 2013.

## Hoofdstuk 2

1.  Website van Keynote Resources, http://www.keynoteresources.com/LindaArmstrong-Kelly.html
2.  David Tarrant, 'Rookie Cyclist on the Fast Track to Becoming a Sports Icon', *The Dallas Morning News*, 4 juli 1993.
3.  Armstrong Kelly, met Rodgers, *No Mountain High Enough*, 108.
4.  Interview met Adam Wilk, 2013.
5.  Interview met Terry Armstrong, 2013.
6.  Interviews met verschillende mensen die bij Armstrong op school hebben gezeten. Ze wilden niet bij naam vermeld worden uit angst voor represailles.
7.  Interview met Lance Armstrong, 2013. Interview met Terry Armstrong, 2013.
8.  Armstrong, met Jenkins, *It's Not About the Bike*, 23. Interview met Terry Armstrong, 2013.
9.  Interview met Rick Crawford, 2013.
10. Interviews met bestuurders van Colorado Mesa University en Scott Mercier, een consultant van de universitaire wielerploeg, 2013.
11. Interview met Rick Crawford, 2013.
12. Interview met Scott Eder, Armstrongs manager, 2013.
13. Interview met Lance Armstrong, 2013.
14. Armstrong, met Jenkins, *It's Not About the Bike*, 22.
15. Interview met Jim Woodman, voormalige directeur van de triatlon, 2013.
16. Interview met Scott Eder, 2013.
17. Robert Vernon, 'Triple Threat', *The Dallas Morning News*, 29 juli 1989.
18. Robert Vernon, 'Triathlon winners keep on the run', *The Dallas Morning News*, 13 juni 1988.
19. David Tarrant, 'Rookie Cyclist on the Fast Track to Becoming a Sports Icon', *The Dallas Morning News*, 4 juli 1993. *Triathlete*, 1988.
20. Ibid., 29.
21. Interview met Scott Eder, 2013.
22. Interview met Terry Armstrong, 2013.
23. Interview met Adam Wilk, 2013. Interviews met klasgenoten van Lance Armstrong op Plano East High School, 2013. Ze wilden niet dat hun naam vermeld werd om niet de indruk te wekken dat ze hem een trap na geven nu hij het moeilijk heeft.
24. Interviews met Connie Carpenter-Phinney, winnaar van olympisch goud en coach tijdens het wereldkampioenschap voor de jeugd, en Davis Phinney, etappewinnaar tijdens de Tour de France, 2013. John Wilcockson, *Lance: The Making of the World's Greatest Champion* (USA: Da Capo Press, 2009), 68-70.
25. Interviews met de schoolleiding van Plano East High School, 2013. Deze bestuurders wilden niet dat hun naam vermeld werd, omdat ze niet gemachtigd waren over dit onderwerp te spreken.
26. Ibid.
27. Paula Zahn, Kyra Phillips, Sharon Collins, 'Profiles of Lance Armstrong, Will Smith', 19 juli 2003.

28. Interview met Tami Armstrong, 2013.

29. Interview met Terry Armstrong, 2013. Interview met Tami Armstrong, 2013.

## Hoofdstuk 3

De informatie in dit hoofdstuk is voor een deel ontleend aan de audio-opnamen die J.T. Neal van 2000 t/m 2002 heeft gemaakt over zijn leven met Lance Armstrong. Een groot deel van deze informatie werd bevestigd tijdens meer dan twintig interviews met vrienden van de familie Neal, mensen in de wielersport en Armstrongs voormalige vrienden, ploeggenoten en medewerkers van zijn wielerploegen. Andere details in het hoofdstuk berusten op nieuwsberichten of documenten, foto's en memorabilia in het bezit van familieleden van J.T. Neal.

1. Zijn vrouw Frances stamde uit een familie die rijk is geworden in de houtvesterij in het oosten van Texas. Haar grootmoeder, Frankie Carter Randolph, was de oorspronkelijke uitgever van *The Texas Observer*, een links georiënteerde krant die in 1954 werd opgericht.

2. David Tarrant, 'Rookie Cyclist on the Fast Track to Becoming a Sports Icon', *The Dallas Morning News*, 4 juli 1993.

3. Armstrong Kelly, met Rodgers, *No Mountain High Enough*, 171-172.

4. Proces-verbaal, San Marcos, Texas, augustus 1991.

5. Audio-opnamen J.T. Neal. In zijn beëdigde verklaring uit 2012 in de zaak van het United States Anti-Doping Agency tegen Armstrong, vertelde George Hincapie dat hij door de Amerikaanse douane werd aangehouden toen hij in 1996 uit Europa terugkeerde.

6. Interview met Nancy Geisler, juni 2013.

7. Ibid.

8. Interview met Timm Peddie, 2013, en een ander lid van de nationale ploeg dat niet bij naam vermeld wilde worden uit angst voor represailles van Armstrong.

9. Interview met Steve Penny, 2013.

10. Uiteindelijk bleken de vier wielrenners op de poster wel degelijk een achterdeurtje te gebruiken. Alle vier hebben uiteindelijk toegegeven dat ze doping hebben gebruikt en zijn geschorst wegens dopinggebruik of, in het geval van Evanshine, voor het missen van een verplichte dopingcontrole. Om die reden mocht Evanshine niet naar de Olympische Spelen. Elliott Teaford, 'He refuses to be left spinning his wheels', *The Los Angeles Times*, 15 juli 1992.

11. Interview met twee Motorola-renners, die niet bij naam genoemd wilden worden omdat ze niet wilden 'klikken' over Ochowicz, die nog steeds actief is in het profwielrennen en macht uitoefent binnen deze sport.

12. Interview met Stephen Swart, voormalige Motorola-renner en ploeggenoot van Armstrong, 2006 en 2013. Beëdigde verklaring van Stephen Swart, *Lance Armstrong v. sca Promotions, Inc.*, 11 januari 2006.

13. Ibid.

14. Audio-opnamen J.T. Neal, 2000-2002.

15. Interview met Stephen Swart, voormalige Motorola-renner en ploeggenoot

van Armstrong, 2006 en 2013. Beëdigde verklaring van Stephen Swart, *Lance Armstrong v. SCA Promotions, Inc.*, 11 januari 2006.

16. Joe Parkin, *A Dog in a Hat*, VeloPress, 2008.

17. Audio-opnamen J.T. Neal, 2000-2002.

18. Ibid.

19. Interview met een persoon met directe kennis over deze situatie die zijn betrokkenheid niet wilde onthullen, 2013.

20. Armen Keteyian, ABC News, interview met Lance Armstrong en Linda Armstrong, 13 juni 1993.

21. Ibid.

22. Ibid.

23. John Rezell, 'Pedaling toward greatness', *The Orange County Register*, 6 juni 1993.


## Hoofdstuk 4

1. Interview met Stephen Swart.

2. Interviews met wielrenners en dopingcontroleurs, 2013.

3. Christopher S. Thompson, *The Tour de France: A Cultural History* (Berkeley en Los Angeles: University of California Press, 2006), 225-226. Roger Bastide, *Doping: Les surhommes du vélo* (Parijs: Raoul Solar, 1970), 37, 39, 63-64, 99. Patrick Laure, *Le dopage* (Parijs: Presses Universitaires de France, 1995), 26, 49, 59-60, 63-65, 69, 71, 75.

4. Thompson, *The Tour de France*, 190-191. Albert Londres, 'Les Forçats de la Route', *Le Petit Parisien*, 27 juni 1924.

5. Thompson, *The Tour de France*, 229. Bastide, *Doping*, 86-87. Russell Mockridge, voltooid door John Burrowes, *My World on Wheels: The Posthumous Autobiography of Russell Mockridge* (Londen: Stanley Paul, 1960), 96, 131. Mondenard, *Dopage*, 23, 105-107, 169-170. Noret, *Le dopage*, 32-33.

6. Bill en Carol McGann, *The Story of the Tour de France*, Vol. 1: 1903-1964 (Verenigde Staten van Amerika: Dog Ear Publishing, 2006), 211.

7. Thompson, *The Tour de France*, 228.

8. McGann, *The Story of the Tour de France*, 247-248.

9. *Sports Illustrated*, 'Something Extra on the Ball', 30 juni 1969.

10. Thompson, *The Tour de France*, 231-232. Guillet, 'Le doping de l'homme et du cheval', 3-4, 83-85. Rapp, 'Le doping des sportifs', 105, 167.

11. Thompson, *The Tour de France*, 233-234. *L'Humanité*, juni 30, 1966. *Le Monde*, 1 juli 1966. *Le Parisien libéré*, 30 juni 1966.

12. McGann, *The Story of the Tour de France*, Vol. 1.

13. Thompson, *The Tour de France*, 237.

14. Randy Starkman, 'New wonder drug may speed athletes to the killing fields', *The Toronto Star*, 27 april 1991. Lawrence M. Fisher, 'Stamina-Building Drugs Linked to Athletes' Deaths', *The New York Times*, 19 mei 1991.

15. Jeremy Whittle, 'Bjarne Riis's year without lying', *The New York Times*, 2 mei 2008.

16. William Leith, *The Independent*, 1 juli 1991.

17. Randy Starkman, 'New wonder drug may speed athletes to the killing fields', *The Toronto Star*, 27 april 1991.

18. Lawrence M. Fisher, 'Stamina-Building Drugs Linked to Athletes' Deaths', *The New York Times*, 19 mei 1991.

19. Interview met Don Catlin, 2013.

20. Interview met Lance Armstrong, 2013.

21. Robert McG. Thomas Jr., 'usoc Checking Use of Transfusions', *The New York Times*, 10 januari 1985. Bjarne Rostaing en Robert Sullivan, 'Triumphs tainted with blood', *Sports Illustrated*, 21 januari 1985.

22. Rostaing en Sullivan, 'Triumphs tainted with blood', *Sports Illustrated*, 21 januari 1985.

23. Charles Pelkey, 'Wenzel denies charges', *VeloNews*, 3 april 2001. Charles Pelkey, 'Six years later, Strock case comes to court', *VeloNews*, 18 april 2006. Interviews met twee van de wielrenners die in de nationale ploeg zaten ten tijde van het vermeende dopinggebruik. Ze wilden niet bij naam worden genoemd.

24. Jon Sarche, 'Former cyclists settling doping lawsuit', *Associated Press*, 15 september 2006.

25. Dave Phillips, 'Questions remain around doping ties to Armstrong's coach', *The Gazette*, Colorado Springs, Colo., 20 januari 2013.

26. Audio-opnamen J.T. Neal, 2000-2002.

27. Interview met John Hendershot, 2013.

28. Ibid.

29. Ibid.

30. Ibid. Audio-opnamen J.T. Neal.

31. Interviews met Stephen Swart en John Hendershot. Audio-opnamen J.T. Neal.

32. Interview met John Hendershot, 2013.

33. Audio-opnamen J.T. Neal. Interview met George Hincapie, 2013.

34. Interviews met Lance Armstrong, 2013. Interview van Oprah Winfrey met Lance Armstrong, 2013.

35. Interview met John Hendershot, 2013.

36. Jean-Michel Rouet, interview met Michele Ferrari, *L'Equipe*, april 1994.

37. Interview met Max Testa, 2006.

38. Ibid.

39. Ibid.

40. Interview met George Hincapie, 2013. Beëdigde verklaring van Hincapie in de usada-zaak.

41. Interview met Frankie Andreu, 2013. Beëdigde verklaring van Frankie Andreu in de usada-zaak.

42. Interviews met Stephen Swart, 2006 en 2013. Interview met Frankie Andreu, 2013. Beëdigde verklaring van Frankie Andreu in de usada-zaak.

43. Interviews met verschillende renners, onder wie Christian Vande Velde, Jonathan Vaughters en George Hincapie, 2013.

44. Interviews met Stephen Swart, 2006 en 2013.

45. Interview met Lance Armstrong, 2013.

46. Ibid.

47. Interview met Lance Armstrong, 2013. Interview met Stephen Swart, 2013. Interview met George Hincapie, 2013.

48. Audio-opnamen J.T. Neal.

49. Interviews met Jim Ochowicz, 2005, 2009 en 2010.

50. Interview met Lance Armstrong, 2013.

51. Interviews met Stephen Swart, 2006 en 2013.

52. Beëdigde verklaring van Stephen Swart in de USADA-zaak. Interview met Stephen Swart, 2013.

53. Ibid.

54. Interview met Kathy en Greg LeMond, 2006.

55. Interview met Greg LeMond, 2013.

## Hoofdstuk 5

1. Audio-opnamen J.T. Neal.

2. Ibid.

3. Audio-opnamen en documenten van J.T. Neal.

4. Interview met Lance Armstrong, 2013.

5. Interview met de voormalige vriendin Monica Buck, 2013.

6. Audio-opnamen J.T. Neal.

7. Audio-opnamen J.T. Neal.

8. E-mail van Axel Merckx, 1 december 2013.

9. Paul Howard, 'Past that Haunts Roche', Sunday Tribune, 4 april 2004. David Walsh, 'Sports Chief Hails Drug Code', The Sunday Times, 9 maart 2003.

10. Audio-opnamen J.T. Neal.

11. Ibid.

12. Interview met een Italiaanse medewerker aan dit onderzoek, die zijn naam niet vermeld wil zien, omdat het hem niet is toegestaan om in het openbaar over deze zaak te spreken.

13. Audio-opnamen J.T. Neal.

14. Interview met Lance Armstrong, 2013. Interview met John Hendershot, 2013. Audio-opnamen J.T. Neal.

15. Richard Weekes, 'The hard truth behind a waste of life', The Sunday Times, 23 juli 1995.

16. Armstrong, met Jenkins, It's Not About the Bike, 71.

17. Audio-opnamen J.T. Neal.

18. Audio-opnamen J.T. Neal. Interviews met verschillende renners van Motorola, Postal Service en Astana die nooit hebben gezien dat Carmichael Armstrong behandelde. Interview met een oud-medewerker van de RadioShack-ploeg, aan wie Armstrong heeft verteld dat Carmichael hem niet meer heeft gecoacht sinds Ferrari het van hem overnam.

19. Audio-opnamen J.T. Neal. Interview met iemand die op de hoogte is van wat er speelt.

20. Armstrong Kelly, met Rodgers, *No Mountain High Enough*, 214.
21. Audio-opnamen J.T. Neal.
22. Ibid.
23. Ibid.
24. Audio-opnamen J.T. Neal. Interview met Greg en Kathy LeMond, 2006.
25. Interview met Greg en Kathy LeMond, 2006.
26. Samuel Abt, 'Armstrong Without Power, Withdraws from the Tour de France', *The New York Times*, 6 juli 1996.
27. Interviews met Scott en Caroline Neal, twee van de drie kinderen van J.T. Neal, 2013.
28. Audio-opnamen J.T. Neal.
29. Ibid.
30. Interview met Lance Armstrong, 2013. Verklaring van Betsy Andreu in *Lance Armstrong v. SCA Promotions, Inc.*, 17 januari 2006.
31. Audio-opnamen J.T. Neal.
32. Ibid.
33. Armstrong, met Jenkins, *It's Not About the Bike*.
34. Audio-opnamen J.T. Neal.
35. Selena Roberts en David Epstein, 'The Case against Lance Armstrong', *Sports Illustrated*, 24 januari 2011.
36. Interview met John Korioth, 2013.
37. Interview met John Hendershot, 2013.
38. Ibid.
39. Audio-opnamen J.T. Neal. Interviews met John Hendershot en Lance Armstrong, 2013.

### Hoofdstuk 6

1. Interview met Betsy Andreu, 2006.
2. Beëdigde verklaring van Betsy Andreu in *Lance Armstrong v. SCA Promotions, Inc.*, 17 januari 2006. Interview met Betsy Andreu, 2006.
3. Interview met Betsy Andreu, 2006.
4. Interviews met Stephen Swart, Lance Armstrong en twee andere Motorola-renners die anoniem wilden blijven omdat ze niet de indruk wilden wekken dat ze klikten over een voormalige ploeggenoot, 2013.
5. Inleiding over teelbalkanker op de website van de American Cancer Society.
6. Interview met Dr. Arjun Vasant Balar, 2013.
7. Lucio Tentori en Grazia Graziani, Department of Neuroscience, University of Rome Tor Vergata, 'Doping with Growth Hormone/IGF-1, Anabolic Steroids or Erythropoietin: Is there a cancer risk?' 26 januari 2007.

### Hoofdstuk 7

1. Audio-opnamen J.T. Neal. Interview met iemand die op de hoogte is van wat er speelt, maar anoniem wenst te blijven vanwege zakelijke contacten met het bedrijf van Stapleton en de wens de relatie met Stapleton goed te houden.

2. Interview met John Korioth, 2013.

3. Audio-opnamen J.T. Neal en verschillende interviews met mensen die met zowel Neal als Armstrong bevriend zijn geweest, 2013.

4. Interviews met de familie Neal, 2013.

5. Bonnie DeSimone, 'From "Big C" back to big-time cycling', *The Chicago Tribune*, 7 februari 1998.

6. Ibid.

7. Ibid.

8. runfordori.blogspot.com/2007/08/lance-issues-wake-up-call.html

9. Interview met Lance Armstrong, 2013.

10. Audio-opnamen J.T. Neal. Interviews met familieleden van Neal, 2013.

11. Ibid.

12. Ibid.

13. Audio-opnamen J.T. Neal.

14. Ibid.

15. Interview met John Korioth, 2013.

16. Armstrong, met Jenkins, *It's Not About the Bike*, 184.

17. Suzanne Halliburton, 'Austin cyclist back on track after cancer', *Austin American-Statesman*, 27 oktober 1997.

18. Audio-opnamen J.T. Neal.

19. Ibid.

20. Ibid.

## Hoofdstuk 8

1. Interview met Prentice Steffen, 2013. David Walsh, 'Saddled with suspicion', *The Sunday Times*, 8 juli 2001.

2. Ibid.

3. Interview met Jonathan Vaughters, 2013. Interview met Christian Vande Velde, 2013.

4. Interviews met Darren Baker en Scott Mercier, 2013.

5. Beëdigde verklaring van George Hincapie in de USADA-zaak.

6. Interview met George Hincapie, 2013.

7. Ibid.

8. Matt Smith en Lance Williams, Center for Investigative Reporting, 'Will Thomas Weisel, Who Owns Lance Armstrong's U.S. Postal Team, Get Charged With Fraud?' *Bloomberg Businessweek*, 15 januari 2013.

9. Interview met Darren Baker, 2013.

10. Matt Lawton, 'She was the whistleblower who hauled him down, Lance Armstrong was the drug cheat, so what happened when they were brought together again by MailOnline?' *Daily Mail*, 18 november 2013.

11. Interview met Scott Mercier en zijn vrouw Mandie, 2013.

12. Samuel Abt, 'Tour of Spain Is "Last Chance": U.S. Rider Hopes for a Happy Finale', *The New York Times*, 4 september 1997.

13. Interviews met Jonathan Vaughters en Christian Vande Velde, 2013.

14. Beëdigde verklaring van Jonathan Vaughters in de USADA-zaak. Interview met Christian Vande Velde, 2013.

## Hoofdstuk 9

1. Willy Voet en William Fotheringham, 'Observer Sports Monthly: Drugs in sport', *The Observer*, 6 mei 2001.
2. Interview met Jonathan Vaughters, 2013.
3. Interview met een renner die met Celaya in het busje heeft gereden, maar niet bij naam vermeld wilde worden omdat hij niet bij de dopingaffaire betrokken wilde raken.
4. Beëdigde verklaringen van Emma O'Reilly en George Hincapie.
5. Interview met een renner die met Celaya in het busje reed, maar niet bij naam vermeld wilde worden omdat hij niet bij de dopingaffaire betrokken wilde raken.
6. Ibid.
7. Ibid.
8. Beëdigde verklaring van Jonathan Vaughters in de USADA-zaak.
9. Interview met Jonathan Vaughters, 2013.
10. Interviews met Jonathan Vaughters en Christian Vande Velde, 2013.
11. Beëdigde verklaring van Christian Vande Velde in de USADA-zaak.
12. Beëdigde verklaring van Christian Vande Velde in de USADA-zaak. Interview met Christian Vande Velde, 2013.
13. Beëdigde verklaring van Christian Vande Velde in de USADA-zaak.
14. Ibid.
15. Ibid.
16. Interview met Jonathan Vaughters, 2013.
17. Ibid.
18. Ibid.
19. Beëdigde verklaring van Emma O'Reilly in de USADA-zaak.
20. Samuel Abt, 'Tour de France Ends for Riders on the Storm', *The New York Times*, 3 augustus 1998.
21. Interview met Jonathan Vaughters, 2013.
22. Beëdigde verklaringen van Jonathan Vaughters en Christian Vande Velde in de USADA-zaak.

## Hoofdstuk 10

1. David Walsh, *Seven Deadly Sins: My Pursuit of Lance Armstrong* (Londen: Simon & Schuster, 2012), 41.
2. Foto's van de kapel op de website van *Le Figaro*, lefigaro.fr
3. David Walsh, 'Inspired Armstrong brings hope to beleaguered Tour organizers', *The Sunday Times*, 4 juli 1999.
4. Ibid.
5. David Walsh, 'Racing clean, riding high', *The Sunday Times*, 11 juli 1999.
6. Beargumenteerd besluit van het USADA, 115.
7. Interviews met Jonathan Vaughters en Christian Vande Velde, 2013.

8. Interview met Jonthan Vaughters, 2013.

9. Ibid. Beëdigde verklaring van Jonathan Vaughters in de USADA-zaak.

10. Interview met Jonathan Vaughters, 2013.

11. Interviews met Jonathan Vaughters, Christian Vande Velde en David Zabriskie, 2013.

12. Johan Bruyneel, *We Might as Well Win* (Boston: Mariner Books, 2009), 30.

13. Interview met Enrico Carpani, woordvoerder van de International Cycling Union, 2012.

14. Interview met Jonathan Vaughters, 2013. Interview met Christian Vande Velde, 2013.

15. Interview met Jonathan Vaughters, David Zabriskie, Christian Vande Velde, 2013.

16. Ibid. Beëdigde verklaring van Jonathan Vaughters in de USADA-zaak.

17. Ibid.

18. Interview met Jonathan Vaughters, 2013.

19. Beëdigde verklaring van Emma O'Reilly in de USADA-zaak.

20. Ibid.

21. Ibid.

22. Ibid.

23. Beëdigde verklaring van Emma O'Reilly in de USADA-zaak.

24. Ibid.

25. Ibid.

26. Armstrong, met Jenkins, *It's Not About the Bike*, 243.

27. Associated Press, 22 juli 1999.

28. Beëdigde verklaring van Emma O'Reilly in de USADA-zaak.

29. Susanne Craig, 'Banker Behind Armstrong Says He Was Unaware of Doping', *The New York Times*, 17 januari 2013.

30. Matt Lawton, 'She was the whistleblower who hauled him down, Lance Armstrong was the drug cheat, so what happened when they were brought together again by MailOnline?' *Daily Mail*, 18 november 2013.

31. Interview met Lance Armstrong, 2013.

32. Ben Rumsby, 'Lance Armstrong "has an agenda, has made my life a misery"', *The Telegraph*, 17 december 2013.

33. Robin Nicholl, 'Tour de France: Tour has test for new drug', *The Independent*, 17 juli 1999.

34. Interview met Jonathan Vaughters, 2013.

35. James Startt, 'Bassons: "People Now See I Wasn't Lying",' *Bicycling*, 16 oktober 2012.

36. Ibid.

37. Beëdigde verklaring van Jonathan Vaughters.

38. James Startt, 'Bassons: "People Now See I Wasn't Lying",' *Bicycling*, 16 oktober 2012.

39. Ibid.

40. Alexander Wolff, 'My sportsman: Christophe Bassons', *Sports Illustrated*, 12 november 2012.

41. Beëdigde verklaring van Tyler Hamilton.

42. Ibid.

43. Floyd Landis v. Tailwind Sports et al., United States District Court, District of Columbia, No.1:10-cv-00976-RLW.

44. Beargumenteerd besluit van het USADA, 33.

45. Beëdigde verklaring van Tyler Hamilton.

46. Beëdigde verklaring van Frankie Andreu. Interview met Frankie Andreu, 2013.

47. Interviews met Jonathan Vaughters en Christian Vande Velde, 2013.

48. 'Grace under pressure: Armstrong feels stress of yellow jersey, drug accusations', Associated Press, 19 juli 1999.

49. Interview met Armstrong na de veertiende etappe, geplaatst op YouTube.

50. Jenny E. Heller, 'Armstrong makes his position in race – and on drugs – clear', Los Angeles Times, 22 juli 1999.

51. Samuel Abt, 'Armstrong Is Engulfed by Frenzy over Salve', The New York Times, 22 juli 1999.

52. Sal Ruibal, 'Armstrong rises above Tour's shame', USA Today, 22 juli 1999.

53. Christopher K. Hepp, 'Tour de France finds its healer after last year's drug scandal', The Philadelphia Inquirer, 17 juli 1999.

54. John Niyo, 'Armstrong an inspiration: Besides overcoming cancer, he's on a roll in the Tour de France', The Detroit News, 16 juli 1999.

55. Anne Swardson, 'Armstrong rides Tour to the top', The Washington Post, 15 juli 1999.

56. Samuel Abt, 'Armstrong's Tour de France Tour de Force Rolls Uphill', The New York Times, 14 juli 1999.

57. 'Armstrong's spirit fuels comeback', Associated Press, 14 juli 1999.

58. William Fotheringham, 'Armstrong rebuffs drugs slur', The Guardian, 16 juli 1999.

59. Sal Ruibal, 'Armstrong rises above Tour's shame', USA Today, 22 juli 1999.

60. Rachel Alexander, 'Tour de Lance is the toast of France; Inspirational Armstrong: Cancer survivor to race leader', The Washington Post, 22 juli 1999.

61. Interview met Betsy Andreu, 2006.

62. Ibid.

63. Beëdigde verklaring van Frankie Andreu in Armstrong v. SCA Promotions, Inc, 2005.

64. Suzanne Halliburton, 'American in Paris wins it all: Armstrong's Tour victory emotional', Cox News Service, 26 juli 1999.

65. Jocelyn Noveck, 'Vive la Lance! Armstrong completes a grand tour', Associated Press, 25 juli 1999.

66. Christopher K. Hepp, 'Armstrong triumphs', The Philadelphia Inquirer, 26 juli 1999.

67. Bill Sullivan, 'Lone star makes Texas governor proud', The Houston Chronicle, 26 juli 1999.

68. Rachel Alexander, 'Tour de Lance is the toast of France; Inspirational Armstrong: Cancer survivor to race leader', The Washington Post, 22 juli 1999.

69. Bernie Lincicome, 'Hot times this summer for American athletes', *The Chicago Tribune*, 26 juli 1999.

70. Beatriz Terrazas, 'Going Postal', *The Dallas Morning News*, 31 juli 1999.

71. Bruce Horovitz, 'Armstrong rides to market gold', *USA Today*, 4 mei 2000.

72. Ibid.

73. Ibid.

74. Ibid.

75. Suzanne Halliburton, 'Vive la Lance!' *Cox News Service*, 26 juli 1999.

76. Ibid.

77. Frank Litsky, 'Hectic, but Armstrong Spins along', *The New York Times*, 22 augustus 1999.

78. Armstrong, met Jenkins, *Every Second Counts* (New York: Broadway Books, 2003), 9.

79. Philip Hersh, 'Cyclist rides to a miracle', *The Chicago Tribune*, 26 juli 1999.

### Hoofdstuk 11

1. Beëdigde verklaring van Tyler Hamilton.

2. Tyler Hamilton en Daniel Coyle, *The Secret Race* (New York: Bantam Books, 2012), 122-125.

3. Ibid., 120.

4. Suzanne Halliburton, 'Lance says hello to yellow', *Austin American-Statesman*, 11 juli 2000.

5. Erica Bulman, 'IOC bans product at the center of Armstrong controversy', Associated Press, 12 december 2000.

6. Armstrong, met Jenkins, *Every Second Counts*, 93.

7. Ibid., 79.

8. 'Armstrong team assures Tour de France champ will return', Associated Press, 17 december 2000.

9. Hamilton en Coyle, *The Secret Race*, 166-167.

10. Interview met Christian Vande Velde, 2013.

11. Interview met Alisa Schmidt (voorheen Alisa Vaughters), 2013.

12. Interview met Betsy Andreu, 2006.

13. Beëdigde verklaring van Frankie Andreu.

14. Interview met Betsy Andreu, 2006.

15. Ibid.

16. Interview met Betsy Andreu, 2006. Getuigenverklaring van Betsy Andreu in de SCA Promotions-zaak, 2005.

17. Ibid.

18. Interview met Betsy Andreu, 2006.

19. Ibid.

20. Interview met Frankie Andreu, 2009.

21. Beëdigde verklaring van Tyler Hamilton. Hamilton en Coyle, *The Secret Race*.

22. 'Interview met Jonathan Vaughters, 2013.
23. Interview met Christian Vande Velde, 2013.
24. Hamilton en Coyle, *The Secret Race*, 139.
25. Rapport van World Anti-Doping Agency Independent Observers, 2003.
26. Beëdigde verklaring van Jonathan Vaughters.
27. Interview met George Hincapie, 2013. Beëdigde verklaring van George Hincapie.
28. Beëdigde verklaring van Jonathan Vaughters en David Zabriskie. Interviews met Jonathan Vaughters en David Zabriskie, 2013.
29. Hamilton en Coyle, *The Secret Race*, 137.
30. Ibid., 148-149.
31. Beëdigde verklaring van Floyd Landis.
32. Interview met Martíal Saugy, 2013.
33. Ibid.
34. Ibid.
35. Ibid.
36. Interview met Martíal Saugy, 2013.
37. David Walsh, 'Saddled with Suspicion', *The Sunday Times*, 8 juli 2001.
38. Samuel Abt, 'Armstrong Says Doctor Never Talked About Drugs', *The New York Times*, 10 juli 2001.
39. Ibid.
40. Ibid.
41. Associated Press, 10 juli 2001.
42. Associated Press, 23 juli 2001.
43. David Walsh, 'Paradise lost on Tour', *The Sunday Times*, 29 juli 2001.

## Hoofdstuk 12

1. Beëdigde verklaring van Renzo Ferrante, een gerechtsdienaar bij de Italiaanse Carabinieri SAS, beargumenteerd besluit van het USADA.
2. Hamilton en Coyle, *The Secret Race*, 132.
3. Dave Philipps, 'Questions remain about doping ties to Armstrong's coach', *The Gazette* (Colorado Springs, Colorado), 20 januari 2013.
4. Interview met Chris Carmichael, 2006.
5. Audio-opnamen J.T. Neal. Interview met Frances Neal, 2013.
6. Audio-opnamen J.T. Neal. Interviews met Lance Armstrong, John Korioth en iemand die op de hoogte is van wat er speelt.
7. Beargumenteerd besluit van het USADA, 107.
8. Audio-opnamen J.T. Neal.
9. Ibid.
10. Ibid.
11. Ibid.
12. Armstrong Kelly, met Rodgers, *No Mountain High Enough*, 255.
13. Ibid., 255.
14. Ibid., 256-257.

15. Ibid., 257.
16. Ibid., 257.

## Hoofdstuk 13

1. Interview met David Zabriskie, 2013.
2. Interview met David Zabriskie, 2013. Interview met Sheree Hamik (voorheen Sheree Zabriskie), de moeder van David Zabriskie, 2013. Rechtbankverslagen van het politiekorps van Salt Lake City.
3. Ibid.
4. Ibid. Interview met Matt DeCanio, 2013.
5. Interview met David Zabriskie, 2013.
6. Ibid. Beëdigde verklaring van Michael Barry, 2013.
7. Interview met David Zabriskie, 2013.
8. Ibid.
9. Ibid.
10. Interview met David Zabriskie, 2013.
11. Beëdigde verklaring van Michael Barry. Interview met Michael Barry, 2012.
12. Interview met Michael Barry, 2012.
13. Beëdigde verklaring van Michael Barry.
14. Interviews met David Zabriskie, 2013, en Michael Barry, 2012. Beëdigde verklaringen van David Zabriskie en Michael Barry.
15. Interview met Michael Barry, 2012. Beëdigde verklaring van Michael Barry in de USADA-zaak, 2012.
16. Interview met David Zabriskie, 2013. Interview met Michael Barry, 2012.

## Hoofdstuk 14

1. Interview met George Hincapie, 2013.
2. Interview met veel renners van Postal Service, onder meer David Zabriskie en Jonathan Vaughters. Diverse renners wilden dat hun naam onvermeld bleef, omdat ze niet in het dopingschandaal rond Armstrong betrokken wilden worden. Interview met Allen Lim, 2013.
3. Interviews met David Zabriskie, 2013, en Allen Lim, 2013.
4. Interview met David Zabriskie, 2013.
5. Ibidem.
6. Bewijsstuk A, beëdigde verklaring van Floyd Landis.
7. Beëdigde verklaring van Floyd Landis in de USADA-zaak.
8. Paul Kimmage, volledig transcript van zijn interview met Floyd Landis, *VeloNews*, 1 februari 2011.
9. Floyd Landis, met Loren Mooney, *Positively False: The Real Story of How I Won the Tour de France* (New York: Simon Spotlight Entertainment, 2007), 3.
10. Ibid.
11. Beëdigde verklaring van Floyd Landis in de USADA-zaak.
12. Interviews met Christian Vande Velde en George Hincapie, 2013.
13. Samuel Abt, 'Over the Years, the World According to Lance', *The New York Times*, 26 juli 2005.

14. Ibid.
15. *The Washington Times*, 29 juli 2002.
16. Samuel Abt, 'Getting Things Right, So No One Can Follow', *The New York Times*, 29 juli 2002.
17. Armstrong, met Jenkins, *Every Second Counts*, 93-94.
18. Interview met Mike Anderson, Armstrongs voormalige monteur en persoonlijk assistent, 2013.
19. Advocaten die zich bezighielden met Armstrongs rechtszaken, 2012 en 2013.
20. Mike Anderson, 'My Life with Lance Armstrong', Outside Online, 31 augustus 2012.
21. Interview met Jonathan Vaughters, 2013.
22. Interviews met verschillende bij het project betrokkenen. Ze wilden hun naam niet geven, want ze willen niet de indruk wekken dat ze Livestrong en de doelstellingen van de stichting hebben geschaad.
23. Ibid.
24. Claire Cozens, 'Top cyclist to sue Sunday Times over doping claims', *The Guardian*, 15 juni 2004.
25. Suzanne Halliburton, 'Discovery Channel to back team', *Austin American-Statesman*, 16 juni 2004.
26. Daniel Coyle, *Lance Armstrong's War* (New York: Harper, 2004), 186.
27. Beëdigde verklaring van Betsy Andreu in de USADA-zaak.
28. Bewijsstuk in de zaak-Armstrong tegen SCA Promotions Inc.
29. Ibid.
30. David Walsh, *Seven Deadly Sins: My Pursuit of Lance Armstrong* (Londen: Simon & Schuster, 2012), 281-282.
31. Beëdigde verklaring van Floyd Landis, 2013, en interview met George Hincapie, 213.
32. Beëdigde verklaring van Filippo Simeoni.
33. Justin Davis, '*Armstrong settles score with Simeoni*', Agence France Presse, 23 juli 2004.
34. Samuel Abt, 'Armstrong Takes Time to Satisfy a Grudge', *The New York Times*, 24 juli 2004.
35. Matt Lawton: 'Zij was de klokkenluidster die hem omlaag had gehaald, Lance Armstrong was de dopingzwendelaar, dus wat gebeurde er toen ze door MailOnline weer werden herenigd?' *Daily Mail*, 18 november 2013.
36. Bewijsstuk in de zaak-Armstrong tegen SCA Promotions Inc.
37. Interviews met George Hincapie en Frankie Andreu, 2013.
38. Paul Kimmage.
39. Interview met David Zabriskie, 2013.
40. Interview met Steve Johnson.
41. Getuigenis van Tyler Hamilton in de Operación Puerto, een Spaanse doping-affaire, 2012.
42. Hamilton en Coyle, *The Secret Race*, 214
43. Ibid.

## Hoofdstuk 15

1. Interview met Richard Young, vennoot bij het advocatenkantoor Bryan Cave in Colorado Springs, ex-vennoot bij Holme Roberts & Owen en extern raadsman voor het USADA.
2. Interview met Travis Tygart, 2013.
3. Interview met Jonathan Vaughters, 2013.

## Hoofdstuk 16

1. United States of America ex. Rel. Floyd Landis tegen Tailwind Sports Corporation, Tailwind Sports, L.L., Montgomery Sports, Inc., Capital Sports & Entertainment, Thomas Weisel, Lance Armstrong, Johan Bruyneel, William Stapleton en Barton Knaggs, gearchiveerd in het United States District Court voor het District of Columbia, 2010.
2. Beëdigde verklaring van Floyd Landis in de USADA-zaak. Reed Albergotti en Vanessa O'Connell, 'The Case of the Missing Bikes', *The Wall Street Journal*, 3 juli 2010.
3. Ibid.
4. Reed Albergotti en Vanessa O'Connell, 'The Case of the Missing Bikes', *The Wall Street Journal*, 3 juli 2010.
5. Ibid.
6. Interviews met JonathanVaughters en David Zabriskie, 2013.
7. Interview met Allen Lim, 2013.
8. Ibid.
9. Interviews met Allen Lim en David Zabriskie, 2013.
10. Interview met Allen Lim, 2013.
11. Ibid. Beëdigde verklaring van Levi Leipheimer in de USADA-zaak.
12. Bonnie D. Ford, 'ESPN.com's Q&A with Floyd Landis', '*ESPN.com*', 24 mei 2010.
13. Interview met Allen Lim, 2013.
14. Ibid.
15. Ibid.
16. Ibid.
17. Ibid.
18. Ibid. Interview met David Zabriskie, 2013. Beëdigde verklaring van Levi Leipheimer in de USADA-zaak.
19. Interviews met Allen Lim, Jonathan Vaughters en David Zabriskie, 2013. Beëdigde verklaring van Levi Leipheimer in de USADA-zaak.
20. Interviews met Allen Lim, Jonathan Vaughters en David Zabriskie, 2013.
21. Interview met Allen Lim, 2013.
22. Bewijsstuk bij de beëdigde verklaring van Jonathan Vaughters in de USADA-zaak.
23. Interview met Allen Lim, 2013.
24. Kim Horner, 'Banded together worldwide army of supporters is united by goal', *The Dallas Morning News*, 5 juli 2005.

25. Twee employés van Nike die niet met hun naam vermeld willen worden omdat ze niet in het openbaar over bedrijfszaken mogen spreken.
26. Statistische gegevens van USA Cycling.
27. Richard Sandomir, 'Stages in the Global Branding of the Tour de Lance are About to Begin', *The New York Times*, 26 juli 2005.

## Hoofdstuk 17

1. Interviews met Bob Hamman, Chris Hamman en Jeff Tillotson, 2006 en 2013.
2. Advertentie van Capital Sports & Entertainment in *Sports Business Journal*, september 2004.
3. Interview met een goede kennis van Stapleton die uit angst voor represailles niet herkenbaar wilde zijn en twee employés van de UCI die eveneens niet herkenbaar wilden zijn, uit vrees dat ze hun baan zouden verliezen.
4. Stephen Farrand, 'McQuaid reveals Armstrong made two donations to the UCI', *Cyclingnews*, 10 juli 2010.
5. Reed Albergotti en Vanessa O'Connell, 'New Twist in Armstrong Saga', *The Wall Street Journal*, 17 januari 2003.
6. Ibid.
7. Interview met Jeff Tillotson, 2013.
8. Jim Vertuno, 'Armstrong gets strong backing from USA Cycling', Associated Press, 26 augustus 2005.
9. Interview met Dick Pound, 2012.
10. John Rawling, 'Nasty postscript to hero's tale', *The Guardian*, 29 augustus 2005.
11. Ibid.
12. Interview met Jeff Tillotson, 2013.
13. Interview met Frankie Andreu, 2013.
14. Interviews met Stephen Swart, Lance Armstrong en George Hincapie, 2013.
15. Indiana University, *News Release*, 27 oktober 2005.
16. Beëdigde verklaring van Craig Nichols.
17. Audio-opname van het bericht dat Stephanie McIlvain insprak op het antwoordapparaat van Betsy Andreu.

## Hoofdstuk 18

1. Interview met Jeff Tillotson, 2013.
2. Toby Sterling, 'Dutch Lawyer vows independent investigation into Armstrong doping allegations', Associated Press, 10 oktober 2005.
3. Arthur Max, 'Report clears Armstrong of doping in 1999 Tour de France', Associated Press, 1 juni 2006.
4. *Fort Worth Star Telegram*, 'Sweet Vindication', 5 juni 2006.
5. Associated Press, 2 juni 2006.
6. 'Armstrong picks up honorary degree', Associated Press, 22 mei 2006.
7. Juliet Macur, '2 Ex-Teammates of Cycling Star Admit Drug Use', *The New York Times*, 12 september 2006.

8. Jim Litke, 'Armstrong says report teammates used EPO was "hatchet job"', Associated Press, 12 september 2006.

9. Sal Ruibal, 'Armstrong chops back at hatchet job', USA Today, 13 september 2006.

10. Interview met Betsy Andreu, 2006.

11. Interview met David Zabriskie, 2013.

12. Ibid.

13. In een vraaggesprek dat Bonnie D. Ford met Landis had en dat op 24 mei 2010 in ESPN.com verscheen, verklaarde Landis dat Witt 'erbij betrokken was en hulp bood' bij Landis' dopinggebruik.

14. Interview met David Zabriskie, 2013.

15. Interview met Allen Lim, 2013.

### Hoofdstuk 19

1. Chuck Salter, 'Livestrong Leverage: How the $50 Million Foundation Helped Texas Win $3 Billion in Cancer Funding', Fast Company, 3 november 2010.

2. Ibid.

3. Douglas Brinkley, 'Lance Armstrong Rides Again', Vanity Fair, 9 september 2008.

4. John Wilcockson, Lance: The Making of the World's Greatest Champion (Verenigde Staten van Amerika: Da Capo, 2009), 6.

5. Brian Alexander, 'The Awful Truth About Drugs in Sports', Outside, 1 juli 2005.

6. Interview met Doug Ellis, 2012.

7. Ibid.

8. Interviews met verschillende tegen doping gekante wetenschappers die met Bordry hebben samengewerkt. Ze wilden niet dat hun namen werden vermeld, omdat hun gesprekken met Bordry vertrouwelijk moesten blijven.

9. Interview met Lance Armstrong, 2013. Interview met Jonathan Vaughters, 2013.

10. Agence France Presse, 'Cycling: Why are you coming back, Lance? asks Leblanc', 30 september 2008.

11. Suzanne Haliburton, 'Wait Till Next Year', Austin American-Statesman, 27 juli 2009.

12. Interviews met Lance Armstrong, 2012 en 2013. Interview met Johan Bruyneel, 2010.

13. Ibid. Interviews met George Hincapie, Jonathan Vaughters en David Zabriskie, 2013.

14. Interview met een goede vriend van Williams die zijn naam niet vermeld wil zien uit angst dat hij Williams' vertrouwen zal schenden, 2013.

15. Reed Albergotti en Vanessa O'Connell, 'For Cycling's Big Backers, Joy Ride Ends in Grief', The Wall Street Journal, 18 december 2010.

16. Interview met Lance Armstrong, 2013.

17. Interview met een goede vriend van Williams die zijn naam niet vermeld wil

zien uit angst dat hij Williams' vertrouwen zal schenden, 2013.

18. Reed Albergotti en Vanessa O'Connell, 'For Cycling's Big Backers, Joy Ride Ends in Grief', *The Wall Street Journal*, 18 december 2010.

19. Interview met een goede vriend van Williams die zijn naam niet vermeld wil zien uit angst dat hij Williams' vertrouwen zal schenden, 2013.

20. Ibid.

21. Interview met David Zabriskie, 2013.

22. Ibid. Interviews met Jonathan Vaughters en David Zabriskie, 2013.

23. Interview met een goede vriend van Williams die zijn naam niet vermeld wil zien uit angst dat hij Williams' vertrouwen zal schenden, 2013.

24. Reed Albergotti en Vanessa O'Connell, 'For Cycling's Big Backers, Joy Ride Ends in Grief', *The Wall Street Journal*, 18 december 2010.


## Hoofdstuk 20

1. Beëdigde verklaring van David Zabriskie en interview met David Zabriskie, 2013.

2. Beëdigde verklaring van Floyd Landis in de USADA-zaak, Bewijsstuk B.

3. Ibid.

4. Beëdigde verklaring van Floyd Landis.

5. Interview met Andrew Messick, 2012.

6. Sara Corbett, 'The Outcast', *The New York Times Play Magazine*, 19 augustus 2007.

7. United States Attorney's Office, Southern District of California, communiqué voor de pers, 'Former Pro Cyclist Floyd Landis Admits Defrauding Donors and Agrees to Pay Hundreds of Thousands of Dollars in Restitution', 24 augustus 2012.

8. Interview met Andrew Messick, 2012.

9. Jacquelin Magnay, 'Spanish cyclist Jesús Manzano says he was given dog, cattle and horse medication by Eufemiano Fuentes', *The Telegraph*, 13 februari 2013.

10. Interview met Travis Tygart, 2012.

11. Ibid.

12. Ibid.

13. Ibid. Interviews met wetshandhavers die zich met de zaak bezighielden en zich niet in het openbaar mochten uitlaten over de zaken waaraan ze hadden gewerkt.

14. Interview met George Hincapie, 2013. Interview met Christian Vande Velde, 2013. Interview met David Zabriskie, 2013.

15. Interview met een goede vriend en collega van Williams die zijn naam niet vermeld wil zien uit angst dat hij Williams' vertrouwen zal schenden, 2013.

16. Interview met iemand uit de RadioShack-ploeg die niet over privégesprekken aan boord van de ploegbus mocht spreken, 2013.

17. *The Los Angeles Daily News*, 'Cyclists: Doping charges outlandish', 22 mei 2010.

18. Interview met David Zabriskie, 2013.
19. Interview met George Hincapie, 2013.
20. Ibid.
21. Op YouTube te bekijken videobeelden van Armstrong, gemaakt vanuit de ploegleidersauto van RadioShack, *Bicycling*, op 14 mei 2012 op internet gezet.

## Hoofdstuk 21

1. Beëdigde verklaring van Tom Danielson.
2. Beëdigde verklaring van Christian Vande Velde.
3. Bonnie D. Ford, 'Landis admits doping, accuses Lance', ESPN.*com*, 21 mei 2010.
4. Ibid.
5. Paul Kimmage, 'Complete transcript: Paul Kimmage's interview met Floyd Landis', *VeloNews*, 1 februari 2011.
6. Bonnie D. Ford, 'Landis admits doping, accuses Lance', ESPN.*com*, 21 mei 2010.
7. Interview met David Zabriskie, 2013.

## Hoofdstuk 22

1. Interviews met verschillende opsporingsambtenaren die van de zaak op de hoogte waren. Ze wilden hun namen niet vermeld zien, want het is hun niet toegestaan om in het openbaar over hun zaken te spreken.
2. Interview met Chris Manderson, de advocaat van Hamilton, 2013.
3. Reed Albergotti en Vanessa O'Connol, 'The Case of the Missing Bikes', *The Wall Street Journal*, 3 juli 2010.
4. Michael Specter, 'The Long Ride', *The New Yorker*, 15 juli 2002.
5. Interview met Chris Manderson, 2013.
6. Neal Rogers, 'Lance Armstrong: crashes not result of distraction by federal inquiry', *VeloNews*, 18 juli 2010.
7. Interviews met verschillende mensen die bij de zaak betrokken zijn en niet in het openbaar over de kwestie mogen spreken, 2012 en 2013.
8. Reed Albergotti, 'Armstrong Lobbying Targeted Investigator', *The Wall Street Journal*, 19 februari 2013.
9. Interview met twee mensen die van Fabiani's gesprek met Armstrong op de hoogte waren. Deze mensen wilden anoniem blijven, om te voorkomen dat men zal vinden dat ze Armstrongs vertrouwen hebben misbruikt.
10. Interview met Chris Manderson, 2013.
11. Hamilton en Coyle, *The Secret Race*, 258-259.
12. Beëdigde verklaring van Levi Leipheimer.
13. Interview met twee advocaten die bij de ontmoeting aanwezig waren en daar in het openbaar over mogen spreken, april 2013.
14. Ibid.
15. Ibid.
16. Interviews met twee mensen die direct op de hoogte van het onderzoek wa-

ren, maar niet in het openbaar over de zaak mochten spreken, 2013.

17. Interview met de opsporingsambtenaar die met Birotte had gesproken. Deze man wilde niet dat zijn naam werd vermeld, omdat hij niet in het openbaar over het onderzoek en de onderzoeksresultaten mocht spreken.

18. Schrijven van het ministerie van Justitie betreffende de wet op de vrijheid van informatie.

### Hoofdstuk 23

1. Interviews met een goede vriend van Williams die zijn naam niet vermeld wil zien omdat hij Williams' vertrouwen niet wil beschamen, en met twee mensen die van de situatie op de hoogte waren, maar er niet over mochten spreken, 2013.

2. Interviews met Christian Vande Velde in februari 2013, en met George Hincapie in juli 2013.

3. Interview met Micki Rawlings, de zus van Gunderson.

4. Ibid.

5. Pete Yost, 'Influence Game: Armstrong's Lobbying Circle', Associated Press, 17 juli 2012.

6. Interviews met stafleden, onder wie George Schmidt, van het advocatenkantoor van Serrano.

7. Ibid.

8. Ibid.

9. Interview met twee USOC-officials en twee USADA-officials die hun naam niet vermeld wilden zien omdat ze niet in het openbaar namens hun organisatie mogen spreken, 2013.

10. Interview met Lance Armstrong, 2013.

### Hoofdstuk 24

1. Interviews met verschillende mensen met directe kennis van de reacties toen het USADA-rapport op internet werd gezet, 2013. Uit angst dat Armstrong hen niet meer zou vertrouwen wilden ze niet dat hun namen werden vermeld.

2. Ibid.

3. Interview met Annie Skinner, woordvoerder van het USADA, 2013.

4. Interviews met verschillende mensen met directe kennis van de reacties toen het USADA-rapport op internet werd gezet, 2013. Uit angst dat Armstrong hen niet meer zou vertrouwen wilden ze niet dat hun namen werden vermeld.

### Hoofdstuk 25

1. Interview met Lance Armstrong, 2013.

2. Interview met Mark McKinnon, 2013.

3. Ibid.

4. Interviews met twee mensen die de ontmoeting bijwoonden en tevens met verschillende mensen die over de ontmoeting werden ingelicht. Ze wilden niet dat hun namen werden vermeld, want ze mochten niet in het openbaar over de ontmoeting spreken.

5. Ibid.
6. Ibid.
7. Ibid.
8. Ibid.
9. Ibid.
10. Interview met Lance Armstrong, 2013.
11. Interview met Adam Wilk, 2013.
12. Interview met Doug Ulman, CEO van Livestrong, juni 2013.
13. Interviews met Bob Hamman en Jeff Tillotson, april 2013.
14. CBS News, 19 juli 2013.
15. Interviews met twee mensen die bij de zaak betrokken waren, 2013. Ze wilden liever niet worden geïnterviewd omdat de zaak nog liep.

## Epiloog
1. E-mail die door Lance Armstrong aan de auteur werd verstuurd, 10 oktober 2006.

# Bibliografie

Allison, Scott T. en George R. Goethals. *Heroes: What They Do and Why We Need Them.* New York: Oxford University Press, 2011.

Armstrong, Lance, met Sally Jenkins. *It's Not About the Bike: My Journey Back to Life.* New York: Berkley Books, 2000.

Armstrong, Lance, met Sally Jenkins. *Every Second Counts.* New York: Broadway Books, 2003.

Armstrong Kelly, Linda, met Joni Rodgers. *No Mountain High Enough: Raising Lance, Raising Me.* New York: Broadway Books, 2005.

Ballester, Pierre en David Walsh. *L.A. Confidentiel: Les secrets de Lance Armstrong.* Europe: La Martinière, 2006.

Bruyneel, Johan. *We Might as Well Win.* Boston: Mariner Books, 2009.

Campbell, Joseph. *The Hero with a Thousand Faces.* Novato, Californië: New World Library, 2008.

Carlyle, Thomas. *On Heroes, Hero-Worship, and the Heroic in History.* Lexington, Kentucky: 2013.

Coyle, Daniel. *Lance Armstrong's War.* New York: HarperCollins, 2005.

Hamilton, Tyler en Daniel Coyle. *The Secret Race: Inside the Hidden World of the Tour de France: Doping, Cover-ups, and Winning at All Costs.* New York: Bantam Books, 2012.

Hatton, Caroline. *The Night Olympic Team: Fighting to Keep Drugs Out of the Games.* Honesdale, Pennsylvania: Boyds Mills Press, 2008.

Kimmage, Paul. *Rough Ride: Behind the Wheel with a Pro Cyclist.* Groot-Brittannië: Stanley Paul & Co. Ltd., 1990.

Landis, Floyd, met Loren Mooney. *Positively False: The Real Story of*

*How I Won the Tour de France*. New York: Simon Spotlight Entertainment, 2007.

McGann, Bill en Carol. *The Story of the Tour de France*, Deel 1: 1903-1964. Verenigde Staten van Amerika: Dog Ear Publishing, 2006.

McGann, Bill en Carol. *The Story of the Tour de France*, Deel 2: 1965-2007. Verenigde Staten van Amerika: Dog Ear Publishing, 2008.

Millar, David. *Racing Through the Dark*. Groot-Brittannië: Orion Books, 2011.

Parisotto, Robin. *Blood Sports: The Inside Dope on Drugs in Sport*. Australië: Hardie Grant Books, 2006.

Parkin, Joe. *A Dog in a Hat: An American Bike Racer's Story of Mud, Drugs, Blood, Betrayal, and Beauty in Belgium*. Boulder, Colorado: VeloPress, 2008.

Sharp, Kathleen. *Blood Medicine: Blowing the Whistle on One of the Deadliest Prescription Drugs Ever*. New York: Plume, 2012.

Thompson, Christopher S. *The Tour de France: A Cultural History*. Berkeley, Los Angeles en Londen: University of California Press, 2006.

Walsh, David. *From Lance to Landis: Inside the American Doping Controversy at the Tour de France*. New York: Ballantine Books, 2007.

Walsh, David. *Seven Deadly Sins: My Pursuit of Lance Armstrong*. Londen: Simon & Schuster, 2012.

Wereld Anti-Doping Agentschap. Wereld Anti-Doping Code, 2009.

Whittle, Jeremy. *Bad Blood: The Secret Life of the Tour de France*. Londen: Yellow Jersey Press, 2008.

Wilcockson, John. *Lance: The Making of the World's Greatest Champion*. Verenigde Staten van Amerika: Da Capo Press, 2009.

# Register

*De leugens van Lance* werd in de winter van 2014, in opdracht van Uitgeverij Thomas Rap te Amsterdam, gedrukt bij Koninklijke Wöhrmann te Zutphen. Het omslag werd ontworpen door b'IJ Barbara, Amsterdam, de typografie van het binnenwerk werd verzorgd door Peter Verwey, Heemstede. De omslagfoto is gemaakt door Joel Salcido Images en de auteursfoto door Andrew P. Scott.

Oorspronkelijke titel *Cycle of Lies*
Oorspronkelijke uitgever HarperCollins, New York


ISBN 978 94 004 0247 8
NUR 480


www.thomasrap.nl